KV-445-671

MURHAAJAN MIELI

CHRIS CARTER

MURHAAJAN MIELI

Suomentanut Inka Parpola

Helsingissä Kustannusosakeyhtiö Otava

Englanninkielinen alkuteos
An Evil Mind

First published in Great Britain by Simon & Schuster UK Ltd, 2014
A CBS COMPANY

ISBN 978-951-1-48902-3

Tämä kirja eroaa suuresti kaikista aiemmista kirjoistani. Tämä on nimittäin ensimmäinen trillerini, jonka juoni ja henkilöhahmot perustuvat suurimmilta osin todellisiin tapahtumiin ja ihmisiin, jotka tapasin työskennellessäni rikolliseen käyttäytymiseen perehtyneenä psykologina. Nimet on luonnollisesti muutettu.

Haluan omistaa tämän romaanin kaikille lukijoille, jotka osallistuivat Isossa-Britanniassa järjestettyyn kilpailuun. Sen voittaja, Karen Simpson Etelä-Walesista, pääsi kirjaani uhriksi. Karen on hyvä tyyppi! Toivottavasti te kaikki nautitte lopputuloksesta.

ENSIMMÄINEN OSA

Väärä mies

Yksi

”Huomenta, seriffi. Huomenta, Bobby”, huikkasi tiskin takaa pulska ruskeatukkainen tarjoilijatyttö, jolla oli pieni sydäntatuointi vasemmassa ranteessaan. Hänen ei tarvinnut katsoa oikealla puolellaan roikkuvaa seinäkelloa. Hän tiesi, että se näytti hiukan yli kuutta aamulla.

Seriffi Walton ja hänen apulaisensa Bobby Dale saapuivat kellontarkasti keskiviikkoaamuisin tyydyttämään makeanhimonsa Noran taukopaikkakuppilaan, joka sijaitsi aivan Wheatlandin liepeillä Kaakkois-Wyomingissa. Huhujen mukaan Nora's Dinerista sai koko Wyomingin parhaat piirakat. Eri resepti viikon jokaiselle päivälle. Keskiviikko oli omenakanelipiirakkapäivä, ja se oli seriffi Waltonin suosikki. Hän oli hyvin tietoinen siitä, että ensimmäinen piirakkasatsi tuli uunista tasan kello 06.00. Mikään ei voittanut vastaleivottua piirasta.

”Huomenta, Beth”, Bobby vastasi ja pyyhki sadeveden kastelemaa takkiaan ja housujaan. ”Sanonpahan vain, että helvetin tulvaportit ovat auki”, hän lisäsi ja ravisteli jalkaansa kuin olisi juuri virtsannut päälleen.

Kaakkois-Wyomingissa satoi kesäisin kaatamalla tuon tuosta, mutta aamuinen myräkkä oli omaa luokkaansa ja toistaiseksi pahin laatuaan tänä vuonna.

”Huomenta, Beth”, seriffi Waltonkin sanoi. Hän riisui hattunsa, kuivasi kasvonsa nenäliinaan ja silmäili nopeasti ympärilleen. Tähän aikaan aamusta – ja tällaisessa sateessa – kuppilassa oli rutkasti vähemmän väkeä kuin tavallisesti. Vain kolme viidestätoista pöydästä oli varattu.

Alle kolmikymppinen pariskunta, mies ja nainen, istui ovea lähimpänä olevassa pöydässä nauttimassa pannukakkuaamiaista. Seriffi tuumaili, että ulos pysäköity, jo paremmat päivänsä nähnyt hopeinen VW Golf kuului heille.

Seuraavassa pöydässä istui suuri, hikinen, kaljuksi ajeltu mies, jonka täytyi painaa vähintään 160 kiloa. Hän oli lastannut eteensä pöydälle sellaisen määrän sapuskaa, että sillä olisi kepeästi ruokkinut kaksi hyvin nälkäistä ihmistä, kenties jopa kolme.

Viimeisen ikkunanvieruspöydän oli vallannut suurikokoinen, harmaatukkainen mies, jolla oli tuuheat hevosenkengän malliset viikset sekä vino nenä. Kyynärvarret olivat haalistuneiden tatuointien peitossa. Hän oli jo syönyt aamiaisensa ja nojaili nyt tuoliinsa hypistellen tupakka-askia mietteliään näköisenä, kuin hänellä olisi vaikea valinta edessään.

Seriffi Walton tiesi, että ulkopuolelle pysäköidyt kaksi rekkaa kuuluivat edellä mainituille henkilöille.

Tiskin päässä istui kahvia siemaillen ja suklaakuorrutteista donitsia nauttien miellyttävästi pukeutunut, nelikymppinen mies. Tukka oli lyhyt ja hyvin hoidettu, tyylikäs parta siististi trimmattu. Mies selaili aamun lehteä. Hänen täytyi olla kuppilan viereen pysäköidyn tummansinisen Ford Tauruksen omistaja, seriffi Walton päätteli.

"Saavuitte juuri parahiksi", Beth sanoi ja iski seriffille silmää. "Piirakat tulivat hetki sitten uunista." Hän kohautti hiukan olkapäitään. "Mutta senhän te taisitte tietääkin."

Vastapaistetun, kanelilla höystetyn omenapiirakan makea tuoksu oli jo vallannut kuppilan.

Seriffi Walton hymyili. "Se tavallinen, Beth", hän sanoi ja istuutui tiskin ääreen.

"Hetki pieni", Beth vastasi ja pujahti keittiöön. Hän palasi muutaman sekunnin kuluttua kahden höyryävän, ekstrasuuren, hunajakermalla kuorrutetun piirakanpalan kera. Sen täydellisempää herkkua sai hakea.

"Tuota noin..." tiskin toisessa päässä istuva mies sanoi ja kohotti varovasti sormeaan kuin lapsi, joka pyytää opettajalta lupaa puhua.

”Olisiko tuota piirakkaa vielä jäljellä?”

”Onpa hyvinkin”, Beth vastasi ja väläytti miehelle hymyn.

”Saisinko siinä tapauksessa viipaleen?”

”Jep, tänne myös”, suurikokoinen rekkakuski huikkasi pöydästään ja kohotti kättään. Hän nuoli jo huuliaan.

”Ja tänne”, hevosenkenkäviiksinen mies sanoi ja työnsi tupakka-askin takaisin takintaskuunsa. ”Tuoksuu hiton hyvältä.”

”Ja maistuu myös”, Beth lisäsi.

”Hyvä ei riitä kuvailemaan sitä alkuunkaan”, seriffi Walton sanoi ja kääntyi kohti pöytiä. ”Pääsette kohta piirastaivaaseen.” Yhtäkkiä hänen silmänsä laajenivat hämmästyksestä. ”Ei saatana”, hän henkäisi ja hypähti istuimeltaan.

Seriffin reaktio sai Bobby Dalen heilahtamaan välittömästi ympäri ja seuraamaan seriffin katsetta. Suuresta ikkunasta aivan parikymppisen pariskunnan takana näkyivät avolava-auton etuvalot. Auto kaahasi suoraan heitä kohti täysin hallitsemattoman oloisesti.

”Mitä helvettiä?” Bobby sanoi ja nousi pystyyn.

Kaikki kuppilassa kääntyivät kohti ikkunaa, ja jokaisen kasvoilta heijastui sama järkytys. Ajoneuvo syöksyi heitä kohti kuin ohjus. Se ei osoittanut pienintäkään merkkiä suunnan muuttamisesta tai hidastamisesta. Heillä oli kaksi, kenties kolme sekuntia ennen osumaa.

”KAIKKI SUOJAAN!” seriffi Walton karjaisi, mutta ei hänen olisi tarvinnut. Jokainen ravintolassa olija kompuroi jo pystyyn ehtiäkseen pois tieltä. Tätä vauhtia lava-auto jyristäisi kuppilaan ja pysähtyisi vasta takaosan keittiössä, tuhoten kaiken tiellään ja tappaen kaikki eteensä osuvat.

Kahvilan valtasi epätoivoisten huutojen ja liikkeiden muodostama kaaos. Kaikki tiesivät, etteivät ehtisi ajoissa pakoon.

KRUUNTS-BUUM!

Kuurouttava rysähdys kuulosti räjähdykseltä ja sai maan vavahtelemaan jalkojen alla.

Sheriffi Walton nosti ensimmäisenä katseensa. Kesti pari sekuntia tajuta, ettei auto ollutkaan tullut läpi kuppilan ikkunasta.

Kurtistuneita kulmia seurasi hämmennys.

"Ovatko kaikki kunnossa?" seriffi sai lopulta kysytyksi ja katseli kiihtyneenä ympärilleen.

Huoneen joka nurkasta kuului myöntävää muminaa.

Seriffi ja hänen apurinsa nousivat pystyyn ja kiiruhtivat ulos. Muut seurasivat hetken päästä. Sade oli yltynyt parin viime minuutin aikana; se lankesi nyt maahan paksuina laattoina, jotka heikensivät tehokkaasti näkyvyyttä.

Lava-auto oli silkasta tuurista osunut maassa olevaan kuoppaan vain parin metrin päässä kuppilan julkisivusta. Se oli kaartanut reilusti vasemmalle ja ohittanut ravintolan vain parilla jalanmitalla. Ohjautuessaan sivuun se oli kolhinut tummansinisen Ford Tauruksen perää ja törmännyt sitten suoraan sivurakennukseen, jossa oli kaksi vessaa ja varastohuone. Kaikeksi onneksi sekä käymälät että varasto olivat tyhjillään.

"Perkeleen saatana!" seriffi Walton henkäisi sydän rinnassa jyskyttäen. Törmäys oli romuttanut lava-auton täydellisesti, ja ulkorakennus oli muuttunut purkutyömaaksi.

Seriffi loikki rojun yli auton luo. Sisällä oli vain kuski – harmaatukkainen mies, joka näytti olevan viisissäkymmenissä. Seriffi Walton ei tunnistanut kuskia, mutta siitä hän oli varma, ettei ollut koskaan ennen nähnyt tuota avolavaa Wheatlandin tienoilla. Se oli vanha ja ruosteinen 90-luvun alun Chevrolet 1500, ei ilmatyynyjä. Vaikka kuskilla oli ollut turvavyö, törmäys oli ollut liian raju. Lava-auton etuosa, samoin kuin moottori, olivat painuneet kasaan ja työntyneet ohjaamoon. Kojelauta ja ratti olivat murskanneet kuskin rintakehän istuinta vasten. Kasvot olivat veren peitossa ja lasinsirpaleiden silpomat. Yksi sirpaleista oli viiltänyt miehen kaulan auki.

"Jumalauta!" seriffi Walton sähähti hampaitaan kiristellen. Hänen ei tarvinnut kokeilla pulssia tietääkseen, ettei mies ollut selvinnyt hengissä.

"Voi luoja!" hän kuuli Bethin henkäisevän vapisevalla äänellä aivan takanaan. Hän kääntyi saman tien ja kohotti kätensä pysäytyseleeseen.

”Beth, älä tule tänne”, hän käski vakaalla äänellä. ”Mene sisään ja pysy siellä.” Hänen katseensa siirtyi ravintolan asiakkaisiin, jotka lähestyivät ripeästi autoa. ”Menkää kaikki takaisin sisään. Tämä on käsky. Tämä on nyt rikospaikka-aluetta, tuliko selväksi?”

Kaikki pysähtyivät, mutta kukaan ei kääntynyt takaisin.

Seriffi haki katseellaan apulaistaan ja löysi tämän muiden takaa Ford Tauruksen vierestä. Bobbyn kasvoilta kuvastui järkytyksen ja kauhun sekoitus.

”Bobby”, seriffi Walton huikkasi. ”Soita ambulanssi ja palokunta *nyt*.”

Bobby ei liikahtanutkaan.

”Bobby, nyt järki käteen, jumalauta. Kuulitko, mitä sanoin? Radiopuhelin esiin ja sassiin. Soita ambulanssi ja palokunta.”

Bobby seisoi liikkumatta. Hän näytti siltä kuin antaisi ylen. Vasta silloin seriffi tajusi, ettei Bobby katsonut häntä tai ruhjoutunutta lava-autoa. Miehen katse oli kiinnittynyt Ford Taurukseen. Ennen kuin lava-auto oli rysäyttänyt käymälärakennukseen, se oli törmännyt Tauruksen perään sen verran lujaa, että Tauruksen takakontin ovi oli avautunut.

Yhtäkkiä Bobby napsahti transsistaan ja tarttui aseeseensa.

”Kukaan ei liiku”, hän huusi. Hän tähtäsi kädet vavisten vuorollaan jokaista ulkona olijaa. ”Seriffi”, hän huikkasi epävakaalla äänellä. ”Sinun on paras tulla katsomaan tätä.”

Kaksi

Viisi päivää myöhemmin.
Huntington Park, Los Angeles, Kalifornia.

Siro, tummahiuksinen kassamyyjä piippasi viimeisen tuotteen ja katsoi kassakoneen vierellä seisovaa nuorta miestä.

"Se tekee yhteensä 34,62 dollaria", hän ilmoitti asiallisesti.

Mies pakkasi ruokaostoksensa muovipusseihin ja ojensi sitten luottokorttinsa. Hän ei voinut olla kahtakymmentäyhtä vanhempi.

Kassatyttö pyyhkäisi korttia lukijassa, odotti pari sekuntia, puraisi alahuultaan ja vilkaisi miestä epäröivän näköisenä.

"Olen pahoillani, mutta maksu on hylätty", hän sanoi ja ojensi kortin takaisin.

Mies tuijotti tyttöä kuin tämä olisi puhunut vierasta kieltä.

"Mitä?" Hän katsoi korttia, oli hetken hiljaa ja ojensi sen sitten takaisin tytölle. "Tässä täytyy olla jokin virhe. Kortilla on varmasti vielä vähän luottoa jäljellä. Voisitko yrittää uudestaan?"

Kassatyttö kohautti harteitaan ja pyyhkäisi korttia vielä kerran lukijassa.

Kului kireät pari sekuntia.

"Olen pahoillani, mutta maksu hylättiin uudestaan", tyttö sanoi ja ojensi kortin takaisin. "Haluaisitko kokeilla toista korttia?"

Nuori mies otti kortin nolona takaisin ja pudisti vaivihkaa päätään. "Ei minulla ole toista", hän sanoi ujosti.

"Entä löytyykö ruokakuponkeja?" tyttö kysyi.

Toinen surullinen päänpudistus.

Tyttö odotti, kun mies kaiveli taskujaan. Hän onnistui löytämään pari dollarin seteliä sekä kourallisen neljännesdollarin ja kymmenen sentin kolikoita. Pikkurahat laskettuaan hän kääntyi takaisin myyjän puoleen nolon näköisenä.

"Olen pahoillani. Puuttuu vielä kaksikymmentäkuusi dollaria. Minun täytyy jättää jotain pois."

Miehen ostokset koostuivat enimmäkseen vauvantarvikkeista – vaippoja, pari vauvanruokapurkkia, korvikejauhetta, paketillinen puhdistuspyyhkeitä sekä pieni tuubillinen sinkkivoidetta. Niiden lisäksi oli tavallisia elintarvikkeita – leipää, maitoa, munia, joitakin vihanneksia sekä purkkikeittoa, kaikki ketjun omia halpistuotteita. Mies ei koskenut vauvantarvikkeisiin mutta palautti kaiken muun.

"Voitko katsoa, paljonko näistä tulisi?" mies kysyi tytöltä.

"Ei tarvitse", jonossa seuraavana oleva mies totesi. Hän oli pitkä ja urheilullinen, ja hänellä oli veistoksellisen komeat kasvonpiirteet ja lempeät silmät. Hän ojensi kassatytölle kaksikymppisen.

Tyttö katsoi häntä kummissaan.

"Minä maksan", mies sanoi ja nyökkäsi tytölle. Sen jälkeen hän puhutteli nuorukaista: "Voit panna ostokset takaisin kasseihin. Minä tarjoan."

Nuori mies tuijotti häntä hämmentyneenä, kykenemättä löytämään sanoja.

"Kaikki hyvin", pitkä mies sanoi ja väläytti rauhoittavan hymyn. "Ei se ole mikään iso juttu."

Nuoren miehen häkeltynyt katse siirtyi kassatyttöön ja sitten jälleen pitkään mieheen.

"Kiitos ihan kamalan paljon", hän sanoi lopulta. Hänen äänensä sortui, ja hän ojensi kättään silmät aavistuksen lasittuen.

Mies puristi hänen kättään ja nyökkäsi sitten rauhoittavasti.

"Tuo oli ystävällisin teko, mitä olen koskaan täällä nähnyt", kassamyyjä sanoi, kun nuorukainen oli kerännyt ruokaostoksensa ja poistunut. Myös myyjän silmät olivat kyyneltyneet.

Pitkä mies tyytyi hymyilemään.

”Olen tosissani”, tyttö jatkoi. ”Olen ollut tämän supermarketin kassalla melkein kolme vuotta. Monella ihmisellä eivät riitä rahat maksuhetkellä ja heidän täytyy jättää osa ostoksista pois, mutta en ole koskaan nähnyt kenenkään toimivan niin kuin sinä äsken.”

”Meistä jokainen tarvitsee aina välillä hiukan apua”, mies vastasi. ”Siinä ei ole mitään hävettävää. Minä autoin häntä tänään, ehkä hän auttaa jonain päivänä jotakuta muuta.”

Tyttö hymyili, ja hänen silmiinsä kihosivat jälleen kyynelet. ”On aivan totta, että me kaikki tarvitsemme välillä apua, mutta ongelma piilee siinä, että vain hyvin harva on valmis auttamaan. Varsinkaan, kun heidän pitäisi sen tähden kaivella kuvettaan.”

Mies oli ääneti samaa mieltä hänen kanssaan.

”Olen nähnyt sinut täällä aiemminkin”, kassatyttö sanoi samalla, kun luki miehen muutamat tuotteet. Niiden yhteissummaksi tuli 9,49 dollaria.

”Asun täällä lähistöllä”, mies sanoi ja ojensi kymmenen dollarin setelin.

Kassatyttö oli hetken hiljaa ja katsoi miestä silmiin. ”Minä olen Linda”, hän sanoi, nyökäytti kohti nimikylttiään ja ojensi kätensä.

”Robert”, mies vastasi ja puristi kättä. ”Mukava tavata.”

”Kuule”, Linda sanoi ja palautti miehen vaihtorahat. ”Mietin tässä. Vuoroni loppuu kuudelta. Asut tässä lähistöllä, joten mitä jos käytäisiin jossain kahvilla?”

Mies epäröi lyhyen hetken. ”Se olisi todella mukavaa”, hän sanoi lopulta. ”Mutta ikävä kyllä lähden tänään reissuun. Ensimmäinen lomani...” Hän piti tauon ja tuijotti hetken kaukaisuuteen silmät sirrillä. ”En edes muista, koska olen viimeksi ollut lomalla.”

”Tiedän tunteen”, Linda sanoi hivenen pettyneen kuuloisena.

Mies keräsi ostoksensa ja katsoi jälleen kassatyttöä.

”Mitä jos soittaisin sinulle palattuani, suunnilleen kymmenen päivän kuluttua? Voitaisiin ehkä käydä kahvilla silloin.”

Linda katsoi häntä, ja hänen huulensa venyivät pieneen hymyyn. ”Se olisi mukavaa”, hän vastasi ja raapusti nopeasti numeronsa paperinpalalle.

Kun mies astui ulos supermarketista, hänen matkapuhelimensa alkoi soida takintaskussa.

"Etsivä Robert Hunter, erikoismurharyhmä", hän vastasi.

"Robert, oletko edelleen maisemissa?"

Soittaja oli Los Angelesin poliisilaitoksen ryöstö- ja henkirikosyksikön pomo Barbara Blake. Juuri hän oli muutama päivä sitten käskenyt Hunterin ja tämän työparin, etsivä Carlos Garcian, kahden viikon lomalle erittäin vaativan ja näännyttävän sarjamurhatutkinnan päätteeksi.

"Toistaiseksi", Hunter vastasi epäluuloisena. "Lento lähtee illalla. Miten niin?"

"Minua inhottaa tehdä tämä sinulle, Robert", ylikomisario vastasi vilpittömän anteeksipyytävän kuuloisena. "Mutta minun on pyydettävä sinua käymään täällä."

"Milloin?"

"Nyt heti."

Kolme

Lounasajan ruuhkassa kahdentoista kilometrin ajomatka Huntingdon Parkista LAPD:n päämajalle Los Angelesin keskustassa vei Hunterilta hiukan päälle neljäkymmentäviisi minuuttia.

Ryöstö- ja henkirikosyksikkö RHD piti majaansa poliisin kuuluisassa hallintorakennuksessa West 1st Streetin viidennessä kerroksessa. Suuri avokonttori oli täynnä pelkkiä rikostutkijoiden työpöytiä, ei huteria sermejä tai typeriä lattiaan maalattuja viivoja erottamassa henkilökohtaisia työtiloja. Paikka kuulosti ja näytti sunnuntaisilta katumarkkinoilta: joka nurkasta kuului huutoa ja mutinaa, ja kaikkialla oli kova kuhina.

Ylikomisario Blaken työhuone sijaitsi perusetsivien kerroksen kauimmaisessa päässä. Ovi oli kiinni – ei lainkaan epätavallista melutason huomioon ottaen – mutta niin olivat suuren sisäikkunan kaihtimetkin, ja se oli ilman muuta huono merkki.

Hunter alkoi hitaasti pujotella ihmisten ja työpöytien välissä.

”Hei, helvettiäkö sinä täällä teet, Robert?” etsivä Perez kysyi. Hän nosti katseensa tietokoneensa näytöltä, kun Hunter puristautui hänen ja Henderdonin työpöytien välistä. ”Eikö sinun pitänyt lähteä lomalle?”

Hunter nyökkäsi. ”Lähdenkin. Lento lähtee illalla. Käyn vain ensin pikaisesti pomon juttusilla.”

”*Lento*?” Perez kuulosti yllättyneeltä. ”Kuulostaa ökyilyltä. Minne olet menossa?”

”Havaijille. Ensimmäinen kertani.”

Perez hymyili. ”Ei paha. Minullekin maittaisi Havaijin-matka. Vaikka saman tien.”

"Tuonko lein tai havaijipaidan tuliaisiksi?"

Perez irvisti. "Älä, mutta jos onnistut sujauttamaan laukkuusi pari havaijilaistanssijaa, ne kelpaisivat. Voisivat pyörittää hulavannetta sängylläni joka hiton ilta. Ajattele sitä." Hän nyökkäili aivan kuin olisi tarkoittanut joka sanaa.

"Saahan sitä mies uneksia", Hunter vastasi huvittuneena Perezin kiihkeästä nyökkäilystä.

"Pidä kuule hauskaa meidänkin puolesta."

"Aivan varmasti", Hunter sanoi ja jatkoi matkaa. Hän seisahtui ylikomisarion ovella, ja vaisto ja uteliaisuus saivat hänet kallistamaan päätään ja vilkaisemaan ikkunaa – ei mitään. Hän ei nähnyt kaihdinten läpi. Hän koputti kahdesti.

"Sisään." Hän kuuli pomon huutavan huoneesta tavanomaisella päättäväisellä äänellään.

Hunter työnsi oven auki ja astui sisään.

Barbara Blaken työhuone oli tilava, kirkkaasti valaistu ja moitteettoman siisti. Eteläseinän kirjahyllyt oli täytetty säntillisesti värien mukaan järjestellyillä kovakantisilla opuksilla. Pohjoisseinällä roikkui kehystettyjä valokuvia, diplomeja ja palkintoja, kaikki symmetrisesti toisiinsa nähden aseteltuna. Itäseinän vei katosta lattiaan ulottuva maisemaikkuna, joka antoi South Main Streetille. Aivan ylikomisarion kaksilaatikostollisen kirjoituspöydän edessä oli kaksi nahkanojatuolia.

Ylikomisario Blake seisoi maisemaikkunan edessä. Hän oli kietaissut pitkät, korpinmustat hiuksensa elegantille nutturalle, jota pitivät paikoillaan puupuikot. Yllään hänellä oli valkoinen silkkipusero, jonka helma oli työnnetty tyylikkään, laivastonsinisen kynähameen kaulukseen. Hänen vierellään seisoi tuntematon, konservatiiviseen mustaan jakkupukuun pukeutunut nainen, joka piteli kädessään höyryävää kahvikuppia. Hän oli hoikka ja erittäin puoleensavetävä, iältään arviolta hiukan päälle kolmenkymmenen. Hänellä oli suorat vaaleat hiukset ja syvänsiniset silmät. Hän näytti naiselta, joka normaalisti olisi kuin kala vedessä missä tahansa tilanteessa, mutta jokin pään asennossa viittasi levottomuuteen.

Kun Hunter astui toimistoon ja sulki oven perässään, kääntyi toisessa nojatuolissa istuva pitkä, hoikka, tummaan pukuun pukeutunut mies katsomaan häntä. Mies oli puolivälissä viittäkymmentä, mutta raskaat silmäpussit ja lihaisat, veltot posket antoivat hänelle ajokoiramaisen ilmeen ja saivat hänet näyttämään vähintäänkin kymmenen vuotta ikäistään vanhemmalta. Päälakea yhä somistavat ohuet, harmaat hiukset oli kammattu siististi korvien yli.

Hunter pysähtyi yllättyneenä ja siristi silmiään.

"Hei, Robert", mies sanoi ja nousi seisomaan. Hänen luonnostaan käheä äänensä, jota vuosikausien tupakointi oli pahentanut, kuulosti yllättävän lujalta miehelle, joka ei näyttänyt nukkuneen päiväkausiin.

Hunter silmäili miestä hetken ja siirsi sitten katseensa ensin vaaleaan naiseen ja lopulta ylikomisario Blakeen.

"Anteeksi tästä, Robert", Blake sanoi ja kallisti aavistuksen päätään. Sen jälkeen hänen kasvoilleen kohosi kivinen ilme, ja hän kääntyi katsomaan Hunteria vastapäätä seisovaa miestä. "He ilmestyivät tänne kutsumatta tunti sitten. Eivät vaivautuneet piru vieköön edes soittamaan etukäteen", hän selitti.

"Pyydän jälleen anteeksi", mies sanoi tyynellä mutta arvovaltaisella äänellä. Hän oli tottunut jakelemaan käskyjä, joita myös noudatettiin. "Näytät hyvältä." Hän puhutteli Hunteria. "Mutta niinhän sinä aina näytät, Robert."

"Samoin sinä, Adrian", Hunter vastasi kaikkea muuta kuin vakuuttavasti. Hän astui kohti miestä ja puristi tämän kättä.

Adrian Kennedy oli FBI:n Kansallisen väkivaltarikosten analysointikeskuksen NCAVC:n ja sen käyttäytymisanalyysiyksikön johtaja. Tämä FBI:n erikoisosasto tarjosi tukea kansallisille ja kansainvälisille lainvalvontaviranomaisille, jotka tutkivat epätavallisia väkivalta- ja sarjarikoksia.

Hunter oli erittäin tietoinen siitä, ettei Adrian Kennedy matkustanut minnekään kuin pakon edessä. Hän koordinoi nykyään useimpia NCAVC:n operaatioita suuresta Washington DC:ssä sijaitsevasta toimistostaan käsin, mutta hän ei ollut mikään urabyrokraatti. Kennedy oli aloittanut FBI:ssä nuorena ja osoittanut nopeasti valtaisan kyvykkyytensä johtotehtäviin. Hänellä oli myös luontainen kyky motivoida ihmisiä. Se ei ollut jäänyt huomaamatta, ja jo hyvin varhaisessa vaiheessa hänet oli nimitetty arvovaltaiseen tehtävään: suojelemaan Yhdysvaltain presidenttiä. Kahden vuoden kuluttua, hänen estettyään presidentin murhayrityksen heittäytymällä maailman mahtavimman miehen surmaamiseen tarkoitetun luodin eteen, hän sai korkea-arvoisen kunniamerkin sekä kiitoskirjeen presidentiltä itseltään. Hiukan sen jälkeen, vuoden 1984 kesäkuussa, perustettiin Kansallinen väkivaltarikosten analyysikeskus. Se kaipasi päällikökseen henkilöä, joka oli synnynnäinen johtaja. Adrian Kennedy oli listan kärkipäässä.

”Tämä tässä on erikoisagentti Courtney Taylor”, Kennedy sanoi ja nyökkäsi kohti vaaleaa naista.

Taylor siirtyi lähemmäs ja puristi Hunterin kättä. ”Mukava tavata, etsivä Hunter. Olen kuullut sinusta paljon.”

Taylorin ääni kuulosti uskomattoman viekoittelevalta: pehmeä naisellisuus yhdistyi aseistariisuvalla tavalla vankkaan itseluottamukseen. Vaikka Taylorin käsi oli siro, hänen kädenpuristuksensa oli luja ja merkityksellinen, kuin juuri suuren luokan sopimuksen solmineella liikenaisella.

”Mukava tavata sinutkin”, Hunter vastasi kohteliaasti. ”Toivottavasti olet kuullut minusta jotain hyvääkin.”

Taylor väläytti ujon mutta vilpittömän hymyn. ”Mitään muuta en ole kuullutkaan.”

Hunter kääntyi jälleen Kennedyä kohti.

”Onneksi saimme sinut käsiimme, ennen kuin lähdit lomallesi, Robert”, Kennedy sanoi.

Hunter ei vastannut.

”Oletko lähdössä johonkin mukavaan paikkaan?”

Hunter tuijotti edelleen Kennedyä silmiin.

”Tämän on pakko olla vakava juttu”, hän sanoi lopulta. ”Tiedän nimittäin, että sinä et mielistele koskaan ketään. Tiedän myös, ettei sinua kiinnosta vitun vertaa, minne minä lomallani lähden. Eli mitä jos jätettäisiin paskanjauhanta? Mistä on kyse, Adrian?"

Kennedy oli hetken hiljaa, ikään kuin hänen täytyisi huolellisesti miettiä vastaustaan.

"Sinusta, Robert. Kyse on sinusta."

Neljä

Hunter kääntyi kohti ylikomisario Blakea. Kun heidän katseensa kohtasivat, pomo kohautti anteeksipyytävästi olkiaan.

"He eivät sanoneet juuri mitään, Robert, mutta sen vähän perusteella uskon, että haluat kuulla heidän asiansa." Hän palasi työpöytänsä ääreen. "Antaa heidän selittää itse."

Hunter katsoi Kennedyä ja odotti.

"Mitä jos istuisit, Robert?" Kennedy tarjosi toista nojatuoleista.

Hunter ei liikahtanut.

"Seison oikein mielelläni, kiitos kysymästä."

"Kahvia?" Kennedy kysyi ja osoitti ylikomisario Blaken espressokonetta huoneen nurkassa.

Hunterin ilme tiukkeni.

"Hyvä on, selvä." Kennedy kohotti molemmat kätensä antautumisen merkiksi samalla, kun nyökkäsi erikoisagentti Taylorille miltei huomaamattomasti. "Käydään asiaan." Hän palasi istuimelleen.

Taylor laski kahvikuppinsa pöydälle. Hän astui eteenpäin ja pysähtyi Kennedyn tuolin vierelle.

"Hyvä on", hän aloitti. "Viisi päivää sitten, osapuilleen kuudelta aamulla, John Garner sai sydänkohtaukseen ajaessaan etelään US Route 87 -valtatiellä pienen Wheatland-nimisen kaupungin liepeillä Kaakkois-Wyomingissa. Lienee sanomattakin selvää, että hän menetti avolava-autonsa hallinnan."

"Sinä aamuna satoi rankasti, ja herra Garner oli ajoneuvonsa ainoa matkustaja", Kennedy lisäsi ja viittoi sitten Tayloria jatkamaan.

”Tiedät jo varmastikin tämän”, Taylor jatkoi, ”mutta valtatie 87 kulkee koko matkan Montanasta Etelä-Teksasiin. Ellei kyseessä ole tietyn asukastason ylittävä tai korkean onnettomuusriskin alue, Yhdysvaltain valtateiden varsilla ei ole kaiteita, muureja, korotettuja reunakiviä tai keskisaarekkeita... *ei mitään*, mikä estäisi ajoneuvoa onnettomuuden sattuessa ajautumasta tieltä.”

”Tienpätkä, josta puhumme, ei kuulu tietyn asukastason ylittävään tai korkean onnettomuusriskin alueeseen”, Kennedy kommentoi.

”Silkkaa tuuria”, Taylor jatkoi. ”Tai sen puutetta, riippuu miltä kantilta asiaa katsoo. Herra Garner sai sydänkohtauksen ohittaessaan pientä rekkakuskien taukopaikkaa nimeltä Nora's Diner. Hän menetti tajuntansa ratissa ollessaan, ja ajoneuvo kaarsi tieltä ja ajoi matalan ruohikon läpi kohti kuppilaa. Silminnäkijöiden mukaan herra Garnerin lava-auto syöksyi suoraan päin ravintolan etuosaa.

”Varhaisen kellonajan ja kaatosateen vuoksi kuppilassa oli vain kymmenen ihmistä – seitsemän asiakasta sekä kolme työntekijää. Paikallinen seriffi ja yksi hänen apulaisistaan lukeutuivat asiakkaiden joukkoon.” Taylor piti tauon ja selvitti kurkkunsa. ”Jotain on täytynyt tapahtua aivan viime sekunnilla, sillä herra Garnerin auto vaihtoi äkkiä suuntaa ja ohitti ravintolan vain puolella metrillä. Liikenneonnettomuuksiin perehtyneet rikosteknikot olettivat, että auto osui suureen ja syvään kuoppaan vain pari metriä ennen kuppilaa, mikä sai ohjauspyörän heilahtamaan rajusti vasemmalle.”

”Lava-auto rysähti kuppilan viereiseen käymälärakennukseen”, Kennedy sanoi. ”Jos sydänkohtaus ei olisi tappanut herra Garneria, törmäys olisi tehnyt hänestä selvän.”

”Eli”, Taylor sanoi ja kohotti etusormeaan. ”Tässä tulee ensimmäinen käänne. Kun herra Garnerin auto ohitti kuppilan ja suuntasi kohti käymälärakennusta, se kolhaisi kuppilan ulkopuolelle pysäköidyn sinisen Ford Tauruksen takaosaa. Auto kuului eräälle ravintolan asiakkaista.”

Taylor vaikeni ja tarttui salkkuunsa, joka nojasi ylikomisario Blaken työpöytään.

”Herra Garnerin lava-auto rysäytti Tauruksen perää niin rajusti, että takakontti napsahti auki”, Kennedy sanoi.

”Seriffi ei huomannut sitä.” Oli Taylorin vuoro puhua. ”Kun hän juoksi ulos, hänen pääasiallinen huolenaiheensa oli lava-auton kuljettaja sekä mahdolliset matkustajat.”

Taylor kaiveli salkkuaan ja otti esiin 28 kertaa 20 sentin kokoisen värivalokuvan.

”Mutta apulaisseriffi huomasi”, hän ilmoitti. ”Kun hän ryntäsi ulos, jokin Tauruksen takaluukussa kiinnitti hänen huomionsa.”

Hunter odotti.

Taylor astui eteenpäin ja ojensi hänelle kuvan.

”Hän näki takakontissa tämän.”

Viisi

FBI:n kansallinen koulutuskeskus, Quantico, Virginia.
4236 kilometrin päässä.

Erikoisagentti Edwin Newman oli viimeisten kymmenen minuutin ajan seissyt kellarissa sijaitsevien pidätyssellien tarkkaamossa yhdessä niistä monista rakennuksista, jotka muodostivat FBI:n akatemian hermokeskuksen. Vaikka itäisellä seinällä oli useita valvontakameramonitoreja, hänen huomionsa oli kiinnittynyt vain yhteen.

Newman ei kuulunut akatemian koulutettaviin. Itse asiassa hän oli käyttäytymisanalyysiyksikön erittäin kokenut ja pätevä agentti, joka oli päättänyt koulutuksensa yli kaksikymmentä vuotta sitten. Newmanin komentopaikka sijaitsi Washington DC:ssä, ja hän oli saapunut Virginiaan neljä päivää sitten yksinomaan kuulustelemaan uutta vankia.

”Onko hän liikkunut lainkaan viimeisen tunnin aikana?” Newman kysyi tarkkaamon operaattorilta, joka istui monitoriseinän edessä suuren säätökonsolin äärellä.

Operaattori pudisti päätään.

”Ehei, eikä liikahdakaan, ennen kuin valot sammuvat. Kuten aiemmin sanoin, tämä kaveri on kuin kone. En ole koskaan nähnyt vastaavaa. Hän ei ole rikkonut rutiiniaan koko sinä aikana, kun hänet neljä päivää sitten tuotiin tänne. Hän nukkuu selällään kasvot kohti kattoa, kädet yhteen lukittuina vatsan päällä – kuin vainaja arkussaan. Kun hän sulkee silmänsä, hän ei liikahda milliäkään

– ei nytki, ei kääntyile, ei liikehdi levottomasti, ei raavi, ei kuorsaa, ei herää kuselle keskellä yötä, ei mitään. Toki hän joskus näyttää pelokkaalta, ikään kuin hänellä ei olisi pienintäkään aavistusta siitä, miksi hän on täällä, mutta suurimman osan ajasta hän nukkuu kuin mies, jolla ei ole huolen häivää elämässään ja joka maata retkottaa mukavimmassa sängyssä mitä rahalla saa. Ja sen voin sanoa –" hän osoitti näyttöä – "että tuo sänky ei ole sitä. Se on hiton epämukava lankku, jonka päällä on paperinohut patja."

Newman raapi vinoa nenäänsä muttei sanonut mitään.

Operaattori jatkoi. "Kaverin sisäinen kello on viritetty sveitsiläisellä tarkkuudella. Usko pois. Sen mukaan voisi säätää rannekellonsa."

"Mitä tarkoitat?" Newman kysyi.

Operaattori hörähti. "Hän avaa silmänsä joka aamu tasan kello 05.45. Meidän puoleltamme ei tule minkään valtakunnan herätystä, ei ääniä, ei valoja, ei huutoja. Yksikään agentti ei tunge selliin herättämään häntä. Hän herää itsekseen. Kello 05.45, täsmälleen – *kling* – kaveri on valveilla."

Newman tiesi, että vangilta oli viety kaikki henkilökohtainen omaisuus. Hänellä ei ollut rannekelloa tai muunlaistakaan ajannäyttäjää.

"Kun hän on avannut silmänsä", operaattori jatkoi, "hän tuijottaa kattoa tasan viisikymmentäyhdeksän sekuntia. Ei sekuntiakaan enempää, ei sekuntiakaan vähempää. Voit katsoa kuluneiden kolmen päivän tallenteet ja ottaa aikaa, jos tahdot."

Newman ei reagoinut.

"Viidenkymmenenyhdeksän sekunnin kuluttua", operaattori sanoi, "hän nousee punkasta, käy pöntöllä ja asettuu sitten lattialle ensin punnertamaan ja sitten tekemään vatsalihaksia – kymmenen toistoa kummassakin sarjassa. Ellei häntä häiritä, hän tekee viisikymmentä sarjaa pienimmillä mahdollisilla lepotauoilla niiden välissä – ei ähkimistä, ei puhinaa, ei naamanvääntelyä, pelkkää määrätietoisuutta. Aamiainen tuodaan hänelle 06.30 ja 07.00 välisenä aikana. Ellei hän ole vielä saanut sarjoja tehtyä, hän jatkaa, kunnes on valmis, ja vasta sitten hän istuutuu tyynesti syömään ruokansa. Ja hän syö kaiken valittamatta. Viis siitä, mitä mautonta paskaa me sille tarjottimelle lykkäämme. Sen jälkeen hänet viedään kuulusteltavaksi." Hän kääntyi katsomaan Newmania. "Oletan, että kuulustelija olet *sinä*."

Newman ei vastannut, ei nyökännyt eikä pudistanut päätään. Hän vain jatkoi monitorin tuijottamista.

Operaattori kohautti harteitaan ja jatkoi selostustaan.

"Kun hänet tuodaan selliinsä, olipa kello silloin mitä hyvänsä, hän aloittaa treenirutiininsa toisen osan – jälleen viidenkymmenen sarjoja punnerruksia ja vatsalihaksia." Hän nauraa hörähti. "Mikäli menit sekaisin laskuissa, se tarkoittaa tuhatta toistoa kumpaakin per päivä. Kun hän on valmis, hänet joko viedään lisäkuulusteluihin tai sitten hän tekee juuri sitä mitä nytkin – istuu sängyllä jalat ristissä ja tuijottaa tyhjää seinää edessään. Kaipa hän meditoi tai rukoilee tai jotain. Mutta hän ei koskaan sulje silmiään. Ja sen voin sanoa, että on vitun pelottavaa, kun tyyppi vain tuijottaa seinää."

"Miten kauan hän sitä tekee?" Newman kysyi.

"Se vähän riippuu", operaattori vastasi. "Hän pääsee käymään kerran päivässä suihkussa, mutta vankien suihkuajat vaihtelevat, kuten tiedät. Jos haemme hänet kesken seinäntuijotuksen, hän napsahtaa transsistaan ja nousee sängyltä. Hänet pannaan kahleisiin ja hän menee suihkuun – ei vänkytystä, ei vastaanpanemista, ei tappelua. Kun hän palaa, hän jatkaa siitä mihin jäi: istuutuu sängylle ja tuijottaa seinää. Jos häntä ei lainkaan häiritä, hän tuijottaa sitä, kunnes valot sammutetaan kello 21.30."

Newman nyökkäsi.

"Mutta eilen", operaattori lisäsi. "Valoja pidettiin päällä ihan silkasta uteliaisuudesta viisi ylimääräistä minuuttia."

"Anna kun arvaan", Newman sanoi. "Sillä ei ollut mitään merkitystä. Hän paneutui makuulle tasan kello 21.30, otti ruumisarkkuasennon ja nukahti, olivatpa valot päällä tai eivät."

"Naulan kantaan", operaattori totesi. "Kuten sanoin, hän on kuin kone. Hänen sisäinen kellonsa on säädetty sveitsiläisellä tarkkuudella." Hän vaikeni ja kääntyi kohti Newmania. "En ole mikään asiantuntija, mutta sen perusteella, mitä olen näiden neljän yön ja neljän päivän aikana nähnyt, tuo kaveri on mieleltään vittu linnoitus."

Newman ei sanonut mitään.

"En halua ylittää rajojani, mutta... onko hän sanonut yhtään mitään yhdenkään kuulustelun aikana?"

Newman pohti kysymystä pitkän tovin.

"Kysyn, koska tiedän, miten homma menee. Jos tämän kaltainen erityisvanki ei ole puhunut kolmen päivän kuulustelujen jälkeen, käyttöön otetaan VIP-kohtelu, ja me kaikki tiedämme, miten kylmää kyytiä se on." Operaattori vilkaisi välittömästi kelloaan. "No, kolme päivää on kulunut, ja jos VIP-kohtelu olisi alkamaisillaan, olisin saanut tähän mennessä jo tietää. Eli minä veikkaan – hän on avannut suunsa."

Newman tarkkaili näyttöä vielä muutaman sekunnin ja nyökkäsi sitten. "Hän puhui ensimmäisen kerran eilisiltana." Hän siirsi katseensa seinämonitorista ja tuijotti valvomon hoitajaa. "Hän lausui neljä sanaa."

Kuusi

Kun Hunter tutki erikoisagentti Courtney Taylorin hänelle ojentamaa kuvaa, hänen sydämensä alkoi takoa rintakehässä ja adrenaliini kuohahti hänen kehonsa läpi. Kului monta äänetöntä sekuntia, ennen kuin hän vihdoin irrotti katseensa kuvasta ja katsoi ylikomisario Blakea.

”Oletko sinä nähnyt tämän?” hän kysyi.

Blake nyökkäsi.

Hunterin katse palasi valokuvaan.

”Herra Garnerin avolava-auto selvästikin rysäytti Ford Tauruksen perään sen verran rajusti, ettei pelkästään takakontin ovi avautunut vaan myös jääsäiliö kaatui rytäkässä nurin.”

Valokuvassa näkyi suurikokoinen retkikäyttöön tarkoitettu jääpalalaatikko, joka oli kaatunut kumoon Tauruksen takakontissa. Jääkuutioita oli lentänyt joka suuntaan. Useimmat jääpalat olivat tulipunaisia, mitä ilmeisimmin veren tahraamia. Mutta se oli täysin toissijaista. Hunterin huomio oli kiinnittynyt johonkin muuhun – kahteen irti leikattuun päähän, joita selvästikin oli säilytetty laatikossa, ennen kuin se oli kaatunut törmäyksen yhteydessä. Molemmat päät kuuluivat naisille. Toisella oli vaalea, pitkähkö tukka, toisella lyhyt, ruskea, pixie-tyyppinen malli. Molemmat päät oli katkaistu kaulan juuresta. Hunterin ymmärryksen mukaan haava näytti siistiltä. Tekijällä oli kokemusta.

Vaalean naisen pää lepäsi oikealla poskella, pitkä tukka peitti suurimman osan kasvoista. Ruskeahiuksisen naisen pää sen sijaan oli kierinyt poispäin säiliöstä ja usean jääpalan myötävaikutuksella jumittunut sellaiseen asentoon, että takaraivo oli takakontin lattiaa vasten ja kasvonpiirteet selkeästi näkyvillä. Ja se sai Hunterin haukkomaan henkeään. Kasvojen haavat olivat järkyttävämpiä kuin itse dekapitaatio.

Kolme pientä, lukittua, metallista riippulukkoa lävistivät huulet raa'asti sekä ylä- että alapuolelta, niin että suu pysyi kiinni muttei täysin ummessa. Naisen herkät, veren kuorruttamat huulet näyttivät yhä turvonneilta, mikä viittasi siihen, että lukot olivat repineet ihon hänen ollessaan yhä elossa. Molemmat silmät oli poistettu. Silmäkuopat olivat tyhjillään. Kasvoissa oli vain kaksi mustaa, kuivuneen veren kuorruttamaa aukkoa. Verta oli valunut myös poskille, mikä sai aikaiseksi sairaalloisen, tummanpunaisen salamaefektin.

Naisella ei ollut vanhan ihmisen ihoa, mutta iän arvioiminen pelkän kuvan perusteella oli käytännössä mahdotonta.

"Seriffi Walton otti tuon kuvan vain muutama minuutti onnettomuuden jälkeen", Kennedy ilmoitti ja siirtyi Hunterin viereen. "Kuten agentti Taylor hetki sitten sanoi, seriffi oli sinä aamuna kuppilassa nauttimassa aamupalaa. Mihinkään ei koskettu. Seriffi toimi nopeasti, sillä hän tiesi, että sade tuhoaisi todistusaineiston tuossa tuokiossa."

Taylor kaiveli salkkuaan ja otti esiin uuden valokuvan, jonka ojensi Hunterille.

"Tämä kuva on rikosteknisen tiimin ottama", hän selitti. "He joutuivat tulemaan Cheyennestä saakka. Se on vain tunnin matkan päässä, mutta kun siihen lisää pakolliset viivästykset, tiimin kokoamisen ja tien päälle pääsemisen, he ehtivät paikalle vasta neljä tuntia onnettomuuden jälkeen."

Uudessa valokuvassa molemmat päät oli aseteltu vieretysten kasvot ylöspäin. Päät olivat yhä Tauruksen takakontissa. Vaalean naisen kasvoihin oli kohdistunut täsmälleen samanlaista väkivaltaa kuin ruskeaverikön. Myös tämän naisen ikää oli miltei mahdoton veikata.

"Olivatko silmät säiliössä?" Hunter kysyi. Hän ei irrottanut hetkeksikään katsettaan kuvasta.

"Eivät", Taylor vastasi. "Jääpalasäiliössä ei ollut muuta." Hän katsoi Kennedyä ja sitten taas Hunteria. "Meillä ole mitään aavistusta siitä, missä ruumiit ovat."

"Eikä siinä kaikki", Kennedy sanoi.

Hunter siirsi katseensa kuvasta FBI:n mieheen.

"Kun lukot oli irrotettu huulista", Kennedy selitti, "kävi ilmi, että kummaltakin uhrilta oli poistettu kaikki hampaat." Hän oli hetken hiljaa tehostaakseen dramaattista vaikutelmaa. "Ja kielet oli leikattu irti."

Hunter pysytteli hiljaa.

"Koska meillä ei ole ruumiita", Taylor jatkoi, "eikä siten sormenjälkiä, voisi väittää, että tekijä poisti hampaat ja mahdollisesti silmät tunnistamisen estämiseksi, mutta molempiin uhreihin kohdistetun väkivallan puhdas raakuus..." Hän vaikeni hetkeksi ja kohotti oikeaa etusormeaan painottaakseen sanojaan. "...*ennen kuolemaa* kertoo meille muuta. Se, joka heidät tappoi, nautti teostaan." Hän painotti kahta viimeistä sanaa kuin olisi paljastanut suurenkin salaisuuden. Se kuulosti hiukan holhoavalta.

Kennedy väänsi naamaansa ja vilkaisi Tayloria terävästi. Hän tiesi, ettei agentti ollut kertonut mitään sellaista, mitä huoneessa olijat eivät olisi jo osanneet päätellä. Vaikka Robert Hunter ei kuulunutkaan FBI:n kansalliseen väkivaltarikosten analysointikeskukseen tai käyttäytymisanalyysiyksikköön, hän oli paras rikollisten profiloija, jonka Kennedy oli koskaan kohdannut. Hän oli yrittänyt värvätä Hunterin FBI:hin ensimmäistä kertaa monta vuotta sitten luettuaan tämän väitöskirjan nimeltä *Syventävä psykologinen tutkimus rikollisesta käyttäytymisestä.* Hunter oli ollut niihin aikoihin vain kahdenkymmenenkolmen ikäinen.

Väitöskirja oli tehnyt Kennedyyn ja FBI:n silloiseen johtajaan niin suuren vaikutuksen, että siitä oli tullut NCAVC:n pakollinen kurssikirja, ja sitä se oli edelleenkin. Siitä lähtien Kennedy oli vuosien varrella yrittänyt useaan otteeseen houkutella Hunteria tiimiinsä. Hänen mielestään oli järjetöntä, että Hunter toimi mieluummin rikostutkijana LAPD:n ryöstö- ja henkirikosyksikössä kuin liittyi koko Yhdysvaltain, ellei peräti maailman, edistyneimpään sarjamurhaajien jäljitysyksikköön. Tokihan hän tiesi, että Hunter oli ultraväkivaltaisten rikosten yksikön johtava rikostutkija – tämä erikoisyksikkö oli perustettu tutkimaan sellaisia henkirikoksia ja sarjamurhia, joissa tekijä oli käyttänyt ylenpalttista raakuutta ja/tai sadismia, ja Hunter oli alansa paras. Hänen pidätysprosenttinsa todisti sen, mutta siitä huolimatta FBI kykenisi tarjoamaan hänelle paljon enemmän kuin LAPD. Hunter ei ollut kuitenkaan koskaan osoittanut vähäisintäkään kiinnostusta liittovaltion agentin uraa kohtaan ja oli kieltäytynyt johdonmukaisesti jokaisesta tarjouksesta, jonka Kennedy ja tämän esihenkilöt olivat hänelle esittäneet.

”Kiintoisa tapaus”, Hunter totesi ja ojensi kuvat takaisin Taylorille. ”FBI ja NCAVC ovat kuitenkin tutkineet tonnikaupalla vastaavanlaisia tapauksia... jopa häiritsevämpiä tekoja. Tässä ei ole varsinaisesti mitään uutta.”

Sen enempää Kennedy kuin Taylorkaan ei kiistänyt tätä.

”Oletan, ettei teillä ole tiedossa kummankaan uhrin henkilöllisyyttä”, Hunter sanoi.

”Oletat oikein”, Kennedy vastasi.

”Sanoit myös, että päät löytyivät Wyomingista.”

”Sekin pitää paikkansa.”

”Varmaan arvaat, mikä on seuraava kysymykseni?” Hunter kysyi.

Sekunnin epäröinti.

”Ellemme tiedä, keitä uhrit ovat”, Taylor sanoi ja nyökkäsi Hunterille. ”Ja koska heidän päänsä löytyivät Wyomingista, mitä kummaa me Los Angelesissa teemme?”

”Ja miksi minä olen täällä?” Hunter lisäsi ja vilkaisi nopeasti kelloaan. ”Lentoni lähtee parin tunnin päästä, enkä ole ehtinyt vielä pakata.”

”Me olemme täällä ja sinä olet täällä, koska Yhdysvaltain liittohallitus tarvitsee apuasi”, Taylor vastasi.

”Älä viitsi”, ylikomisario Blake tokaisi ivallinen hymy suupielissä karehtien. ”Aiotko kenties pitää isänmaallisen puheen? Et voi olla tosissasi." Hän nousi seisomaan. "Rikostutkijani asettavat joka ikinen päivä henkensä alttiiksi Los Angelesin kaupungin ja siten myös tämän maan puolesta. Eli tee itsellesi palvelus äläkä edes aloita, kultaseni." Hän suuntasi Tayloriin katseen, joka olisi sulattanut metallinkin. "Toimiiko tuo paska oikeasti ihmisiin?"

Taylor näytti siltä kuin aikoisi vastata, mutta Hunter avasi suunsa ennen sitä.

"Tarvitsee minua? Miksi?" Hän puhutteli Kennedyä. "En ole FBI:n agentti, ja teillä on enemmän tutkijoita kuin pystytte laskemaan, puhumattakaan rikollisprofiloijista."

"Yksikään heistä ei ole sinun veroisesi", Kennedy sanoi.

"Imartelulla ei päästä täällä puusta pitkään", ylikomisario Blake tokaisi.

"Minä en ole profiloija, Adrian", Hunter sanoi. "Sinä tiedät sen."

"Emme me sinua sen tähden tarvitse, Robert", Kennedy vastasi. Hän piti pienen tauon ja nyökkäsi sitten Taylorille. "Kerro hänelle."

Seitsemän

Kennedyn äänensävy sai Hunterin oikean kulmakarvan nytkähtämään ylöspäin. Hän kääntyi katsomaan agentti Tayloria ja odotti.

Taylor sipaisi irtosuortuvan korvan taakse ennen kuin aloitti. "Ford Taurus kuului eräälle kuppilassa sinä keskiviikkona aamiaistaan nauttineelle asiakkaalle. Ajokortin mukaan hänen nimensä on Liam Shaw, ja hän on syntynyt Tennesseen Madisonissa helmikuun 13. päivä 1968." Taylor piti tauon ja tarkkaili Hunteria hetken yrittäen löytää merkkejä siitä, oliko mies tunnistanut nimen. Hän ei löytänyt ainuttakaan.

"Ajokortin mukaan?" Hunter kysyi silmäillen vuoron perään Tayloria ja Kennedyä. "Teillä on siis epäilyksenne." Tämä oli enemmänkin toteamus kuin kysymys.

"Nimi täsmää", Kennedy sanoi. "Kaikki näyttäisi olevan kunnossa."

"Mutta teillä on siltikin epäilyksenne", Hunter yllytti.

"Ongelmana on..." Tällä kertaa Taylor puhui. "Kaikki näyttää olevan kunnossa, ennen kuin palaamme ajassa neljäntoista vuoden päähän. Sitä ennen..." Hän pudisti kevyesti päätään. "Emme löytäneet tuon taivaallista yhdestäkään Liam Shaw'sta, joka olisi syntynyt helmikuun 13. päivänä 1968 Madisonissa Tennesseen osavaltiossa. On kuin häntä ei olisi sitä ennen ollut olemassa."

"Tarkkailit minua, kun mainitsit hänen nimensä", Hunter sanoi, "joten oletan sinun etsineen merkkejä siitä, että olisin tunnistanut nimen. Miksi?"

Taylor näytti vaikuttuneelta. Hän oli aina ollut erittäin ylpeä pokerinaamastaan, kyvystään tarkkailla ihmisiä näiden huomaamatta. Hunter oli kuitenkin lukenut häntä kuin avointa kirjaa.

Kennedy hymyili. "Minähän sanoin, että hän on hyvä."

Taylor tuntui sivuuttavan kommentin.

"Seriffi Walton ja hänen apulaisensa pidättivät herra Shaw'n paikan päällä", Taylor sanoi. "Walton kuitenkin ymmärsi varsin pian törmänneensä ongelmaan, jota hän ja hänen pieni laitoksensa eivät kyenneet käsittelemään. Tauruksen rekisterikilvet olivat Montanasta, mikä tarkoitti, että rikos ylitti osavaltioiden väliset rajat. Tämän vuoksi Wyomingin seriffinlaitoksella ei ollut muuta vaihtoehtoa kuin ottaa yhteyttä meihin."

Taylor keskeytti ja kaivoi salkustaan uuden asiakirjan.

"No niin, nyt tulee tarinan toinen käänne", hän jatkoi. "Taurusta ei ole rekisteröity Shaw'n nimiin. Se on rekisteröity eräälle John Williamsille New York Cityssä."

Hän ojensi asiakirjan Hunterille.

Hunter hädin tuskin vilkaisi saamaansa paperinpalaa.

"Yllätys, yllätys", Kennedy sanoi. "Osoitteessa, johon auto oli rekisteröity, ei asunut John Williamsia."

"John Williams on melko yleinen nimi", Hunter sanoi.

"Liian yleinen", Taylor säesti. "Jo pelkästään New York Cityssä asuu noin tuhatviisisataa John Williamsia."

"Mutta tämä herra Shaw on teillä pidätettynä, eikö niin?" Hunter kysyi.

"Aivan oikein", Taylor vahvisti.

Hunter katsoi ylikomisario Blakea, yhä hieman ymmällään. "Teillä on siis Shaw, joka on ilmeisesti kotoisin Tennesseestä, kaksi tunnistamatonta naisenpäätä sekä Montanan rekisterikilvillä varustettu ajoneuvo, joka on rekisteröity New York Cityssä asuvan John Williamsin nimiin." Hän kohautti harteitaan. "Alkuperäinen kysymykseni on yhä voimassa – miksi te olette Los Angelesissa? Ja miksi minä olen täällä enkä kotona pakkaamassa?" Hän vilkaisi kelloaan vielä kerran.

”Koska herra Shaw ei puhu”, Taylor vastasi yhä tyynellä äänellä.
Hunter tuijotti häntä tuikeasti.
”Miten se vastaa kysymykseeni?”
”Agentti Taylorin lausunto ei ole sataprosenttisen täsmällinen”, Kennedy puuttui puheeseen. ”Herra Shaw on ollut huomassamme neljän päivän ajan. Hänet siirrettiin meille pidätystä seuranneena päivänä. Häntä pidetään vangittuna Quanticossa. Annoin tapauksen agentti Taylorin ja agentti Newmanin hoidettavaksi.”
Hunter vilkaisi nopeasti Tayloria.
”Mutta kuten agentti Taylor juuri sanoi...” Kennedy jatkoi. ”...herra Shaw on kieltäytynyt puhumasta.”
”Entä sitten?” ylikomisario Blake keskeytti hivenen huvittuneena. ”Milloin se on estänyt FBI:tä nyhtämästä henkilöltä haluamaansa tietoa?”
Kipakka sutkaus ei hämmentänyt Kennedyä.
”Eilisillan kuulustelusession aikana”, hän jatkoi, ”herra Shaw avasi vihdoinkin suunsa.” Hän piti tauon ja siirtyi itäseinän suuren ikkunan ääreen. ”Hän lausui tasan neljä sanaa.”
Hunter odotti.
”Hän sanoi: ’*Puhun ainoastaan Robert Hunterille.*’”

Kahdeksan

Hunter ei liikahtanut. Hän ei edes värähtänyt. Hänen kasvojensa ilme pysyi muuttumattomana. Mikäli Kennedyn sanat olivat vaikuttaneet häneen jollakin tavoin, hän ei näyttänyt sitä.

"En varmastikaan ole Yhdysvaltain ainoa Robert Hunter", hän sanoi lopulta.

"Et varmasti", Kennedy myönsi. "Mutta me olemme varmoja, että herra Shaw puhui sinusta, ei jostakusta muusta."

"Miten voitte olla siitä niin varmoja?"

"Hänen äänensävynsä takia", Kennedy vastasi. "Ja hänen asentonsa, hänen itsevarmuutensa, hänen asenteensa takia... koko hänen olemuksensa takia. Olemme analysoineet tallenteen lukemattomia kertoja. Tiedät, mitä meikäläiset tekevät työkseen, Robert. Tiedät, että palkkalistoillani on ihmisiä, jotka on koulutettu tulkitsemaan pienimmätkin paljastavat merkit, tunnistamaan heikoimmankin muutoksen intonaatiossa, identifioimaan ruumiinkielen vähäisimpiäkin signaaleja. Tämä kaveri oli itsevarma. Ei epäröintiä. Ei hermostuneisuutta. Ei mitään. Hän oli varma, että tietäisimme, ketä hän tarkoittaa."

"Voit katsoa tallenteen, jos haluat", Taylor tarjosi. "Minulla on kopio täällä." Hän osoitti salkkuaan.

Hunter pysyi hiljaa.

"Siksi ajattelimme, että saattaisit tunnistaa nimen", Kennedy sanoi. "Toisaalta epäilimme, että Liam Shaw on sekin tekaistu nimi."

"Oletteko kokeilleet etsiä Tennesseestä, josta tämä herra Liam Shaw on väitetysti kotoisin?" ylikomisario Blake kysyi. "Sieltäpäin saattaa löytyä toinenkin Robert Hunter."

”Emme”, Taylor vastasi. ”Siihen ei ole tarvetta. Kuten johtaja Kennedy sanoi, Shaw oli liian itsevarma. Hän tiesi, että ymmärtäisimme saman tien, ketä hän tarkoitti.”

Kennedy jatkoi: ”Heti, kun kuulin nimen, tiesin että hän saattoi tarkoittaa vain yhtä henkilöä. Sinua, Robert.”

”Teillä on siis se tallenne mukana?” Hunter kysyi.

”Minulla on”, Taylor vastasi. ”Minulla on myös Shaw'n valokuva.” Hän otti salkustaan vielä yhden kuvan ja ojensi sen Hunterille.

Hunter tuijotti valokuvaa ääneti hyvin kauan aikaa. Hänen ilmeensä tai kehonkielensä eivät edelleenkään paljastaneet mitään. Lopulta hän veti syvään henkeä ja siirsi katseensa Kennedyyn.

”Ei voi saatana olla totta.”

Yhdeksän

Mies, joka kutsui itseään Liam Shaw'ksi, istui sängyllä pienessä sellissä syvällä maan alla – alataso viidessä eräässä Virginian osavaltion Quanticossa sijaitsevan FBI:n koulutuskeskuksen arkisen näköisessä rakennuksessa. Hän istui risti-istunnassa, kädet sylissä ja löyhästi yhteen liitettyinä. Hänen silmänsä olivat auki, mutta niissä ei ollut liikettä, vain kuollut, puolittain pelokas, puolittain epävarma ilme. Hän tuijotti suoraan eteensä kohti tyhjää seinää. Hän ei liikkunut lainkaan. Ei aavistuksenomaista päänpudistusta, ei peukaloiden tai sormien nytkähtelyä, ei jalkojen asennon parantelua, ei kehon liikahtelua tai keinutusta, ei mitään. Vain silmänräpäys silloin tällöin, ja siinäkin oli kyse refleksinomaisesta motorisesta reaktiosta.

Hän oli ollut samassa asennossa kuluneen tunnin ajan. Hän oli vain tuijottanut seinää, ikään kuin olisi sitä tuijottamalla voinut maagisesti siirtyä jonnekin muualle. Hänen jalkojensa olisi tähän mennessä jo pitänyt krampata. Jalkapohjissa olisi kuulunut pistellä ja kihelmöidä pahemman kerran. Kaulan olisi pitänyt jäykistyä liikkumisen puutteesta, mutta hän näytti rennolta ja stressittömältä kuin omassa ylellisessä olohuoneessaan istuksiva mies.

Hän oli opetellut tekniikan kauan sitten. Sen hallitsemiseen oli mennyt vuosia, mutta hän pystyi nyt käytännössä tyhjentämään mielensä useimmista ajatuksista. Hän pystyi kepeästi blokkaamaan äänet ja sokeutumaan kaikelle, mitä hänen ympärillään tapahtui, ja pitämään samalla silmänsä apposen avoinna. Kyseessä oli eräänlainen meditatiivinen transsi, joka kohotti hänen mielensä milteipä ylimaalliselle tasolle. Ennen kaikkea se piti hänet henkisesti vahvana. Ja juuri sitä hän tällä hetkellä tarvitsi.

Agentit olivat eilisen jälkeen lakanneet vaivaamasta häntä. Hän kuitenkin tiesi, että he palaisivat. He halusivat hänen puhuvan, mutta hän ei tiennyt mitä sanoa. Hän tiesi riittävän paljon poliisin toiminnasta ymmärtääkseen, ettei yksikään selitys riittäisi, vaikka hän puhuisikin totta. Heidän silmissään hän oli jo syyllinen, riippumatta siitä, mitä hän sanoi tai jätti sanomatta. Hän ymmärsi myös sen, ettei istunut tavallisessa poliisiputkassa vaan että hänet oli siirretty FBI:n huomaan, mikä hankaloitti asioita moninkertaisesti.

Hän tiesi, että hänen olisi pian pakko sanoa jotain, sillä kuulustelumetodit muuttuisivat. Hän vaistosi sen. Hän aisti sen molempien kuulustelijoiden äänensävystä.

Viehättävä vaalea nainen, joka kutsui itseään agentti Tayloriksi, oli pehmeä-ääninen, miellyttävä ja kohtelias. Vinonenäinen iso mies, joka kutsui itseään agentti Newmaniksi, oli rutkasti aggressiivisempi ja äkkipikaisempi. Tyypillistä "hyvä kyttä, paha kyttä" -peliä. Heidän turhautumisensa hänen täydelliseen äänettömyyteensä alkoi näkyä. Miellyttävyys ja kohteliaisuus olivat väistymässä. Se oli käynyt selväksi viimeisen kuulustelusession aikana.

Ja sitten ajatus oli juolahtanut hänen mieleensä, ja sen myötä tuli nimi.

Robert Hunter.

Kymmenen

Hunter pääsi lopulta kotiin pakkaamaan laukkunsa. Lento, jolle hän muutaman tunnin kuluttua nousi, ei kuitenkaan suunnannut kohti Havaijia.

Rullattuaan aikansa kiitoradalla yksityinen Hawker-suihkukone sai Van Nuysin lentokentän lennonjohtotornista lähtöluvan.

Hunter istui lentokoneen takaosassa siemaillen suurta kupillista mustaa kahvia. Hänen työhönsä ei juuri kuulunut matkustelua, ja kun kuului, hän yleensä ajoi itse, mikäli suinkin mahdollista. Hän oli matkustanut muutamaan kertaan tavallisella matkustajalentokoneella, mutta tämä oli hänen ensimmäinen kertansa yksityiskoneessa, ja hänen oli pakko myöntää, että hän oli vaikuttunut. Lentokoneen sisätilat olivat yhtäläisissä määrin ylelliset ja käytännölliset.

Matkustamo oli osapuilleen seitsemän metrin pituinen ja kahden metrin levyinen. Erittäin mukavia kermanvärisiä nahkaistuimia oli yhteensä kahdeksan: käytävän kummallakin puolen neljä erillistä istuinta, kussakin oma sähköpistoke ja mediajärjestelmä. Kaikki kahdeksan istuinta kääntyivät 360 astetta. Matalalämpöiset LED-kattovalot loivat matkustamoon mukavan tunnelman.

Agentti Taylor istui Hunterin edessä ja näpytteli kannettavaa tietokonettaan, jonka oli asettanut edessään olevalle taittopöydälle. Adrian Kennedy istui Hunterin oikealla puolella, käytävän toisella puolella. Hän oli ollut matkapuhelimellaan käytännössä koko ajan sen jälkeen, kun he olivat poistuneet ylikomisario Blaken työhuoneesta.

Lentokone nousi sulavasti ilmaan ja saavutti nopeasti yhdeksän kilometrin lentokorkeuden. Hunter piti katseensa sinisessä, pilvettömässä taivaassa ikkunan ulkopuolella antaen mielensä kamppailla lukemattomien ajatusten kanssa.

”No niin”, Kennedy sanoi lopetettuaan vihdoin puhelunsa ja pantuaan puhelimen takaisin takintaskuun. Hän oli kääntänyt tuolinsa niin että istui kasvokkain Hunterin kanssa. ”Kerro lisää tästä kaverista, Robert. Kuka hän on?”

Taylor lakkasi kirjoittamasta ja käänsi hitaasti tuoliaan, jotta näki molemmat miehet.

Hunter tuijotti sinistä taivasta vielä hetken.

”Hän on yksi älykkäimmistä koskaan tapaamistani ihmisistä”, hän sanoi lopulta. ”Hänellä on käsittämätön itsekuri ja -kontrolli.”

Kennedy ja Taylor odottivat.

”Hänen nimensä on Lucien. Lucien Folter”, Hunter jatkoi. ”Tai sillä nimellä minä hänet tunsin. Tapasin hänet ensimmäisenä päivänäni Stanfordin yliopistossa. Olin kuudentoista.”

Hunter oli varttunut työväenluokkaisten vanhempien ainoana lapsena Comptonissa, sosioekonomisesti huono-osaisessa lähiössä eteläisessä Los Angelesissa. Hänen äitinsä hävisi taistelun syöpää vastaan Hunterin ollessa vasta seitsemän. Hänen isänsä ei koskaan mennyt uusiin naimisiin ja oli joutunut ottamaan kaksi työpaikkaa pystyäkseen kasvattamaan lapsen omillaan.

Hunter oli aina ollut erilainen. Jopa lapsena hänen aivonsa olivat tuntuneet työstävän ongelmia nopeammin kuin kenenkään muun. Koulu ikävystytti ja turhautti häntä. Hän sai kaikki kuudennen luokan tehtävät tehtyä alle kahdessa kuukaudessa ja ihan vain saadakseen jotain tekemistä luki läpi jäljellä olevan peruskoulun oppimäärän. Sen tehtyään hän kysyi koulun rehtorilta, saisiko suorittaa seitsemännen ja kahdeksannen luokan päättökokeet. Rehtori antoi luvan silkasta uteliaisuudesta. Hunter suoritti kokeet huippupistein.

Tämän jälkeen rehtori päätti ottaa yhteyttä Los Angelesin koulutoimeen. Uusien kokeiden ja testien jälkeen kaksitoistavuotias Robert Hunter hyväksyttiin Mirmanin lahjakkaiden nuorten kouluun.

Mutta edes erityiskoulun oppimäärä ei hidastanut hänen tahtiaan.

Neljäntoista ikäisenä hän oli suorittanut Mirmanin lukiotason äidinkielen, historian, matematiikan, biologian ja kemian kurssit. Neljä lukiovuotta tiivistyivät kahdeksi, ja viidentoista ikäisenä hän valmistui vuosiluokkansa parhaana. Hän sai suositukset kaikilta opettajiltaan, ja hänet hyväksyttiin erityisluvalla Stanfordin yliopistoon.

Yhdeksäntoista ikäisenä Hunter oli jo valmistunut psykologiasta arvosanalla *summa cum laude,* ja kaksikymmentäkolmevuotiaana hän väitteli rikollisen käyttäytymisen analyysistä sekä biopsykologiasta.

"Sanoitko, että hän oli huonetoverisi?" Taylor kysyi.

Hunter nyökkäsi. "Heti ensimmäisestä päivästä alkaen. Minulle osoitettiin asuntolahuone lukuvuoden alussa." Hän kohautti harteitaan. "Lucienille määrättiin sama huone."

"Kuinka monta teitä oli siinä huoneessa?"

"Vain me kaksi. Huoneet olivat pieniä."

"Opiskeliko hänkin pääaineenaan psykologiaa?"

"Kyllä." Hunter siirsi katseensa takaisin ikkunan ulkopuolella siintävään taivaaseen muistin ryhtyessä kuljettamaan häntä vuosien taakse. "Hän oli mukava tyyppi. En olisi koskaan uskonut, että hän olisi niin ystävällinen minua kohtaan."

Taylor kurtisti kulmiaan. "Mitä tarkoitat?"

Hunter kohautti uudestaan harteitaan. "Olin paljon nuorempi kuin muut. En ollut koskaan pahemmin innostunut urheilusta. En käynyt salilla tai harrastanut oikeastaan mitään muutakaan liikuntaa. Olin laiha ja kömpelö, minulla oli pitkä tukka enkä pukeutunut samoin kuin useimmat muut siihen aikaan. Vedin magneetin lailla puoleeni kiusaajia. Lucien oli niihin aikoihin melkein yhdeksäntoista, rakasti urheilua ja treenasi säännöllisesti. Sellainen kaveri, joka yleensä ottaisi ilon irti meikäläisen näköisestä jätkästä."

Kukaan ei olisi Hunterin nähdessään ikinä uskonut, että hän oli aikoinaan ollut laiha, kömpelö nörtti. Hän näytti tyypilliseltä lukion tähtiurheilijalta. Ehkä jopa futis- tai painijoukkueen kapteenilta.

”Mutta hän ei ivannutkaan minua”, Hunter jatkoi. ”Itse asiassa minua ei hänen takiaan kiusattu lainkaan niin paljon kuin olisi pitänyt. Meistä tuli parhaat ystävät. Kun aloin käydä salilla, hän auttoi minua treeniohjelman ja ruokavalion ja kaiken sellaisen kanssa.”

”Entä millainen hän oli ystävänä?”

Hunter tiesi, että Taylor viittasi Folterin luonteenpiirteisin.

”Hän ei ollut väkivaltaista sorttia, mikäli sitä kysyt. Hän oli aina tyyni. Hallitsi itsensä aina. Mikä oli hyvä juttu, koska hän kyllä osasi tapella.”

”Juurihan sanoit, ettei hän ollut väkivaltainen”, Taylor sanoi.

”Ei ollutkaan.”

”Annoit kuitenkin ymmärtää, että olet nähnyt hänen tappelevan.”

Puolittain nyökkäys. ”Niin olen.”

Taylorin silmät ja huulten asento esittivät äänettömän kysymyksen.

”On tiettyjä tilanteita, joista ei pääse pois väkivallatta, olipa kuinka tyyni ja rento tyyppi hyvänsä”, Hunter vastasi.

”Kuten?” Taylor penäsi.

”Muistan nähneeni Lucienin tappelussa yhden ainoan kerran”, Hunter selitti. ”Ja hän todella yritti selvitä tilanteesta käyttämättä nyrkkejään, mutta se ei onnistunut.”

”Kuinka niin?”

Hunter kohautti olkiaan. ”Lucian oli tavannut viikonloppuna baarissa erään tytön ja jutustellut hänen kanssaan. Käsittääkseni muuta ei tapahtunut. Ei seksiä, ei suutelua, ei mitään pahaa, ihan vain pari drinkkiä, pientä flirttiä ja rutkasti naurua. Kyseisen viikonlopun jälkeisenä maanantaina olimme tulossa kotiin kirjastolta, jossa olimme istuneet myöhään pänttäämässä, kun neljä jätkää piiritti meidät. Kaikki olivat aika isokokoisia. Yksi heistä oli sen tytön tavattoman vittuuntunut ex-poikaystävä. Heidän eronsa oli ilmeisesti melko tuore. Lucienista sen verran, että hän oli erinomainen puhuja. Olisi voinut vaikka myydä jääpuikkoja eskimoille, kuten tavataan sanoa. Hän yritti selvittää tilanteen järjen avulla. Hän sanoi, että oli pahoillaan, ettei hän tiennyt poikaystävästä tai siitä, että he olivat vasta eronneet. Hän sanoi, että jos olisi tiennyt, hän ei olisi ikimaailmassa lähestynyt tyttöä. Mutta jätkät eivät ottaneet sitä kuuleviin korviinsa. He sanoivat, etteivät kaivanneet anteeksipyyntöjä. He olivat tulleet antamaan Lucienille opetuksen, piste."

"Mitä sitten tapahtui?" Taylor kysyi.

"Väkivaltaa. En ollut koskaan ennen nähnyt mitään sellaista. He kävivät suoraan Lucienin kimppuun. Entä minä? Vaikka olinkin laiha luikero, en aikonut katsella vierestä, kun neljä neandertalilaista rusikoi parhaan kaverini. En kuitenkaan saanut tilaisuutta tehdä mitään. Koko homma oli ohi kymmenessä... korkeintaan viidessätoista sekunnissa. En pysty kertomaan teille yksityiskohtaisesti, mitä tapahtui, mutta Lucien toimi nopeasti... itse asiassa liian nopeasti. Alta aikayksikön kaikki neljä makasivat maassa. Kahdella oli murtunut nenä, yhdeltä oli murtunut kolme neljä sormea, ja neljänneltä Lucien oli potkinut sukuelimet kurkkuun. Kun häivyimme paikalta, kysyin häneltä, missä hän oli oppinut moista."

"Mitä hän sanoi?"

"Valehteli päin naamaani. Sanoi katselleensa liikaa kamppailuelokuvia. Mutta jos jotain olin Lucienista oppinut niin sen, ettei häneltä kannattanut kärttää vastausta, kun hän ei sitä halunnut antaa. Annoin siis asian olla."

"Sanoit, että hän oli hyvä puhuja", Taylor sanoi. Hänen äänensä oli kohonnut aavistuksen. "No, hän ei ole suutaan avannut näiden parin viimeisen päivän aikana."

"Milloin näit hänet viimeisen kerran?" Kennedy kysyi.

"Väitöstilaisuudessani", Hunter selitti. "Olin saanut maisterinpaperit vuotta ennen häntä."

Taylor tiesi Hunterin CV:n luettuaan, että mies oli edennyt huipputahtia myös yliopistossa ja tiivistänyt neljän vuoden opinnot kolmeen.

"Mutta minä jäin Stanfordiin", Hunter sanoi. "Minulle tarjottiin toista stipendiä, jonka turvin saatoin ryhtyä tekemään väitöskirjaa. Tartuin tilaisuuteen. Lucien ja minä jaoimme huoneen vielä vuoden verran, kunnes hän valmistui. Sen jälkeen hän lähti Stanfordista."

"Pysyittekö yhteydessä?"

"Kyllä, mutta emme kovin pitkään", Hunter vastasi. "Hän piti parin kuukauden loman valmistumisen jälkeen. Hän matkusteli jonkin verran ja päätti sitten palata yliopistoon. Hänkin halusi valmistua tohtoriksi."

"Palasiko hän Stanfordiin?"

"Ei. Hän meni Yaleen."

"Connecticutiin?" Taylor kuulosti yllättyneeltä. "Sehän on itärannikolla. Miksi lähteä niin kauas, kun täällä Kaliforniassa on tarjolla Stanford, Berkeley, Caltech ja UCLA? Neljä koko maan parasta yliopistoa."

"Yale on erinomainen yliopisto sekin."

"Totta. Mutta sinä tiedät, mitä tarkoitan. Connecticut on ihan helvetinmoisen patikkamatkan päässä Kaliforniasta. Luulisi, että hänellä olisi kaikkien niiden vuosien jälkeen ollut rutkasti ystäviä ja jonkinlainen elämäkin Los Angelesissa. Mistä yllättävä muutos? Onko hänen perheensä Connecticutista?"

Hunter oli hetken hiljaa ja yritti muistella.

"En tiedä, mistä hänen perheensä on kotoisin", hän sanoi. "Lucien ei koskaan puhunut heistä."

Taylorin katse siirtyi hitaasti Kennedyyn ja sitten takaisin Hunteriin.

"Eikö se ole sinusta yhtään outoa?" hän kysyi. "Te kaksi olitte kämppiksiä vuosikausia. Kuten asian ilmaisit, teistä tuli parhaat ystävykset. Eikä hän koko sinä aikana sanonut perheestään mitään?"

Hunter kohautti rennosti olkiaan.

"Ei sanonut, eikä se ollut minusta mitenkään outoa. En minäkään puhunut perheestäni hänelle tai kellekään muullekaan sen puoleen. Jotkut ihmiset ovat yksityisempiä kuin toiset."

”Näit siis hänet viimeksi, kun sait tohtorin diplomisi?” Kennedy vahvisti.

Hunter nyökkäsi. ”Hän saapui valmistumisseremoniaan, jäi päiväksi ja lensi pois seuraavana aamuna. En enää koskaan kuullut hänestä.”

”Hän siis paineli takaisin Connecticutiin ja katosi?” Taylor puuttui puheeseen. ”Luulin, että olitte parhaat kaverukset.”

”Minä saatoin olla se, joka katosi”, Hunter sanoi.

Taylor epäröi hetken.

”Miksi? Yrittikö hän ottaa sinuun yhteyttä?”

”Ei minun tietääkseni”, Hunter vastasi. ”Mutta minäkään en yrittänyt pitää yhteyttä häneen.” Hän oli hetken hiljaa ja katsoi muualle. ”Valmistumiseni jälkeen en pitänyt yhteyttä kehenkään.”

Yksitoista

Yksityinen Hawker-kone laskeutui Turner Fieldin kiitoradalle Virginian Quanticoon miltei täsmälleen viisi tuntia sen jälkeen, kun se oli noussut ilmaan Los Angelesin Van Nuysin lentokentältä.

Kun Hunter oli kertonut Kennedylle ja Taylorille, mitä muisti entisestä parhaasta ystävästään, he vaikenivat loppulennon ajaksi. Kennedy nukahti pariksi tunniksi, mutta Hunter ja Taylor pysyttelivät valveilla kumpikin omiin ajatuksiinsa vajonneina. Jostakin syystä Taylor palasi muistoissaan lapsuuteensa ja siihen, miten oli oppinut pitämään itsestään huolta jo hyvin varhaisella iällä.

Taylorin näennäisen hyväkuntoinen isä oli kuollut äkilliseen sepelvaltimopullistaman laukaisemaan sydänkohtaukseen Taylorin ollessa neljäntoista. Taylor otti isän kuoleman raskaasti, samoin kuin hänen nuori äitinsä. Seuraavat pari vuotta olivat kaksikolle valtavaa kamppailua niin emotionaalisesti kuin taloudellisestikin. Viisitoista vuotta kotona ollut äiti joutui turvautumaan hanttihommiin. Yllättävä leskeys ja sitä seurannut yksinhuoltajuus tuottivat hänelle kovasti paineita.

Taylorin äiti oli herkkä nainen, jolla oli lempeä sielu, mutta hän oli myös niitä ihmisiä, jotka eivät yksinkertaisesti kestäneet olla yksin. Seurasi koko joukko kelvottomia poikaystäviä, joista osa oli väkivaltaisia. Taylor oli juuri valmistumassa lukiosta, kun äiti tuli jälleen raskaaksi. Äidin silloinen poikaystävä ilmoitti oikopäätä, ettei ollut valmis isäksi. Häntä ei myöskään kiinnostanut ryhtyä huoltajaksi toisen miehen tyttärelle. Kun Taylorin äiti kieltäytyi lähtemästä aborttiklinikalle, jonne mies oli varannut ajan, äijä dumppasi hänet yksin tein ja häipyi seuraavana päivänä kaupungista. He eivät enää koskaan kuulleet hänestä.

Kun äiti oli viimeisillään raskaana eikä enää kyennyt tekemään töitä, Taylor luopui yliopistohaaveistaan ja aloitti kokopäivätyön paikallisella ostarilla. Kuukautta myöhemmin äiti synnytti poikavauvan, Adamin, mutta ikävä kyllä Adamilla oli poikkeavuus kromosomi 18:ssa, mikä tarkoitti lievää älyllistä kehitysvammaisuutta, lihasten surkastumista, kraniofasiaalista epämuodostumaa sekä huomattavia vaikeuksia liikkeiden hallinnassa. Sen sijaan, että Adamin syntymä olisi tuottanut äidille iloa, se sysäsi hänet hallitsemattoman masennuksen kouriin. Hän ei pärjännyt sen kanssa vaan etsi lohtua unilääkkeistä, mielialalääkkeistä ja alkoholista. Seitsemäntoistavuotiaasta Taylorista ei tullut pelkästään isosiskoa vaan myös perheen pää.

Sosiaaliavustukset eivät riittäneet alkuunkaan, joten seuraavat kolme vuotta Taylor paiski töitä niska limassa ja huolehti pikkuveljestään ja äidistään. Lääketieteellisestä tuesta huolimatta Adamin terveys heikkeni entisestään, ja hän kuoli kaksi kuukautta kolmannen syntymäpäivänsä jälkeen. Äidin masennus paheni, mutta ilman sairausvakuutusta hänen oli miltei mahdotonta saada ammattiapua.

Eräänä sateisena iltana Taylor oli juuri palannut kotiin iltavuorosta eräästä keskustan ravintolasta, kun hän löysi keittiön pöydältä äidin kirjoittaman viestin:

Anteeksi, etten ollut hyvä äiti sinulle tai Adamille, kulta. Anteeksi kaikista virheistä. Olet paras tytär, mitä kukaan äiti voisi koskaan toivoa. Rakastan sinua koko sydämestäni. Toivon vain, että voit jonain päivänä antaa minulle anteeksi sen, että olin niin heikko ja typerä ja että kuormitin sinua niin kauhealla tavalla. Eläthän onnellisena, enkelini. Ansaitset sen.

Kun Taylor oli lukenut viestin, hänet täytti sydäntä kylmäävä kauhu. Hän ryntäsi äidin huoneeseen... mutta oli jo liian myöhäistä. Äidin yöpöydällä oli kolme tyhjää pulloa – unilääkkeitä, mielialalääkkeitä ja vodkaa. Taylor näki yhä edelleen painajaisia tuosta yöstä.

Musta GMC-merkkinen kaupunkimaasturi, jossa oli sävytetyt ikkunalasit FBI-tyyliin, odotteli heitä kiitoradalla koneen laskeutuessa.

Hunter laskeutui koneesta ja venytteli 183-senttistä varttaan varhaisaamun tuulenvireessä. Tuntui hyvältä päästä pois ahtaista tiloista ja hengittää raikasta ilmaa. Yksityiskoneen matkustamo oli toki ylellinen, mutta viiden tunnin jälkeen se oli alkanut tuntua taivaalle läntätyltä vankilalta.

Hunter vilkaisi rannekelloaan – aurinko nousisi vasta kahden tunnin päästä, mutta yllättävää kyllä, Virginian yöilma tuntui aivan yhtä lämpimältä kuin Los Angelesissakin.

"Nyt meidän täytyy saada vähän unta", Kennedy sanoi ja lopetti jälleen puhelunsa. Kaikki kolme nousivat maasturiin. "Ja myöhemmin säädyllinen aamupala. Huoneesi on valmiina", hän totesi Hunterille. "Toivottavasti sinua ei haittaa yöpyä alokkaiden asuntolassa."

Hunter pudisti nopeasti päätään.

"Agentti Taylor tulee noutamaan sinut kymmeneltä." Kennedy vilkaisi aikarautaansa. "Se tarkoittaa kuuden tunnin taukoa. Hyödyntäkää se nukkumiseen."

"Sopiiko yhtään aikaisemmin?" Hunter kysyi. "Kuten nyt? Kun olen joka tapauksessa jo täällä. En näe mitään syytä viivytellä yhtään enempää."

Kennedy katsoi Hunteria suoraan silmiin. "Me kaikki olemme levon tarpeessa, Robert. Meillä on pitkä päivä ja pitkä lentomatka takana. Tiedän, että pystyt työskentelemään hyvin vähillä yöunilla, mutta se ei tarkoita, että aivosi eivät väsyisi siinä missä muidenkin ihmisten aivot. Sinun täytyy olla skarppina, kun jututat vanhaa ystävääsi."

Hunter ei sanonut mitään. Hän vain katseli, kun lyhtypylväät kiisivät ohitse maasturin lähdettyä liikkeelle.

Kaksitoista

Erikoisagentti Courtney Taylor koputti Hunterin asuntolahuoneen ovelle tasan kello 10.00. Taylor oli onnistunut nukkumaan viiden tunnin unet, minkä jälkeen hän oli käynyt suihkussa ja pukeutunut asialliseen mutta eleganttiin mustaan liituraitajakkupukuun. Vaaleat hiukset oli kietaistu moitteettomalle poninhännälle.

Hunter avasi oven, vilkaisi kelloaan ja hymyili.

”Vau. Tulit sekunnilleen oikeaan aikaan.”

Hunterin tukka oli yhä märkä suihkun jäljiltä. Hänellä oli yllään mustat farkut, tummansininen t-paita tavanomaisen ohuen mustan nahkatakin alla sekä mustat buutsit.

Hän oli torkahtelun lomassa saanut kasaan yhteensä kahden ja puolen tunnin unet.

”Oletko valmis, etsivä Hunter?” Taylor kysyi.

”Totisesti”, Hunter vastasi ja sulki oven perässään.

”Oletan sinun saaneen aamiaista”, Taylor sanoi heidän lähtiessään kävelemään käytävää kohti portaikkoa.

Tasan kello 09.00 FBI:n kadetti oli koputtanut Hunterin ovelle kantaen tarjotinta, jolle oli katettu tervehenkinen aamiainen: hedelmiä, muroja, jogurttia, munakokkelia, kahvia, maitoa ja paahtoleipää.

”Kyllä vain”, Hunter sanoi ja väläytti kysyvän hymyn. ”En tiennyt, että FBI:llä on nykyään huonepalvelu.”

”Ei olekaan. Tämä oli ainutkertainen järjestely. Voit kiittää siitä johtaja Kennedyä.”

Hunter nyökkäsi. ”Aivan varmasti.”

Alakerrassa uusi, musta citymaasturi odotti viedäkseen heidät rakennuskompleksin toiselle puolelle. Hunter istui hiljaisena takapenkillä, Taylor edessä kuskin vieressä.

FBI:n akatemia sijaitsi merijalkaväen tukikohdassa 222 hehtaarin tontilla kuudenkymmenenviiden kilometrin päässä Washington DC:stä. Sen hermokeskus oli toisiinsa yhteydessä olevien rakennusten rykelmä, joka näytti pikemminkin ylikasvaneelta yritykseltä kuin hallituksen koulutuskeskukselta. Kaikkialla näkyi alokkaita, joiden tummansinisten verryttelyasujen rintamusta koristi viraston tunnus ja selkäpuolella komeili suurin kultaisin kirjaimin FBI. Jokaisessa risteyksessä ja jokaisen rakennuksen sisäänkäynnillä seisoi huipputehokkain kiväärein varustettuja merijalkaväen sotilaita. Ilmaa tuntui jatkuvasti halkovan helikopterinlavojen kolina. Koko paikkaa tuntui leimaavan käsinkosketeltava tehtävän ja salailun ilmapiiri.

Ikuisuudelta tuntuvan ajomatkan jälkeen maasturi saapui vihdoin kompleksin toiselle laidalle ja pysähtyi raskaasti vartioidulle portille. Paikkaa saattoi kuvailla ainoastaan laitokseksi laitoksen sisällä, täysin erilliseksi varsinaisesta rakennusverkostosta. Turvatarkastuksen jälkeen maasturi ajoi sisäpihalle ja pysähtyi kolmikerroksisen, sävytetyillä luotilasi-ikkunoilla varustetun tiilitalon eteen.

Hunter ja Taylor nousivat autosta, ja Taylor ohjasi Hunterin ohi sisäänkäynnillä seisovien aseistettujen sotilaiden. Sisälle päästyään he kävelivät kahden turvaoven läpi, kulkivat pitkää käytävää, selvittivät vielä kaksi turvaovea ja astuivat hissiin, joka laskeutui kolme kerrosta alaspäin käyttäytymistieteiden yksikköön eli BSU:hun. Hissi avautui pitkälle, kiiltävälle ja hyvin valaistulle käytävälle, jonka seiniä peittivät lukuisat kultakehyksiset muotokuvat.

Roteva mies, jolla oli pyöreät kasvot ja vino nenä, astui hissin avointen ovien eteen.

”Etsivä Robert Hunter”, hän sanoi karskilla äänellä, joka vaikutti hivenen epäystävälliseltä. ”Olen agentti Edwin Newman. Tervetuloa FBI:n käyttäytymistieteiden yksikköön.”

Hunter astui hissistä ja puristi Newmanin kättä.

Newman oli hieman päälle viidenkymmenen, ja hänellä oli taaksepäin kammattu harmaantuva tukka ja kirkkaanvihreät silmät. Hänellä oli yllään musta puku, putipuhdas valkoinen paita sekä punainen silkkisolmio. Hän hymyili paljastaen kimmeltävän valkoiset hampaat.

"Ajattelin, että voisimme hiukan jutella neuvotteluhuoneessa, ennen kuin viemme sinut tapaamaan..." Newman vaikeni ja vilkaisi Tayloria. "...vanhaa ystävääsi, mikäli olen oikein ymmärtänyt."

Hunter tyytyi nyökkäämään ja seurasi Newmania ja Tayloria käytävän toiseen päähän.

Neuvotteluhuone oli suuri ja ilmastoitu miellyttävän lämpöiseksi. Huoneen keskustaa hallitsi pitkä, kiillotettu mahonkipöytä. Peräseinällä hehkui valtava monitori, jossa näkyi yksityiskohtainen Yhdysvaltain kartta.

Newman istuutui pöydän päähän ja viittasi Hunteria istuutumaan viereensä.

"Oletan, että sinulle on kerrottu seikkaperäisesti tästä meidän kiperästä tilanteestamme", Newman aloitti, kun Hunter oli asettunut paikalleen.

Hunter nyökkäsi myöntävästi.

Newman avasi edessään olevan kansion. "Johtaja Kennedylle ja agentti Taylorille kertomiesi tietojen perusteella huostassamme olevan miehen nimi on Lucien Folter eikä suinkaan Liam Shaw, kuten hänen ajokortissaan lukee."

"Sillä nimellä minä hänet tunsin", Hunter vahvisti.

Newman nyökkäsi ymmärryksen merkiksi. "Uskot siis, että Lucien Folterkin saattaa olla keksitty nimi?"

"En sanonut niin", Hunter vastasi tyynesti.

Newman odotti.

"En näe mitään syytä, miksi hän olisi käyttänyt yliopistossa väärää nimeä", Hunter sanoi yrittäen selventää sanojaan. "Teidän on muistettava, että nyt puhutaan Stanfordin yliopistosta ja henkilöstä, joka oli niihin aikoihin vain yhdeksäntoistavuotias."

Newman rypisti aavistuksen otsaansa. Hän ei pysynyt täysin kärryillä Hunterin ajatuksenjuoksussa.

Hunter huomasi sen ja selitti. "Lucien tosiaan oli niihin aikoihin yhdeksäntoistavuotias. Hänen olisi pitänyt pystyä väärentämään ammattitaitoisesti useita asiakirjoja, jotta hänet olisi hyväksytty erittäin arvovaltaiseen yliopistoon aikana, jolloin henkilökohtaisia tietokoneita ei ollut olemassa." Hän pudisti päätään. "Ei mikään helppo tehtävä."

"Ei helppo", Newman myönsi. "Mutta mahdollisuuksien rajoilla."

Hunter ei sanonut mitään.

"Kysyn vain siksi, koska hänen nimessään on kätketty merkitys", Newman sanoi.

"Kätketty merkitys?" Hunter silmäili agenttia uteliaana.

Newman nyökkäsi. "Tiesitkö, että Folter tarkoittaa saksaksi *kidutusta*?"

Hunter nyökkäsi. "Kyllä. Lucien kertoi minulle."

Newman tuijotti Hunteria edelleen.

Hunter ei näyttänyt erityisen vaikuttuneelta. "Sitäkö tarkoitat kätketyllä merkityksellä?" Hän katsoi Tayloria ja sitten jälleen Newmania. "Tiesittekö myös, että nimi *Lucien* on peräisin ranskan kielestä ja tarkoittaa 'valoa, valaistumista'? Se on myös puolalainen kylä sekä erään kristityn pyhimyksen nimi. Monilla nimillä on historiansa, erikoisagentti Newman. Minun sukunimeni tarkoittaa 'häntä, joka metsästää', mutta isäni ei koskaan ollut minkään sortin metsästäjä. Moni amerikkalainen sukunimi tarkoittaa jotakin muuta jollakin vieraalla kielellä. Niillä ei välttämättä ole kätkettyjä tarkoitusperiä."

Newman ei vastannut.

Hunter oli hetken hiljaa ja siirsi sitten katseensa pöydällä olevaan kansioon.

Newman otti vinkistä vaarin ja alkoi lukea. "Hyvä on. Lucien Folter, syntynyt lokakuun 25. päivä 1966 Coloradon osavaltion Monte Vistassa. Molemmat vanhemmat – Charles Folter ja Mary-Ann

Folter – ovat kuolleet. Lucien valmistui Monte Vistan lukiosta vuonna 1985 erittäin hyvin arvosanoin. Ei minkäänlaista nuoruudenaikaista rikosrekisteriä. Hän ei joutunut koskaan vaikeuksiin poliisin kanssa. Lukion jälkeen hänet hyväksyttiin Stanfordin yliopiston opiskelijaksi." Newman piti tauon ja katsoi Hunteria. "Tiedät varmaankin kaiken siitä, mitä seuraavina vuosina tapahtui."

Hunter pysytteli vaiti.

"Hankittuaan psykologian loppututkinnon Stanfordista", Newman jatkoi, "Lucien Folter haki Connecticutiin Yalen yliopistoon suorittamaan kriminaalipsykologian jatko-opintoja. Hänet hyväksyttiin, minkä jälkeen hän suoritti kolmen vuoden ajan ajan tohtoriopintoja mutta katosi sitten yllättäen. Hän ei koskaan saanut väitöskirjaansa valmiiksi."

Hunter piti katseensa Newmanissa. Hän ei ollut tiennyt, ettei vanha ystävä ollut saanut tohtoriopintojaan valmiiksi.

"Ja kun sanon katosi", Newman totesi, "tarkoitan, että hän todella *katosi*. Lucien Folterista ei löydy mitään tietoja kolmannen Yalen-vuoden jälkeen. Ei työpaikkoja, passia, luottokortteja, listattua osoitetta, laskuja... ei mitään. On kuin Lucien Folter olisi haihtunut taivaan tuuliin." Newman sulki kansion. "Emme tiedä hänestä hölkäsen pöläystä."

"Ehkä hän otti niihin aikoihin uuden henkilöllisyyden", Taylor ehdotti. Hän istui Hunteria vastapäätä. "Ehkä hän kyllästyi olemaan Lucien Folter ja muuttui joksikuksi muuksi. Kenties Liam Shaw'ksi, tai ehkä joksikin aivan toiseksi henkilöksi, josta emme tiedä tuon taivaallista."

Huoneeseen lankesi hetkeksi täydellinen hiljaisuus, kunnes Newman rikkoi sen jälleen.

"Niinpä. Kuka hyvänsä tämä kaveri onkin, hän on elävä, hengittävä, kävelevä mysteeri. Joku, joka on saattanut valehdella kaikille koko elämänsä ajan."

Hunter pureskeli ajatusta tovin.

"Halusin sinun ymmärtävän tämän, ennen kuin menet puhumaan hänelle", Newman lisäsi. "Tiedän, että homma voi lipsahtaa tunteellisen puolelle, kun vastassa on ihminen omasta menneisyydestä. En yritä antaa sinulle neuvoja. Olen lukenut kansiosi ja väitöskirjasi 'Syventävän psykologisen tutkimuksen rikollisesta käytöksestä'. Kaikki BSU:ssa ovat lukeneet sen, sehän on pakollinen oppikirja. Olen vakuuttunut, että tiedät useimpia muita paremmin, mitä teet. Mutta olet siitä huolimatta ihminen, ja sinulla on ihmisen tunteet. Tunteet voivat sumentaa fiksuimmankin tyypin harkintakyvyn. Pidä se mielessäsi, kun astut siihen huoneeseen."

Hunter pysytteli vaiti.

Sen jälkeen Newman ryhtyi selvittämään, miten epätavalliselta ja salaperäiseltä Lucien Folter oli vaikuttanut siitä lähtien, kun oli saapunut Quanticoon – äärimmäinen hiljaisuus, sekunnintarkka sisäinen kello, pitkät treenisessiot, seinään tuijottaminen, ainutlaatuinen henkinen voima, kaikki.

Hunter tunsi ystävänsä sen verran hyvin, ettei ylivertaiseksi mainittu henkinen keskittymiskyky erityisemmin hämmästyttänyt häntä.

"Hän odottaa", Newman sanoi lopulta. "Meidän on paras käydä toimeen."

Kolmetoista

Newman ja Taylor ohjasivat Hunterin neuvotteluhuoneesta takaisin käytävälle ja sieltä hissiin, joka laskeutui kaksi kerrosta alataso viiteen. Se ei muistuttanut lainkaan käyttäytymistieteen yksikön kerrosta. Ei ollut kiiltävää käytävää eikä hienoja kiintokalusteita seinillä. Koko paikka tuntui jollain lailla luotaantyöntävältä.

Hissi avautui pieneen, betonilattiaiseen odotushuoneeseen. Oikealla puolella, suuren turvalasi-ikkunan takana, Hunter erotti tarkkaamon seinään kiinnitetyt monitorit sekä vartijan, joka istui suuren ohjauspöydän takana.

”Tervetuloa BSU:n pidätyssellikerrokseen”, Taylor sanoi.

”Miksi häntä säilytetään täällä?” Hunter sanoi.

”Paristakin syystä”, Taylor vastasi. ”Ensinnäkin, kuten jo aiemmin mainitsin, Wheatlandin poliisilaitoksella ei ollut mitään käsitystä siitä, miten tämän suuruusluokan tapausta hoidetaan, ja toisekseen siksi, että toistaiseksi kaikki viittaa osavaltioiden rajat ylittävään tuplahenkirikokseen. Eli vanha kamusi pysyy tällä, kunnes saamme päätettyä, missä häntä tulisi säilyttää.”

”Ja myös siksi, että ystäväsi mahdollinen psykopatia on soittanut useampia kelloja käyttäytymistieteen yksikössä”, Newman lisäsi. ”Varsinkin hänen uskomaton henkinen voimansa, samoin kuin se, miten hän onnistuu pysymään tyynenä paineen alla. Kukaan yksikössä ei ole koskaan kohdannut ketään hänen kaltaistaan. Jos hän todella on tappaja, uhrien päihin kohdistuneen julmuuden perusteella saatamme hyvinkin olla törmänneet Pandoran lippaaseen.”

Taylor viittoi tarkkaamon sisällä olevalle vartijalle, joka surautti auki oven heitä vastapäätä huoneen toisella puolen. Ovella seisova

Yhdysvaltain merijalkaväen sotilas astui syrjään päästääkseen heidät sisään.

Ovi avautui pitkään käytävään, jonka seinät oli tehty kevyttiiliharkoista. Ilmassa leijui selkeä desinfiointiaineen haju, joka kutitti nenän sisäpintoja ja toi mieleen sairaalan, joskin lievemmässä määrin. Käytävä johti toiselle raskaalle metalliovelle – murto- ja hyökkäysvarmalle. Kun he pääsivät sen luo, Taylor ja Newman katsoivat korkealle oven päälle kiinnitettyä valvontakameraa. Sekunnin kuluttua ovi surahti auki. He pujottelivat kahden pienemmän käytävän ja vielä kahden murto- ja hyökkäysvarman oven läpi, kunnes saapuivat vihdoin kuulusteluhuoneeseen, joka sijaitsi jälleen yhden mitäänsanomattoman käytävän puolivälissä.

Huone oli neliskanttinen koppi, viisi metriä kanttiinsa, vaaleanharmaat harkkoseinät ja valkea linoleumilattia. Huoneen keskellä oli neliönmuotoinen metallipöytä, jonka kummassakin päässä oli metallituoli. Pöytä oli pultattu lujasti lattiaan. Kummankin tuolin luona oli kaksi erittäin lujaa metallisilmukkaa, myöskin lattiaan pultattuina. Suoraan pöydän yläpuolella katossa oli metallikehikoissa kaksi loisteputkilamppua, joiden räikeässä kirkkaudessa kuulusteluhuone kylpi. Hunter pani merkille myös neljä valvontakameraa, yhden kussakin katonnurkassa. Yhtä seinää vasten oli vesiautomaatti, ja pohjoisseinällä oli hyvin suuri kaksisuuntainen peili.

”Käy istumaan”, Taylor sanoi Hunterille. ”Tee olosi mukavaksi. Ystäväsi tuodaan tänne.” Hän nyökkäsi kohti peiliä. ”Olemme naapurihuoneessa, mutta meillä on silmät ja korvat tässä huoneessa.”

Sen pitemmittä puheitta Taylor ja Newman poistuivat kuulusteluhuoneesta antaen raskaan metallioven sulkeutua takanaan. He jättivät Hunterin yksin klaustrofobiseen koppiin. Oven sisäpuolella ei ollut kahvaa.

Hunter veti syvään henkeä ja nojautui metallipöytään katse kohti seinää. Hän oli ollut kuulusteluhuoneissa lukemattomia kertoja. Monesti kasvokkain ihmisten kanssa, jotka olivat osoittautuneet erittäin väkivaltaisiksi, brutaaleiksi ja sadistisiksi tappajiksi.

Osa oli sarjamurhaajia. Mutta sitten ensimmäisten kuulustelukokemustensa hän ei ollut tuntenut tällaista tukahduttavaa odotuksen kihelmöintiä, joka alkoi nyt kuristaa hänen kurkkuaan. Hän ei pitänyt tunteesta. Ei pätkän vertaa.

Sitten ovi surahti jälleen auki.

Neljätoista

Hunter yllättyi itsekin huomatessaan, että pidätti henkeään, kun ovea työnnettiin auki.

Ensimmäisenä sisään astui pitkä ja raamikas Yhdysvaltain merijalkaväen sotilas, joka kantoi lähitaisteluhaulikkoa. Hän astui kaksi askelta sisään huoneeseen ja sitten askelen vasemmalle antaen tilaa seuraavalle tulijalle.

Hunter jännittyi ja nousi seisomaan.

Toinen huoneeseen astuva henkilö oli kolmisen senttiä Hunteria pitempi. Ruskea tukka oli kynitty lyhyeksi. Parta oli vasta alkanut tuuheutua. Hänellä oli yllään standardimallinen oranssi vankihaalari. Kädet oli raudoitettu ja yhdistetty metallitangolla, joka ei ollut kolmeakymmentä senttiä pitempi. Metallitankoon kiinnitetty ketju kulki vyötäisten ympäri ja laskeutui jalkoihin, jossa se kiinnittyi paksuihin, raskaisiin nilkkakahleisiin. Ne rajoittivat miehen liikkeitä ja pakottivat hänet tepsuttamaan eteenpäin kuin japanilainen geisha.

Mies piti päätään alhaalla, leuka miltei kosketti rintaa. Hänen katseensa oli kiinnittynyt lattiaan. Hunter ei erottanut selkeästi miehen kasvoja, mutta hän tunnisti vanhan ystävänsä.

Aivan vangin takana seurasi toinen merijalkaväen sotilas, joka oli aseistautunut täsmälleen ensimmäisen sotilaan tavoin.

Hunter astui askelen oikealle mutta pysytteli hiljaa.

Vartijat ohjasivat vangin metallipöydän luo toiselle tuolille. He käskivät tämän istua, ja toinen sotilas kiinnitti nopeasti vangin nilkkakahleen lattian metallisilmukkaan. Vanki ei kertaakaan kohottanut päätään vaan piti katseensa maassa koko toimenpiteen ajan. Kun kaikki oli valmista, vartijat poistuivat huoneesta sanaakaan sanomatta, edes katsomatta Hunteriin. Ovi sulkeutui heidän perässään raskaasti kalahtaen.

Sitä seuranneet kireät sekunnit tuntuivat venyvän ikuisuuksiin, kunnes vanki vihdoin kohotti päätään.

Hunter seisoi metallipöydän toisella puolella, liikkumatta... hypnotisoituna. Heidän katseensa kohtasivat, ja hetken aikaa molemmat vain tuijottivat toisiaan. Sitten vangin huulet venyivät ohueen, hermostuneeseen hymyyn.

"Hei, Robert", hän sanoi lopulta äänellä, joka kuulosti olevan täynnä tunnetta.

Lucienille oli kertynyt hiukan lisää painoa sen jälkeen, kun Hunter oli viimeksi nähnyt hänet, mutta se kaikki oli pelkkää lihasta. Hänen kasvonsa näyttivät vanhemmilta, kapeammilta. Hänen ihossaan oli yhä sama erehtymättömän terve rusotus kuin vuosia sitten, mutta tummanruskeiden silmien ilme oli muuttunut. Niistä hehkui nyt sama läpitunkeva katse, joka usein yhdistetään suuruuteen. Hän tuntui katselevan kaikkea äärimmäisen tarkasti ja määrätietoisesti. Korkeat poskipäät, vahvat täyteläiset huulet ja jykevä leuka saivat naiset epäilemättä käymään kuumina. Vasemman posken tuuman mittainen, vaakasuora arpi aivan silmän alla sai hänet näyttämään karskilta "katujen kasvatilta". Moni varmastikin piti sitä hurmaavana yksityiskohtana jo muutenkin komeissa kasvoissa.

"Lucien", Hunter sanoi, aivan kuin ei olisi voinut uskoa silmiään.

Tuijotus jatkui usean sekunnin ajan.

"Edellisestä kerrasta on aikaa", Lucien sanoi ja katsoi kahlittuja käsiään. "Jos voisin, halaisin sinua. Minulla on ollut sinua ikävä, Robert."

Hunter pysytteli vaiti yksinomaan siitä syystä, ettei tiennyt, mitä sanoa. Hän oli aina toivonut, että vielä jonain päivänä tapaisi vanhan yliopistoaikaisen ystävänsä. Hän ei ollut kuitenkaan koskaan kuvitellut, että se tapahtuisi tilanteessa, josta he nyt itsensä löysivät.

"Näytät hyvältä, ystäväni", Lucien sanoi. Hän hymyili uudestaan tarkkaillen samalla Hunteria. "Huomaan, ettet ole lakannut treenaamasta. Näytät aivan..." Hän pysähtyi etsimään oikeita sanoja. "...sutjakalta nyrkkeilijältä valmiina mestaruusotteluun. Et näytä juuri vanhentuneen. Elämä on tainnut kohdella sinua hyvin."

Hunter pudisti vihdoin päätään, aavistuksen verran, kuin heräten transsista.

"Lucien, mitä helvettiä tämä oikein on?" Hänen äänensä oli tyyni ja hallittu, mutta hämmästys näkyi yhä hänen silmistään.

Lucien veti syvään henkeä, ja Hunter huomasi, miten tämän keho jäykistyi levottomasti.

"En ole varma, Robert", Lucien sanoi. Hänen äänensä oli hiukan heikompi.

"Et ole varma?"

Lucien katsoi jälleen kahlittuja käsiään ja liikehti istuimellaan, etsien mukavampaa asentoa. Selkeä merkki siitä, että hän kamppaili ajatustensa kanssa.

"Kerro minulle", Lucien sanoi katsekontaktia vältellen. "Oletko kuullut mitään Susanista?" Kysymys tuntui yllättävän hänet itsensäkin.

Hunter rypisti otsaansa. "Mitä?"

"Susan. Muistathan hänet? Susan Richardsin?"

Muistot räjähtelivät Hunterin pään sisällä. Hän muisti Susanin erittäin hyvin. Miten olisi voinut olla muistamatta? He kolme olivat olleet liki erottamattomat yliopistovuosiensa aikana. Myös Susan luki pääaineenaan psykologiaa, ja hän oli erittäin älykäs opiskelija. Hän oli muuttanut Kaliforniaan Nevadasta, kun hänet oli hyväksytty Stanfordiin. Susan oli niitä huolettomia tyttöjä, joilla oli aina hymy huulillaan, jotka suhtautuivat kaikkeen myönteisesti ja joita juuri mikään ei hätkähdyttänyt. Susan oli myös hyvin viehättävä – hän oli pitkä ja hoikka, ja hänellä oli kastanjansävyiset hiukset, kauniit mantelinmuotoiset pähkinänruskeat silmät, pikkuruinen nenä ja täyteläiset huulet. Susan oli perinyt suurimman osan siroista piirteistään Yhdysvaltain alkuperäisväestöön kuuluvalta äidiltään. Kaikki sanoivat aina, että hän näytti pikemminkin Hollywood-tähdeltä kuin psykologianopiskelijalta.

”Kyllä, tietenkin minä muistan Susanin”, Hunter sanoi.

”Oletko kuullut hänestä näiden vuosien aikana?” Lucien kysyi.

Hunterin psykologinkoulutus otti vallan, ja hän tajusi, mitä hänen silmiensä edessä juuri tapahtui. Lucienin puolustus- ja pelkomekanismit olivat käynnistymässä. Joskus, kun henkilö on liian peloissaan tai hermostunut puhuakseen arkaluonteisesta asiasta, hän saattaa melkeinpä alitajuisesti yrittää johdattaa keskustelun pois ikävästä aiheesta ja vältellä siitä puhumista ainakin jonkin aikaa, kunnes hermostus laantuu. Juuri niin Lucien teki.

Psykologina Hunter tiesi, että järkevintä oli toistaiseksi vain myötäillä Lucienia. Hermostus laantuisi ajan myötä.

”En ole”, hän vastasi. ”En ole kuullut hänestä sanaakaan valmistumisen jälkeen. Entä sinä?”

Lucien pudisti päätään. ”Sama täällä. Ei edes yhtä lyhyttä viestiä.”

”Muistan, että hän puhui reissaamisesta. Hän halusi Eurooppaan. Ehkä hän teki niin ja päättikin jäädä sinne. Ehkä hän rakastui ja meni naimisiin tai löysi töitä.”

”Aivan. Hän puhui matkustamisesta, ja ehkä hän tosiaan teki niin”, Lucien komppasi. ”Mutta silti, Robert. Me olimme yhdessä käytännössä kaiken aikaa. Olimme ystäviä… hyviä ystäviä.”

”Sellaista sattuu, Lucien”, Hunter sanoi. ”Sinä ja minä olimme parhaat kaverit, emmekä me ole pitäneet yhteyttä yliopiston jälkeen.”

Lucien katsoi Hunteria. ”Se ei ole täysin totta, Robert. Kyllähän me olimme jonkin aikaa yhteydessä. Pari vuotta, itse asiassa. Siihen saakka, että sait väitöskirjasi valmiiksi. Minähän tulin seremoniaan, muistatko?”

Hunter nyökkäsi.

”Mietin, että ehkä Susan oli pitänyt yhteyttä sinuun.” Lucien kohautti olkiaan. ”Kaikki tiesivät, että hän oli ihastunut sinuun.”

Hunter ei sanonut mitään.

Lucien väläytti Hunterille ystävällisen hymyn. ”Tiesin, että te ette alkaneet seurustella, koska minäkin olin häneen ihastunut. Se oli jalosti tehty sinulta. Erittäin... hienotunteista, mutta en usko, että olisin pannut sitä pahakseni. Teistä kahdesta olisi tullut upea pari."

Lucien vältteli hetken Hunterin katsetta.

"Muistatko, kun menimme hänen kanssaan siihen tatuointipaikkaan, koska hän halusi sen kammotuksen käsivarteensa?" Lucien kysyi.

Hunter muisti tapauksen. Susan oli päättänyt hankkia tatuoinnin, jossa punaisen ruusun piikikäs varsi kietoutui verta vuotavan sydämen ympärille niin, että näytti kuin se olisi kuristanut sydäntä.

"Muistan kyllä", Hunter sanoi ja hymyili melankolisesti.

"Mikä helvetti se oikein oli? Ruusu, joka kuristaa sydäntä?"

"Pidin siitä tatuoinnista", Hunter sanoi. "Se oli erilainen, ja se varmasti merkitsi Susanille jotakin. Se näytti hyvältä hänen käsivarressaan. Tatuoija teki erinomaista työtä."

Lucien irvisti. "Itse en erityisemmin pidä tatuoinneista. En ole koskaan pitänyt." Hän vaikeni hetkeksi ja siirsi katseensa harkkoseinään. "Kaipaan häntä. Hän sai aina meidät nauramaan, kaameimmissakin tilanteissa."

"Minäkin kaipaan häntä", Hunter sanoi.

Huoneeseen lankesi useamman sekunnin hiljaisuus. Hunter täytti pahvimukillisen juoma-automaatista ja asetti sen pöydälle Lucienin eteen.

"Kiitos", Lucien sanoi ja otti nopean siemauksen.

Hunter kaatoi itselleenkin kupillisen.

"He pidättivät väärän miehen, Robert", Lucien sanoi lopulta.

Hunter pysähtyi ja katsoi vanhaa ystäväänsä. Tuntui siltä, että Lucienin hermostus alkoi vihdoin laantua ja että hän oli valmis puhumaan. Hunter esitti kysymyksen silmillään.

"En tehnyt sitä", Lucien sanoi, ja hänen äänensä oli jälleen täynnä tunnetta. "En tehnyt sitä, mitä he väittävät minun tehneen. Sinun on pakko uskoa minua, Robert. En ole hirviö. En tehnyt niitä asioita."

Hunter pysyi hiljaa.

"Mutta minä tiedän, kuka teki."

Viisitoista

Kaksisuuntaisen peilin takana tarkkaamossa erikoisagentit Taylor ja Newman seurasivat tarkkaavaisesti Lucien Folterin jokaista liikettä ja sanaa. Paikalla oli myös tohtori Patrick Lambert, FBI:n käyttäytymistieteellisen yksikön oikeuspsykiatri.

Itäseinän viereisellä pöydällä kaksi valvontakameramonitoria näytti erittäin yksityiskohtaista kuvaa Lucienista eri kulmista. Tohtori Lambert analysoi kärsivällisesti vangin joka ikistä kasvojen ilmettä ja äänenkorkeuden muutosta, mutta ei siinä kaikki. Molemmat monitorit oli kytketty tietokoneeseen, johon oli asennettu huippumoderni kasvoanalyysiohjelma, joka pystyi tulkitsemaan ja arvioimaan pienimpiäkin kasvojen ja silmien liikkeitä. Alitajuisia liikkeitä, joita kuulusteltava ei kyennyt kontrolloimaan ja jotka syntyivät, kun hänen mielentilansa vaihtui tyynestä hermostuneeksi, levottomaksi, ärtyneeksi, vihaiseksi tai joksikin muuksi. Tarkkaamossa kaikki olivat varmoja, että he huomaisivat, mikäli Lucien Folter valehtelisi edes yhdestä asiasta.

Sen enempää tohtori Lambert kuin erikoisagentit Taylor ja Newmankaan eivät tarvinneet kasvoanalyysiohjelmaa huomatakseen Lucienin äänestä huokuvaa ahdistusta ja levottomuutta, silmien liikkeitä ja kasvojen ilmeitä. He osasivat jo odottaa niitä. Mieshän puhui ensimmäistä kertaa sen jälkeen, kun hänet oli pidätetty erittäin brutaalista kaksoismurhasta. Päälle vielä se fakta, että hän oli nyt kasvokkain vanhan ystävänsä kanssa, jota ei ollut nähnyt sitten opiskeluaikojensa. Lucien oli väkisinkin hermostunut ja levoton. Kyseessä oli yleinen psykologinen reaktio. Se oli hyvin inhimillinen reaktio, aivan samoin kuin puheenaiheen välttely kuulustelun alussa. Lucien onnistui tyynnyttämään itsensä helpolla ja turvallisella tavalla valitsemalla aiheen, joka oli tuttu sekä hänelle että hänen vanhalle ystävälleen. Kaikki odottivat, että etsivä Hunter ryhtyisi pian ohjaamaan Lucienia kohti varsinaista aihetta. Hunterin ei kuitenkaan tarvinnut tehdä sitä. Lucien otti asian esille omasta tahdostaan. Hänen viimeiset sanansa yllättivät kuitenkin kaikki.

"He pidättivät väärän miehen, Robert."

Tarkkaamossa vallitseva jännitys kohosi pykälällä, ja kaikki kurkottivat vaistomaisesti kaulojaan kohti monitoreja, ikään kuin olisivat siten kuulleet tai nähneet paremmin.

"En tehnyt sitä, mitä he väittävät minun tehneen. Sinun on pakko uskoa minua..."

"Eipä tietenkään tehnyt", Newman sanoi ja hörähti päälle. Hän katsoi Tayloria. "Eiväthän he koskaan. Vankilajärjestelmämme on täynnä viattomia ihmisiä, eikö vain?"

Taylor ei sanonut mitään. Hän tuijotti yhä tarkkaavaisena näyttöjä, samoin kuin tohtori Lambert.

"Mutta minä tiedän, kuka teki."

Kukaan ei ollut odottanut näitä viimeistä viittä sanaa, sillä totuuden nimissä ne olivat yhtä kuin osallisuuden myöntäminen. Vaikka Lucien Folter ei olisikaan murhannut ja mestannut kahta naista, hän oli kuitenkin myöntänyt tietävänsä tekijän. Koska hän ei ollut ilmoittanut teosta poliisille ja oli sittemmin jäänyt kiinni kuljettaessaan naisten päitä osavaltioiden rajan yli, hänet tuomittaisiin avunannosta murhaan vähintäänkin parin raskauttavan seikan seurauksena. Ja koska kuolemanrangaistus oli yhä voimassa Wyomingin osavaltiossa, jossa hänet oli pidätetty, paikallinen syyttäjänvirasto hakisi ankarinta mahdollista rangaistusta.

Kuusitoista

Hunter pyrki hämmästyksestään huolimatta vaikuttamaan tyyneltä ja rennolta. Hän oli varma, että Lucienin viisi viimeistä sanaa olivat saaneet tarkkaamon jännitteen kohoamaan parilla asteella. Lucien oli kuitenkin tyyntynyt sen verran, että pystyi puhumaan, joten Hunterin kannatti pitää keskustelu mahdollisimman jouhevana. Hänen oli vain ohjattava sitä oikeaan suuntaan ja annettava vanhan ystävänsä puhua.

Hunter istuutui pöydän päähän vastapäätä Lucienia. "Tiedät siis kuka sen teki?" hän kysyi yhtä tyynellä äänellä kuin olisi tiedustellut kellonaikaa.

Kuulustelijat asettuvat yleensä seisomaan antaakseen arvovaltaisen vaikutelman, kun taas kuulusteltava pidetään alemmassa asemassa eli istumassa. Teorian mukaan tämä toimii pelottelutekniikkana – kysymykset esittävä henkilö on korkeammalla tasolla ja puhuu alas ihmiselle, joka vastaa kysymyksiin. Tekniikassa hyödynnetään useimpien ihmisten lapsuuden aikaisia muistoja, joissa vanhempi nuhtelee lasta pahanteosta. Hunter ei kuitenkaan missään nimessä halunnut pelotella Lucienia yhtään enempää. Vastapäätä istuminen mitätöi auktoriteettiaseman ja asetti Hunterin samalle tasolle Lucienin kanssa. Psykologisessa mielessä Hunterin valinnalla saattoi olla uhkaa poistava vaikutus, joka pitäisi huoneen jännitteen minimitasolla.

"No jaa", Lucien sanoi, nojautui eteenpäin ja asetti kyynärpäänsä pöydälle. "En tiedä täsmälleen, kuka sen teki, mutta se on looginen johtopäätös. Joko kyseessä on se henkilö, jolle minun piti toimittaa auto, tai se, joka toimitti auton minulle. Elleivät he tehneet sitä itse, he tietävät, kuka sen teki. Heidän perässään teidän pitäisi olla." Lucien vaikeni ja huokaisi syvään ja murheellisesti. "Sinun täytyy auttaa minua, Robert. Ei FBI minua halua. En tehnyt tätä. Olen pelkkä juoksupoika."

Hunter havaitsi ensimmäistä kertaa levottomuuden häivähdyksen Lucienin äänessä. Hän tiesi, ettei autoa ollut rekisteröity Lucienin nimelle. Hän oli kuullut sen FBI:ltä, mutta tämä oli ensimmäinen kerta, kun hän kuuli, että Lucienin oli ollut tarkoitus toimittaa auto jollekin toiselle henkilölle.

"Olit siis viemässä sinistä Ford Taurusta jollekulle?" Hunter kysyi.

Lucien vältteli jälleen Hunterin katsetta. Kun hän vihdoin puhui, hänen äänensä oli tyyni ja hallittu, mutta tällä kertaa siinä oli suuttumuksen vivahde.

"Totuus on, että elämä ei kohtele kaikkia reilusti, ystäväni. Sinä varmasti tiedätkin sen."

Hunter ei ollut varma, mistä Lucien todellisuudessa puhui, joten hän odotti.

Lucienin katse siirtyi nopeasti katon kameroihin ja sitten suureen kaksisuuntaiseen peiliin aivan Hunterin takana. Lucien tiesi, että häntä nauhoitettiin. Hän tiesi, ettei mikään hänen sanoistaan jäisi ainoastaan hänen ja Hunterin väliseksi, ja ohikiitävän hetken ajan hän näytti nololta.

Hunter havaitsi ystävänsä äkillisen kiusaantuneisuuden. Hän seurasi tämän katsetta muttei voinut mitään muiden kuuntelulle. Tämä oli FBI:n show, ei hänen omansa. Hän antoi Lucienille hetken miettimisaikaa.

"Lähdettyäni Stanfordista tein pari virhettä", Lucien sanoi. Vaikeni. Mietti sanojaan. "Tein itse asiassa *aika monta* virhettä. Osa niistä oli hyvin pahoja." Hän katsoi vihdoin Hunteria silmiin. "Minun pitäisi varmaankin aloittaa alusta."

Seitsemäntoista

Syystä tai toisesta Lucienin sanat saivat ilmapiirin viilenemään, aivan kuin joku olisi yllättäen kääntänyt ilmastoinnin päälle kuulusteluhuoneessa.

Hunter tunsi epämukavan värähdyksen selkäpiissään mutta pysytteli tyynenä.

Lucien siemaisi uudestaan vettä, ja hänen ilmeensä muuttui surumieliseksi.

"Tapasin naisen toisena opiskeluvuotenani Yalessa", hän aloitti. "Hänen nimensä oli Karen. Hän oli britti, kotoisin Gravesend-nimisestä paikasta Kaakkois-Englannissa. Oletko kuullut siitä?"

Hunter nyökkäsi.

"Minä en ollut", Lucien sanoi. "Minun täytyi etsiä se kartalta. Niin tai näin, Karen oli..." Hän pohti sanojaan. "...erilainen. Hän ei ollut yhtään sellainen, mitä useimmat ihmiset Yalen opiskelijalta odottavat. Hän ei näyttänytkään siltä."

"Millä tavalla hän oli erilainen?" Hunter kysyi.

"Joka suhteessa. Hän oli vapaa sielu, jos ihmisestä voi sellaista sanoa. Muistatko, millaisia tyttöjä minä aikoinani jahtasin?"

Hunter nyökkäsi jälleen. Hän ei sanonut mitään vaan antoi vanhan ystävänsä jatkaa keskeytyksettä.

"Karen ei muistuttanut heistä ainuttakaan." Arka hymy raotti Lucienin huulet. "Kun tapasimme, hän oli neljänkymmenenkahden. Minä olin kaksikymmentäviisi."

Hunter alkoi tehdä mielessään muistiinpanoja.

"Hän oli 155-senttinen. Reilut kolmekymmentä senttiä minua lyhyempi... ja kurvikas."

Hunter muisti, että Lucien oli ihastunut ainoastaan pitkiin, hoikkiin naisiin – vähintään 178-senttisiin, ja heillä kaikilla oli solakka tanssijan vartalo.

"Hänellä oli myös aika lailla tatuointeja", Lucien jatkoi. "Huulilävistys, nenärengas, vasenta korvanlehteä oli venytetty kokonaisen sentin verran, ja hänellä oli Bettie Page -tyylinen otsatukka."

Tällä kertaa Hunterin oli vaikea olla osoittamatta hämmästystään.

"Luulin, ettet pidä tatuoinneista."

"En pidäkään. Enkä pahemmin välitä kasvolävistyksistäkään. Karenissa kuitenkin oli jotakin. En oikein pysty selittämään sitä. Se jokin sai minusta otteen eikä päästänyt irti." Uusi siemaus vettä. "Aloimme seurustella pari kuukautta tapaamisemme jälkeen. Hassua, miten elämä jaksaa yllättää, eikö vain? Karen ei näyttänyt lainkaan siltä kuin ne tytöt, joihin olin ennen ollut ihastunut, hän ei käyttäytynytkään samalla tavalla, mutta siitä huolimatta minä hullaannuin häneen korviani myöten." Lucien vaikeni ja käänsi katseensa. "Kaipa sitä voi sanoa, että olin aidosti rakastunut."

Hunter näki, miten lihas nytkähti ystävän leukapielessä.

"Hän oli hyvin suloinen nainen", Lucien sanoi. "Ja me tulimme fantastisen hyvin juttuun. Teimme kaiken yhdessä. Menimme kaikkialle yhdessä. Vietimme jokaisen sekunnin yhdessä. Hänestä tuli turvasatamani, taivaani, sydämeni. Elin unelmaani, mutta oli yksi ongelma."

Hunter odotti.

"Karen oli sekaantunut eräisiin hyvin ikäviin ihmisiin."

"Millä tavalla ikäviin?" Hunter kysyi.

"Huumeita", Lucien sanoi. "Sellaista pahuutta, jonka kanssa ei pidä leikkiä, ellei ole väsynyt tähän maailmaan ja halua poistua siitä hyvin väkivaltaisella tavalla." Hän hörppäsi veden loppuun kolmella kulauksella ja rutisti sitten kupin oikeassa kädessään.

Hunter pani merkille ystävänsä äänettömän vihanpurkauksen, nousi seisomaan, kaatoi uuden kupillisen vettä ja asetti sen pöydälle.

"Kiitos." Lucien tuijotti kuppia. "Joudun ikäväkseni sanomaan, etten ollut riittävän vahva, Robert", hän jatkoi. "En tiedä, johtuiko se siitä, että olin liian rakastunut vai olinko vain heikko, mutta sen sijaan, että olisin saanut hänet lopettamaan ne hommat, päädyin menemään mukaan ja kokeilemaan osaa niistä aineista, joita hän käytti."

Hän piti tuskaisen, nolostuneen tauon.

Hunter jatkoi ystävänsä tarkkailua.

"Ongelma piilee siinä", Lucien jatkoi, "että joitain niistä aineista on vaikea vain *kokeilla*. Sinä varmasti tiedätkin sen." Hän katsoi käsiään. "Niin minä jäin koukkuun."

"Millaisista huumeista me nyt puhumme?"

Lucien kohautti harteitaan. "Kovista. Niistä, joista tulee saman tien riippuvaiseksi... ja alkoholista myös. Aloin juoda reippaasti."

Hunter oli nähnyt liian monen vahvan ihmisen joutuvan vastaavien huumeiden uhriksi.

"Siitä lähtien kaikki meni alamäkeen ja nopeasti sittenkin. Kaikki rahani menivät minun ja Karenin riippuvuuden hoitamiseen. Se söi varallisuuteni nopeammin kuin voit kuvitellakaan. Koko elämäni alkoi kärsiä. Lopetin opiskelut kolmantena vuonna ja tein mitä vain saadakseni päivittäisen annokseni. Velkaannuin joka suuntaan ja vääränlaisille ihmisille. Niille, joihin Karen minut oli tutustuttanut. Todella ikäville ihmisille."

"Etkö voinut pyytää keneltäkään apua?" Hunter kysyi. "En tarkoita taloudellista apua. Eikö ollut ketään, joka olisi voinut auttaa sinua pääsemään kuiville?"

Lucien katsoi Hunteria silmiin ja naurahti halveksuvasti. "Kyllähän sinä minut tunnet, Robert. Minulla ei koskaan ollut montaa läheistä ystävää. Niihinkin harvoihin olin katkaissut välini."

Hunter ymmärsi vihjeen. "Olisit silti voinut etsiä minut käsiini, Lucien. Tiesit, missä olin. Me olimme parhaat ystävät. Olisin auttanut sinua." Hunter vaikeni, ja hänen katseensa koveni hänen tajutessaan virheensä. "Helvetti, olit jo koukussa, kun lensit väitöstilaisuuteeni, eikö niin? Siksi viivyit Losissa vain alle vuorokauden.

Olin niin valmistumisen huumassa, etten huomannut mitään. Sinä pyysit silloin apuani."

Lucien katsoi pois.

Hunter tunsi syyllisyyden vihlaisun. "Sinun olisi pitänyt sanoa jotain. Olisin auttanut sinua. Tiedät, että olisin. Anteeksi, etten huomannut mitään."

"Ehkä minun olisi pitänyt avata suuni. Ehkä se on yksi suurista virheistäni. En kuitenkaan aio ulista menneistä, Robert. Asioista, joita ei voi muuttaa. Kaikki, mitä minulle tapahtui, oli omaa tekoani, omaa vikaani. Se ei ollut kenenkään muun syytä. Tiedän sen ja hyväksyn sen. Ja kyllä, tiedän että kaikki tarvitsevat aika ajoin vähän apua. Minä vain en tiennyt, miten olisin sitä pyytänyt."

Oli Hunterin vuoro siemaista vettään. "Olitko yhä Karenin kanssa, kun tulit Los Angelesiin?" hän kysyi.

Lucien nyökkäsi. "Hänkin oli lopettanut opintonsa ja teki joitakin... todella typeriä juttuja saadakseen käteistä." Lucien epäröi ja veti syvään henkeä. Hänen silmänsä kyyneltyivät. "Pysyimme yhdessä kolme vuotta. Siihen saakka, kunnes hän otti yliannoksen." Pitkä tauko. "Hän kuoli syliini."

Lucien käänsi katseensa, kun hänen kova ulkokuorensa alkoi rakoilla. Hänen silmiinsä kihosi kyyneliä, mutta hän pysytteli vakaana.

Huoneeseen lankesi pitkä hiljaisuus.

"Olen todella pahoillani", Hunter sanoi lopulta.

Lucien nyökkäsi ja hieroi kasvojaan kahlituin käsin.

"Mitä sen jälkeen tapahtui?"

"Sitten minä todella jouduin helvettiin, ja tein sen askel kerrallaan. Menetin suuntani täydellisesti. Masennus iski lujaa ja täydellä teholla. Sen sijaan, että olisin oppinut Karenin kohtalosta ja hankkiutunut kuiville, hyppäsin syvään päätyyn." Lucien vilkaisi jälleen vaivihkaa kaksisuuntaista peiliä. "Minun pitäisi tähän mennessä olla vainaa, ja monella tapaa niin olisikin parempi. Kamppailu oli hyvin pitkä, hyvin hidas ja hyvin tuskallinen. Kesti monta vuotta, ennen kuin sain vihdoin riippuvuuteni kuriin. Ja vielä pari vuotta lisää päästä siitä vihdoin eroon. Ja kaiken aikaa hankkiuduin aina vain pahempiin velkoihin ja jouduin tekemisiin pahimpien ihmistyyppien kanssa, mitä yhteiskunnalla on tarjota."

FBI:n teettämien verikokeiden mukaan Lucien Folter oli kuivilla. Hunter tiesi sen.

"Milloin pääsit lopullisesti kamasta eroon?" hän kysyi.

"Monta vuotta sitten", Lucien sanoi tietoisen epämääräisesti. "Siihen mennessä olin luopunut toiveista elättää itseni psykologina tai ylipäätään millään säädyllisellä tavalla. Tein kaikenlaisia hanttihommia, useimmat niistä viheliäisiä, jotkin lain nurjalla puolella. Lopulta vihasin sitä, mikä minusta oli tullut. Vaikka olinkin kuivilla, en enää ollut se ihminen, joka olin ennen ollut. En ollut Lucien Folter. Minusta oli tullut joku toinen. Kadotettu sielu. Joku, jota en tunnistanut. Joku, jota *kukaan* ei tunnistanut. Joku, josta en erityisemmin pitänyt."

Hunter saattoi arvata, mitä seuraavaksi oli tulossa.

"Päätit siis vaihtaa henkilöllisyyttä", hän sanoi.

Lucien katsoi suoraan Hunteria ja nyökkäsi.

"Aivan oikein", hän myönsi. "Kun on narkkari ja elää pohjasakan seassa niinkin kauan kuin minä elin, tutustuu hyvin värikkäisiin ihmisiin. Tyyppeihin, joilta voi saada mitä haluaa... jos on millä maksaa. Uuden identiteetin hommaaminen oli helppoa kuin sanomalehden ostaminen."

Hunter tiesi, ettei Lucien valehdellut. Hunter ymmärsi sen maailman todellisuuden, missä he elivät. Jos haluaa uudelle nimelle myönnetyt asiakirjat, riittää kun tuntee oikeat ihmiset – tai väärät, riippuen miltä kantilta asiaa katsoo. Eikä näitä ihmisiä ole kovin vaikea löytää.

"Kun minusta tuli Liam Shaw", Lucien sanoi, "keskityin palauttamaan terveyteni. Kesti melko kauan saada paino nousemaan... löytää jälleen fokus elämään. Kaikkien niiden huumeiden jälkeen minulla oli anorektikon keho. Vatsani oli kutistunut. Suuni oli täynnä rakkuloita. Terveyteni oli heikentynyt hiuskarvan päähän kuolemasta. Minun oli jatkuvasti pakotettava itseni syömään."

Hän piti tauon ja katsoi käsivarsiaan ja keskivartaloaan. "Näytän nyt ulkoisesti ihan ookoolta, mutta sisukseni ovat vitunmoisessa kuosissa, Robert. Olen aiheuttanut keholleni huomattavia vahinkoja. Suuri osa on peruuttamattomia. Useimmat sisäelimeni ovat vaurioituneet. En käsitä, miten ne edelleen toimivat."

Hunter ei aistinut itsesääliä sen enempää Lucienin äänensävystä tai ilmeestäkään. Hän oli yksinkertaisesti hyväksynyt sen, mitä oli itselleen tehnyt. Hän oli tunnustanut virheensä ja tuntui suhtautuvan tyynesti siihen, että joutui nyt maksamaan teoistaan.

"Kerro minulle tästä auton toimittamisesta", Hunter sanoi.

Kahdeksantoista

Lucienin kulmakarvat pompahtivat ylös, kun hän katsoi vanhaa ystäväänsä.

"Kun sekaantuu sentyyppisiin ihmisiin kuin minä sekaannuin, joutuu huomaamaan, että he iskevät kyntensä syvälle jo heti alussa. Eivätkä he koskaan päästä irti. Sitä joutuu loppuiäkseen heidän armoilleen. Ymmärrät varmasti, että nämä henkilöt osaavat halutessaan olla varsin vakuuttavia."

Hunter ei sanonut mitään.

"Kaikki alkoi puolisentoista vuotta sitten", Lucien jatkoi. "Matkapuhelimeeni soitettiin ja minulle ilmoitettiin, mistä osoitteesta auto pitää noutaa. Sain toimitusosoitteen ja aikajanan. Ei nimiä. Kun saavuin paikalle, joku oli odottamassa autoa. Luovutin auton ja sain tarpeeksi rahaa paluulippua varten... ehkä vähän ylimääräistä, ja se oli siinä. Kunnes tuli seuraava puhelu."

"Veikkaan, ettet aina toimita autoja samaan paikkaan", Hunter sanoi.

"Toistaiseksi näin ei ole käynyt", Lucien myönsi. "Eri nouto- ja toimitusosoite joka kerta." Hän vaikeni ja katsoi Hunteria. "Mutta olen aina luovuttanut auton samalle henkilölle."

Tämä oli yllätys.

"Voitko kuvailla häntä?" Hunter kysyi.

Lucien irvisti. "Suunnilleen 183-senttinen, roteva. Toimitus on kuitenkin aina tapahtunut yöllä jollakin pimeällä pellolla. Auton vastaanottanut henkilö on aina käyttänyt pitkää takkia, jonka kaulus on pystyssä. Hänellä on ollut baseball-lippis ja aurinkolasit." Hän kohautti harteitaan. "Sen tarkempia yksityiskohtia en pysty antamaan."

”Mistä sitten tiedät, että kyseessä on sama henkilö?”

”Sama ääni, sama asento, samat maneerit.” Lucien nojautui taaksepäin tuolillaan. ”Ei sitä ollut vaikea huomata, Robert. Usko pois, sama tyyppi joka ainoa kerta.”

Hunter ei nähnyt syytä epäillä Lucienia. ”Entä henkilö, joka toimitti auton?” hän kysyi.

”Kuten sanoin, ohjeet tulivat puhelimitse. Auto jätettiin parkkipaikalle. Avaimet, pysäköintilippu ja toimitusosoite jätettiin kirjekuoreen turvalliseen paikkaan, josta kävin sen noutamassa. Ei ihmiskontakteja.”

”Eikä sinulla ollut mitään käsitystä siitä, mitä tarkalleen ottaen toimitit?” Hunter kysyi. ”Tarkoitan – etkö tiennyt, mitä takaluukussa oli?”

Lucien pudisti päätään. ”Se kuului aina ohjeisiin – *älä ikinä katso takakonttiin.*”

Hunter pohti asiaa sekunnin pari, mutta Lucien aavisti hänen seuraavan kysymyksensä jo ennen kuin Hunter ennätti kysyä siitä.

”Kyllä, olin utelias. Kyllä, harkitsin kurkistamista moneen kertaan, mutta kuten sanoin, tällaisten ihmisten kanssa ei leikitellä. Jos olisin avannut takaluukun, he olisivat saaneet sen selville. Olen varma siitä. En halunnut tehdä niin typerää virhettä, vaikka olisin ollut kuinka utelias.”

Hunter siemaisi nopeasti vettä.

”Sanoit, että tämä kaikki alkoi noin puolitoista vuotta sitten.”

Lucien nyökkäsi.

”Montako toimitusta teit?”

”Tämän piti olla viides autotoimitukseni.”

Hunter pysytteli tyynenä, mutta hälytyskellot alkoivat kumista hänen päässään. *Viisi* toimitusta. Mikäli Lucien puhui totta ja oli todella toimittanut aina saman tai samantyyppisen lastin, keissi oli juuri muuttunut sarjamurhaajatutkinnaksi. Ja sen perusteella, mitä hän oli nähnyt, kyse oli hyvin brutaalista ja sadistisesta sarjamurhaajasta.

Lucien vilkaisi Hunteria uudella tavalla, kuin aloitteleva pokerinpelaaja, jolle on juuri jaettu loistokäsi ja joka ei pysty peittelemään sitä. "Valttikorttini on tämä – tiedän, kuka minulle soittanut henkilö on."

Hunter kohotti kulmakarvojaan.

Lucien odotti hetken, ennen kuin vastasi. "Pidän tiedon toistaiseksi itselläni, samoin kuin kaikki aiemmat nouto- ja toimituspaikat."

Vastaus löi Hunterin ällikällä, ja hän kurtisti kulmiaan.

"Tiedän, että sinä et johda tätä show'ta, Robert", Lucien selitti. "FBI vetelee naruja. Olet täällä ainoastaan siksi, että pyysin sinua. He ovat todennäköisesti kertoneet sinulle, että olet täällä vain vieraana... kuuntelijana. Sinulla ei ole valtaa minkään asian suhteen. Et voi luvata minulle mitään, koska sinulla ei ole neuvotteluasemaa. Minun ainoa neuvotteluaseeni on tieto."

"Ymmärrän sen", Hunter myönsi. "En kylläkään käsitä, miten tiedon panttaaminen voisi auttaa asiaasi, Lucien. Jos olet viaton, sinun täytyy auttaa FBI:tä todistamaan se, ei pelata pelejä heidän kanssaan."

"Teen sen, Robert, mutta minua pelottaa. Lapsikin tajuaa, että todistetaakka minua vastaan on musertava. Tiedän, että minua odottaa kuolemanselli, ja olen kauhusta jäykkä. Kyllä, vainoharhat ovat jo iskostuneet tänne." Lucien kohotti kahlittuja nyrkkejään ja iski niillä kolmesti otsaansa, ennen kuin katsoi Hunteria suoraan silmiin. "En kertonut heille mitään, koska tiesin, etteivät he uskoisi minua."

Oli helppo ymmärtää, miten vainoharhaisuus ja pelko olivat saattaneet vääristää Lucienin todellisuudentajun. Hunterin oli saatava vakuutettua hänet. "Ei se toimi ihan niin, Lucien. Miksei FBI uskoisi sinua? Ei heidän päämääränsä ole passittaa juuri sinua vankilaan. He haluavat löytää henkilön, joka on vastuussa niistä murhista, ja jos sinä voit auttaa heitä, tietenkin he kuuntelevat. He kyllä tarkistavat, mitä heille sanot."

"Okei, ehkä he tekisivät niin, mutta jouduin pakokauhun valtaan." Lucien veti syvään henkeä. "Sitten muistin sinut. Minulla ei ole enää perhettä jäljellä, Robert, kaikki ovat poissa. Tämän maan päällä ei ole ketään, joka välittäisi siitä, olenko elossa vai kuollut. Olen tavannut elämäni aikana paljon ihmisiä, mutta sinä olet ainoa todellinen ystävä, joka minulla on koskaan ollut. Ainoa, joka tunsi todellisen minut, ja sinä olet myös poliisi. Siksi ajattelin, että ehkä..." Lucienin ääneen tulvahti uusi tunnekuohu. Hänen kovuutensa säröili jälleen. "En tehnyt sitä, Robert. Sinun on pakko uskoa minua."

Yliopistossa Hunter oli yleensä huomannut, milloin Lucien valehteli, vaikka hän ilmaisikin sen hyvin hienovaraisesti. Hunter oli tunnistanut sen toisena lukukautena Stanfordissa. Kun Lucien valehteli, hänen ilmeensä koveni ja muuttui määrätietoisemmaksi, ikään kuin karski katse olisi voinut hypnotisoida kuulijan uskomaan häntä. Sen jälkeen, sadasosasekunnin ajaksi, Lucienin vasen alaluomi kiristyi – se ei varsinaisesti nytkähtänyt, vaan liike oli hyvin huomaamaton. Hän ei voinut sille mitään, koska hän ei tiennyt tekevänsä sitä. Niistä ajoista oli yli kaksikymmentä vuotta, mutta Hunter toivoi yhä pystyvänsä tunnistamaan eleen. Lucienin ilme ei kuitenkaan kovettunut. Vasen alaluomi ei liikahtanut, ei vähäisimmässäkään määrin.

"Muistatko, kun sanoin, etten osannut pyytää apua, sinun apuasi?" Lucian pysähtyi vetämään henkeä. "Teen sen nyt. Ole kiltti ja auta minua, Robert."

Hunter tunsi, miten syyllisyys vihlaisi häntä jo toistamiseen.

"Miten minä voisin auttaa sinua, Lucien?" hän kysyi. "Sanoit itse hetki sitten, etten voi. Olen täällä kuuntelijana. Minulla ei ole mitään valtaa mihinkään. En ole edes FBI-agentti. Olen LAPD:n rikostutkija."

Lucien tuijotti Hunteria silmiin pitkän tovin, ja sitten aivan yllättäen hänen ilmeensä pehmeni.

"Jos olen raa'an rehellinen, Robert, en taida enää välittää, elänkö vai kuolenko. Mokasin jo kauan aikaa sitten. Tein liian monta virhettä, enkä sen koommin ole tehnyt muuta kuin elänyt ala-arvoista elämää. Menetin kaiken, mukaan lukien arvokkuuteni sekä ainoan ihmisen, jota olen koskaan aidosti rakastanut. Voin varmaankin sanoa, että suurin osa elämästäni hävettää minua, mutta murhaaja minä en ole. Tiedän, että tämä kuulostaa typerältä, mutta minä en välitä, mitä muut minusta ajattelevat. Mutta sinä olet poikkeus, Robert. Riippumatta siitä, mitä minulle tapahtuu, haluan *sinun* tietävän, että en ole hirviö."

Hunter oli aikeissa puhua, kun Lucien keskeytti hänet.

"Älä sano, että tiedät sen jo tai ettet usko minua hirviöksi, koska en kaipaa sääliäsi, Robert. Haluan, että tiedät. *Todella tiedät.* Siksi haluan kertoa sinulle kaiken tämän, koska tiedän, että tarkistat kaiken sanomani, joko FBI:n kanssa tai ilman heitä."

Lucienissa ei edelleenkään näkynyt valehtelun merkkejä.

Hunter tiesi, että Lucien oli oikeassa. Hän ei missään tapauksessa astuisi ulos tuosta kuulusteluhuoneesta ja unohtaisi kaikkea sitä, mitä Lucien oli hänelle aikeissa kertoa, yrittipä FBI painostaa häntä millä tahansa tavalla.

"Mitä sinä siis haluat kertoa minulle?" hän kysyi. "Mitä haluat, että tarkistan?"

Lucien vilkaisi käsiään ennen kuin nosti jälleen katseensa Hunterin silmiin... ja sitten hän alkoi puhua.

Yhdeksäntoista

Erikoisagentit Taylor ja Newman sekä tohtori Lambert astuivat kuulusteluhuoneeseen kolmekymmentä sekuntia sen jälkeen, kun Lucien oli viety takaisin selliinsä. Hunter nojasi metallipöytään ja tuijotti tyhjää seinää mietteliäs ilme kasvoillaan.

"Etsivä Hunter", Taylor sanoi kiinnittäen hänen huomionsa. "Tämä tässä on tohtori Patrick Lambert. Hän toimii oikeuspsykiatrina käyttäytymistieteen yksikössä. Hän seurasi kuulustelua kanssamme tarkkaamon puolella."

"Mukava tavata, etsivä Hunter", tohtori Lambert sanoi ja puristi Hunterin kättä. "Vaikuttavaa työtä."

Hunter kurtisti aavistuksen kulmiaan.

"Väitöskirjasi. Vaikuttavaa työtä. Ja ajatella, että kirjoitit sen niin nuorena."

Hunter otti kehun vastaan nyökkäämällä.

"Sait hänet totisesti puhumaan, ottaen huomioon, että hän oli lausunut viimeisten viiden päivänä aikana neljä sanaa", Taylor sanoi.

Hunter katsoi agenttia muttei vastannut.

"Emme panneet merkille mitään huomionarvoista", Newman julisti ja laski itselleen kupillisen vettä automaatista.

"Mitä tarkoitat?" Hunter kysyi.

Newman kertoi Hunterille kasvoanalyysiohjelmasta, jota tarkkaamossa käytettiin.

"Ohjelma havaitsi hiukan hermostunutta liikettä silmien, pään ja käsien tienoilla", tohtori Lambert sanoi. "Hänen äänensävynsä ilmensi muutamaan otteeseen emotionaalisuutta, mutta merkkejä ylenpalttisesta levottomuudesta tai hermostuneisuudesta ei ilmennyt. Emme siis löytäneet selkeitä merkkejä siitä, että hän olisi valehdellut kuulustelun aikana." Hän piti dramaattisen tauon. "Emme tosin löytäneet selkeitä merkkejä siitäkään, että hän olisi puhunut totta."

Se siitä kalliista kasvoanalyysiohjelmastanne, Hunter mietti.

"Ja tähän lukeutuu kaikki, mitä hän sinulle kuulustelun viimeisten minuuttien aikana kertoi", tohtori Lambert lisäsi.

Lucien oli yrittänyt pitää äänensä hiljaisena. Hiljaisempana kuin koko session aikana muuten, mutta tehokas monisuuntainen mikrofoni, joka oli asennettu kattoon suoraan metallipöydän yläpuolelle, oli poiminut jokaisen sanan, jonka hän oli Hunterille lausunut.

"Annan sinulle arvoituksen, Robert. Arvoituksen, jonka vastauksen ainoastaan sinä tiedät." Lucien oli asettanut molemmat kyynärpäänsä pöydälle, nojautunut eteenpäin ja katsonut Hunterin olan yli kohti kaksisuuntaista peiliä. *"En luota noihin kusipäihin."*

Hänen äänensä oli muuttunut miltei kuiskaukseksi.

"Olen useamman vuoden ajan asunut – tai piileskellyt, jos niin haluaa sanoa – Pohjois-Carolinassa. Talo on vuokralla, ja maksan etukäteen käteisellä vanhalle pariskunnalle, joten paikkaa ei voi yhdistää minuun." Tauko, jota seurasi kulaus vesimukista. *"Minulla oli huoneessamme Stanfordissa useita julisteita sänkyni yläpuolella. Yksi niistä oli aivan erityinen. Suurin niistä. Se, josta sinäkin pidit... siinä oli auringonlasku. Jos mietit tarkkaan, muistat sen kyllä. Pohjois-Carolinan piirikunnalla, jossa asun, on sama nimi kuin hahmolla tuossa julisteessa."*

Hunterin ilme oli muuttunut mietteliääksi.

"Muistat varmaan myöskin professori Tabascon." Lucienin oikea suupieli oli kohonnut puolipirulliseen hymyyn. *"Susanin kepponen? Halloween-iltana?"* Hän oli odottanut hetken, kunnes näki ymmärryksen valkenevan Hunterin kasvoilla. *"On puhdasta yhteensattumaa, että kaupungilla, jossa olen asunut, on sama nimi."*

Hunter ei ollut sanonut mitään.

"Kun sain ensimmäisen puhelun, jossa minua pyydettiin toimittamaan ensimmäinen auto, vaistoni sanoi, että tämä todennäköisesti päättyy hyvin huonosti. Ryhdyin siksi pitämään päiväkirjaa, niin sanoakseni. Itse asiassa kyse on enemmänkin muistivihkosta, johon kirjasin kaiken mahdollisen – puheluiden päivämäärät, kellonajat ja kestot, auton mallin ja rekisterinumeron, matkalla tekemäni pysähdykset, linjan toisessa päässä olleen henkilön nimen... kaiken. Säilytän vihkoa taloni kellarissa."

Hunter erotti uudenlaisen pilkahduksen vanhan ystävänsä silmissä. Jotain, mitä hän ei ollut ennen nähnyt.

"Talo sijaitsee aivan metsän reunalla. Avaimet ovat takkini taskussa. Uskon FBI:n takavarikoineen ne. Sinulla on minun lupani käyttää niitä ja mennä sisään taloon, Robert. Löydät sieltä kaikenlaista. Asioita, jotka voivat auttaa sinua selvittämään tämän sotkun."

Muuta Lucien ei ollut sanonut.

"No niin", Newman sanoi Hunterille. "Tiedätkö vastaukset siihen roskaan, mitä hän sinulle lopussa syötti?"

Hunter ei sanonut mitään, mutta Newman näytti tulkitsevan hänen käytöksensä myönteiseksi vastaukseksi.

"Mahtavaa. Jos kerrot meille, missä Pohjois-Carolinan piirikunnassa ja kaupungissa se hänen talonsa sijaitsee, sinun työsi täällä on tehty." Hän kulautti vetensä loppuun. "Ymmärsin, että olit lähdössä Havaijille viettämään kauan kaivattua lomaa." Newman vilkaisi yllättäen kelloaan.

"Sinulta on jäänyt vain päivä välistä. Ehdit perille huomisaamuun mennessä."

Hunter tutkaili Newmania hetkisen ja siirsi sitten katseensa Tayloriin. Sitten hän katsoi jälleen Newmania.

"Juuri siksi Lucien ilmoitti talonsa sijainnin arvoituksena, jonka vain minä pystyn ratkaisemaan", hän sanoi, nousi seisomaan ja asetteli nahkatakkinsa kauluksen paremmin. "Koska yksikään teistä ei pääse sinne, ellen minä opasta teitä."

Kaksikymmentä

Sen enempää Newmanilla kuin Taylorillakaan ei ollut valtuuksia tehdä sellaista päätöstä. He tiesivät vain, että heidän hallussaan oleva mies oli kieltäytynyt puhumasta ja sanonut, että keskustelisi ainoastaan LAPD:n rikostutkija Robert Hunterin kanssa. Hunter oli tuotu paikalle, mutta kaikkien käsityksen mukaan hän oli paikalla vain kuuntelijana. Hänen tehtävänsä oli saada Lucien Folter puhumaan. Hänen tarkoituksensa ei ollut osallistua tutkintaan, eikä hän missään tapauksessa kuulunut tiimiin. Tämä ei ollut LAPD:n ja FBI:n yhteisprojekti.

”Luulin, ettet malttanut odottaa lomalle pääsyä, Robert”, Adrian Kennedy sanoi ja tuijotti suoraan webbikameraan.

Hunter, Taylor ja Newman olivat palanneet BSU:n kerrokseen ja istuivat nyt tilavassa toimistossa. Heitä vastapäätä, läntisellä seinällä, oli erittäin suurikokoinen LCD-näyttö. Näytön yläpäässä pistemäinen vihreä valo ilmoitti, että sisäänrakennettu kamera oli päällä.

Vaikka johtaja Adrian Kennedy olikin alle tunnin matkan päässä, ylibuukattu aikataulu esti häntä palaamasta Quanticoon. Hän puhui heille videolinkin välityksellä toimistostaan Washington DC:ssä.

”No, se suunnitelma kaatui eilen, kun pölähdit Los Angelesiin, Adrian”, Hunter totesi asiallisesti.

”Asia voidaan varmasti korjata, Robert”, Kennedy vastasi. ”Jos annat agentti Taylorille ja agentti Newmanille heidän tarvitsemansa tiedot, voin järjestää sinut Havaijille yksityiskoneella jo täksi illaksi.”

Hunter näytti vaikuttuneelta. ”Vau. Onko FBI:n budjetti niin löysä, että saisit luvan lennättää minut yksityiskoneella Virginiasta

Havaijille? Hitto vieköön. LAPD:llä ei ole rahaa edes riittävään määrään luodinkestäviä liivejä."

"Robert, olen tosissani. Me tarvitsemme tämän tiedon."

"Minäkin olen tosissani, Adrian." Hunter vakavoitui äkkiä, ja hänen ilmeensä koveni. "En pyytänyt tätä. Te tulitte luokseni, muistuuko mieleen? Te tyrkkäsitte minut tämän sotkun keskelle. Olen nyt osa sitä, halusitte tai ette. Jos kuvittelet, että luovutan teille tiedot tuosta vain ja poistun paikalta kuin kohtelias pikkupoika, et taida tuntea minua lainkaan."

"Kukaan ei tunne sinua todella, Robert", Kennedy sinkautti yhä tyynellä äänellä. "Olet ollut mysteeri koko sen ajan, kun olen sinut tuntenut. Nyt sinä kuitenkin pelaat aika riskialtista peliä. Ymmärrät varmasti, että panttaat olennaista tietoa liittovaltion henkirikostutkinnassa. Voin aiheuttaa sinulle huomattavia hankaluuksia sen tähden."

Hunter ei ollut moksiskaan.

"Vai haluat sinä pelata tällaista peliä", hän totesi sävyttömästi. "En ole koskaan ilmaissut suoraan kenellekään, että olisin ymmärtänyt Lucienin pikku arvoitusta. En voi pantata tietoa, jos minulla ei sellaista ole, Adrian. En muista nähneeni julisteita vanhassa asuntolahuoneessani, eikä professori Tabasco herätä minussa minkäänlaisia mielleyhtymiä." Hunter vaikeni. Hän näki silmänurkastaan, miten turhautumisen puna levisi agentti Newmanin naamalle. "Et ole ainoa, joka osaa pelata kovin panoksin, Adrian. Minä en kuulu marionettiesi joukkoon."

Kennedy ei näyttänyt vihaiselta tai loukatulta. Itse asiassa hän ei edes ollut odottanut Hunterin toimivan toisin, ei sen jälkeen, kun oli nähnyt kuulusteluhuoneen tallenteen. Kaksi tahoa pyysi Hunterin apua – FBI ja hänen entinen paras ystävänsä.

"Anteeksi keskeytys, johtaja Kennedy", Newman sanoi ja nojautui eteenpäin istuimellaan, "mutta kohde on yhä meidän hallussamme. Jos etsivä Hunter kieltäytyy yhteistyöstä, ei muuta kuin painukoon helvettiin. Hän voi palata Los Angelesiin." Hän katsoi Hunteria. "Ei millään pahalla, kaveri."

Tämä ei kirvoittanut minkäänlaista reaktiota Hunterissa.

"Voimme puristaa tiedon kohteelta ominkin voimin", Newman jatkoi. "Antakaa minun vain pitää vielä pari sessiota hänen kanssaan."

"Voimme toki toimia näin", Kennedy sanoi. "Sehän on nimittäin toiminut todella mainiosti tähänkin asti, eikö vain, agentti Newman?"

Newman oli aikeissa sanoa jotakin, mutta Kennedy kohotti sormeaan. Hän oli jo kuullut riittävästi. Hänen ilmeensä oli selkeä merkki siitä, että hän kävi mielessään läpi vaihtoehtoja.

"Hyvä on, Robert", Kennedy sanoi usean hiljaisen sekunnin jälkeen. "Ollaan molemmat reiluja. Sinä ja agentti Taylor käytte tarkistamassa sen talon Pohjois-Carolinassa. Agentti Newman, sinut minä haluan takaisin Washingtoniin... tänään. Minulla on sinulle muita hommia."

Newman näytti siltä kuin häntä olisi läimäytetty kasvoille. Hänen suunsa avautui, mutta Kennedy keskeytti hänet jälleen.

"*Tänään*, agentti Newman. Onko selvä?"

Newman veti syvään henkeä. "Kyllä, sir."

Kennedy puhutteli jälleen Hunteria. "Robert, ei enää pelejä. Tiedät vastaukset Lucienin arvoituksiin, eikö niin?"

Hunter nyökkäsi.

"Okei." Kennedy katsoi rannekelloaan. "Meitä lykästi. Pohjois-Carolina on sen verran lähellä, että pystymme toimimaan nopeasti. Agentti Taylor, järjestä käytännön asiat. Haluan sinut ja Robertin sinne viimeistään täksi illaksi. Käykää hakemassa se päiväkirja tai vihko tai mikä lie, ja ryhdytään selvittämään tätä sotkua. Soita minulle saman tien, kun pääsette sinne, mihin kellonaikaan hyvänsä. Onko selvä?"

"Kyllä, sir", Taylor vastasi ja vilkaisi Hunteria.

Kennedy katkaisi yhteyden.

Kaksikymmentäyksi

"Okei", agentti Taylor sanoi ja näpytteli uuden komennon pöytäkoneeseen langattomalla näppäimistöllä.

Taylor ja Hunter olivat palanneet aiempaan neuvotteluhuoneeseen, jonka peräseinän suurella monitorilla näkyi yksityiskohtainen Yhdysvaltain kartta. Kun Taylor painoi enteriä, näytölle ilmestyi Pohjois-Carolinan osavaltio kaikkine piirikuntineen.

"Mikä juliste Lucien Fosterilla oli seinällään?" Taylor kysyi. "Se, josta pidit. Jossa oli auringonlasku."

Hunter kohautti olkiaan, astui lähemmäs karttaa ja tutki sitä tarkasti.

"Julisteessa oli vuoristo", hän sanoi. "Aurinko oli laskemaisillaan vuorten taakse. Taivas oli hätkähdyttävän värinen, punaista ja purppuraa. Juuri siitä minä pidin erityisesti – taivaan väreistä. Kuvassa oli myös leirinuotio."

"Leirinuotio?"

"Juuri niin", Hunter totesi.

"Siinäkö kaikki?" Taylor kysyi.

"Ei, tulen äärellä istui yksinäinen hahmo katsomassa auringonlaskua."

"Mikä hahmo?"

Hunter oli lakannut katsomasta karttaa.

"Vanha mies."

Taylor kurtisti kulmiaan. "Vanha mies?" hän toisti ja liittyi Hunterin seuraan kartan eteen. "Mitä me siis etsimme? Oldmanin piirikuntaa? Granddadin piirikuntaa? Vai oliko tällä vanhalla miehellä nimi? Lucien Folter sanoi, että piirikunnalla on sama nimi kuin julisteen henkilöllä."

"Vanhalla miehellä ei ollut nimeä", Hunter selvensi. "Mutta hän kuului Amerikan alkuperäisväestöön. Tarkemmin sanottuna hän oli..." Hän osoitti piirikuntaa aivan kartan vasemmassa laidassa. Cherokeen piirikunta.

Pohjois-Carolinan osavaltio on jaettu kolmeen alueeseen – itäiseen, Piedmontiin ja läntiseen. Cherokeen piirikunta on läntisen alueen läntisin piirikunta. Sen rajanaapureita ovat Georgian ja Tennesseen osavaltiot.

"Cherokee-intiaani", Taylor sanoi uudenlainen rytmi äänessään. "Johan on helvetti."

Hunter kääntyi katsomaan Tayloria kysyvä ilme kasvoillaan.

Taylor kallisti päätään. "Ex-mieheni on puolittain cherokee. Olemme juuri käyneet läpi raastavan avioeron. Erikoinen yhteensattuma, siinä kaikki."

Hunter nyökkäsi.

Taylorin huomio kiinnittyi takaisin karttaan, kun hän mietti piirikunnan sijaintia heidän asemapaikkaansa nähden. "Saakeli", hän sanoi ja palasi tietokoneensa ääreen. "Sinne on hitonmoinen ajomatka."

"Vähintään kahdeksan tuntia suuntaansa", Hunter komppasi.

Taylor näpytteli uuden komennon, ja kartalle ilmestyi välittömästi Quanticossa sijaitsevan FBI:n akatemian ja Cherokeen piirikunnan itäisen rajan välinen reitti. Vasemmalla puolella oli yksityiskohtainen reittisuunnitelma. Sen mukaan 860 kilometrin mittaisen matkan arvioitu ajoaika oli kahdeksan tuntia ja kaksikymmentäviisi minuuttia, ilman pysähdyksiä.

Hunter vilkaisi rannekelloaan – 12.52. Seitsemäntoista tunnin ajomatka ei herättänyt hänessä riemukkaita tuntemuksia.

"Voimmeko lentää sinne?" hän kysyi.

Taylor irvisti. "Minulla ei ole valtuuksia hyväksyä lentokonetta", hän sanoi.

"Mutta Adrianilla on", Hunter huomautti.

Taylor nyökkäsi. "Johtaja Kennedy voi valtuuttaa mitä ikinä haluaa."

"Pyydetään häntä sitten valtuuttamaan tämä lentomatka", Hunter totesi. "Pari minuuttia sitten hän oli valmis järjestämään minut suihkukoneella Havaijin-lomalle, enkä minä edes kuulu FBI:hin."

Taylorilla ei ollut siihen mitään lisättävää.

"Okei, minä soitan hänelle. Minne me siis olemme menossa?"

Hunter katsoi Tayloria.

"Arvoituksen toinen osa", Taylor selvensi. "Kaupungin nimi. Kuka tämä professori Tabasco oli? Susanin kepponen? Halloween-yö?"

Hunter ei ollut valmis paljastamaan kaikkia korttejaan, ei vielä, kun he olivat yhä FBI:n koulutuskeskuksessa. "Askel kerrallaan, agentti Taylor. Lähdetään ensin matkaan. Kerron sinulle, kun olemme ilmassa."

Taylor tutkaili häntä tovin. "Mitä väliä sillä on?"

"Juurikin niin. Jos sillä ei ole mitään väliä, voin kertoa joko nyt tai myöhemmin. Kerron myöhemmin. Ensiksi meidän pitää päästä matkaan."

Taylor kohotti molemmat kätensä luovuttamisen merkiksi. "Hyvä on. Tehdään sinun tavallasi. Soitan johtaja Kennedylle."

Kaksikymmentäkaksi

Taylorin ja johtaja Adrian Kennedyn puhelinkeskustelu kesti alle kolme minuuttia. Kennedyä ei tarvinnut kauan suostutella.

Lucien Folter oli pidätetty kuusi päivää sitten. FBI:llä oli hallussaan kaksi mestattua ja silvottua naisenpäätä, mutta ei ruumiita eikä siten henkilöllisyyksiäkään. Kysymykset kasautuivat kuin likaiset lautaset, eikä heillä toistaiseksi ollut yhtäkään vastausta. Niitä Kennedy kuitenkin halusi, ja hän halusi ne saman tien, hinnasta viis.

Puolentoista tunnin päästä kaikki oli valmiina. Phenom 100 -kevytsuihkukone odotti Hunteria ja Tayloria Turner Fieldin kiitoradalla. Kyseinen kone oli kooltaan osapuilleen puolet siitä, jolla he olivat lentäneet Los Angelesista Quanticoon, mutta sisältä se oli aivan yhtä ylellinen.

Matkustamon valot himmenivät hetkeksi, ja lentokone nousi ripeästi ilmaan. Hunter istui siemaillen vahvaa mustaa kahvia samalla, kun hänen aivonsa pyrkivät huolellisesti muistelemaan jokaista sanaa, joka oli sinä aamuna kuulusteluhuoneessa lausuttu.

Taylor istui mustassa, nahkaisessa kiertotuolissa Hunterin edessä. Hänellä oli läppäri sylissään; sen näytöllä näkyi yksityiskohtainen kartta Cherokeen piirikunnasta kaikkine kaupunkeineen ja kylineen. ”Okei, nyt olemme ilmassa. Minne me tarkalleen ottaen olemme menossa? Kuka on professori Tabasco?”

Muisto sai Hunterin hymyilemään.

”Lucien, Susan ja minä menimme Halloween-bileisiin erääseen Los Altosin irkkubaariin. Törmäsimme siellä neuropsykologian professoriimme. Kiva tyyppi, mahtava opettaja, eikä hän totisesti sylkenyt lasiin. Sinä iltana me kaikki olimme ottaneet muutaman, ja proffa päätti haastaa meidät shottikisaan. Lucien ja minä kieltäydyimme, mutta yllätykseksemme Susan tarttui tarjoukseen."

"Miksi te yllätyitte?"

"Susanilla ei ollut viinapäätä", Hunter sanoi ja pudisti päätään. "Neljä, viisi shottia, ja hän oli aivan lärvit. Emme kuitenkaan tienneet, että hänellä oli ässä hihassaan."

Taylor näytti kiinnostuneelta. "Mikä ässä?"

"Susanin isovanhemmat olivat Latviasta, minkä takia hän osasi muutaman sanan latviaa. Näiden sanojen joukossa oli vesi – 'ūdens'. Shottikisassa kumpainenkin kumosi vuoron perään suosikkidrinkkinsä. Susan kuitenkin tunsi baarimikon, joka sattui hänkin olemaan latvialainen. Proffa veti tequilaa, ja Susan tilasi baarimikolta jatkuvasti 'ūdensin'. Neljäntoista shotin jälkeen proffa heitti pyyhkeen kehään. Hänen rangaistuksensa oli juoda kokonainen 60 millin Tabasco-pullollinen, minkä hän tekikin. Hän ei pitänyt luentoja kolmeen päivään. Siitä päivästä lähtien me kolme kutsuimme häntä vain ja ainoastaan nimellä professori Tabasco."

Hunter tutki karttaa Taylorin näytöllä. Hänellä kesti sekunti löytää haluamansa.

"Kuka tämä teidän neuropsykologian professorinne siis oli?" Taylor kysyi.

Hunter osoitti näyttöä. "Hänen nimensä oli Steward Murphy."

Murphyn kaupunki oli Cherokeen piirikunnan suurin kaupunki, ja se sijaitsi Hiwassee- ja Valleyjokien yhtymäkohdassa.

"Murphyssa ei näyttäisi olevan lentokenttää", Taylor sanoi karttaa tutkittuaan. Hän kirjoitti uuden komennon. Sekunnin päästä hänellä oli vastaus. "Okei, lähin lentokenttä on läntisen Carolinan kunnallinen lentokenttä. Kahdenkymmenenkahden kilometrin päässä."

"Se kelpaa", Hunter sanoi. "Kerro lentäjälle, että olemme menossa sinne."

Taylor ilmoitti ohjeen pilotille sisäpuhelimella, joka oli kiinnitetty seinään hänen oikealle puolelleen.

”Meidän pitäisi olla siellä suurin piirtein tunnin ja kymmenen minuutin kuluttua”, hän sanoi Hunterille.

”Rutkasti parempi vaihtoehto kuin kahdeksan ja puolen tunnin ajomatka”, Hunter kommentoi.

”Saanko kysyä yhtä asiaa, etsivä Hunter?” Taylor sanoi heidän oltuaan ilmassa muutaman minuutin ajan.

Hunter irrotti katseensa sinisestä taivaasta ja katsoi Tayloria.

”Et saa, jos vielä nimittelet minua etsivä Hunteriksi. Olen Robert.”

Taylor epäröi tovin. ”Okei, Robert, kunhan sinä kutsut minua Courtneyksi.”

”Sovittu. Mitä haluaisit kysyä minulta, Courtney?”

”Sinulla on syyllinen olo, eikö vain?” Courtney odotti pari sekuntia ja päätti selventää. ”Kun Lucien kertoi sinulle huumeongelmastaan ja siitä, miten hän alun alkaen sotkeutui niihin kuvioihin.”

Hunter pysytteli hiljaa.

”Kaikki muut tarkkaamossa keskittyivät Lucieniin, mutta minä tarkkailin sinua. Sinulla oli syyllinen olo. Sinusta tuntui kuin se olisi ollut sinun syytäsi.”

”Eihän se minun syyni ollut”, Hunter sanoi lopulta. ”Mutta tiedän, että olisin voinut auttaa häntä. Minun olisi pitänyt huomata, että hän oli koukussa, kun hän tuli silloin viimeisen kerran tapaamaan minua Los Angelesiin. En käsitä, miten en tajunnut sitä.”

Taylor puraisi alahuultaan ja käänsi katseensa. Hän selvästi mietti, pitäisikö hänen pukea ajatuksensa sanoiksi. Hän päätti, ettei ollut mitään syytä kainostella. ”Tiedän, että hän oli ystäväsi, ja minua inhottaa sanoa tämä, mutta minulta ei juuri heru sympatiaa narkeille. Olen hoitanut liian monta tapausta, jossa tyyppi syyllistyi kammottavan julmaan murhaan, tai jopa murhiin, vedettyään pöntön sekaisin halvalla kamalla tai yrittäessään saada rahaa seuraavaan annokseen.” Hän pysähtyi vetämään henkeä. ”Folter saattaa valehdella. Hän voi yhä olla koukussa johonkin, ja hän on voinut tappaa ne kaksi naista huumausaineiden vaikutuksen alaisena.”

Hunter vaistosi jotakin erilaista Taylorin äänensävyssä. Kenties kätkettyä vihaa.

”Labrakokeidenne mukaan hän oli puhdas”, hän sanoi.

”Tietyt huumeet poistuvat elimistöstä muutaman tunnin sisällä, ja sinä tiedät sen”, Taylor sinkautti. ”Sitä paitsi päitä oli säilytetty jääpalasäiliöissä ties kuinka kauan. Naiset on saatettu murhata kuukausia sitten.”

”Se on totta.” Hunter ei voinut kiistää Taylorin sanoja. ”Ja tietyt huumausaineet todella poistuvat elimistöstä tuntien sisällä, mutta olethan sinä narkomaaneja ennenkin nähnyt. He eivät voi pysytellä erossa huumeista kovinkaan pitkään, ja heissä näkyvät kaikki tyypilliset riippuvuuden henkiset ja ruumiilliset merkit – iho, silmät, hiukset, huulet... vainoharhaisuus, levottomuus... kyllä meikäläiset ne erottavat. Lucienilla ei ollut mitään niistä.” Hunter pudisti päätään. ”Hän ei ole enää koukussa.”

Tällä kertaa Taylor ei voinut kiistää Hunterin väitettä. Lucienissa ei todellakaan näkynyt minkäänlaisia fyysisen tai psyykkisen riippuvuuden merkkejä. Taylor ei kuitenkaan ollut vielä valmis antamaan periksi.

”Okei, olen samaa mieltä siitä, että hän näyttäisi olevan kuivilla, mutta hän ei siltikään saa sympatioitani. Sen perusteella, mitä hän sinulle kertoi, kukaan ei pakottanut häntä ottamaan yhtäkään huumetta. Hän päätti tehdä niin omasta vapaasta tahdostaan. Hän olisi aivan yhtä hyvin voinut lähteä toiseen suuntaan. Kaiken ikäisille ihmisille kaikkialla tarjotaan huumeita joka ikinen päivä. Sinä tiedät tämän paremmin kuin useimmat, Robert. Jotkut tarttuvat tarjoukseen, toiset eivät. Se on *valinta*. Lucienin tapauksessa se oli *Lucienin* valinta, ei kenenkään muun. Vain hänen itsensä tulisi tuntea syyllisyyttä siitä, että hänestä tuli narkkari.”

Hunter ei pitkään toviin sanonut sanaakaan. Lentokone joutui turbulenssiin, ja hän odotti, kunnes se oli ohitse.

”Ei se aivan niin yksinkertaista ole, Courtney.”

”Eikö?”

”Ei.” Hunter nojautui taaksepäin.

"Minulle on tarjottu huumeita moneen kertaan", Taylor sanoi. "Koulussa, yliopistossa, kadulla, bileissä, lomamatkoilla, ihan joka paikassa oikeastaan, ja olen siitä huolimatta onnistunut pysyttelemään niistä erossa."

"Hieno homma, mutta tunnet taatusti sellaisiakin ihmisiä, jotka eivät ole olleet aivan yhtä vahvoja. Ihmisiä, jotka eivät onnistuneet pysyttelemään niistä erossa. Ihmisiä, jotka jäivät koukkuun?"

Jokin näytti muuttuvan Taylorin katseessa. "Tunnen kyllä." Hunter huomasi, että Courtney joutui taistelemaan pitääkseen äänensä tyynenä. "En kuitenkaan koe siitä syyllisyyttä."

Jostain syystä se kuulosti valheelta.

"Me kaikki olemme erilaisia, Courtney, ja siksi me reagoimme eri tavalla eri tilanteisiin", Hunter sanoi. "Reaktiomme riippuvat olosuhteista samoin kuin sen hetkisestä mielialastamme."

Taylor *tiesi* sen. Hän oli nähnyt sen ennenkin – tyypillä on hyvä olo, kaikki sujuu mainiosti niin kotona kuin töissä. Hänelle tarjotaan voimakkaasti addiktoivaa huumetta juhlissa tai vastaavassa paikassa. Hän kieltäytyy, koska ei koe tarvetta kokeilla. Juuri tuolla hetkellä tämä henkilö on luonnollisesti iloinen, luonnollisesti hilpeissä tunnelmissa. Muutaman päivän päästä sama henkilö saa potkut tai riitelee pahasti kotona tai jokin muu saa hänen mielialansa notkahtamaan – ja hänelle tarjotaan jälleen samaa voimakkaasti addiktoivaa huumetta. Tällä kertaa hän myöntyy, koska hänen mielialansa on muuttunut, olosuhteet ovat muuttuneet ja koska hän juuri silloin on psyykkisesti, ehkä jopa fyysisesti, hyvin haavoittuvassa tilassa. Huumediilereillä on jonkinlainen kuudes aisti, jonka avulla he onnistuvat löytämään porukasta sen kaikkein altteimman henkilön, ja he todella osaavat ylipuhua hänet uskomaan, että hänen ongelmansa katoavat silmänräpäyksessä, mikäli hän kokeilee tarjottua huumetta. Sen jälkeen häntä odottaa paratiisi.

Taylor alkoi jäytää alahuultaan.

"Tiedät varmaan, että on olemassa monia huumeita, joiden kohdalla yksi ainoa käyttökerta riittää", Hunter jatkoi. "Kuten Lucien sanoi: 'välittömästi koukuttavaa tavaraa'. Edes kaikkein vahvimmat ihmiset eivät voi olla vahvoja kaiken aikaa, Courtney. Se kuuluu elämän tosiasioihin. Riittää, että ihmistä lähestytään silloin, kun hän syystä tai toisesta ei ole henkisesti vahvimmillaan, kun hän on yksinäinen tai masentunut tai tuntee itsensä hyljeksityksi tai jotain. Emme vielä tiedä kaikkea. Emmekä me tiedä, kuinka monta kertaa Lucien valitsi toisen tien, kunnes lopulta ei enää valinnutkaan, ja kaikki meni pieleen."

"Pakko arvostaa", Taylor sanoi. "Puhut oikein taitavasti narkkien puolesta."

"En minä huumeidenkäyttäjiä puolusta, Courtney", Hunter totesi tyynesti. "Sanon vain, että hyvin iso osa narkomaaneista tietää tehneensä virheen. He eivät muuta halua kuin löytää voimaa päästä addiktiosta eroon. Useimmat eivät löydä tuota voimaa omin päin vaan tarvitsevat apua... apua, jota yleensä ei ole kovin helposti saatavilla. Varmaankin siksi, että niin monet ajattelevat samoin kuin sinä."

Taylor tuijotti Hunteria siniset silmät leimuten, ja sitten hän käänsi äkisti katseensa.

"Miten luulet, että olisit voinut auttaa häntä?" hän kysyi. "Mitä olisit tehnyt?"

"Kaiken voitavani", Hunter vastasi välittömästi. "Olisin tehnyt *kaiken* voitavani. Hän oli ystäväni."

Kaksikymmentäkolme

Tunti ja kahdeksan minuuttia lähdön jälkeen Phenom 100 -suihkukone laskeutui läntisen Carolinan kunnalliselle lentokentälle. Säätila oli alkanut muuttua. Taivaalle oli kerääntynyt suuria pilviä, jotka estivät aurinkoa paistamasta kunnolla ja laskivat lämpötilaa muutamalla asteella. Siitä huolimatta Taylor pani mustat aurinkolasit nenälleen heti, kun he astuivat lentokoneesta. Kyse oli FBI:n peruskoulutuksesta – heti, kun astut julkiseen tilaan, kätke silmäsi.

Lentokentän ulkopuolella Hunteria ja Tayloria odotti paikallisen autovuokraamon edustaja, jonka kanssa Taylor oli puhunut puhelimessa. Hän luovutti heille huippuluokan mustan Lincoln MKZ -henkilöauton.

"Okei", Taylor sanoi ja avasi läppärinsä, kun hän ja Hunter olivat asettuneet autoon. Hän otti kuskinpaikan. Auto näytti ja haisi upouudelta, ikään kuin se olisi ostettu sinä aamuna vain heidän käyttöään varten. "Katsotaan, minne meidän täytyy täältä lähteä."

Taylor käytti läppärin kosketuslevyä ja etsi nopeasti karttasovelluksen. Sadasosasekunnissa näytöllä näkyi Murphyn kaupungin kartta lintuperspektiivistä.

"Lucien sanoi, että talo on metsän reunassa", hän jatkoi ja käänsi läppärin Hunterin suuntaan.

Molemmat tutkivat näyttöä pitkään, ja kun Taylor kuljetti karttaa kosketuslevyn avulla vasemmalta oikealle ja ylhäältä alas, hänen olemuksensa muuttui.

"Vedättikö hän meitä?" hän kysyi lopulta. Hänen äänensä oli yhä tyyni, mutta siihen oli hiipinyt ripaus ärtymystä. Hän kohotti aurinkolasit otsalleen ja keihästi Hunterin levottomalla katseella. "Koko tämä paikka on metsän ympäröimä. Metsää on kaikkialla, kaupungissa ja kaupungin ulkopuolella. Katso nyt tätä."

Hän kiinnitti huomionsa takaisin karttaan ja zoomasi poispäin. Hän ei pilaillut. Murphyn kaupunki näytti rakennetun suuren, kukkulaisen metsän keskelle. Metsää tuntui olevan enemmän kuin rakennuksia.

"Mitä me nyt teemme? Etsimmekö jokaisen metsän reunaan rakennetun talon ja kokeilemme, sopiiko avain oveen?"

Hunter ei sanonut mitään. Hän tuijotti yhä näyttöä yrittäen miettiä, mistä oli kyse.

"Hän vittuili meille, eikö vain?" Taylor pärskäytti sanat. "Vaikka se talo olisikin olemassa, mitä nyt alan suuresti epäillä, meillä kestäisi pari päivää löytää se, ehkä enemmänkin. Hän lähetti meidät hukkareissulle, Robert. Hän tekee meille kiusaa." Hän vaikeni ja mietti hetken. "Hän on varmasti ollut täällä aiemminkin. Ehkä hän jopa asui täällä hetken. Hän tietää, että Murphy on metsän ympäröimä. Siksi hän lähetti meidät tänne sen järjettömän arvoituksensa kanssa. Voisimme viettää täällä päiväkausia emmekä koskaan löytäisi sitä... mielikuvitustaloa."

Hunter tutki karttaa vielä muutaman sekunnin ja pudisti sitten päätään. "Ei, me olemme hakoteillä. Ei hän tarkoittanut tätä."

Taylor kohotti kulmakarvojaan. "Miten niin? Juuri niinhän hän sanoi: *Talo on metsän reunassa*. Ellet sitten ymmärtänyt hänen arvoitustaan pieleen, ja me tulimme väärään kaupunkiin."

"En ymmärtänyt", Hunter vakuutti. "Tulimme aivan oikeaan kaupunkiin."

"Hyvä on sitten. Lucien siis kiusaa meitä. Katso nyt tuota karttaa, Robert." Taylor nyökäytti kohti läppäriään. "*Talo on metsän reunassa*", hän toisti. "Juuri niin hän sanoi. Minulla on tallenne täällä, jos haluat kuunnella uudestaan."

"Ei tarvitse", Hunter vastasi ja käänsi läppärin itseään kohti. "Koska hän ei tarkoittanut sitä niin."

"Anteeksi kuinka?"

”Hän sanoi, että talo on *metsän* reunassa, ei *jonkin* metsän. Siinä on vissi ero. Pystytkö etsimään meille sellaisen Murphyn kartan, josta voi hakea kadunnimiä?”

”Ilman muuta.”

Parin näpäytyksen jälkeen lintuperspektiivikartan korvasi ajantasainen satelliittikartta.

”No niin”, Taylor sanoi ja ojensi kannettavan tietokoneen Hunterille, joka naputteli ripeästi jotakin hakukenttään. Kartan näkymä siirtyi, kiertyi vasemmalle ja tarkensi kapeaan hiekkatiehen, joka sijaitsi kahden metsäisen kukkulan välissä kaupungin eteläpuolella. Kadun nimi oli Woods Edge.

Jopa Hunter oli hiukan yllättynyt. Hän oli odottanut, että jokin metsistä, tai ehkä jopa puisto, olisi nimeltään ”Woods Edge” eli metsän reuna, mutta katua hän ei ollut odottanut.

”Te vähäuskoiset”, Hunter sanoi.

”Piru vieköön”, Taylor henkäisi.

Tie näytti olevan vajaan kilometrin pituinen. Sen kummallakaan puolen ei ollut muuta kuin metsää, mutta aivan tien päässä seisoi yksittäinen talo – talo metsän reunassa.

Kaksikymmentäneljä

Taylor tarttui rattiin. Ajomatka lentokentältä Murphyn eteläpuolelle kesti vain hiukan alle kaksikymmentäviisi minuuttia. Reittiä täplittivät kukkulat, pellot ja metsät. Kun he lähestyivät Murphyn kaupunkia, tien varressa näkyi pari pientä karjatilaa, joiden pihoilla käyskenteli laiskasti hevosia ja nautakarjaa. Ilmassa leijui maatiloille tyypillinen lannanhaju, mutta sen enempää Hunter kuin Taylorkaan ei nurissut. Hunter ei muistanut koskaan aiemmin olleensa paikassa, jossa kaikkialla olisi näkynyt silmänkantamattomiin puita ja vihreitä niittyjä. Molempien oli myönnettävä, että maisema oli hätkähdyttävä.

Kun Taylor kääntyi Creek Roadilta Woods Edgelle, tie muuttui metri metriltä töyssyisemmäksi, ja hänen oli hidastettava miltei mateluvauhdiksi.

"Täällä ei ole kyllä yhtikäs mitään", hän sanoi katsellen ympärilleen. "Huomasitko, ettei katuvaloja ole näkynyt melkein kahden kilometrin aikana?"

Hunter nyökkäsi.

"Onneksi päivänvaloa riittää vielä", Taylor huomautti. "Lucienin on täytynyt piileskellä jotakin tai jotakuta. Kuka tervejärkinen haluaisi asua tällaisessa paikassa?"

Hän yritti parhaansa mukaan vältellä suurempia kuoppia ja töyssyjä, mutta ajoipa hän miten varovasti tai hitaasti hyvänsä, tuntui kuin he olisivat edenneet halki sota-alueen.

"Tämä on kuin miinakenttä", hän sanoi. "Autoyhtiöiden pitäisi tuoda ajoneuvonsa tänne jousitustestiin."

Parin hitaan ja erittäin töyssyisen minuutin kuluttua he saavuttivat vihdoin talon Woods Edgen päässä.

Paikka näytti yksitasoiselta karjatilan päärakennukselta mutta paljon pienemmässä mittakaavassa. Kiinteistöä ympäröi matala puuaita, joka oli epätoivoisesti korjauksen ja uuden maalikerroksen tarpeessa. Ruoho aidan toisella puolen näytti siltä, ettei sitä ollut leikattu kuukausiin. Suurin osa kiemuraisen, portilta taloon johtavan pihatien sementtilaatoista oli halkeillut; rikkaruohot kasvoivat halkeamista ja laattojen ympärillä. Vanha, reikäinen tähtilippu lepatti ruosteisessa lipputangossa pihan oikealla puolella. Talo oli joskus ammoin ollut valkoinen, ikkunankarmit ja ovet kalvakansiniset. Värit olivat kuitenkin haalistuneet, ja maali hilseili lähestulkoon kaikkialla. Aumakatto kaipasi paria uutta tiiltä.

Hunter ja Taylor astuivat autosta. Lännestä puhalsi viileä puhuri, joka toi mukanaan kostean maan hajun. Hunter nosti katseensa ja näki tummahkojen pilvien kerääntyvän taivaalle.

”Lucien ei pitänyt kovin hyvää huolta tästä paikasta”, Taylor sanoi ja sulki autonoven takanaan. ”Ei varsinaista vuokralaisten aatelia.”

Hunter tarkisti hiekkatien aina puiselle aidalle saakka. Hän ei nähnyt renkaanjälkiä heidän omiensa lisäksi. Talossa ei ollut autotallia, joten Hunter ryhtyi etsimään paikkaa, johon auton voisi pysäköidä. Tällaisissa paikoissa ihmisillä oli aina tapana pysäköidä samaan paikkaan. Tällöin maahan olisi jäänyt pysyviä jälkiä, kenties jopa öljyläikkiä tai -jämiä. Hän ei nähnyt mitään. Jos Lucien Folter todella oli asunut täällä, hän ei näyttänyt omistaneen autoa.

Hunter tarkisti myös postilaatikon aidan luona. Tyhjä.

Kun he lähtivät siirtymään kohti taloa, Hunter pysähtyi hetkeksi ja antoi Taylorin mennä edeltä. Kuten hänelle oli jo useamman kerran huomautettu, tämä ei ollut hänen tutkintansa.

Kuistille johtava yksittäinen puuporras narahti varoittavasti Taylorin painon alla. Hunter, joka oli aivan hänen takanaan, päätti hypätä sen yli suoraan kuistille.

He tarkistivat oven molemmin puolin olevat ikkunat. Ne olivat lukossa, verhot oli vedetty tiukasti eteen. Talon oikealla puolella oleva vankkarakenteinen portti, jota kautta pääsi takapihalle, oli sekin lukossa. Muuri sen ympärillä oli sen verran korkea, ettei kiipeämistä kannattanut edes harkita.

"Okei, kokeillaan näitä", Taylor sanoi.

Lucienin avainnippu olisi voinut kuulua rakennusliikkeen työnjohtajalle – paksu metallirengas oli pakattu täyteen saman näköisiä avaimia. Niitä oli yhteensä seitsemäntoista.

Taylor työnsi verkko-oven auki ja kokeili ensimmäistä avainta. Se ei edes sopinut lukkoon. Toinen, kolmas, neljäs ja viides sujahtivat lukkoon ongelmitta, mutta yksikään ei kääntynyt. Taylor jatkoi tyynesti kokeilua avain kerrallaan.

Kostean mullan haju muuttui vahvemmaksi ja ilma viileämmäksi, kun ensimmäiset pisarat lankesivat maahan. Taylor odotti hetken ja nosti katseensa miettien, kuinka monta reikää kuistin katosta paljastuisi, kun sade muuttuisi rankemmaksi.

Avaimet kuusi ja seitsemän osoittautuivat ensimmäisen toisinnoksi. Avain numero kahdeksan sen sijaan solahti lukkoon huomattavan sulavasti, ja kun Taylor käänsi sitä, lukko avautui vaimean kalahduksen saattelemana.

"Bingo", hän sanoi. "Mitähän varten nämä muut avaimet ovat?"

Hunter ei sanonut mitään.

Taylor käänsi kahvaa ja työnsi oven auki. Yllättävää kyllä, se ei narahtanut tai vingahtanut lainkaan, ikään kuin saranat olisi vastikään öljytty huolellisesti.

Jo ennen kuin he ehtivät astua sisään heidän neniinsä tulvahti koipallon kaltainen haju. Taylor kohotti vaistomaisesti käden nenälleen.

Haju ei häirinnyt Hunteria.

Taylor löysi valokatkaisimen seinältä oven oikealta puolelta ja näpsäytti valot päälle.

Ulko-ovi johti hyvin pieneen ja täysin paljaaseen, valkoseinäiseen eteiseen. He siirtyivät nopeasti seuraavaan huoneeseen – olohuoneeseen.

Taylor löysi jälleen valokatkaisimen oven vierestä. Hän painoi sitä ja aktivoi yksittäisen hehkulampun, joka roikkui keskellä kattoa. Paksu punamusta varjostin himmensi lampun jo entuudestaan heikkoa kajoa ja sai huoneen puolihämärän valtaan.

Olohuone ei ollut tilavin mahdollinen, mutta koska huonekaluja ei ollut juuri nimeksikään, se ei tuntunut ahtaalta. Desinfiointiainetta muistuttava koipallon löyhkä oli paljon voimakkaampi tässä huoneessa. Se sai Taylorin vavahtamaan; näytti siltä, että hän oli antamaisillaan ylen.

"Kaikki hyvin?" Hunter kysyi.

Taylor nyökkäsi kaikkea muuta kuin vakuuttavasti. "Vihaan koipallojen hajua. Se saa vatsani sekaisin."

Hunter antoi hänen rauhoittua hetken ja silmäili sillä välin hitaasti ympärilleen. Mikään ei viitannut siihen, että talo olisi ollut kenenkään koti. Ei kuvia tai maalauksia seinillä, ei koriste-esineitä missään, ei henkilökohtaista kosketusta, ei mitään. Oli kuin Lucien olisi piileskellyt jopa itseltään.

Länsiseinän avoin ovi johti pimeään keittiöön. Vastapäätä sitä ovea, jota kautta he olivat astuneet olohuoneeseen, oli syvemmälle taloon vievä käytävä.

"Haluatko tarkistaa keittiön?" Hunter kysyi.

"En erityisemmin", Taylor sanoi. "Haluan vain löytää sen päiväkirjan ja saada sen jälkeen raitista ilmaa."

Hunter nyökkäsi myöntävästi.

He kulkivat olohuoneen poikki ja astuivat käytävälle. Valo oli yhtä heikko kuin olohuoneessakin.

"Hän ilmeisesti pitää tunnelmavalaistuksesta", Taylor huomautti.

Käytävällä oli neljä ovea – kaksi vasemmalla, yksi oikealla ja yksi aivan perällä. Vasemmanpuoleiset ovet olivat apposen avoimina, samoin perimmäinen. Jopa ilman valoja Hunter ja Taylor näkivät, että kyse oli kahdesta makuuhuoneesta ja wc:stä. Käytävän oikeanpuoleinen ovi puolestaan oli vankkarakenteinen ja lukittu visusti suurella riippulukolla.

"Tuon täytyy olla kellarinovi", Taylor sanoi.

Hunter oli samaa mieltä. Hän tarkisti riippulukon ja yllättyi. Kyseessä oli armeijatason lukko, jonka oli valmistanut Sargent and Greenleaf – se kesti väitetysti kaiken tasoiset hyökkäykset, mukaan lukien nestemäisen typen. Lucien ei halunnut kenenkään menevän kutsumatta kellariin.

”Ja avainruletti pyörii jälleen”, Taylor sanoi ja kaivoi Lucienin avainnipun esiin.

Kun hän ryhtyi kokeilemaan avaimia, Hunter tarkisti nopeasti ensimmäisen oven käytävän vasemmalla puolella – vessa. Se oli pieni, valkoiseksi kaakeloitu ja siellä leijui raskas, tunkkainen ja kostea löyhkä. Tilassa ei ollut mitään kiinnostavaa.

”Onnistui”, Taylor sanoi ja antoi riippulukon pudota lattialle. ”Tällä kertaa tarvittiin kaksitoista yritystä.” Hän väänsi ovenkahvaa ja työnsi oven auki.

Valokatkaisin roikkui katosta oven sisäpuolella. Taylor nykäisi sitä. Kellertävä loisteputkilamppu räpsähti ja välähteli pariin kertaan ennen kuin jäi päälle. Sen hehku paljasti kapeat sementtiportaat, jotka kääntyivät oikealle aivan alaosassa.

”Haluatko mennä ensin?” Taylor kysyi ja astui taaksepäin.

Hunter kohautti harteitaan. ”Mikä ettei.”

He laskeutuivat portaat hitaasti ja varovasti. Portaiden päässä kaksi uutta kellertävää loisteputkilamppua valaisi tilaa, joka oli osapuilleen yläkerran olohuoneen kokoinen. Huoneessa oli viimeistelemätön sementtilattia ja väsähtäneet valkoiset seinät. Huonekalupuolta saattoi sitäkin verrata yläkerran olohuoneen niukkaan sisustukseen. Pohjoisseinän täytti korkea puinen kirjahylly, joka tulvi opuksia. Huoneen keskellä oli suuri matto ja kukkakuvioinen sohva. Aivan sen edessä oli pyökkipuinen tv-taso, jonka päällä oli vanha kuvaputkitelevisio. Tason vasemmalla puolella oli lipasto sekä pieni jääkaappi oluen säilyttämiseen. Seinillä oli pari kehystettyä piirrosta. Kaikki oli ohuen pölykerroksen peitossa.

”Päiväkirjan täytyy olla täällä”, Taylor sanoi ja nyökkäsi kohti kirjahyllyä.

Hunter silmäili edelleen huonetta painaen mieleensä kaiken näkemänsä.

Taylor astui kohti kirjahyllyä. Hän pysähtyi sen eteen ja vilkuili läpi kirjojen selkämykset. Moni tuntui käsittelevän psykologiaa, muutama tekniikkaa, pari ruoanlaittoa ja mekaniikkaa. Joukossa oli useita pehmeäkantisia trillereitä sekä opus, joka käsitteli motivaatiota ja vastoinkäymisistä selviytymistä. Yhdessä nurkassa oli kirjoja, jotka näyttivät poikkeavan muista. Pääasiallinen ero: niillä ei ollut nimeä. Ne eivät olleet painettuja kirjoja. Ne olivat kovakantisia muistikirjoja, jollaisia voi ostaa mistä hyvänsä paperikaupasta.

"Näyttää siltä, että täällä on enemmänkin kuin yksi päiväkirja", Taylor ilmoitti ja kurotti kättään kohti ensimmäistä.

Hunter ei vastannut.

Taylor avasi Hunteria katsomatta kirjan ja ryhtyi selailemaan sitä kulmat kurtussa. Kirjan sivuille ei ollut kirjoitettu mitään. Ne olivat täynnä käsin tehtyjä piirroksia ja luonnoksia.

"Robert, tulepa vilkaisemaan tätä."

Hunterin suunnasta ei edelleenkään kuulunut mitään.

"Robert, kuuletko?" Taylor kääntyi vihdoin katsomaan miestä.

Hunter seisoi huoneen keskellä liikkumatta ja tuijotti eteensä. Hänen ilmeensä oli muuttunut, eikä Taylor pystynyt aivan tulkitsemaan sitä.

"Robert, mikä on?"

Hiljaisuus.

Taylor seurasi Hunterin katsetta kohti yhtä kehystetyistä kuvista.

"Hetkinen", Taylor sanoi, tihrusti kuvaa ja siirtyi hiukan lähemmäs. Kesti useamman sekunnin, ennen kuin hän ymmärsi, mitä katsoi. Ja kun hän ymmärsi, hänen koko kehonsa nousi kananlihalle.

"Hyvä Jumala", hän kuiskasi. "Onko tuo... ihmisen nahkaa?"

Hunter nyökkäsi vihdoin hitaasti.

Taylor henkäisi, perääntyi askelen ja katseli ympärilleen.

"Ei helvetti..." Hänen kurkkunsa oli muuttunut santapaperiksi, ja hänestä tuntui kuin joku olisi kuristanut häntä näkymättömin käsin.

Seinille oli ripustettu viidet kehykset.

Hunter ei ollut edelleenkään liikahtanut. Hänen katseensa oli yhä lukkiutunut suoraan edessä olevaan kehykseen. Mutta se seikka, että kehyksissä oli ihmisnahkaa, ei ollut järkyttänyt häntä eniten. Hunterin oli jähmettänyt paikoilleen se, mitä hänen edessään olevalle ihmisnahalle oli piirretty. Hyvin ainutlaatuinen tatuointi. Tatuointi, jonka Hunter muisti hyvin, koska hän oli ollut paikalla, kun se oli tehty. Ja niin oli ollut Lucienkin. Tatuoinnissa oli punainen ruusu, jonka piikikäs varsi kiertyi verta vuotavan sydämen ympärille niin, että varsi tuntui kuristavan sydäntä.

Susanin tatuointi.

TOINEN OSA

Oikea mies

Kaksikymmentäviisi

Tällä kertaa Lucien Folter istui valmiiksi metallipöydän ääressä kuulusteluhuoneessa, kun ovi surahti auki ja Hunter ja Taylor astuivat sisään. Kuten aiemminkin, Lucienin kädet oli kahlittu ja liitetty yhteen metalliketjulla. Hänen jalkansakin olivat kahleissa, ja nilkkaketju oli jo kiinnitetty raskaaseen metallisilmukkaan, joka oli pultattu tuolin viereen lattialle. Aivan hänen takanaan seisoi kaksi aseistettua merijalkaväen sotilasta. Molemmat nyökkäsivät Hunterille ja Taylorille, minkä jälkeen he poistuivat huoneesta sanaakaan sanomatta.

Lucien nojasi eteenpäin tuolissaan. Hänen kätensä lepäsivät pöydällä sormet yhteen ristittyinä. Hän naputteli peukaloitaan vastakkain hyvin hitaasti ja tyynesti, tasaisessa rytmissä, kuin jonkin kappaleen tahdissa, jonka vain hän saattoi kuulla. Pää oli laskettu. Hän tuijotti omia käsiään.

Taylor antoi oven tieten tahtoen pamahtaa kiinni takanaan, mutta luja kalahdus ei vaikuttanut Lucieniin. Hän ei värähtänytkään, ei nostanut katsettaan, ei lakannut naputtelemasta peukaloitaan. Oli kuin hän olisi ollut täysin omassa maailmassaan.

Hunter astui eteenpäin ja pysähtyi pöydän päähän Lucienia vastapäätä, käsivarret rentoina sivuilla. Hän ei istuutunut. Hän ei sanonut sanaakaan. Hän yksinkertaisesti vain odotti.

Taylor seisoi ovella raivo silmien takana hehkuen. Hän oli paluumatkalla Quanticoon luvannut itselleen, ettei antaisi vihan näkyä, että olisi pragmaattinen… ammattimainen… puolueeton. Mutta kun hän näki Lucienin istumassa tuossa tuolissa näennäisen rentona, veri kiehahti hänen suonissaan.

”Saatanan sairas kusipää”, hän pärskäytti lopulta. ”Kuinka monta sinä todella olet tappanut?”

Lucien vain tuijotti peukaloitaan noudattaen rytmiä, jota kukaan muu ei kuullut.

”Nyljitkö sinä heidät kaikki?” Taylor jatkoi.

Ei vastausta.

”Valmistitko jokaisesta uhristasi samanlaisen sairaan voitonmerkin?”

Ei edelleenkään vastausta, mutta tällä kertaa Lucien lopetti peukaloiden naputuksen, kohotti hitaasti päätään ja lukitsi katseensa Hunteriin. Kumpainenkaan ei sanonut mitään hyvin pitkään aikaan. He vain tutkailivat toisiaan kuin kaksi ventovierasta, jotka olivat aikeissa käydä taisteluun. Ensimmäiseksi Hunter pani merkille, että Lucienin käytös oli muuttunut tyystin edellisestä kuulustelusta. Emotionaalinen Lucien, joka oli tuntunut pelkäävän, että häntä kohtaan tehtiin suurta vääryyttä, se Lucien, joka oli kaivannut apua, oli lähestulkoon kokonaan poissa. Uusi Lucien, joka nyt istui Hunterin edessä, näytti vahvemmalta... itsevarmemmalta... pelottomalta. Jopa hänen kasvonsa näyttivät karskimmilta; hän oli kuin taistelija, joka ei peräántyisi ainoastakaan yhteenotosta – hän oli ihminen, joka oli valmis ottamaan vastaan kaiken. Hänen tummanruskeissa silmissään oli täysin uudenlainen katse. Hyvin kylmä ja etäinen, vailla minkäänlaista tunnetta. Hunter oli nähnyt tuon tyhjän ilmeen monta kertaa aiemmin, muttei koskaan Lucienin silmissä. Se oli psykopaatin ilme.

Lucien hengitti ulospäin.

”Ilmeesi perusteella olet tunnistanut tatuoinnin yhdessä tauluistani, Robert.”

Hunter ymmärsi nyt, että Lucien oli juuri tästä syystä maininnut ensimmäisellä kuulustelukerralla Susanin ja hänen tatuointinsa. Ei siksi, että hän olisi yrittänyt kääntää keskustelua pois arkaluontoisesta aiheesta siksi aikaa, kunnes hänen hermostuksensa olisi laantunut, vaan koska hän halusi olla ehdottoman varma siitä, että Hunter muisti tatuoinnin, ennen kuin hän lähetti Hunterin talolle.

Hunter ei ollut aivan varma, mitä sanoa, joten hän pysytteli hiljaa.

"Se on suosikkiteokseni", Lucien jatkoi. "Tiedätkö miksi, Robert?"

Ei vastausta Hunterilta.

Lucien hymyili mielissään, ikään kuin muistot olisivat täyttäneet hänen sydämensä riemulla.

"Susan oli ensimmäiseni."

"Saatanan sairas kusipää", Taylor sanoi uudestaan ja astui eteenpäin kuin hyökätäkseen Lucienin kimppuun. Järki tuntui kuitenkin ottavan viime hetkellä vallan, ja hän pysähtyi metallipöydän luo.

Lucienin hyinen katse siirtyi hitaasti Tayloriin. "Lakkaa toistamasta itseäsi, agentti Taylor. Olet jo nimittänyt minua sairaaksi kusipääksi." Hänen äänensä oli sävytön. Ei tunnetta. Ei lämpöä. "Ehkä minä *olen* sellainen, mutta kiroilu ei oikein sovi sinulle." Hän kuljetti kieltään huulillaan kostuttaakseen niitä. "Nimittely on heikkojen hommaa. Niiden ihmisten, joilla ei ole riittävästi älyä loogiseen argumentointiin. Luuletko, että sinulta puuttuu tämä äly, agentti Taylor? Koska jos puuttuu, sinulla ei ole mitään asiaa FBI:n agentiksi."

Taylor veti syvään henkeä tyynnyttääkseen itsensä. Raivo hehkui yhä hänen silmissään, mutta hän tiesi, että Lucien pyrki vain lietsomaan hänen vihaansa.

"Tiedän, että olet juuri nyt yhä hieman järkyttynyt siitä, mitä talolta löysitte", Lucien jatkoi. "Käyt sen takia ylikierroksilla." Hän kohautti harteitaan välinpitämättömästi. "Ymmärrettävää. Mutta tuollaista tunteenpurkausta ei oikein odottaisi vanhemmalta FBI-agentilta, eihän? Se yllätti takuulla itsesikin, koska lupasit itsellesi, ettet menettäisi hermojasi. Lupasit itsellesi, että pysyisit tyynenä ja ammattimaisena. Eikö vain, agentti Taylor?" Lucien ei antanut hänelle aikaa vastata. "Mutta omien tunteiden hallinta on varsin vaikeaa. Vaikka aikomukset olisivat miten hyvät, tunteet saattavat silti helposti kiehahtaa yli. Vaatii runsaasti harjoitusta pystyä todella kontrolloimaan niitä." Uusi olkainkohautus. "Mutta kyllä sinä varmasti siinä jonakin päivänä onnistut."

Taylor pinnisteli pitääkseen suunsa kiinni. Oli päivänselvää, että Lucien laski uuden emotionaalisen reaktion varaan, mutta hän ei suonut miehelle sitä iloa.

"Montako heitä oli, Lucien?" Hunter kysyi vakaalla äänellä murtaen vihdoin hiljaisuutensa. "Sanoit, että Susan oli ensimmäisesi. Kuinka monta uhria sinulla oli?"

Lucien nojautui taaksepäin ja väläytti hymyn, joka vaikutti harjoitellulta.

"Oikein hyvä kysymys, Robert." Hän näytti vaipuvan ajatuksiinsa pitkäksi toviksi. "En ole aivan varma. Sekosin jossain vaiheessa laskuista."

Taylorin iho alkoi jälleen nousta kananlihalle.

"Olen kuitenkin kirjannut kaiken muistiin", Lucien sanoi ja alkoi nyökkäillä. "Kyllä. Päiväkirja todella on olemassa, Robert. Itse asiassa niitä on enemmänkin kuin yksi. Olen dokumentoinut niihin kaiken – paikat, joissa olen käynyt, ihmiset, jotka olen siepannut, metodit, joita olen käyttänyt..."

"Missä nämä kirjat ovat?" Taylor kysyi.

Lucien hekotti ja siirsi käsiään, niin että ketju kalahti vasten metallipöytää. "Kärsivällisyyttä, agentti Taylor, kärsivällisyyttä. Etkö ole kuullut sanontaa: *Hiljaa hyvä tulee*?"

Vaikka Lucienin sanat oli suunnattu Taylorille, hän oli kiinnittänyt kaiken huomionsa Hunteriin.

"Tiedän, että noissa sinun aivoissasi kieppuu tällä hetkellä tuhat kysymystä, Robert. Tiedän, että haluat ymmärtää miksi ja miten... ja koska olet kyttä, haluat tietysti myös tunnistaa kaikki uhrit." Lucien kiersi kaulaansa puolelta toiselle kuin yrittäen lievittää kireyttä. "Siihen saattaa mennä aikaa. Mutta usko pois, Robert, minä todella haluan sinun ymmärtävän, miksi ja miten. Se on todellinen syy siihen, miksi pyysin sinut tänne."

Lucien katsoi Hunterin ohi kaksisuuntaiseen peiliin. Hän ei enää puhunut Hunterin tai Taylorin kanssa. Hän tiesi, että

Pohjois-Carolinan löytöjen jälkeen tuon lasin takana istui nyt arvovaltaisempi FBI-hahmo. Joku, jolla oli valtuudet vedellä kaikista naruista.

”Tiedän, että myös *sinä* haluat tietää miten ja miksi”, hän sanoi hyytävällä äänellä tuijottaen omaa kuvajaistaan. ”Mehän olemme loppujen lopuksi FBI:n kuuluisassa käyttäytymistieteiden yksikössä. Te elätte siitä, että saatte tutkia kaltaisteni ihmisten mieliä. Ja uskokaa pois: ette ole koskaan kohdanneet ketään täysin minun kaltaistani.”

Lucien käytännössä tunsi jännityksen kohoavan lasin takana.

”Enemmänkin”, hän jatkoi. ”Teidän täytyy saada tunnistaa uhrit. Se on velvollisuutenne. Mutta sanon jo nyt, että ette koskaan kykene siihen ilman yhteistyötä minun kanssani.”

Hunter näki, miten Taylor vaihtoi levottomana painoa jalalta toiselle.

”Hyvä uutinen on se, että olen halukas yhteistyöhön”, Lucien sanoi. ”Mutta teen sen omilla ehdoillani, joten kuunnelkaa tarkkaan.” Hänen äänensävynsä tuntui vakavoituneen. ”Puhun ainoastaan Robertin, en kenenkään muun kanssa. Tiedän, ettei hän ole FBI:n leivissä, mutta tiedän myös, että siihen löytyy kyllä helposti ratkaisu.” Hän piti tauon ja vilkuili ympäri huonetta. ”Kuulusteluja ei enää pidetä tässä huoneessa. Minulla on täällä epämukava olo, ja...” Hän kohotti käsiään ja siirteli niitä, niin että ketju ranteiden välissä kalahteli jälleen vasten metallipöytää. ”En tykkää olla kahleissa. Se saa minut todella pahalle tuulelle, eikä se ole hyvä juttu sen enempää minun kuin teidänkään kannaltanne. Liikun myös mielelläni puhuessani. Se auttaa minua ajattelemaan. Eli tästä lähtien Robert voi tulla selliini. Voimme puhua siellä.” Hän vilkaisi Tayloria. ”Agentti Taylor voi halutessaan tulla kuuntelemaan. Pidän hänestä. Hänen täytyy kyllä opetella hillitsemään itseään.”

”Sinulla ei ole neuvotteluasemaa”, Taylor sanoi pitäen äänensä niin tyynenä kuin mahdollista.

”Voi, kyllä minulla taitaa olla, agentti Taylor. Oletan nimittäin, että tähän mennessä kokonainen agenttijoukko penkoo Murphyntaloani viimeistä senttiä myöten. Ja mikäli he ovat taitavia työssään, heidän pitäisi löytää se, minkä sinä ja Robert sieltä jokunen aika sitten löysitte..." Lucien piti tauon, ja hän ja Hunter katsoivat toisiaan jälleen silmiin. "Mutta... se on vasta alkua."

Kaksikymmentäkuusi

Lucien oli olettamuksissaan oikeassa – FBI:n erikoistiimi oli jo lähetetty syynäämään jokainen neliösentti hänen Murphyn kaupungissa sijaitsevasta talostaan.

Erikoisagentti Stefano Lopez johti tätä erittäin kokenutta, kahdeksan hengen vahvuista etsintäjoukkoa. Tiimin oli kahdeksan vuotta sitten koonnut omakätisesti johtaja Adrian Kennedy, joka ei pahemmin luottanut rikostekniikan asiantuntijoihin. Muutamaa vuotta aiemmin suurin osa maan rikosteknisestä tutkinnasta oli alettu ulkoistaa yksityisille yrityksille. Niiden ylipalkatut rikostekniset agentit, jos heitä sillä nimellä edes saattoi kutsua, epäilemättä toimivat virikkeenä niille lukuisille rikosteknisille tv-sarjoille, joita oli kuluneen vuosikymmenen aikana alkanut ilmestyä yhä enenevissä määrin maan televisiokanaville. Nämä rikosteknikot kuvittelivat aidosti olevansa tähtiä ja myös käyttäytyivät sen mukaisesti.

Kennedyn tiimi oli koulutettu keräämään ja analysoimaan rikosteknistä todisteaineistoa hyvin tehokkaasti, ja kaikilla kahdeksalla oli loppututkinto joko kemiasta tai biologiasta tai molemmista. Kolme agenttia, mukaan lukien ryhmän johtaja Lopez, oli myös opiskellut lääketiedettä ennen liittymistään FBI:hin. Kaikki olivat erittäin päteviä, ja kaikki olivat tuoneet mukanaan labravälineitä ja laitteita, joilla saattoi suorittaa paikan päällä lukuisia perustestejä.

Nopeuttaakseen tutkintaa agentti Lopez oli jaotellut talon osioihin ja jakanut tiimin neljään kahden hengen joukkueeseen: A-tiimi – agentit Suarez ja Farley – oli vastuussa olohuoneesta ja keittiöstä. B-tiimi – agentit Reyna ja Goldstein – tutki molemmat käytävän varrella sijaitsevat makuuhuoneet sekä pienen wc:n.

C-tiimi – agentit Lopez ja Fuller – otti vastuulleen kellarin. D-tiimi – agentit Villegas ja Caever – tutkivat piha-alueen.

C-tiimi oli jo valokuvannut koko kellarin alkuperäistilassaan ja kävi nyt läpi esineitä, jotka kerättiin, merkittiin ja asetettiin muovipusseihin myöhempää analyysiä varten. Ensimmäiset kerätyt esineet olivat kehystetyt ihmisennahkariekaleet.

Kun agentit Lopez ja Fuller irrottivat varovasti ensimmäisen kehyksen itäiseltä seinältä, he huomasivat, että teokset oli valmistettu yksinkertaisesti mutta nokkelasti käsin. Ensiksi ihmisennahkaa oli joko liotettu tai suihkutettu säilöntäaineella kuten formaldehydillä tai formaliinilla, joka on formaldehydin vesiliuos. Sen jälkeen nahanpalaa oli venytetty ja se oli asetettu noin kahden millimetrin paksuisen pleksilasilevyn päälle – tämä vastaa kahta päällekkäin pinottua mikroskooppilasia. Toinen, saman paksuinen pleksilasi oli seuraavaksi asetettu ihmisnahan ylle, jolloin sen kummallakin puolella oli samanlainen pleksilasilevy. Ihon hapertuminen oli pidetty minimissä siten, että pleksilasi-ihmisennahkasämpylä oli lukittu ilmatiiviisti käyttämällä erityistä tiivistysainetta. Sen jälkeen teos oli kehystetty kuin mikä tahansa maalaus tai piirros.

”Tämä on sataprosenttisen sairasta”, Lopez sanoi sirotellessaan viimeisille kehyksille sormenjälkijauhetta. Jälkiä ei löytynyt.

Lopez oli pitkä ja hoikka. Hänellä oli lyhyet kiharat hiukset, pistävät tummanruskeat silmät sekä koukkunenä, joka oli taannut hänelle lempinimen Haukka.

”Älä muuta viserrä, Haukka”, agentti Fuller sanoi merkitessään ja pussittaessaan kehyksiä. ”Onhan näitä voitonmerkkejä tullut nähtyä. Yksi jos toinen murhamies tykkää keräillä ruumiinosia, mutta tämä venyttelee jo käsityskyvyn rajoja.” Hän nyökkäsi kohti kehyksiä. ”Jätkälle ei riittänyt sormen tai korvan irrottaminen. Hänhän selvästi *nylki* uhrinsa, ainakin osittain, ehkä jopa silloin, kun he olivat vielä elossa. Se asettaa hänet aivan omaan kategoriaansa.”

”Ja mikähän kategoria se mahtaa olla?”

”Psykopaattien friikkisirkus, tirehtööritaso. Ja tällä yksilöllä on taitoja ja kärsivällisyyttä vaikka muille jakaa.”

Haukka nyökkäsi. "Jep, kaveri tosiaan on pahasti vinoutunut, mutta eniten minua karmii tämä huone." Hän katseli ympärilleen.

Fuller seurasi Haukan katsetta. "Miten niin?"

"Kuinka monta sarjamurhaajan pokaalihuonetta olemme vuosien varrella nähneet?"

Fuller irvisti ja kohautti harteitaan. "En tiedä, Haukka. Enemmän kuin kotitarpeiksi, se on varma."

"Kolmekymmentäyhdeksän tämän yksikön perustamisen jälkeen", Hawk vahvisti. "Mutta olemme myös nähneet satoja valokuvia muista pokaalihuoneista, ja ne kaikki näyttävät samalta – haisevilta, saastaisilta, pimeiltä luukuilta. Yleensähän ne tuppaavat olemaan komeroita tai vajoja, joissa tekijät säilyttävät uhreilta irti napsaisemiaan ruumiinosia. Niihin ne kyrväkkeet sitten vetäytyvät runkkaamaan tai fantisoimaan tai mitä helvettiä tekevätkään, kun elävät uudestaan uhriensa kanssa viettämiään onnenhetkiä. Olet nähnyt ne. Ne näyttävät sairailta alttareilta suoraan Hollywoodin kauhuelokuvista." Haukka piti tauon, käänsi hansikoidut kätensä ylöspäin ja silmäili jälleen huonetta. "Mutta katso tätä mestaa. Ihan kuin tavallisen perheen olohuone. Vähän pölyinen vain." Hän siveli kahdella sormella lipaston päällistä ja näytti tuloksen Fullerille painottaakseen sanojaan.

"Okei. Ja pointtisi oli?"

"Pointtini on se, etten usko tämän kaverin tulleen tänne alas muistelemaan murhatuokioitaan tai hetkiä, jotka hän vietti uhriensa kanssa. Uskon, että tyyppi tuli tänne katsomaan tv:tä, ryystämään ohrapirtelöä ja lueskelemaan, ihan kuin tavalliset ihmiset. Erona se, että hän teki sen uhriensa kehystettyjen nahkojen keskellä."

Haukka oli kulkenut talon läpi ennen kuin oli valinnut tiimit. Hän tiesi, että talon ainoa televisiolähetin oli kellarin vanha kuvaputkitelkkari. Hän tiesi myös, että nurkan pienessä jääkaapissa oli vain pari olutpulloa.

Jokin Haukan äänessä huolestutti Fulleria.

"Mitä sinä todella tarkoitat, Haukka?"

Haukka pysähtyi kirjahyllyn luo ja silmäili opusten nimiä.

”Tarkoitan sitä, etten usko noitten olleen voitonmerkkejä.” Hän osoitti lattialla makaavia todistepusseja, joiden sisällä viidet kehykset olivat. ”Nuo ovat ihan tavallisia koriste-esineitä. Jos tällä kaverilla on pokaalihuone, se ei ole tämä.” Hän vaikeni ja veti levottomana henkeä. ”Sanon vain, että terästäydy, Fuller. Jos tällä sekopäällä on pokaalihuone, me emme ole vielä löytäneet sitä.”

Kaksikymmentäseitsemän

Yläkerrassa B-tiimi – agentit Miguel Reyna ja Eric Goldstein – olivat juuri käyneet läpi kylpyhuoneen ja ensimmäisen makuuhuoneen. He olivat onnistuneet keräämään molemmista huoneista useammat sormenjäljet, ja tiimin sormenjälkiasiantuntija Goldsein osasi jo ilman perusteellisempaa analyysiä päätellä, että niiden kuviot vaikuttivat identtiseltä. Tämä viittasi siihen, että ne kaikki olivat peräisin samalta henkilöltä. Kaikkien löydettyjen peukalonjälkien koko puolestaan vihjasi siihen, että jäljet olivat peräisin samalta miespuoliselta henkilöltä.

Suihkun viemäriaukosta oli löytynyt useampia hiuksia, kaikki lyhyitä ja väriltään tummanruskeita. Ensimmäisessä makuuhuoneessa ja kylpyhuoneessa suoritettu voimakas UV-valotesti ei ollut paljastanut jälkiä siemennesteestä tai verestä. Edes kylpyhuoneen pesualtaasta ei löytynyt merkkejä parranajon yhteydessä tulleista haavoista. Wc-pöntön ympäriltä oli erottunut useita täpliä, osa isoja, osa pieniä, mutta se oli odotettavissa. Virtsa on äärimmäisen fluoresoivaa, kun sitä valaistaan ultraviolettivalolla.

Agentit tekivät UV-testin varmuuden vuoksi myös seinille. Ei ole epätavallista, että tekijä pyrkii peittämään verentahrimia seiniä maalaamalla ne uudestaan. Uusi maalikerros toki peittää tahrat täydellisesti ihmissilmältä, mutta ne erottuvat edelleen hyvin selkeästi voimakkaassa UV-valossa.

Käytävän seinillä hohteli muutama satunnainen täplä. Reyna ja Goldstein keräsivät kaikista näytteet, mutta yksikään ei ollut piilossa maalikerroksen alla. Agentit epäilivät, mahtaisivatko käytävän seiniltä kerätyt näytteet osoittautua vereksi lainkaan.

He lähestyivät käytävän viimeistä huonetta, päämakuuhuonetta, ja pysähtyivät ovella katsomaan huolellisesti ympärilleen.

Sisustus oli niukka, halpa ja sotkuinen. Huone muistutti hyvin pienellä budjetilla kalustettua opiskelija-asuntolan huonetta. Seinää vasten työnnetty parisänky oli kuin suoraan Pelastusarmeijasta, samoin patja ja mustaharmaa pussilakanasetti. Puisessa yöpöydässä ei ollut laatikoita, ja se oli asetettu lukulamppuineen samaa seinää vasten sängyn oikealle puolelle. Länsiseinää vasten oli vanhan näköinen, kaksiovinen vaatekaappi. Tämän lisäksi huoneessa oli vain pieni kirjahylly, joka oli ahdettu täyteen kirjoja.

"Ainakaan tässä ei kauan nokka tuhise", Reyna sanoi ja sujautti käsiinsä upouudet lateksihanskat.

"Hyvä niin", Goldstein komppasi. Suusuojasta huolimatta vahva koipallojen haju oli alkanut kirvellä hänen sieraimiaan.

He aloittivat samalla lailla kuin kahdessa aiemmassakin huoneessa, voimakkaalla UV-valotestillä. Kun he sytyttivät UV-valon, vuodevaatteet leimahtivat hehkumaan kuin joulukuusi.

"No, eipä mikään ihme", Goldstein sanoi. "Nuo lakanat eivät ole tainneet nähdä koskaan pesukonetta."

Monet ruumiinnesteet fluoresoivat voimakkaalle UV-valolle altistettuna – siemenneste, veri, emätineritteet, virtsa, sylki ja hiki – mutta pelkän valon käyttäminen ei kerro täsmällisesti, millaisesta tahrasta on kyse. Tarvitaan ehdottomasti lisää testejä. Lisäksi monet muut aineet, kuten sitrusmehut tai hammastahna, hohtavat kirkkaina UV-testissä.

"Pussitetaan vuodevaatteet", Goldstein sanoi. "Labra saa hoidella ne."

Reyna kiskoi vuodevaatteet nopeasti sängyltä ja pani ne erillisiin todistepusseihin. Lakanan alla olevassa valkoisessa patjassa ei ollut näkyviä veritahroja, mutta he tekivät sillekin UV-testin. Jälleen kerran siellä täällä erottui pieniä täpliä, mutta mikään ei saanut hälytyskelloja soimaan. Siitä huolimatta Reyna ja Goldstein merkitsivät ja keräsivät näytteet kaikesta.

Kun työ oli tehty, Goldstein siirtyi pienen kirjahyllyn luo ja ryhtyi huolellisesti poistamaan kirjoja yksi kerrallaan. Reyna pysytteli vuoteen luona ja etsi kehikosta sormenjälkiä. Kun hän siirtyi toiselle puolelle, hän pani merkille jotain erikoista patjan kyljessä – pitkän, vaakasuoran läpän, joka oli tehty paksusta valkoisesta kankaasta ja joka sulautui patjaan niin, että sitä oli hyvin vaikea erottaa. Hän kurtisti kulmiaan ja repäisi sen hitaasti irti. Läpän alta paljastui pitkä viilto patjassa.

"Eric, tule vilkaisemaan tätä", hän huikkasi ja viittoi kädellään.

Goldstein laski hyllylle kirjan, jota oli käynyt läpi, ja käveli Reynan luo.

"Mikähän tämä mahtaa olla?" Reyna kysyi ja osoitti pitkää halkiota patjassa.

Goldsteinin silmät laajenivat aavistuksen. "Piilopaikka."

"Niinpä", Reyna vastasi, sujautti sormensa vakoon ja raotti sen reunoja sen verran kuin pystyi.

Goldstein kumartui ja valaisi aukkoa taskulampulla. Kumpainenkaan ei nähnyt mitään Reynan käsiä lukuun ottamatta.

"Minä tarkistan", Goldstein sanoi, laski taskulampun maahan ja työnsi oikean kätensä hitaasti aukkoon. Hän alkoi hyvin varovasti tunnustella patjan sisustaa. Ensin vasemmalle, sitten oikealle – ei mitään. Hän työnsi käsivarttaan vähän syvemmälle, aina kyynärpäähän saakka. Vasemmalle, oikealle. Ei edelleenkään mitään.

"Ehkä se, mitä sinne oli kätketty, on jo poissa", Reyna ehdotti.

Goldstein ei ollut aikeissa antaa vielä periksi. Hän kumartui eteenpäin ja tunki koko käsivartensa patjan sisään – aina olkapäähän saakka. Tällä kertaa hänen ei tarvinnut tunnustella. Hänen sormensa osuivat saman tien johonkin kiinteään.

Goldstein pysähtyi ja katsoi Reynaa kummasti.

"Löytyikö jotain?" Reyna kysyi ja kallisti päätään vaistomaisesti katsoakseen uudestaan aukkoon. Hän ei nähnyt mitään.

"Odota hetki", Goldstein sanoi ja levitti sormiaan saadakseen otteen patjan uumeniin piilotetusta esineestä. Olipa se mikä hyvänsä, se oli noin viidentoista sentin paksuinen.

"Hetkinen", hän sanoi. "Sain sen." Hän yritti vetää esinettä ulos, mutta se luiskahti hänen otteestaan. "Hetkinen, hetkinen", hän toisteli ja työnsi nyt toisenkin käsivartensa patjan sisään. Käsivarret hartian leveydeltä auki hän sai otteen esineestä molemmin käsin. "Se tuntuu jonkinlaiselta laatikolta", hän ilmoitti ja alkoi hitaasti kiskoa sitä ulos.

Reyna odotti.

"Okei, nyt se tulee", Goldstein sanoi saatuaan esineen aukon suulle.

Reyna siirsi kätensä tieltä. Outo kiihtymys värisytti hänen selkäpiitään.

Goldstein kiskoi esineen patjasta ja asetti sen lattialle heidän väliinsä. Se oli laatikko. Puulaatikko, kooltaan 75 kertaa 55 senttiä.

"Aselaatikko", Reyna sanoi, joskaan ei kovin vakuuttavasti.

Goldsteinin paksut kulmakarvat kaareutuivat kysyvästi. Laatikko todella oli sen kokoinen, että siinä olisi saattanut säilyttää MP5:n tai Uzin kaltaista konepistoolia, tai kahta tai jopa kolmea käsiasetta.

"On vain yksi keino selvittää asia", Goldstein sanoi.

Yllättävää kyllä, rasiassa ei ollut lukkoja, vain kaksi vanhanaikaista salpaa. Goldstein avasi molemmat ja napautti kannen auki.

Rasian sisällä ei ollut aseita, mutta siitä huolimatta sen sisältö sai agentit jähmettymään paikoilleen silmät suurina.

Rasia oli jaettu keskeltä kahtia, niin että siinä oli kaksi erillistä lokeroa.

Useamman täydellisen hiljaisen ja täydellisen liikkumattoman sekunnin jälkeen Goldstein penkoi kynällä varovasti läpi molempien lokeroiden sisällön.

"Ei jumalauta", hän kuiskasi ja katsoi Reynaa. "Sinun on paras hakea Haukka katsomaan tätä."

Kaksikymmentäkahdeksan

Kello 01.30 Hunter ja agentti Taylor kutsuttiin erityiseen NCAVC:n kokoukseen, joka pidettiin BSU:n rakennuksen kolmannen kerroksen neuvotteluhuoneessa. Pitkän, kiillotetun punatammipöydän ääressä istui neljä miestä ja kolme naista. Peräseinälle oli laskettu suuri valkokangas. Kun Hunter ohjattiin huoneeseen, hän aisti välittömästi raskaan, levottoman tunnelman, jota osallistujien kasvoille uurtuneet kireät ilmeet entisestään vahvistivat. Johtaja Adrian Kennedy istui pöydän päässä.

"Olkaa hyvät ja käykää istumaan", hän sanoi nousematta seisomaan ja osoittaen kahta tyhjää paikkaa vierellään, yhtä oikealla, toista vasemmalla.

Hunter istuutui Kennedyn oikealle puolelle.

"Okei, eiköhän ensimmäiseksi esittäydytä", Kennedy jatkoi. "Tiedän, että kaikki läsnäolijat tuntevat etsivä Robert Hunterin väitöskirjan", hän sanoi ryhmälle, "mutta uskoakseni tämä on ensimmäinen kerta, kun useimmat teistä tapaavat tekijän henkilökohtaisesti." Hän vilkaisi Hunteria ja nyökkäsi sitten vuorollaan kunkin pöydän ympärillä istuvan henkilön kohdalla. "Jennifer Holden valvoo PROFILER-tietokonejärjestelmäämme. Deon Douglas ja Leo Hurst kuuluvat rikostutkimusanalyysiohjelmaan, CIAP:hen. Victoria Davenport työskentelee FBI:n väkivaltarikosten analysointiyksikkö ViCAP:ssä. Tohtori Patrick Lambert, jonka olet tavannut aiemmin, on oikeuspsykiatrian laitoksemme esihenkilö, ja tohtori Adriana Montoya on yksi pääpatologeistamme."

Kaikki nyökkäsivät Hunterille äänettömän tervehdyksen. Hän vastasi jokaiseen omalla nyökkäyksellään.

"Vasemmalla puolellani istuu FBI:n erikoisagentti Courtney Taylor", Kennedy sanoi. "Hän johtaa tätä tutkintaa."

Lisää äänettömiä nyökkäyksiä.

"Otin jo vapauden soittaa pomollesi Los Angelesin poliisivoimiin, Robert", Kennedy sanoi Hunterille. "Tarvitsemme sinua nyt tämän tapauksen hoitamiseen. Tiedän, että haluat mukaan, mutta meidän on pakko toimia protokollan puitteissa. Pyyntö on jo toimitettu ja hyväksytty molemmin puolin." Hän piirsi ilmaan lainausmerkit. "Olet nyt virallisesti 'lainassa' FBI:llä." Hän asetti Hunterin nimellä ja valokuvalla varustetun FBI:n henkilökortin Hunterin eteen pöydälle. "Olet siis erikoisagentti Robert Hunter siihen saakka, kunnes olemme saaneet tämän tapauksen ratkaistua."

Titteli tuntui vaivaannuttavan Hunteria. Hän jätti henkilökortin pöydälle.

"Okei", Kennedy sanoi koko huoneelle. "Olen pahoillani, että raahasin teidän kaikki tänne myöhäiseen, ennalta suunnittelemattomaan kokoukseen, mutta on päivänselvää, että tuoreimmat tapahtumat ovat osoittautuneet tutkinnan kannalta käänteentekeviksi." Hän nojautui taaksepäin tuolissaan, painoi sormensa yhteen, asetti kädet syliinsä ja puhutteli sitten suoraan Hunteria ja Tayloria.

"Tohtori Lambert ja minä olimme tänään tarkkaamossa, kun kuulustelit Lucien Folteria toista kertaa."

Hunter ei näyttänyt yllättyneeltä. Hän tiesi, että Taylor oli soittanut Kennedylle Murphyn-talolta heti, kun he olivat tehneet löytönsä. Taylor oli myös lähettänyt älypuhelimellaan kuvia kehystetyistä ihmisennahoista sekä lyhyen videotallenteen Lucienin kellarihuoneesta. Hunter oli odottanutkin, että Kennedy peruisi loppupäivän ohjelmansa ja matkustaisi suorinta tietä Washington DC:stä Quanticoon.

"Kaikki tässä huoneessa ovat myös katsoneet kokonaisuudessaan molempien kuulustelujen tallenteet", Kennedy lisäsi ja nyökkäsi sitten tohtori Lambertille, joka otti puheenvuoron.

"Muutos, joka herra Folterissa tapahtui vain muutaman tunnin sisällä – ensimmäisen kuulustelun ja toisen kuulustelun välillä – on suoraan sanottuna hätkähdyttävä." Lambert näytti hiukan nolostuneelta. "Minun on myönnettävä, että ensimmäisen kuulustelun ja sen hänen sinulle kertomansa huumeriippuvuustarinan jälkeen aloin osittain uskoa häntä. Minä jopa hiukan säälin häntä."

ViCAP:n Victoria Davenport komppasi nyökkäämällä, ja tohtori Lambert jatkoi.

"Olin alkanut elätellä sitä mahdollisuutta, että herra Folter oli itsekin erittäin sadistisen tappajan tai tappajien uhri. Että hän oli ollut pelkkä pelinappula jossakin paljon suuremmassa pelissä." Tohtori haroi harvoja valkoisia hapsiaan, jotka eivät koskaan tahtoneet pysyä kurissa. "Kaikkien niiden vuosien aikana, jotka olen toiminut oikeuspsykiatrina, olen nähnyt vain muutaman ihmisen, joka kykenee valehtelemaan näin uskottavasti. Useimmat heistä kärsivät dissosiatiivisesta identiteettihäiriöstä." Hän katsoi suoraan Hunteria. "Sinä tiedät, että nyt ei ole kyse siitä."

Hunter ei sanonut mitään, mutta hän tiesi, että tohtori Lambert oli oikeassa. Lucien ei ollut osoittanut ainuttakaan merkkiä jakautuneesta persoonallisuudesta. Hän ei ollut koskaan väittänyt tai vihjannut olevansa kaksi tai useampi eri henkilö.

Kun ihminen kärsii dissosiatiivisesta identiteettihäiriöstä, hän muuttuu identiteetin ottaessa vallan ikään kuin kokonaan uudeksi ihmiseksi, jolla on omat tunteensa, emootionsa, menneisyytensä ja muistonsa. Muilla identiteeteillä ei ole samoja tunteita, emootioita, menneisyyttä tai muistoja. Jos Lucien olisi kärsinyt dissosiatiivisesta identiteettihäiriöstä ja uusi identiteetti olisi ottanut vallan toisessa haastattelussa, uusi identiteetti ei olisi muistanut ensimmäistä kuulustelua tai mitään, mitä sen aikana oli sanottu. Tuo tai mikään muukaan hänen aivojensa muodostama identiteetti ei myöskään olisi muistanut muiden identiteettien suorittamia murhia tai mahdollisesti edes tiennyt niistä. Näin ei kuitenkaan tässä tapauksessa ollut. Lucien tiesi tarkalleen, miten oli toiminut ja mitä oli kummassakin kuulustelussa sanonut.

"Näkemäni perusteella", tohtori Lambert sanoi, "uskon vakaasti, että herra Folter yksinkertaisesti näytteli ensimmäisessä kuulustelussa etukäteen suunnitellun roolinsa likipitäen täydellisyyttä hipoen. Todellinen Lucien Folter on se, jonka me kaikki näimme ja kuulimme toisessa kuulustelussa – kylmä, tunteeton, psykopaattinen ja täydellisesti tekonsa hallitseva."

Hän vaikeni ja antoi sanojensa kellua hetken ilmassa ennen kuin jatkoi.

"Hän jäi täysin sattumalta kiinni sen epätavallisen Wyomingissa sattuneen onnettomuuden ansiosta, mutta hän johdatti kylmäverisesti agentti Hunterin ja agentti Taylorin talolleen Pohjois-Carolinassa. Hän tiesi, että he löytäisivät kyseisestä talosta kehystetyt ihmisnahan palaset. Hän tiesi, että etsivä Hunter tunnistaisi henkilökohtaisesti yhden niistä. Tämä osoittaa erittäin korkeaa julmuuden, pöyhkeyden ja ylpeyden tasoa samoin kuin järisyttävää onnistumisen ja riemun tunnetta siitä, mitä hän on saanut aikaiseksi." Tohtori pysähtyi vetämään henkeä. "Tämä mies todella nauttii ihmisten satuttamisesta... niin fyysisesti kuin emotionaalisestikin."

Kaksikymmentäyhdeksän

Tohtori Lambertin viimeiset sanat saivat melkein kaikki neuvotteluhuoneessa istujat liikehtimään epämukavasti tuoleillaan.

Kennedy käytti tilaisuuden hyväkseen vilkaisemalla patologia, tohtori Adriana Montoyaa. Hänellä oli lyhyt musta tukka, hätkähdyttävät hasselpähkinänväriset silmät, täyteläiset huulet sekä aivan vasemman korvan takana särkynyttä sydäntä kuvaava tatuointi.

"DNA-analyysin valmistumisessa saattaa mennä vielä pari päivää", Montoya sanoi, nojautui eteenpäin ja asetti kyynärpäänsä pöydälle. "Ihon pigmentaatiotestin ja epidermianalyysin tulosten pitäisi tulla tämän päivän aikana. On hyvin mahdollista, että palat ovat peräisin viidestä eri ihmisestä." Lyhyt tauko. "Mikäli näin on, uhreja on tähän mennessä seitsemän, mikä tekee Lucien Folterista erittäin tuotteliaan sarjamurhaajan. Sarjamurhaajan, josta FBI:llä ei ollut aavistustakaan vielä viikko sitten. Ja minun on pakko yhtyä tohtori Lambertin mielipiteeseen. Folterin raakuus ja julmuus ovat aivan omaa luokkaansa. Auton takakontin kaksi uhria oli mestattu. Kellarin viisi uhria oli nyljetty." Hän pudisti päätään kevyesti miettiessään, mitä se saattoi tarkoittaa. "Ja hänen mukaansa *tämä on vasta alkua.*"

Hunter pani merkille, että jostakin syystä tohtori Montoyan sanat saivat Kennedyn jännittymään vielä hitusen enemmän.

CIAP:n Leo Hurst – hieman päälle neljänkymmenen, raskasrakenteinen, vakava – käänsi edessään olevan asiakirjan sivua. Kyseessä oli molempien kuulustelujen transkriptio.

"Tämä kaveri tietää mitä tekee", hän sanoi. "Hän tietää, ettei FBI anna periksi psykopaattien vaatimuksille. Olipa tilanne millainen hyvänsä, me sanelemme pelisäännöt... aina. Tämän tapauksen ongelma piilee siinä, että hän on onnistunut kallistamaan vaakakuppia omaan suuntaansa, emmekä me voi asialle oikein mitään. Hän tietää, että meidän on pakko myötäillä häntä, koska tutkinnan prioriteetti on juuri muuttunut tekijän pidättämisestä uhrien tunnistamiseksi."

Kaikkien katse siirtyi Hurstiin.

"Okei, oletetaanpa hetken ajan, että hän valehteli sanoessaan, että tämä oli vasta alkua", hän jatkoi. "Oletetaan, että emme saa muuta kuin nämä seitsemän 'mahdollista uhria'. Ja kyllä, on mahdollista, että onnistuisimme tunnistamaan kaikki seitsemän ilman hänen apuaan, riippuen DNA-analyysistä ja mikäli heidät kaikki on lisätty kansalliseen kadonneiden henkilöiden tietokantaan." Hän raapi ihoa hyvin ohuiden kulmakarvojensa välissä. "Mutta vaikka onnistuisimmekin tunnistamaan uhrit ilman hänen apuaan, meillä on vastassa ongelma numero kaksi."

"Ruumiiden löytäminen", Kennedy sanoi ja otti hetkeksi katsekontaktin Hunteriin.

"Juurikin niin", komppasi Deon Douglas, Hurstin työpari CIAP:ssa. Hän oli afrikkalaisamerikkalainen ja näytti hieman päälle nelikymppiseltä. Hänellä oli kaljuksi ajeltu pää sekä tyylikäs leukaparta, jonka huoltaminen vaati epäilemättä vaivannäköä. "Heidän perheensä haluavat varmasti saada vihdoin rauhan. He haluavat haudata ruumiit, tai mitä niistä nyt on jäljellä, ja tämä Folter tietää, että ilman hänen myötävaikutustaan meillä ei todennäköisesti ole pienintäkään mahdollisuutta löytää paikkaa, johon hän on ruumiit hävittänyt."

Hunter pani jälleen merkille, että Kennedy tuntui jännittyvän enemmän kuin muut huoneessa olijat. Tämä oli erittäin epätavallista. Adrian Kennedy oli työskennellyt FBI:n NCAVC:ssä ja käyttäytymistieteen yksikössä niin kauan kuin Hunter muisti. Minkään tyyppinen rikos tai tekijä ei saanut häntä hätkähtämään, olipa teko miten julma tai epätavallinen hyvänsä. Hunter aisti, että kyse oli jostakin muusta. Jostakin, mistä Kennedy ei halunnut heille puhua, ei ainakaan vielä.

"Hän saattaa valehdella siitä, että tämä on vasta alkua", Jennifer Holden huomautti. "Kuten sanoit –" hän nyökkäsi Leo Hurstille "– hän tuntuu tietävän, mitä tekee. Hän tietää, että tällä tavoin vaakakuppi kallistuu hänen edukseen. Ehkä meidän pitäisi panna hänet valheenpaljastustestiin."

Hunter pudisti päätään. "Hän selvittäisi sen leikiten, vaikka valehtelisikin."

"Pystyisikö hän huijaamaan valheenpaljastinta?" Jennifer Holden kysyi hiukan yllättyneenä.

"Kyllä", Hunter vastasi absoluuttisen varmana. "Olen nähnyt hänen tekevän sen huvin vuoksi kaksikymmentäviisi vuotta sitten, ja arvelisin, että hän on siinä nykyään vieläkin taitavampi."

Huoneessa olijat vilkuilivat toisiaan kummissaan.

"Te kaikki näitte ensimmäisen kuulustelun tallenteen", Hunter selitti. "Edes kasvoanalyysiohjelma ei onnistunut löytämään merkittäviä muutoksia hänen ilmeistään. Minusta vaikuttaa siltä, ettei valehteleminen aiheuta Lucienissa minkäänlaista psykologista reaktiota. Pupillit ja hengitys pysyivät täsmälleen samanlaisina koko kuulustelun ajan, samoin kuin ihohuokosten koko ja ihon väri. Hän on varmasti harjoitellut sitä ja pitää selvänä, että teetämme hänellä valheenpaljastuskokeen. Hänen kannaltaan sillä ei kuitenkaan ole mitään merkitystä."

Tohtori Lambert nyökkäsi. "Pitkä, monimutkainen valhe vaatii aivan tietynlaista ihmistyyppiä sekä lahjakkuutta, mikäli aikoo selvitä siitä uskottavasti. Sen tason valehtelu vaatii luovuutta, älykkyyttä, itsekuria, loistavaa muistia ja useimmissa tapauksissa erittäin hyviä improvisaatiotaitoja. Ja minä puhun normaaliolosuhteista. Kun henkilön on tehtävä kaikki tämä auktoriteettihahmon, kuten poliisin tai liittovaltion agentin edessä, tietäen että oma henkilökohtainen vapaus on vaakalaudalla, nuo ominaisuudet voimistuvat potenssiin X. Lucien Folter esiintyi ensimmäisessä kuulustelussa sen verran uskottavasti, etten hämmästyisi lainkaan, vaikka hän selviytyisikin leikiten valheenpaljastuskokeesta."

"Luuletko hänen valehtelevan siitä, että tämä on vasta alkua?" Taylor kysyi Hunterilta.

"En, mutta sillä, mitä minä tai kukaan meistä uskoo, ei ole mitään merkitystä. Kuten Leo sanoi, Lucien tietää mitä tekee. Hän tietää, ettei meillä näkemämme jälkeen ole varaa epäillä. Juuri nyt hän sanelee pelisäännöt."

Kukaan ei sanonut mitään, koska kukaan ei oikein tiennyt, mitä sanoa.

Hunter tarttui tilaisuuteen ja kääntyi kohti pöydän päässä istuvaa miestä.

"Miten talon tutkinta etenee, Adrian?" hän kysyi. "Onko uutta tietoa?"

Kennedy katsoi häntä aivan kuin Hunter olisi lukenut hänen ajatuksensa.

Huoneeseen lankesi pitkä, huolestunut hiljaisuus.

"No", Kennedy sanoi lopulta, "se onkin varsinainen syy siihen, miksi olemme täällä tänä iltana. Tutkintatiimi löysi jotakin Lucien Folterin makuuhuoneesta. Se oli piilotettu hänen patjansa sisään."

Huoneeseen langennut jännitys kohosi parilla asteella.

Kaikki odottivat.

"He löysivät tämän."

Kennedy napautti edessään pöydällä olevaa pientä kaukosäädintä, ja Goldsteinin ja Reynan löytämän suljetun puulaatikon kuva heijastui välittömästi peräseinän valkokankaalle.

"Näyttää asekotelolta", Deon Douglas kommentoi. "Riittävän suuri konepistoolille tai osiin puretulle pitkän matkan tarkkuuskiväärille. Joko se on avattu?"

Kennedy nyökkäsi. "Ikävä kyllä sen sisältä ei löytynyt asetta", hän vastasi.

"Mitä siellä sitten oli?" Taylor kysyi.

Kennedyn katse kiersi pöytää ja pysähtyi Hunteriin. Vasta sitten hän painoi kaukosäädintä uudestaan.

"Sieltä löytyi tämä."

Kolmekymmentä

Vaikka valot oli sammutettu ja Lucien Folteria ympäröi täydellinen pimeys, hän makasi hereillä sellissään käyttäytymistieteiden yksikön alatasolla viisi. Hänen silmänsä olivat auki, ja hän tuijotti kattoa kuin siihen olisi heijastettu jokin kiehtova elokuva, jonka vain hän saattoi nähdä. Mutta tällä kertaa hän ei ollut vajonnut transsiin. Meditaation aika oli lopullisesti ohi. Hän yksinkertaisesti vain järjesteli ajatuksiaan asianmukaiseen toteuttamisjärjestykseen.

Askel kerrallaan, hän mietti. *Ota askel kerrallaan, Lucien.*

Ja ensimmäinen askel tuntui sujuneen täydellisesti.

Lucien olisi antanut mitä tahansa, jos olisi voinut nähdä Hunterin ilmeen, kun tämä laskeutui kellariin Murphyn-talossa ja tajusi, ettei seinällä roikkuneissa kehyksissä ollut piirustuksia. Hän olisi antanut mitä tahansa nähdäkseen Hunterin ilmeen, kun tämä lopulta tunnisti Susanin tatuoinnin.

Kyllä vain, se näky olisi ollut pienen omaisuuden arvoinen.

Hänen verensä lämpeni, kun muistot viimeisestä illasta Susanin kanssa kuohahtivat hänen mieleensä. Hän muisti edelleen naisen parfyymin makean tuoksun, hiusten pehmeyden, ihon sileyden. Hän herkutteli muistoilla vielä hetken, ennen kuin työnsi ne syrjään.

Lucien mietti, kauanko FBI:n tutkintatiimillä kestäisi löytää laatikko, jonka hän oli piilottanut makuuhuoneen patjan sisään.

Ei varmaankaan kovin kauan, mikäli he osaavat asiansa.

Hän ryhtyi vaistomaisesti käymään mielessään läpi laatikon sisältöä. Se täytti hänet kiihtymyksellä ja kohotti ylpeän mutta hillityn hymyn hänen huulilleen. Hän muisti jokaisen esineen. Mutta laatikko ja sen sisältö eivät olleet mitään verrattuna siihen, mitä oli vielä tulossa. Heitä kaikkia odotti iso yllätys.

Lucien tukahdutti hymynsä ja sulki vihdoin silmänsä.

Askel kerrallaan, Lucien. Askel kerrallaan.

Kolmekymmentäyksi

Seuraavaksi valkokankaalle heijastui kuva samasta puulaatikosta, jonka he juuri hetki sitten olivat nähneet, mutta tällä kertaa laatikko oli auki. Kaikki näkivät selvästi, että laatikko oli jaettu keskeltä kahtia niin, että siihen muodostui kaksi erillistä lokeroa. Kuin käskystä kaikki huoneessa Adrian Kennedyä lukuun ottamatta kurkottivat kaulojaan ja tihrustivat kangasta.

Oikeanpuoleinen lokero näytti ensisilmäyksellä pakatun täyteen värikkäitä kankaanpaloja. Vasemmanpuoleinen lokero oli täytetty erilaisilla koruilla.

Hiljaisuutta.

Lisää silmien siristelyä.

Pari tuolia liikahti.

”Ovatko nuo naisten alusvaatteita?” agentti Taylor kysyi lopulta viitaten oikeanpuoleiseen lokeroon.

”Katsotaan tarkemmin”, Kennedy sanoi ja napautti vielä kerran kaukosäädintä.

Valkokankaan kuva vaihtui vielä kerran. Nyt laatikon sisältö oli järjestelty siististi valkoiselle pinnalle. Taylor oli oikeassa. Oikeanpuoleisen lokeron kankaat olivat naisten alusvaatteita, pikkuhousuja tarkalleen ottaen. Ne olivat kaikki erivärisiä, erikokoisia ja erityylisiä, mutta nyt kun ne oli kaikki availtu ja järjestetty riveihin, eräs aiemmin piiloon jäänyt yksityiskohta kävi selväksi. Moni vaatekappaleista oli kuivuneen veren peitossa.

Vasemmanpuoleisen lokeron korut oli nekin aseteltu siisteihin riveihin tyypeittäin jaoteltuna – sormukset, korvakorut, kaulakorut, rannekorut, kellot, ketjut ja jopa pari napakorua.

Neuvotteluhuoneen ilma tuntui äkkiä muuttuneen tunkkaiseksi ja myrkylliseksi.

”Oikeanpuoleisessa lokerossa oli neljättoista naisten alushousut”, Kennedy sanoi ja nousi seisomaan. ”Niistä yhdettoista olivat veren peitossa.” Hän antoi sanojensa painon upota kuulijoiden tajuntaan ennen kuin jatkoi. ”Kaikki esineet on jo toimitettu rikostekniseen laboratorioomme. Alushousut ovat erikokoisia, vaihdellen XS:stä tai niin sanotusta nollakoosta L:ään eli kokoon 44 – mikä viittaisi siihen, että ne kuuluivat eri henkilöille.”

”Tietenkin kuuluivat”, Hunter sanoi, pikemminkin vaistomaisena kommenttina itselleen kuin toisille, mutta Kennedy kuuli hänet.

”Anteeksi, mitä sanoit, Robert?”

Hunter oli hetken hiljaa.

”Nuo ovat muistoesineitä, Adrian, ja kuten varmasti jokainen tässä huoneessa tietää, muistoesineiden keräilijät tapaavat yleensä ottaa vain yhden muistoesineen per uhri.”

Nyökkäykset alkoivat aaltona henkilöstä Hunterin oikealla puolella ja jatkuivat pöydän ympäri aina Tayloriin saakka.

Muistoesineiden keräilijät todellakin ottavat yleensä vain yhden muiston kultakin uhrilta. Useimmiten hyvin henkilökohtaisen esineen. Jonkin sellaisen, joka herättää helposti vahvoja muistoja uhrista ja murhatyöstä ja muistuttaa tekijälle, miten paljon valtaa hänellä on. Usein tekijä valitsee intiimin vaatekappaleen, koska ne ovat olleet läheisessä kosketuksessa uhrin ihoon, tarkemmin ottaen sukupuolielimiin, ja niihin on usein tarttunut uhrin tuoksu. Jotkut tekijät uskovat pystyvänsä haistamaan uhrin pelon esineessä vielä kuukausien, joskus jopa vuosien päästä, mikäli esinettä on säilytetty asianmukaisella tavalla. Uhrista erittyvä pelko saa tappajan usein kiihottumaan, seksuaalisesti tai muutoin. Tämän takia tekijä harvemmin ottaa uhrilta useampaa intiimiä muistoesinettä, sillä ne eivät lisää tyydytystä, jota tekijä saa muistellessaan suorittamaansa murhaa. Yksi esine riittää yleensä enemmän kuin hyvin.

”Etsivä Hunter on oikeassa”, tohtori Lambert sanoi. ”Ei olisi mitään järkeä ottaa uhrilta useampaa muistoesinettä.”

"Ei jumalauta", PROFILERin Jennifer Holden huudahti. "Onko meillä nyt neljätoista uutta 'mahdollista' uhria tähänastisten seitsemän 'mahdollisen' lisäksi?"

"Kaksikymmentäkuusi 'mahdollista' uutta uhria", Hunter korjasi ja osoitti valkokankaalla näkyviä koruja.

Kuusi apposen avointa silmäparia porautui häneen. Kennedy ja Lambert olivat ainoat, jotka eivät näyttäneet yllättyneiltä.

"Hunter on jälleen kerran oikeassa", tohtori Lambert vahvisti ja nyökkäsi kuulijoille. "Kahden muistoesineen teorian mukaan Folter olisi mitätöitynyt ensimmäisen muistoesineen ottamalla uhrilta alushousujen lisäksi myös korun." Hän nyökäytti päätään kohti valkokangasta. "Löysimme kaksitoista korua. Lienee turvallista olettaa, että korut ovat peräisin eri uhreilta, mikä nostaa mahdollisen uhriluvun kahteenkymmeneenkuuteen. Kun tähän lisätään se, mitä Folterin auton takakontista ja hänen kellaristaan löytyi, uhreja saattaa tähän mennessä olla kolmekymmentäkolme."

Paria päänpudistusta seurasi muutama tukahtunut huokaisu ja kuiskaus.

"On muutakin", Hunter sanoi.

Koko huoneen huomio kiinnittyi häneen.

"Kaksi sormuksista, kaikki kolme kelloa ja yksi kaulakoru eivät ole naisten suosimia malleja."

Kaikkien katseet siirtyivät valkokankaaseen.

"Jos nämä esineet kuuluivat uhreille", Hunter jatkoi, "Lucien ei näytä surmanneen ainoastaan naisia."

Kolmekymmentäkaksi

Tasan kello puoli kahdeksalta käyttäytymistieteiden yksikön alataso viidessä sijaitsevan selliosaston raskas metalliovi surahti auki. Käytävä sen takana oli leveä, kirkkaasti valaistu ja osapuilleen seitsemänkymmenen metrin mittainen. Harkkotiiliseinä käytävän oikealla puolella oli maalattu ankean harmaaksi. Kiiltävä hartsipinnoitelattia oli samaa sävyä, vain aavistuksen tummempi, ja sen kummallakin puolen kulki keltainen opasteviiva. Vasemmalla seinällä oli rivissä korkean turvallisuustason sellejä. Yhteensä kymmenen. Kukin selli oli erotettu muurilla, joka oli yhtä leveä kuin selli itse, noin kolme ja puoli metriä. Metallikaltereita ei ollut. Jokaisen sellin etuosa oli hyvin paksua, murtumatonta pleksilasia. Pleksilasin keskellä, osapuilleen 170 senttimetrin korkeudella, oli kahdeksan pienen keskusteluaukon rykelmä, kukin läpimitaltaan vajaat puolitoista senttimetriä.

Hunter ja Taylor astuivat ovesta kaikuvalle käytävälle. Vaikka Taylor olikin työskennellyt FBI:n leivissä useamman vuoden ja vieraillut usein BSU:n rakennuksessa, hän kävi nyt ensimmäistä kertaa alatasolla viisi. Hunterkaan ei ollut käynyt siellä aiemmin.

Pitkässä käytävässä oli ehdottomasti jotakin pahaenteistä ja uhkaavaa, ikään kuin he olisivat juuri astuneet hyvän ja pahan välisen kynnyksen yli. Ilma tuntui hivenen liian kylmältä, hivenen liian sakealta, hivenen vaikealta hengittää.

Taylor yritti parhaansa mukaan karkottaa kiusallisen värähdyksen, joka sinkoili ylös alas hänen selkäpiissään hänen ottaessaan ensimmäiset askelet kohti viimeistä selliä. Hän kuitenkin epäonnistui pahemman kerran. Jokin tuossa paikassa toi hänen mieleensä Halloween-kummitustalot, joita hän oli niin suuresti lapsena pelännyt.

"En tiedä sinusta", hän sanoi ja kokosi itsensä. "Mutta minä olisin paljon mieluummin kuulusteluhuoneessa."

"Ikävä kyllä meillä ei ole valinnanvaraa", Hunter vastasi heidän kenkiensä kopsahdellessa vasten kiiltävää lattiaa. Hän pysähtyi äkkiä ja katsoi Tayloria. "Courtney, kerron sinulle jotain Lucienista." Hänen äänensä oli tuskin kuiskausta kummempi. Hän ei halunnut sanojensa kajahtelevan aina viimeiseen selliin saakka. "Hän tykkäsi pelata pelejä – ihmisten mielten kanssa – ja hän oli siinä todella hyvä. Hän on luultavasti nykyään entistä parempi. Hän yrittää varmasti hermostuttaa sinua enemmän kuin minua. Hän yrittää päästä ihosi alle kommenteilla, vihjauksilla, suorilla pistoilla, millä vain. Joukossa on todennäköisesti hyvin häijyjä juttuja. Ole valmis, jooko? Älä anna sen vaikuttaa sinuun. Jos hän onnistuu pääsemään mieleesi, hän repii sinut kappaleiksi."

Taylor vääntelí naamaansa kuin olisi jo tiennyt tuon kaiken.

"Olen iso tyttö, Robert. Osaan huolehtia itsestäni."

Hunter nyökkäsi. Hän toivoi, että Taylor oli oikeassa.

Kolmekymmentäkolme

Käytävän päähän, aivan viimeisen sellin eteen, oli jo asetettu vierekkäin kaksi metallituolia.

Lucien Folter makasi liikkumatta sängyllään, silmät auki, ja tuijotti kattoon. Hän kuuli käytävältä askelet, jotka lähestyivät häntä. Hän nousi seisomaan, kääntyi kohti pleksilasia ja odotti. Hän näytti täydellisen rennolta. Hänen kasvoillaan ei näkynyt jälkeäkään minkäänlaisesta tunteesta. Parin sekunnin kuluttua Hunter ja Taylor ilmestyivät hänen näkökenttäänsä, ja ilmeetön naamio katosi kuin kokeneella näyttelijällä, joka oli juuri saanut merkin tärkeän kohtauksen alkamisesta.

Hän hymyili heille lämpimästi.

"Tervetuloa uuteen kotiini", hän sanoi tyynellä äänellä ja katseli ympärilleen. "Niin väliaikainen kuin se onkin."

Selli oli suorakulmion muotoinen koppero, kolme ja puoli metriä kertaa neljä metriä. Käytävän lailla sellissä oli ankean harmaiksi maalatut kevyttiiliseinät. Vasemmanpuoleista seinää vasten asetettua sänkyä lukuun ottamatta sellissä oli vain pönttö ja pesuallas peräseinällä sekä pieni metallipöytä ja metallipenkki, jotka oli pultattu maahan oikeanpuoleisen seinän viereen.

Lucien osoitti kahta käytävän tuolia kuin olisi aikeissa aloitella liiketapaamista.

"Istukaa, olkaa hyvät."

Hän odotti, että Hunter ja Taylor olivat istuutuneet ennen kuin asettui itse sängyn reunalle.

"Puoli kahdeksan aamulla", Lucien sanoi. "Minusta on mukava aloittaa varhain. Ja sen perustella, mitä sinusta muistan, olet samaa maata, Robert. Pystytkö edelleenkään nukkumaan?"

Hunter ei sanonut mitään. Hänen unettomuutensa ei kuitenkaan ollut salaisuus, eikä hän pyrkinyt peittelemään sitä. Unettomat yöt olivat alkaneet jo seitsemänvuotiaana heti sen jälkeen, kun syöpä oli riistänyt häneltä äidin.

Hänellä ei ollut muuta perhettä isän lisäksi, joten äidin kuolemasta selviytyminen osoittautui hyvin tuskalliseksi ja yksinäiseksi tehtäväksi. Hän makasi hereillä öisin, liian surullisena pystyäkseen nukkumaan, liian pelokkaana sulkeakseen silmiään, liian ylpeänä itkeäkseen.

Vasta äidin hautajaisten jälkeen hän alkoi pelätä uniaan. Aina, kun hän sulki silmänsä, hän näki äidin itkuiset, tuskan vääristämät kasvot. Hän näki äidin anovan apua, rukoilevan kuolemaa. Hän näki äidin aikoinaan niin hyväkuntoisen ja terveen kehon, josta elämä oli valunut pois. Äiti oli niin hauras ja heikko, ettei pystynyt omin voimin edes istumaan. Hän näki kerran niin kauniit kasvot, joita oli ennen koristanut maailman levein hymy, ja lempeimmät silmät, jotka viimeisten kuukausien aikana olivat muuttuneet tyystin tuntemattomiksi. Mutta hän ei siltikään ikinä lakkaisi rakastamasta äidin kasvoja.

Unesta ja unista tuli vankila, josta hän teki kaikkensa päästäkseen vapaaksi. Unettomuus oli looginen vastaus, jonka hänen kehonsa ja aivonsa kehittivät selviytyäkseen pelosta ja hirvittävistä, öisin saapuvista painajaisista. Puolustusmekanismi oli yksinkertainen mutta tehokas.

Lucien tarkkaili Hunterin ja Taylorin kasvoja useamman sekunnin ajan. "Pystyt edelleenkin pitämään tunteesi taitavasti omana tietonasi, Robert", hän sanoi ja heristi sormeaan Hunterin suuntaan. "Itse asiassa sanoisin, että olet siinä entistäkin parempi. Mutta sinä, agentti Taylor." Hänen sormensa siirtyi kohti Tayloria. "Läheltä liippaa, muttei aivan vielä valmista. Oletan teidän löytäneen laatikon. Kuulehan, agentti Taylor." Uudenlainen hymy löysi tiensä Lucienin huulille. "Tuo pikainen silmäys, jonka loit Robertiin, vahvisti juuri epäilykseni. Sinulla on vielä opittavaa."

Taylor ei näyttänyt olevan millänsäkään.

Lucienin hymy levisi.

"Agentti Taylor", hän sanoi. "Pokerinaaman pitäminen vaatii runsasta harjoittelua. Valheellisen julkisivun luominen tosin vie runsaasti energiaa, eikö vain, Robert?" Lucien tiesi, ettei Hunter vastaisi, joten hän jatkoi. "Teidän on kylläkin myönnettävä, että olen hionut omani täydelliseksi. Kuvittelit varmaankin huomaavasi aina, milloin valehtelen, eikö niin?" Hän veti henkeä. "Ja niin sinä vuosia sitten huomasitkin, mutta et huomaa enää." Lucien piti tauon ja raapi leukaansa. "Mietitäänpä. Mikä se juttu olikaan? Ai niin... tämä."

Lucien katsoi Hunteria suoraan silmiin, ja yhtäkkiä hänen ilmeensä muuttui hiukan keskittyneemmäksi, päättäväisemmäksi. Sitten, ohikiitävän hetken ajaksi, hänen vasen alaluomensa kiristyi ja nytkähti miltei huomaamattomasti. Ellei sitä osannut etsiä, sitä ei olisi huomannut.

"Näitkö tuon, agentti Taylor?" Lucien väläytti kysymyksensä perään hymyn. "Et tietenkään nähnyt, mutta älä aivan vielä soimaa itseäsi. Sinulla ei ollut aavistustakaan, mitä etsiä tai mistä sitä etsisit." Hänen katseensa siirtyi Hunteriin. "Robert huomasi sen, koska hän tiesi, että hänen pitäisi katsoa minua silmiin, varsinkin vasempaan silmään. Teen sen uudestaan, tällä kertaa hiukan hitaammin. Älä räpäytä silmiäsi, tai se menee sinulta taas ohitse, agentti Taylor."

Hän toisti silmän liikkeen, tällä kertaa niin hallitusti, että se oli melkeinpä pelottavaa.

"Kerroit minulle siitä yliopistossa, Robert, eräiden bileiden jälkeen. Muistatko? Olimme molemmat vähän humalassa, ja sinä varmasti luulit, etten muistaisi sitä."

Hunter palautti mielensä menneisyyteen, ja pintaan nousi usvainen muisto.

"Mutta minä muistin", Lucien jatkoi. "Sanoit, että se oli hyvin hienovarainen ele, että kaikki eivät huomaisi sitä. Mutta tiesinhän minä, että sinä panisit sellaisen merkille. Sinulla oli aina silmää sellaisille asioille, Robert. Tiedän, etten tehnyt sitä kovin usein. En ainakaan silloin, kun kerroin valkoista valhetta, mutta jos kyse oli jostain vakavammasta... BÄNG, silmäni liikkeet paljastivat minut aina." Lucien hieroi silmäänsä peukalolla ja etusormella. "Siksi harjoittelin harjoittelemasta päästyäni peilin edessä, kunnes se oli kokonaan poissa. Ei enää näkyviä merkkejä. Ei enää paljastavia psykologisia, motorisia reaktioita. Siihen meni kauan, itse asiassa hyvinkin kauan, mutta opin lopulta kontrolloimaan niitä. Itse asiassa minusta tuli siinä niin hyvä, että voin tuosta vain luoda halutessani uusia ja hämätä niillä ihmisiä. Pelottava ajatus, vai kuinka?"

Hunter ja Taylor pysyttelivät hiljaa.

"Tiesin, että etsisit sitä paljastavaa silmännytkähdystä, Robert. Aistin, miten keskittyneesti yritit tulkita minua." Uusi hymy. "Olin aivan saatanan hyvä, enkö vain? Oscarin arvoinen esitys." Lucien vaihtoi puheenaihetta lennosta. "Tarjoaisin juotavaa", hän sanoi. "Mutta minulla on pelkkää hanavettä ja vain yksi kuppi." Hän tarkkaili jälleen kuulustelijoitaan kiusalliselta tuntuvan hetken ajan. "Kahvi maistuisi, mutta sitä minulla ei ole." Hänen katseensa viipyili Taylorissa.

Taylor ymmärsi vihjeen, nosti katseensa kattoon sellin ylle kiinnitettyyn valvontakameraan ja nyökkäsi sille kerran.

"Mustana kahden sokerin kera, kiitos", Lucien sanoi ja katsoi samaan kameraan. Sen jälkeen hän puhutteli jälleen Hunteria ja Tayloria. "Okei, minäpä kerron, miten homma etenee. Annan teidän esittää minulle kysymyksiä. Vastaan niihin totuudenmukaisesti, ja tarkoitan totuudenmukaisesti. En valehtele. Sitten on minun vuoroni esittää teille kysymys. Jos aistin, että ette ole vastanneet minulle rehellisesti, kuulustelu on ohi vuorokauden ajaksi, ja voimme aloittaa taas seuraavana päivänä. Jos kerron teille totuuden, te kerrotte minulle totuuden. Kuulostaako reilulta?"

Taylor kurtisti kulmiaan. "Haluatko sinä esittää kysymyksiä? Mistä aiheesta?"

Hänen reaktionsa huvitti Lucienia.

”Tieto on valtaa, agentti Taylor. Minusta on mukava tuntea oloni voimakkaaksi. Eikö sinustakin?”

Ovi surahti auki käytävän päässä. Höyryävää kahvimukillista kantava merijalkaväen sotilas suuntasi heitä kohti. Taylor otti kupin, asetti sen pleksilasin liukutarjottimelle ja sujautti sen selliin kohti Lucienia.

”Kiitos, agentti Taylor”, Lucien sanoi ja otti kupin. Hän kohotti sen nenälleen ja veti syvään henkeä ennen kuin siemaisi. Mikäli kahvi oli liian kuumaa, hän ei näyttänyt sitä. ”Oikein maittavaa.” Hän nyökkäsi hyväksyntänsä. ”Selvän teki”, hän sanoi ja istuutui jälleen. ”Aloitetaan suuri paljastusleikki. Mikä on ensimmäinen kysymyksenne?”

Kolmekymmentäneljä

Hunter oli tarkkaillut ääneti vanhaa ystäväänsä siitä lähtien, kun hän ja Taylor olivat saapuneet sellin luo. Lucienista huokui jopa voitonriemuisempi, itseriittoisempi asenne kuin edellisaamuna, mutta se ei ollut lainkaan yllättävää. Lucien tiesi olevansa niskan päällä. Hän tiesi, että ainakin toistaiseksi heidän kaikkien oli tanssittava hänen pillinsä mukaan, ja se tuntui riemastuttavan häntä ylettömästi. Mutta oli jotain muutakin. Jotakin uutta Lucienin persoonassa – vakaumusta, varmuutta, jopa syvää ylpeyttä, ikään kuin hän todella haluaisi kaikkien saavan tietää totuuden hänen teoistaan.

Taylor vilkaisi Hunteria, joka ei ollut tehnyt elettäkään esittääkseen ensimmäistä kysymystä.

”Olemme tähän mennessä löytäneet viitteitä siitä, että olet saattanut syyllistyä kolmeenkymmeneenkolmeen murhaan”, Taylor aloitti. Hänen äänensä oli sävytön, tyyni, laskelmoiva, eikä hän kääntänyt katsettaan Lucienista. ”Pitääkö tämä paikkansa, vai onko olemassa lisää uhreja, joista emme vielä tiedä?”

Lucien siemaili kahviaan ja pudisti sen jälkeen asiallisesti päätään.

”Tuo oli mainio ensimmäinen kysymys, agentti Taylor. Yrität heti kättelyssä selvittää, miten kammottava hirviö minä olen.” Hän kallisti aavistuksenomaisesti päätään ja ryhtyi sivelemään aataminomenansa ja leuankärkensä väliä etusormellaan kuin olisi ajanut partaa. ”Mutta kerropa minulle tämä: jos olisin murhannut vain yhden henkilön, julmasti tai en, tekisikö se minusta vähemmän hirviön kuin jos olisin murhannut kolmekymmentäkolme, viisikymmentäkolme tai satakolme?”

Taylor ei värähtänytkään. "Onko tämä sinun kysymyksesi meille?"

Lucien hymyili huolettomasti. "Ei ole. Olin vain utelias, mutta antaa olla. Kuten sanoin, agentti Taylor, se oli mainio ensikysymys. Se ei vain ollut oikea kysymys, ja se oli minusta suuri pettymys kaltaiseltasi vanhemmalta FBI:n agentilta. Olin todella odottanut sinulta enemmän." Hän loi Tayloriin halveksuvan katseen. "Voin kuitenkin tämän kerran opettaa sinua. Elämähän on loppujen lopuksi vain suuri oppimiskokemus, eikö niin, agentti Taylor?"

Taylor ei sanonut mitään, mutta hänen ilmeessään häivähti ärtymys.

"Ensimmäisessä kysymyksessäsi olisi pitänyt olla enemmän tarkoitusta. Sen olisi pitänyt käsitellä tärkeintä syytä siihen, miksi ylipäätään olet täällä. Kysymyksen olisi pitänyt kirvoittaa minulta vastaus, joka olisi kertonut sinulle, haaskaatko aikaasi vai et." Lucien siemaisi kahviaan uudestaan ja puhutteli sitten Hunteria. "Mutta katsotaanpa, pystymmekö korjaamaan asianlaidan hänen puolestaan. Muistan yhä, miten hyvä sinä olit yliopistossa, Robert. Olit aina askelen edellä muita, professorit mukaan lukien. No niin, nyt kun sinulla on takanasi monen vuoden kokemus LAPD:n etsivänä, olet varmasti entistä parempi, entistä terävämpi, entistä nokkelampi. Niin että eiköhän mennä asiaan, Robert. Mikä olisi ollut sinun ensimmäinen kysymyksesi? Älä tuota pettymystä agentti Taylorille. Hän haluaa oppia."

Hunterin ei tarvinnut katsoa. Hän tunsi Taylorin katseen nahoissaan.

Hunter nojasi tuolin selkänojaan. Hänen asentonsa oli rento ja rauhallinen. Vasen jalka oli nostettu oikean ylle. Kädet lepäsivät reisillä. Hartioissa tai kaulassa ei ollut lainkaan kireyttä, eikä kasvojen ilme vaikuttanut huolestuneelta.

"Älä anna meidän odottaa, Robert", Lucien yllytti. "Kärsivällisyys on hyve, mutta sitä on hemmetin hankala hallita."

Hunter tiesi, ettei hänellä ollut muuta vaihtoehtoa kuin totella.

"Paikka", hän sanoi lopulta. "Tiedätkö todellakin tarkasti jokaisen paikan, johon olet uhrisi jättänyt?"

Tap, tap, tap.

Lucien oli laskenut kahvikuppinsa lattialle ja alkanut hitaasti taputtaa käsiään.

"Hän on hyvä, vai mitä?" Lucien kysyi Taylorilta sarkastiseen sävyyn. "Sinuna kuuntelisin tarkkaan, agentti Taylor. Saatat tänään oppia asian jos toisenkin."

Taylor yritti parhaansa mukaan olla mulkaisematta miestä.

"Tiedätkö, miksi se on oikea kysymys, agentti Taylor?" Lucien kysyi retorisesti, kuin luennoiva professori. "Koska jos vastaan kieltävästi, koko tämä juttu on ohi. Voitte panna minut pakettiin ja toimittaa sähkötuoliin. Minusta ei ole enää hyötyä teille tai FBI:lle." Hän nosti kahvikupin lattialta irrottamatta katsettaan Taylorista. "Et ole täällä puristamassa minusta tunnustusta, agentti Taylor. Se osa on jo taputeltu. Minä olen tappaja. Murhasin *kaikki* ne ihmiset... brutaalisti." Lucienin viimeisistä sanoista huokui hyytävää ylpeyttä. "Olen yhä täällä vain ja ainoastaan siksi, että te tarvitsette minulta epätoivoisesti jotakin." Hän vilkaisi Hunteria. "Kaikkien ruumiiden sijaintipaikka. Ei varsinaisesti siksi, että tarvitsisitte todisteita teoistani, vaan koska omaisten on saatava vihdoin rauha. Heidän täytyy saada haudata rakkaansa asianmukaisesti, eikö vain, agentti Taylor?"

Taylor ei vieläkään sanonut mitään.

"Jos vastaan kieltävästi Robertin kysymykseen, lisäkuulusteluille ei ole tarvetta. Ei ole mitään järkeä esittää minulle enempiä kysymyksiä. Ei ole myöskään mitään järkeä pitää minua täällä, koska en voi antaa teille haluamaanne." Hymyn häivähdys viipyili Lucienin huulilla. Tilanne selvästikin huvitti häntä. "Kerro minulle, agentti Taylor, suututtaako sinua, että ulkopuolinen hoitaa tehtäväsi sinua paremmin?"

Älä anna hänen vaikuttaa sinuun, ääni Hunterin pään sisällä sanoi Taylorille. *Älä suutu. Älä päästä häntä ihosi alle.* Hän näki silmänurkastaan, miten Taylor kamppaili suuttumuksensa kanssa, ja jos hän näki sen, sen näki myös Lucien.

Taylor ei tarttunut syöttiin. Hän kyllä kamppaili vihansa kanssa mutta piti sen kurissa.

Lucien hekotti ylpeästi ja siirsi huomionsa takaisin Hunteriin. ”Vastaus kysymykseesi, Robert, on – *kyllä*. Voin kertoa, missä kaikki löydettävissä olevat ruumiit sijaitsevat.” Hän siemaili tyynesti kahviaan. ”Ymmärrät varmaan, ettei kaikkia voi koskaan löytää. Se on fyysisesti mahdotonta. Ja”, hän lisäsi rennosti, ”muistan myös kaikkien uhrien nimet ulkoa.”

Jälleen kerran Lucien pyrki tulkitsemaan Hunterin ilmettä. Jälleen kerran hän epäonnistui, mutta hän aisti epäilyksen Taylorin katseessa.

”Olen valmis valheenpaljastuskokeeseen, mikäli kuvittelet minun huijaavan sinua, agentti Taylor.”

Hän läpäisee sen kepeästi. Taylor muisti Hunterin sanat varhaisaamun kokouksesta. *Hän todennäköisesti laskee sen varaan, että panemme hänet tekemään valheenpaljastuskokeen.*

”Se ei ole tarpeen”, hän sanoi lopulta.

Lucien naurahti eloisasti. ”Vai niin. Kertoiko Robert, että me molemmat huijasimme valheenpaljastinta yliopistoaikoinamme, ihan vain huvin vuoksi?”

Taylor ei sanonut mitään. Hän ei tiennyt, että myös Hunter oli onnistunut huijaamaan valheenpaljastinta.

”Hän tosin oli rutkasti minua parempi”, Lucien sanoi. ”Minulla kesti kuukausia opetella tekniikka täydellisesti, mutta hänellä siihen meni vain muutama viikko.” Hän katsoi Hunteria. ”Robertilla on aina ollut järjetön itsekuri ja keskittymiskyky.”

Lucienin viimeisiä sanoja kuorrutti jokin erilainen tunne. Taylor oletti sitä kateudeksi, mutta hän oli väärässä.

Lucien kohotti kättään kuin olisi sanonut ”hetkinen”.

”Mutta miksi te uskoisitte sanaakaan siitä, mitä sanon? En ole tähän mennessä juuri muuta tehnyt kuin lasketellut luikuria.” Pitkähkö tauko. ”Voisitte kokeilla valheenpaljastuskoetta, kuten jo ehdotin.” Lucien viskasi päätään taaksepäin ja nauroi remakasti. ”Tehkää se ihmeessä. Se olisi hulvatonta.”

Sen enempää Hunter kuin Taylorkaan ei näyttänyt huvittuneelta.

"Ei sinun tarvitse sanoa sitä, Robert", Lucien huomautti ennakoiden Hunterin sanoja. "Olen melko varma siitä, että tiedät, miten tämä toimii. Jotta välillemme voisi syntyä luottamus, tarvitset minulta jonkinlaisen hyvän tahdon osoituksen, eikö vain? Jos olisin panttivankeja ottanut terroristi, pyytäisit minulta tässä vaiheessa yhtä panttivankia, jotta voisin todistaa pelaavani reilua peliä."

"Sinun todella on pakko antaa meille jotain, Lucien", Hunter myönsi. Hän istui edelleen rennosti. "Kuten sanoit, olet tähän mennessä tarjoillut meille pelkkiä valheita."

Lucien nyökkäsi ja joi kahvinsa loppuun.

"Ymmärrän sen, Robert." Hän sulki silmänsä ja veti syvään ja rauhallisesti henkeä, kuin istuisi kukkia pursuavassa puutarhassa nauttien ilmassa leijuvasta suloisesta tuoksusta. "Megan Lowe", Lucien sanoi avaamatta silmiään. "Kaksikymmentäkahdeksan vuotta. Syntynyt joulukuun 16. Montanan Lewistownissa." Hän kuljetti kielenkärkeään hitaasti ylähuulella, ikään kuin muisto olisi saanut hänen suunsa vettymään. "Kate Barker, kaksikymmentäkuusi vuotta. Syntynyt toukokuun 11. päivä Seattlessa, Washingtonissa. Megan siepattiin heinäkuun toisena päivänä, Kate heinäkuun neljäntenä. Molemmat olivat itsenäisiä katutyttöjä, jotka työskentelivät Seattlessa. Megan oli se ruskeaverikkö, joka pää löytyi ajamani auton takakontista. Katen hiukset olivat vaaleat."

Lucien avasi lopulta silmänsä ja katsoi Hunteria.

"Heidän ruumiidensa jäänteet ovat yhä Seattlessa. Haluaisitteko kirjoittaa osoitteen muistiin?"

Kolmekymmentäviisi

Johtaja Adrian Kennedy, joka katsoi ja kuunteli kuulustelua pidätyssellien tarkkaamosta käsin, pani byrokraattiset pyörät välittömästi pyörimään liittovaltion etsintäluvan saamiseksi. Sillä oli etunsa, että sattui olemaan FBI:n johtaja, ja vaikka ajankohta oli kovin varhainen ja Washingtonin osavaltiossa kello oli kolme tuntia vähemmän kuin Virginiassa, Kennedy onnistui saamaan Seattlen liittovaltion tuomarin allekirjoittaman etsintäluvan ennätysajassa.

Lucien oli kyllä kertonut Hunterille ja Taylorille, että avain kahden ruumiin jäänteiden säilytyspaikkaan löytyi samasta avainnipusta kuin Murphyn-talon avaimet, mutta Kennedy ei halunnut odottaa. Hän ei aikonut lähettää Hunteria, Tayloria tai ketään muutakaan agenttia Quanticosta Seattleen pelkästään tarkistamaan, valehteliko Lucien vai ei.

Kun Kennedy oli saanut liittovaltion etsintäluvan, hän soitti FBI:n aluetoimistoon, joka sijaitsi Seattlessa osoitteessa 1110 3rd Avenue. Kello 08.30 länsirannikon aikaa kahden agentin tiimi lähetettiin osoitteeseen, jonka Lucien oli ilmoittanut Hunterille ja Taylorille – itsepalveluvarastoon.

”Minne tässä siis ollaan menossa, Ed?” erikoisagentti Sergio Decker kysyi istuutuessaan kuskin paikalle ja käynnistäessään sysimustan Ford-katumaasturin.

Johtava erikoisagentti Edgar Figueroa oli juuri asettunut apukuskin paikalle. Hän oli kolmenkymmenenviiden kieppeillä, pitkä ja leveäharteinen, ja hänellä oli kehonrakentajan ruumiinrakenne. Tumma tukka oli kynitty sentin päähän kallosta, ja vilkaisu nenään riitti kertomaan, että se oli murtunut vähintäänkin pariin otteeseen.

"Käydään tsekkaamassa itsepalveluvarasto North 130th Streetillä", Edgar vastasi ja pani turvavyön kiinni.

Decker nyökkäsi, peruutti autoa, kääntyi oikealle 3rd Avenuella ja suuntasi luoteeseen kohti Seneca Streetiä.

"Mikä tapaus tämä on?" hän kysyi.

"Ei meidän", Figueroa vastasi. "Soitto taisi tulla ylhäältä Washingtonista, DC:stä tai Quanticosta. Käymme vain tarkistamassa osoitteen paikkansapitävyyden."

"Narkitko asialla?" Decker kysyi.

Figueroa kohautti harteitaan ja pudisti päätään samaan aikaan. "En ole varma, mutten usko. DEA ei ole käsittääkseni sekaantunut tähän. Eivät kertoneet paljoakaan, mutta tässä pitäisi olla kyse jonkun uhrin jäänteistä."

Decker kohotti kulmakarvojaan. "Jotka on säilötty itsepalveluvarastoon?"

"Sinne osoite johtaa", Figueroa vahvisti.

Decker kääntyi uudestaan oikealle ja liittyi I-5 Northiin kohti Brittiläisen Columbian Vancouveria. Liikenne eteni hitaasti, kuten siihen aikaan aamusta aina, muttei kohtuuttoman hitaasti.

"Ovatko he pidättäneet vielä ketään?" Decker kysyi.

"Käsittääkseni kyllä. Tyyppiä ilmeisesti säilytetään joko DC:ssä tai Quanticossa." Figueroa kohautti jälleen harteitaan. "Kuten sanoin, minua ei juuri infottu. Sain kuitenkin sellaisen käsityksen, että tämä on iso keissi."

"Onko meillä etsintälupa vai joudummeko makeilemaan? FBI:n charmi puree aina", Decker vitsaili.

"Etsintälupa on", Figueroa sanoi ja vilkaisi kelloaan. "Poliisiviranomainen tapaa meidät perillä."

Matka FBI:n aluetoimistosta 3rd Avenuelta kaupungin ulkopuolella sijaitsevalle itsepalveluvarastolle kesti osapuilleen kaksikymmentäviisi minuuttia. Kuten useimmat muut yksityiskäyttöön tarkoitettuja säilytystiloja vuokraavat yritykset, tämäkin näytti ulkoapäin tavalliselta varastorakennukselta. Se oli maalattu kokovalkoiseksi, ja varastoyhtiön logo luki valtavin vihrein kirjaimin rakennuksen julkisivussa. Edessä oleva suuri asiakaspysäköintipaikka oli käytännössä tyhjillään; parkkipaikalla oli vain siellä täällä muutama auto. Nuori pariskunta tyhjensi valkoisen vuokrapakettiauton sisältöä teollisuuskokoiseen kärryyn. Paku oli parkissa lastauslaituri kakkosen edessä.

Decker pysäköi katumaasturin aivan konttorin edessä olevan pienen koristeellisen viherpihan laitaan. Maa oli yhä märkä nelisenkymmentä minuuttia aiemmin lakanneen sateen jäljiltä, mutta taivaan tummuudesta päätellen lisää vettä oli tiedossa.

Kun agentit astuivat autosta, hiukan päälle nelikymppisen oloinen nainen nousi valkoisesta Jeep Compassista, joka oli pysäköity vain parin metrin päähän, neljä ruutua heistä oikealle.

"Olen Yhdysvaltain liittovaltion poliisiviranomainen Joanna Hughes", nainen sanoi ja tarjosi kättään. Hänen ei tarvinnut kysyä. Hän huomasi kyllä, että Figueroa ja Decker olivat ne kaksi FBI:n agenttia, jotka hänen oli määrä tavata.

Hughes oli kietaissut kastanjanruskeat hiuksensa tiukalle poninhännälle, joka sai hänen otsansa näyttämään liian suurelta pyöreisiin kasvoihin nähden. Hän ei ollut erityisen puoleensavetävä nainen. Nenä oli hiukan liian terävä, huulet liian ohuet ja silmät jatkuvasti sirrissä, ikään kuin hän olisi yrittänyt lukea jotain himpun verran liian etäältä. Hän oli pukeutunut tyylikkääseen kermanväriseen jakkupukuun ja beeseihin, teräväkärkisiin korkokenkiin. Agentit esittelivät itsensä muodollisesti, ja kaikki kättelivät.

"Mennäänkö?" Hughes viittoi kohti vastaanottoa.

Sähköinen ovikello soi, kun Figueroa työnsi toimiston oven auki. Hän, Decker ja Hughes astuivat ylettömän kirkkaasti valaistuun, suorakulmion muotoiseen huoneeseen. Kumpikin FBI-agentti piti aurinkolasit päässä. Hughes toivoi, että olisi ottanut omansa mukaan.

Oven vasemmalla puolen oli pieni istuinryhmä. Vaaleanruskea neljän hengen sohva ja kaksi yhteensopivaa nojatuolia oli aseteltu pyöreän, kromista ja lasista valmistetun matalan pöydän ympärille. Pöydän päälle oli pinottu siististi pari aikakauslehteä sekä useita itsepalveluvaraston mainoslehtisiä. Nurkassa oli vesiautomaatti. Puusta ja akryylistä valmistetun vastaanottotiskin takana istui nuori mies, joka ei näyttänyt päivääkään kahtakymmentäviittä vanhemmalta. Hänen silmänsä olivat liimaantuneet älypuhelimeen. Joko hän viestitteli raivokkaasti tai oli todella uppoutunut johonkin naurettavan viihdyttävään videopeliin. Kesti vähintään viisi sekuntia, ennen kuin hän nosti katseensa pikkuruiselta näytöltä.

"Miten voin auttaa?" hän kysyi, laski puhelimen edessään olevan tietokonemonitorin viereen ja nousi seisomaan. Hän väläytti vieraille yli-innokkaan hymyn.

"Oletko paikasta vastuussa oleva henkilö?" Hughes kysyi.

"Kyllä, rouva", nuorukainen nyökkäsi. "Miten voin auttaa teitä tänään?"

Hughes astui lähemmäs ja näytti virkamerkkinsä. "Olen Yhdysvaltain liittovaltion poliisiviranomainen Joanna Hughes", hän sanoi. "Nämä kaksi herraa ovat liittovaltion agentteja."

Figueroa ja Decker kaivoivat puvuntakkiensa taskuista henkilökorttinsa.

Nuori mies tarkisti paperit ja peräänty askelen. Hän näytti hieman hämmentyneeltä. "Onko täällä jokin ongelma?" Innokas hymy oli kadonnut.

Hughes ojensi hänelle paperin, jossa oli Yhdysvaltain hallituksen leima.

"Tämä on liittovaltion etsintälupa, jonka myötä meillä on laillinen lupa ja oikeus tutkia varastoyksikkö numero 325 tämän yrityksen toimitiloissa", hän lausui tyynesti mutta erittäin käskevästi. "Avaisitteko sen ystävällisesti meille?"

Nuorukainen katsoi etsintälupaa, luki muutaman rivin, irvisti kuin se olisi kirjoitettu latinaksi ja epäröi hetken. "Minä... minun pitää varmaan soittaa tästä pomolle."

"Mikä on nimesi?" Decker kysyi.

"Billy."

Billy oli 173 senttiä pitkä, ja hänellä oli lyhyt vaalea tukka, joka oli muotoiltu hiusgeelillä piikikkääksi. Hänellä oli kolmen päivän sänki ja pari korua kummassakin korvassa.

"Okei, Billy, voit soittaa kenelle haluat, mutta meillä ei ole aikaa odotella." Decker nyökkäsi kohti etsintälupaa. "Kuten liittovaltion poliisivirkamies Hughes äsken selitti, tuo paperinpala, jonka on allekirjoittanut liittovaltion tuomari, suo meille laillisen oikeuden tutkia yksikkö 325 joko sinun avullasi tai ilman sitä. Sen enempää sinä kuin mekään emme tarvitse siihen pomosi lupaa. Tuo on ainoa lupa, joka täällä tarvitaan. Ellet avaa meille ovea vapaaehtoisesti, voin vain sanoa, että paska mäihä. Me nimittäin murramme sen auki parhaaksi katsomallamme tavalla."

"Emmekä ole laillisesti vastuussa vaurioista", Figueroa lisäsi. "Ymmärrätkö, mitä tarkoitan?"

Billy oli alkanut näyttää todella kiusaantuneelta. Hänen matkapuhelimensa piippasi tiskillä viestin merkiksi, mutta hän ei edes vilkaissut sitä.

"Saat pitää kopion etsintäluvasta", Decker lisäsi. "Voit näyttää sen pomollesi, lakimiehellesi, kenelle haluat. Lupa takaa, että et riko lakia tai yrityksen sääntöjä tai tee mitään muutakaan, mitä sinun ei pitäisi tehdä." Hän vilkaisi kelloaan. "Meillä on kireä aikataulu, Billy. Mitä tehdään? Päästätkö meidät varastoon vai murrammeko sen auki omin neuvoin? Sinun täytyy tehdä valinta."

"Tämä on piilokamera, eikö niin?" Billy kysyi. Hänen katseensa siirtyi ikkunaan agenttien takana, kuin kameran toivossa.

"Tämä on virallinen vierailu, Billy", Hughes vastasi. Hänen äänensävynsä ilmaisi, ettei nyt vitsailtu.

"Oletteko te todella FBI:stä?" Billy kuulosti nyt jo hiukan innostuneelta.

"Me todella olemme", Decker vastasi.

"Kuulkaa, haluan ilman muuta auttaa", Billy sanoi. "Voin päästää teidät rakennukseen. Se ei ole ongelma. En kuitenkaan voi avata yksikkö 325:tä, koska siinä on riippulukko. Yhdessäkään ovessamme ei ole avainlukkomekanismia, pelkästään hyvin jämerä salpalukko. Asiakkaamme voivat ostaa meiltä erillisen riippulukon." Hän osoitti takanaan olevaa vitriiniä, jossa oli useita erikokoisia riippulukkoja. "Tai sitten he voivat tuoda omansa. Varaavainta ei ole pakko luovuttaa meille, joten käytännössä kukaan ei tee niin. Kun yksikkö on vuokrattu, meillä ei ole enää pääsyä siihen. Asiakkaillamme on täydellinen yksityisyys."

Figueroa nyökkäsi ja pohti asiaa hetken. "Okei. Voitko antaa meille kyseisen tilan speksit?"

"Totta kai." Billy alkoi näpytellä jotakin vastaanottotiskin tietokoneeseen. "Kas niin", hän sanoi vain parin sekunnin päästä. "Yksikkö kuuluu keskikokoisiin erikoisvarastoihimme – kolme kertaa kolme metriä."

"Erikois?" Decker kysyi.

"Jep", Billy sanoi. "Siinä on oma sähköpistoke."

"Selvä."

"Sen vuokrasi kahdeksan kuukautta sitten, tammikuun 4. päivänä, eräs Liam Shaw", Billy jatkoi lukemista näytöltä. "Hän maksoi koko vuoden etukäteen... käteisellä."

"Yllätys", Decker sanoi.

"Varastoyksikkö on käytävällä F", Billy lisäsi. "Voin viedä teidät sinne, jos haluatte."

"Menoksi", Figueroa ja Decker sanoivat yhteen ääneen.

Kolmekymmentäkuusi

Kukaan ei nähnyt mitään järkeä kuulustelujen jatkamisessa ennen kuin oli saatu jonkinlainen vahvistus siitä, että Lucien puhui totta Seattlen itsepalveluvarastosta. Johtaja Adrian Kennedy kertoi Hunterille ja Taylorille, että kaksi Washingtonin FBI-agenttia oli jo lähetetty liittovaltion etsintäluvan kanssa varmistamaan Lucienin lausuntojen todenperäisyyttä. Vastauksen pitäisi saapua seuraavan tunnin sisällä.

Taylor istui yksinään yhdessä BSU:n rakennuksen alatason kolmesta neuvotteluhuoneesta ja tuijotti edessään olevaa koskematonta kahvikupillista, kun Hunter avasi oven ja astui sisään.

”Onko kaikki hyvin?” Hunter kysyi.

Hetken tuntui siltä, ettei Hunterin kysymys ollut mennyt perille, mutta sitten Taylor kääntyi hitaasti ja katsoi häntä.

”Ei tässä mitään.”

Seurasi vaivaantunut hiljaisuus.

”Pärjäsit oikein hyvin”, Hunter sanoi kaikkea muuta kuin holhoavaan tai halveksuvaan sävyyn.

”Ilman muuta”, Taylor vastasi ja hymähti ivallisesti. ”Paitsi että menin aloittamaan väärällä kysymyksellä.”

”Ei”, Hunter sanoi ja istuutui Tayloria vastapäätä. ”Olet väärässä. Vaikka olisit esittänyt minkälaisen kysymyksen hyvänsä, Courtney, Lucien olisi viskannut sen kasvoillesi ja pyrkinyt häpäisemään sinut. Hän olisi yrittänyt saada sinut tuntemaan olosi alempiarvoiseksi, yrittänyt ravistella itsevarmuuttasi ja saada sinut tuntemaan, ettet ole riittävän hyvä. Hän haluaa päästä ihosi alle, ja hän tietää, että on siinä hyvä. Yliopistossa hänellä oli tapana kiusata professoreita samalla tavalla."

Taylor piti katseensa Hunterissa.

"Hän haluaa päästä minunkin ihoni alle, mutta hän tuntee minut hiukan paremmin kuin sinut, tai ainakin tunsi, joten juuri nyt hän haluaa kokeilla kepillä jäätä nähdäkseen, miten sinä reagoit, ja hän aikoo jatkaa entistä kiivaammin. Kai sinä sen ymmärrät?"

"Siinähän yrittää", Taylor tokaisi kipakasti.

"Muista vain, että Lucienille tämä on peliä, Courtney... hänen peliään. Hän tietää, että on niskan päällä. Juuri nyt me emme voi tehdä muuta."

Taylor katsoi Hunteria. "Me siis pelaamme peliä", hän sanoi.

Hunter pudisti päätään. "Ei, me pelaamme *hänen* peliään. Annamme hänelle sen, minkä hän haluaa. Annamme hänen kuvitella, että hän on voittoasemissa."

Adrian Kennedy työnsi neuvotteluhuoneen oven auki ja kurkisti sisään. "Kas, täällähän te olette." Hänellä oli sininen kansio kädessään.

"Onko Seattlesta kuulunut mitään?" Hunter kysyi.

"Ei vielä", Kennedy vastasi. "Odottelemme edelleen, mutta Lucien ei näytä valehdelleen niiden takakontista löydettyjen päiden suhteen." Hän avasi kansion. "Megan Lowe, kaksikymmentäkahdeksan vuotta. Syntyi 12. joulukuuta Montanan Lewistownissa. Jätti Lewistownin taakseen kuusitoistavuotiaana, kuusi kuukautta sen jälkeen, kun hänen äitinsä antoi silloisen poikaystävänsä muuttaa heille asumaan." Kennedy nyökkäsi vaistomaisesti Hunterille. "Megan muutti aluksi Los Angelesiin, jossa hän vietti seuraavat kuusi vuotta. Kaikki viittaa siihen, että hän todella toimi katutyttönä. LA:n jälkeen Megan siirtyi Seattleen. Työnkuva tuntuu pysyneen samana." Hän käänsi sivua. "Kate Barker, kaksikymmentäkuusi vuotta. Syntynyt 11. toukokuuta Seattlessa, Washingtonin osavaltiossa. Hän lähti kotoa seitsemäntoistavuotiaana ja muutti yhteen poikaystävän kanssa, joka siihen aikaan oli 'aloitteleva muusikko'. Asiaa ei ole vahvistettu, mutta näyttää siltä, että juuri poikaystävä sai Katen myymään itseään."

”Tarvitsiko hän rahaa huumeisiin?” Taylor kysyi.

Kennedy kohautti harteitaan. ”Todennäköisesti. Lucienin antamat sieppauspäivät, 2. heinäkuuta Meganille ja 4. heinäkuuta Katelle, ovat vaikeasti todennettavissa, sillä kumpaakaan ei koskaan ilmoitettu kadonneeksi.”

Tämä ei ollut yllättävää. Prostituoidut muodostavat kolmanneksi suurimman ryhmän Yhdysvalloissa ratkaisemattomaksi jäävistä murhista. Edellä ovat vain jengeihin ja huumeisiin liittyvät tapaukset. Joka päivä Yhdysvalloissa tuhansia kaduilla työskenteleviä tyttöjä raiskataan, hakataan, ryöstetään tai siepataan. He eivät joudu kohteeksi siksi, että he näyttäisivät viehättäviltä tai kantaisivat mukanaan käteistä. Heidän kimppuunsa käydään, koska he ovat helposti saatavilla ja äärimmäisen haavoittuvia, mutta ennen kaikkea siksi, että he ovat anonyymejä. Suuri osa katutytöistä asuu yksin tai jakaa asunnon muiden samaa työtä tekevien tyttöjen kanssa. Heillä ei sattuneesta syystä ole yleensä kumppania. Useimmat ovat karanneet kotoa, eikä heillä ole juuri yhteyksiä perheisiinsä, jos lainkaan. He elävät yksinäistä elämää, johon kuuluu vain muutamia ystäviä. Tilastojen mukaan ainoastaan kaksi kadonnutta katutyttöä kymmenestä ilmoitetaan koskaan kadonneeksi.

Kennedy ojensi kopion raportista sekä Hunterille että Taylorille. Raportissa oli kuva uhreista. Molemmat naiset, Megan Lowe ja Kate Barker, oli pidätetty muutamaan otteeseen prostituutiosta. Pidätyskuvista huolimatta kukaan ei olisi pystynyt yhdistämään näitä naisia Lucienin takakontista löydettyihin päihin, niin julmaa väkivaltaa heihin oli kohdistettu.

”Jos Lucien ei valehdellut heidän henkilöllisyyksistään”, Kennedy sanoi poistuessaan huoneesta, ”on mahdollista, ettei hän valehdellut Seattlestakaan.”

Kolmekymmentäseitsemän

Itsepalveluvarastossa oli aivan yhtä kirkas valaistus kuin toimistossakin. Rakennuksessa oli ekstraleveät käytävät ja pyöristetyt kulmat kärryjen ja trukkien liikkumisen helpottamiseksi. Hartsipinnoitettu lattia oli maalattu vaaleanvihreäksi. Varastoyksikköjen ovet olivat valkoiset. Kopin numero oli maalattu mustalla sekä oven keskelle että seinään oven oikealle puolelle. Billy johdatti heitä mutkittelevia käytäviä pitkin useamman minuutin ajan, kunnes he saapuivat käytävälle F. Varastotila 325 oli kolmas ovi vasemmalla.

"Perillä ollaan", Billy sanoi ja osoitti varastoyksikköä.

Aivan kuten hän oli aiemmin selittänyt, rullaoven oikeanpuolisella sivulla oli metallisalpa, joka oli lukittu paksulla, messinginvärisellä riippulukolla.

Figueroa ja Decker siirtyivät tutkimaan lukkoa tarkemmin.

Lucien oli lukinnut Murphyssa sijaitsevan talon kellarinoven armeijatasoisella riippulukolla, mutta tässä ovessa hän oli käyttänyt Master ProSeries -merkkistä sankasuojattua riippulukkoa, joka ei ollut yhtä murtovarma mutta varsin jämerä joka tapauksessa.

"Raskaan sarjan riippulukko", Figueroa sanoi ja vilkaisi ensin Deckeriä ja sitten Billyä. "Luuletko, että saat sen murrettua noilla voimapihdeillä?"

Billy oli jo ymmärtänyt, että hänen täytyisi murtaa varaston riippulukko, joten hän oli ottanut mukaansa punakeltaiset neljänkymmenenkahden tuuman pulttisakset.

"Helppo nakki", Billy sanoi ja astui eteenpäin. "Meidän täytyi murtaa vastaava pari viikkoa sitten. Eiköhän tämä aukea samalla tavalla."

"Ei sitten muuta kuin hommiin, Billy", Figueroa sanoi ja teki tilaa.

Billy siirtyi lähemmäs, avasi pulttisaksien terät mahdollisimman levälleen ja asetti ne huolellisesti riippulukon suojatun sangan ympärille. Hän puristi kaikin voimin.

Klank.

Pulttisakset luiskahtivat riippulukolta. Alkuun ponnistus näytti turhalta, mutta yhtä kaikki jotain pompahti lattialle ja liukui poispäin parin metrin päähän käytävälle. Billy oli onnistunut leikkaamaan irti lukon sangan murtosuojan. Nyt sanka oli paljastunut toiselta puolelta.

"Mitäs minä sanoin", Billy sanoi ja nyökäytti päätään kohti voimapihtejä. "Ihan helvetin tehokas väline. Tästä eteenpäin tämä on lastenleikkiä." Hän asetti pihtien leuat paljastuneen sangan ympärille ja puristi lujaa.

Klik.

Tällä kertaa pulttisakset eivät lipsahtaneet riippulukolta. Sen leuat pureutuivat sangan läpi kuin se olisi ollut märkää savea.

Kaikki näyttivät vaikuttuneilta.

"Käytän pulttisaksia vielä kerran", Billy selitti. "Sanka on sen verran paksu ja jämäkkä, etten pysty vääntämään sitä paikoiltaan ja vapauttamaan lukkoa. Minun täytyy leikata siitä pala pois."

"Panes leikaten, Billy", Decker rohkaisi.

Billy toisti saman kuin hetkeä aiemmin, mutta tällä kertaa hän asetti pihtien leuat kolmisen senttimetriä ylemmäs.

Klik.

Pulttisakset silpoivat jälleen metallia, ja lattialle putosi pieni pala, joka jätti suurehkon aukon riippulukon sankaan.

"Valmista tuli", Billy julisti voitonriemuisesti ja poisti riippulukon ovisalvasta.

"Niin sitä pitää, Billy", Figueroa kehaisi.

Billy astui syrjään, ja Figueroa liu'utti salvan auki ja rullasi metallioven ylös. Kaikki neljä seisoivat hetken paikoillaan ja tuijottivat kolme metriä kanttiinsa käsittävää pienvarastoa. Se oli täysin tyhjillään. Vain takaseinää vasten oli työnnetty suurikokoinen, teollisuuskäyttöön tarkoitettu pakastearkku.

"Kiitos, Billy", Decker sanoi ja sujautti käsiinsä lateksihanskat. Figueroa teki saman. "Voit mennä nyt. Soitamme sinulle, jos tarvitsemme jotain muuta."

Billy näytti pettyneeltä. "Enkö voi jäädä katsomaan?"

"Et tällä kertaa, Billy."

He odottivat, kunnes Billy oli kääntynyt kulmasta, ja astuivat vasta sitten varastoon. Hughes pysytteli muutaman askelen päässä agenteista.

Pakastimen moottori humisi matalasti kuin selkäpiitä karmiva taustanauha. Pakastimessa ei ollut minkäänlaista lukkoa.

Figueroa siirtyi lähemmäs ja tutki laitetta useamman sekunnin. Hän tarkisti myös sen alusen ja taustan.

"Näyttää olevan ok", hän sanoi lopulta.

"Katsotaan sitten sisältä", Decker vastasi.

Figueroa nyökkäsi ja nosti kannen auki.

Figueroa, Decker ja Hughes katsoivat pakastimeen ja kurtistivat kulmiaan miltei täsmälleen samaan aikaan.

"Mitä täältä tarkalleen ottaen oli määrä etsiä?" Hughes kysyi puolittain ivallisesti. "Jäätelökojun tykötarpeitako?"

Suuressa pakastimessa oli pinokaupalla kahden litran muovisia jäätelöpakkauksia. Kussakin pinossa näytti olevan kolme pakettia. Etikettien perusteella ylimmissä paketeissa oli kokonainen makujen kirjo: suklaata, vaniljaa, mansikkaa, pistaasia, keksinpalasia ja kermaa, omenakanelia ja banaani-suklaahippua.

Decker rypisteli yhä otsaansa, mutta Figueroan naamalle oli kohonnut paljon huolestuneempi ilme.

"Hyvä Jumala sentään", hän sanoi lopulta väsähtäneellä äänellä ja tarttui yhteen pakettiin. Hän valitsi mansikan.

Hughes ja Decker kurtistelivat nyt kulmiaan hänelle.

Figueroa piteli läpikuultavan valkoista jäätelörasiaa vasemmassa kädessään ja avasi hitaasti kannen.

Hughesin silmät laajenivat, kun hän näki, mitä sen sisällä oli. Sekuntia myöhemmin hän oksensi.

Kolmekymmentäkahdeksan

Hunter ja Taylor kutsuttiin johtaja Adrian Kennedyn toimistoon viisikymmentäviisi minuuttia sen jälkeen, kun Kennedy oli jättänyt heille Megan Lowea ja Kate Barkeria käsittelevän raportin.

Toimisto sijaitsi BSU-rakennuksen kolmannessa kerroksessa, se oli tilava ja miellyttävästi sisustettu vailla liiallista mahtipontisuutta. Huoneessa oli vanhanaikainen mahonkikirjoituspöytä, kaksi tummanruskeaa, nahkaista Chesterfield-nojatuolia, karvalankamatto, joka näytti niin mukavalta, että siinä olisi voinut nukkua, sekä valtava kirjahylly, jossa oli vähintäänkin sata nahkakantista opusta. Seinät oli koristeltu kehystetyillä diplomeilla, kunniakirjoilla ja valokuvilla, joissa Kennedy poseerasi poliittisten ja hallinnollisten merkkihenkilöiden kanssa.

Kennedy istui työpöytänsä takana lukulasit korkealla nenänvarrella ja tuijotti 27 tuuman tietokonenäyttöä. "Sisään", hän huikkasi kuultuaan ovelta koputuksen.

Taylor työnsi oven auki ja astui sisään. Hunter seurasi vain parin askelen päässä.

"Älkää istuko", Kennedy sanoi ja viittoi heitä lähemmäs kohti tietokonetta. "Saimme sanan Seattlesta. Tulkaa katsomaan tätä."

Hunter ja Taylor siirtyivät nojatuolien ohi ja asettuivat Kennedyn pöydän taakse. Hunter oli Kennedyn vasemmalla puolella, Taylor oikealla. Tietokoneen ruudulla näkyi vain työpöytänäkymä. Kennedy oli pienentänyt sovelluksen, jota oli juuri katsonut.

"Noin neljäkymmentä minuuttia sitten", Kennedy aloitti, "kaksi agenttiamme ja eräs Yhdysvaltain liittovaltion poliisiviranomainen mursivat itsepalveluvarastotilan oven Seattlessa. Sen sisältä löytyi tämä."

Kennedy naksautti hiirtään ja palautti sovelluksen, jonka oli hetkeä aiemmin pienentänyt. Kyseessä oli tavallinen kuvankatseluohjelma.

"Sain nämä valokuvat viitisen minuuttia sitten", hän selitti.

Ensimmäinen näytölle ilmestynyt kuva oli otettu varastoyksikkö 325:n avoimelta ovelta. Kyseessä oli standardimallinen rikospaikalta otettu laajakulmakuva, jossa näkyi koko huone. Se antoi kaikille hyvän käsityksen varaston koosta. Se osoitti myös, miten viattomalta tila näytti. Peräseinällä näkyi suuri arkkupakastin.

Kennedy naksautti hiirtä uudestaan.

Toisessa kuvassa näkyi itse pakastin, kansi kiinni. Siinäkään ei ollut mitään epäilyttävää.

Kolmas kuva oli otettu yläviistosta, ja siinä näkyi sama, minkä agentit olivat nähneet nostaessaan pakastimen kannen.

Taylor katseli kummissaan jäätelörasioita.

"Tämän jälkeen mennäänkin sairaan puolelle", Kennedy sanoi ja naksautti jälleen hiirtä.

Näytön kuva vaihtui lähikuvaksi, jossa agentti piteli jäätelörasiaa vasemmassa kädessään. Sen kansi oli aukaistu.

Taylor epäröi hetken. Hän siristeli silmiään ja yritti ymmärtää, mitä tarkalleen ottaen katsoi... ja sitten hän lopulta ymmärsi.

"Voi luoja", hän kuiskasi ja kohotti käden suulleen.

Hunter tuijotti yhä näyttöä.

Jäätelörasiassa oli kaksi pakastettua ihmisen silmämunaa ja kaksi ihmiskieltä.

Oli helppo ymmärtää, miksi Taylorin oli alkuun ollut vaikea hahmottaa näkemäänsä. Kuivumisen ja verenpuutteen takia elimet olivat kutistuneet. Silmämunat olivat kuvassa vasemmalla yhteen takertuneina kuin viinirypäleet. Kielet olivat niiden oikealla puolella, myös yhteen kiinnittyneinä ja päällekkäin, niin että niistä muodostui omituinen X-kuvio.

Kennedy salli Hunterin ja Taylorin tutkia kuvaa vielä hetken, ennen kuin hän naksautti hiirtä uudestaan. Seuraavassa kuvassa oli uusi jäätelörasia. Sen sisällä oli jäätynyt ihmiskäsi, joka oli katkaistu ranteesta. Ei sormia. Ne oli kaikki leikattu pois.

Uusi hiirennaksaus.

Toinen jäätynyt käsi jäätelörasiassa.

Uusi naksaus.

Uusi silvottu ja jäädytetty ruumiinosa.

Kennedy lopetti kuvien selaamisen.

”Ja näin se jatkuu”, hän sanoi. ”Pakastimessa oli kuusikymmentäkahdeksan jäätelörasiaa. Joka ainoassa oli jäätynyt ruumiinosa. Osassa oli myös sisäelimiä tai niiden paloja... sydäntä, maksaa, vatsalaukkua... pääsitte varmasti kärryille, vai kuinka?”

Hunter nyökkäsi.

”Seattlessa sijaitsevan itsepalveluvaraston käytävä F on toistaiseksi suljettu”, Kennedy selitti. ”Sain kaksi, korkeintaan kolme tuntia aikaa. Rikostekninen tiimi syynää pienvaraston perinpohjaisesti ja ottaa talteen arkkupakastimen jäätelörasioineen. Labra tekee DNA-analyysin ja vertaa tuloksia niihin, jotka saimme Lucienin takakontista löytyneistä irtopäistä. Olen melko varma, että ne natsaavat.”

Hunter ja Taylor olivat samoilla linjoilla.

”Itsepalveluvaraston työntekijä auttoi agentteja murtamaan yksikön oven, mutta hänellä ei ollut aavistustakaan, mitä siellä säilytettiin”, Kennedy jatkoi. ”Pysyttelemme tästä hissukseen. Lehdistö ei ole vielä saanut jutusta vihiä, ja yritämme pitää sen mahdollisimman pitkään salassa. Mutta kuten kaikki tiedämme, Lucien Folter on tuomittava jossakin Yhdysvaltain tuomioistuimessa, joten juttu tulee ennemmin tai myöhemmin julki. Ja kun niin käy, siitä nousee iso haloo. Olen nimittäin sataprosenttisen varma, että meillä on alakerrassa lukkojen takana aivan saatananmoinen hirviö ja että tämä on todellakin vasta alkua.”

Kolmekymmentäyhdeksän

Lucien Folter oli juuri saanut tehtyä treenirutiininsa viimeisen sarjan, kun hän kuuli käytävän päässä olevan raskaan metallioven avautuvan. Sitä seurasivat askelten äänet. Hän nousi lattialta, pyyhki hien otsaltaan oranssiin haalariinsa, istuutui sänkynsä reunalle ja odotti tyynesti. Kun Hunter ja Taylor istuutuivat hänen sellinsä eteen, Lucienin huulilla oli jo ylpeä virne.

"Saitte varmaankin vahvistuksen Seattlesta", hän sanoi, ja hänen katseensa kulki hitaasti Hunterista Tayloriin. Molempien kasvoilla oli tyhjä ilme. "Harmi, ettette käyneet katsomassa omin silmin. Uskoisin voivani väittää, että paloittelu- ja leikkelytaitoni ovat vuosien varrella hioutuneet varsin mainioiksi."

"Oletko hankkiutunut kaikista ruumiista eroon samalla tavalla?" Taylor kysyi. Lucienin kerskailu ei näyttänyt vaikuttaneen häneen millään tavalla. "Paloittelitko heidät?"

Lucien ja Taylor tuijottivat toisiaan usean sekunnin ajan.

"En kaikkia", Lucien vastasi asiallisesti. "Katsohan, agentti Taylor, alkuun minä, kuten kaikki käyttäytymistieteellisen yksikkönne tieteilijätkin, olin utelias. Halusin todella ymmärtää, mikä ajaa ihmisen tappamaan vailla tunnetta tai katumusta. Mieltäni vaivannut suuri kysymys kuului – ovatko kaikki psykopaatit syntyneet tunteettomina vai voiko ihminen muuttua sellaiseksi puhtaan tahdonvoiman avulla? Luin aiheesta kaiken, minkä käsiini sain, mutten löytänyt vastauksia mieltäni askarruttaviin kysymyksiin. Aiheesta ei ole kirjoitettu mitään, agentti Taylor, ei ainuttakaan kirjaa, ei väitöskirjaa, ei minkäänlaista yksityiskohtaista tutkimusta, joka valottaisi, mitä täällä todella tapahtuu." Hän napautti pari kertaa etusormellaan oikeaa ohimoaan. "Kukaan ei ole tutkinut, mitä tapahtuu sellaisen ihmisen mielessä, josta sukeutuu järjetön tappaja – joka on koulinut itsestään psykopaatin." Lucien hymyili kryptisesti. "Mutta eihän sitä koskaan tiedä. Ehkä asiat jonain päivänä muuttuvat. Mutta sallikaa minun antaa teille pieni maistiainen."

Taylor nosti tyynesti oikean säären vasemman ylle ja odotti.

Lucien aloitti.

"Monet eivät pysty ymmärtämään, agentti Taylor, että kaltaisekseni mieheksi muuttuminen vaatii jyrkkää oppimiskäyrää. Minun on täytynyt vuosien varrella kehittyä, sopeutua, improvisoida ja muuttua alati kekseliäämmäksi." Hän kohautti harteitaan. "Tiesin kuitenkin aina, että minun oli tehtävä se. Halusin alusta lähtien kokeilla eri asioita... eri metodeja... eri lähestymistapoja. Vaikka kuolema on universaali asia, jokaista uhria on kohdeltava eri tavalla." Lucien sai tappamisen kuulostamaan simppeliltä labrakokeelta. "Kaltaiseni ihminen kohtaa kuitenkin aina suuren ongelman."

"Mikähän se mahtaa olla?" Taylor kysyi. Hän hillitsi itsensä erinomaisesti.

Lucien hymyili hänelle ilottomasti.

"No jaa. Teillä, agentti Taylor, on pohjattomat resurssit sekä agentti- ja poliisitiimejä, jotka jahtaavat rikollisia kellon ympäri, mutta minun kaltaiseni henkilöt ovat yksinäisiä susia. Resurssini olivat hyvin rajalliset. Kaikki, mihin saatoin turvautua, löytyi päästäni." Hän tuijotti Tayloria kylmästi sivuuttaen Hunterin yhä tyystin. "Olet varmasti tietoinen siitä, että jokin aika sitten FBI julkaisi tutkimuksen, jonka mukaan Yhdysvalloissa on jatkuvasti vapaalla jalalla vähintäänkin viisisataa sarjamurhaajaa." Hän nauraa hekotti. "Ällistyttävää, eikö vain? Kaltaiseni henkilöt eivät ole lainkaan niin harvinaisia kuin moni saattaa uskoa. Olen kohdannut vuosien varrella useita muita murhaajia. Ihmisiä, jotka *haluavat* kiduttaa ja tappaa silkan mielihyvän takia. Ihmisiä, jotka kuulevat, tai luulevat kuulevansa, ääniä jotka käskevät heitä tappamaan. Ihmisiä, jotka kuvittelevat suorittavansa jotakin jumalallista tehtävää maan päällä, vapauttavansa Jumalan luomia synneistään tai mitä lie. Tai ihmisiä, jotka yksinkertaisesti tahtovat antaa siivet synkimmille intohimoilleen. Osa heistä haluaa oppia. He haluavat löytää jonkun, joka opettaa heitä. Jonkun minun kaltaiseni."

Lucien salli Hunterin ja Taylorin makustella hetken sanojensa merkitystä.

"Mikäli haluaisin värvätä oppipojan, uskotteko, että minulla kestäisi kauan löytää sellainen? Riittäisi, että kulkisin hetken aikaa minkä hyvänsä kaupungin kaduilla tässä uljaassa maassamme." Hän levitti kätensä kuin haluten syleillä maailmaa. "Yhdysvaltain kadut tulvivat tulevia tedbundyjä, tulevia johnwaynegacyja, tulevia lucienfoltereita."

Niin kammottavalta kuin kerskuva väite kuulostikin, Hunter tiesi Lucienin olevan oikeassa.

"Voisimme jopa kehittää kykyformaatin, jossa haettaisiin Amerikan seuraavaa huippusarjamurhaajaa." Lucien vääntelï naamaansa kuin olisi tosissaan harkinnut asiaa. "Pitäisi ehdottaa sitä parille kaapelikanavalle. En yllättyisi lainkaan, vaikka jokin niistä tarttuisikin syöttiin, sillä yksi asia on varma – sellainen ohjelma saisi laajemman yleisön kuin suurin osa siitä paskasta, jota niillä kanavilla lähetetään."

Muistot viimeisimmästä keississtä LAPD:n leivissä räjähtivät Hunterin mielessä kuin ilotulitteet – hän oli jahdannut sarjamurhaajaa, joka oli luonut nettiin oman realitymurhashow'nsa. Ja aivan kuten Lucien oli olettanut, yleisö oli kirjautunut laumoittain katsomaan sitä.

Lucien nousi seisomaan, nappasi muovimukin pieneltä metallipöydältä, käveli nurkassa olevalle pesualtaalle ja kaatoi itselleen vettä. Sen jälkeen hän palasi sängynreunalle.

"Mutta palatakseni kysymykseesi, agentti Taylor", Lucien jatkoi. "En hankkiutunut ruumiista eroon aina samalla tavoin." Hän siemaisi vettä.

"Susan", Hunter sanoi ja rikkoi hiljaisuuden. "Sanoit, että hän oli ensimmäinen uhrisi."

Lucienin huomio kääntyi Hunteriin.

"Tiesin, että haluaisit aloittaa hänestä, Robert. En pelkästään siksi, että hän oli ystävä, vaan koska olet oikeassa. Minä todella kerroin sinulle, että hän oli ensimmäiseni. Ja se onkin täydellinen kohta aloittaa, eikö vain?" Hän veti syvään henkeä, ja hänen ilmeensä muuttui, ikään kuin seinät eivät enää rajoittaisi häntä. Ikään kuin muisto ja mielikuvat olisivat olleet niin eloisia, että hän pystyi koskettamaan niitä. "Joten sallikaa minun kertoa, miten kaikki sai alkunsa."

Neljäkymmentä

Palo Alto, Kalifornia.
Kaksikymmentäviisi vuotta sitten.

"Aiotko todella lähteä reissuun?" Lucien kysyi ja asetti pöydälle uuden kierroksen drinkkejä.

Susan Richards nyökkäsi. "Totta vie."

Lucien ja Susan olivat valmistuneet psykologian maistereiksi Stanfordin yliopistosta vain viikkoa aiemmin. Molemmat olivat yhä onnensa kukkuloilla saavutuksestaan. He olivat juhlineet joka ilta valmistujaisista lähtien.

"Ennen kuin on pakko ryhtyä metsästämään duunipaikkaa", Susan sanoi ja tarttui drinkkiinsä – Jack Daniels tuplana kokiksen kera. "Haluan ottaa vähän aikaa itselleni. Käydä uusissa paikoissa. Ehkä jopa Euroopassa. Olen aina halunnut käydä siellä."

Lucien nauroi. "Metsästämään duunipaikkaa? Oletko sekaisin? Me valmistuimme juuri *Stanfordin yliopistosta*, Susan. Siellä sattuu sijaitsemaan maan arvostetuin psykologian laitos. Ellet halua avata omaa praktiikkaa, sinä olet se, jonka työpanosta metsästetään."

"Niinkö sinä aiot tehdä?" Susan kysyi. "Perustaa oman vastaanoton?"

"Eääh, en usko. Olen viime aikoina vähän miettinyt asiaa, ja taidan tehdä saman kuin Robert."

"Väitöskirja?"

"Se on tosiaan käynyt mielessä. Mitä tuumaat?"

"No, jos sitä todella haluat, niin tee se, Lucien."

Lucien kallisti päätään ja kohautti samalla hartioitaan. "Saatan tehdäkin."

"Robertista puheen ollen", Susan sanoi ja asettui paremmin istuimelleen. "Sääli, että hänen täytyi lähteä tänään Losiin."

Robert Hunter oli osallistunut Lucienin ja Susanin valmistujaisseremoniaan sekä viikon mittaisen bileputken kolmeen ensimmäiseen iltaan, mutta hän oli palannut aamulla bussilla Los Angelesiin. Hän aikoi viettää viikon siellä ennen kuin palaisi Palo Altoon kesätöihin.

"Niinpä", Lucien vastasi ja siemaisi cocktailiaan.

He istuivat Crescent Parkin The Rocker Clubilla, Palo Alton pohjoispuolella. The Rocker oli heidän suosikkibaarinsa – henkilökunta oli ystävällistä, viina halpaa, asiakkaat yleensä nuoria ja valmiita hauskanpitoon, musiikki nopeatempoista ja rokahtavaa.

"Hänellä on kova ikävä isäänsä", Lucien nyökkäsi. "Hänellähän ei ole muuta perhettä."

"Tiedän", Susan sanoi. "Hänen äitinsä kuoli, kun hän oli kamalan nuori, eikö niin?"

Lucien nyökkäsi. "Hän taisi olla seitsemän tai kahdeksan ikäinen, mutta hän ei oikein koskaan puhu siitä. Hän onnistuu välttelemään aihetta jopa silloin, kun on pienessä hönössä. Siihen tuntuu liittyvän jotain muutakin kuin vain perustrauma, joka syntyy, kun menettää vanhempansa nuorella iällä."

Susan pysähtyi puolessavälissä siemausta. "Voi, älä."

"Älä mitä?"

"Sano, ettei sinusta tule sellaista ankeaa psykologian maisteria, joka pystyy hädin tuskin käymään keskustelua ilman, että ryhtyy oitis psykoanalysoimaan. Lucien, älä ainakaan tee sitä ystävillesi."

"Minä..." Lucien pudisti päätään puolittain nolostunut hymy huulillaan. "En minä psykoanalysoinut Robertia."

"Kylläpäs."

"En varmasti. Sanoin vain, että olen jakanut hänen kanssaan pienen asuntolahuoneen neljän vuoden ajan. Hän on outo tyyppi. Fiksuin kaveri, jonka olen koskaan tavannut, mutta outo joka tapauksessa. Luulen, että äidin kuolema vaikuttaa häneen syvällisemmin kuin hän antaa ymmärtää."

"Ai niinkö?" Susan laski lasinsa pöydälle ja irvisti. "Esimerkiksi miten, tohtori Lucien? Kuunnellaanpa teoriasi."

"En ole tohtori eikä minulla ole teoriaa", Lucien vastasi ja irvisti itsekin. "Sanoin vain, että..." Hän heilautti kättään vähättelevästi. "Kuule, antaa olla. En ole edes varma, miksi me puhumme tästä. Mehän tulimme juhlimaan." Hän tarttui juomaansa. "Eli juhlitaan."

Susan kohotti lasia. "Jep, malja sille."

Guns N' Rosesin "Sweet Child of Mine" alkoi soida kaiuttimista. Lucien hörppäsi juomansa loppuun kahdella isolla kulauksella.

"Mennään tanssimaan", hän sanoi ja nousi pystyyn.

"Mutta..." Susan osoitti drinkkiään.

"Huikalla lärviin vain... rock and roll!" Lucien vastasi ja hoputti häntä eleillään. "Kamoon, kamoon, kamoon."

Susan kulautti juomansa, tarttui Lucienin käteen ja antoi tämän raahata hänet tanssilattialle.

Parin tunnin ja useamman drinkin jälkeen molemmat olivat valmiita lähtemään. Susan vaikutti olevan todella juovuksissa, kun taas Lucien oli huomattavasti paremmassa kuosissa.

"Meidän kannattaa varmaan jättää autosi tänne ja ottaa taksi", Susan sanoi. Hän oli alkanut sammaltaa. "Voit hakea sen huomenna."

"Eääh", Lucien vastasi. "Olen ihan kunnossa. Pystyn ajamaan."

"Etkä pysty. Joit yhtä paljon kuin minä, ja minä... olen... perseet."

"Niinpä, mutta minä join cocktaileja, en JD:tä tuplana kokiksen kanssa. Tiedät, että tämän mestan cocktailit ovat lähinnä mehua pikku tirauksella viinaa. Voisin juoda niitä koko yön ja silti olla ajokunnossa."

Susan seisahtui ja silmäili Lucienia pitkän tovin. Jätkä todella näytti olevan täysin tolpillaan, ja hän oli oikeassa: The Rockerin cocktailit eivät olleet järin vahvoja.

”Oletko varma, että pystyt ajamaan?”

”Satavarma.”

Susan kohautti harteitaan. ”Okei sitten, mutta ajakin hitaasti, onko selvä? Pidän sinua silmällä.” Hän muodosti V:n etu- ja keskisormillaan, osoitti silmiään ja siirsi sitten hitaasti sormensa Lucienin suuntaan.

”Kuittaan, rouva”, Lucien sanoi ja teki kunniaa.

Lucien oli pysäköinyt autonsa aivan nurkan taakse. Siihen aikaan aamusta katu oli autio.

”Turvavyö kiinni”, hän sanoi asettuessaan kuskin paikalle. ”Laki määrää.” Hän hymyili.

”Sanoo mies, joka kiskaisi rekkalastillisen cocktaileja ennen kuin asettui ratin taakse”, Susan vitsaili kamppaillessaan turvavyön kanssa.

Lucien odotti ja vilkaisi häntä tuimasti.

”Minä yritän, onko selvä?” Susan sanoi hiukan hämmentyneenä. ”En löydä sitä hemmetin aukkoa.”

”Minä autan.” Lucien nojautui kohti Susania, tarttui turvavyön solkeen ja sujautti sen ripeästi lukkoon. Sitten hän nojautui varoittamatta hiukan lähemmäs ja painoi kunnon suudelman Susanin huulille.

Susan vetäytyi yllättyneenä kauemmas. ”Lucien, mitä sinä teet?” Näytti siltä kuin hänen päänsä olisi äkkiarvaamatta selvinnyt.

”Mitä luulet?”

Autoon lankesi lyhyt, vaivaantunut hiljaisuus.

”Lucien... olen... tosi pahoillani, jos annoin sinulle väärän vaikutelman tänä iltana tai minä tahansa muuna iltana. Olet fantastinen tyyppi, todella hyvä ystävä, ja tulen kanssasi mahtavasti juttuun, mutta...”

”Mutta sinulla ei ole sellaisia tunteita minua kohtaan”, Lucien päätti lauseen Susanin puolesta. ”Sitäkö olit sanomassa?”

Susan vain tuijotti häntä.

”Entä jos tilallani olisikin Robert?”

Kysymys sai Susanin ällistymään.

"Et taatusti kavahtaisi tuolla tavalla. Olisit jätkän kimpussa kuin kahden dollarin huora. Vaatteet lentäisivät tiehensä ja istuisit hänen sylissään aukomassa hänen vyötään kiihkeän himon vallassa."

"Lucien, mitä helvettiä tämä on? Ihan kuin en tuntisi sinua ollenkaan."

Lucienin ilme muuttui jääkylmäksi, kuin kaikki elämä ja tunne olisi imetty hänestä.

"Mikä saa sinut kuvittelemaan, että ylipäätään koskaan tunsit minua?"

Lucienin hyytävä äänensävy sai Susanin vapisemaan. Hän yritti yhä ymmärtää, mitä tapahtui, kun Lucien hyökkäsi äkkiä rajusti hänen kimppuunsa ja naulitsi vasemmalla kädellään hänen päänsä pelkääjän paikan ikkunaa vasten.

Lucien ei ollut kiinnittänyt turvavyötään, mikä takasi miehelle huomattavasti suuremman liikkumavapauden.

Susan yritti kirkua, mutta Lucien painoi salamannopeasti kätensä hänen suunsa päälle ja tukahdutti kaikki mahdolliset äänet. Oikealla kädellään Lucien avasi pienen lokeron istuinten välissä ja kaiveli sitä.

Susan tarttui Lucienin vasempaan käteen ja yritti työntää sitä pois... yritti vapauttaa suutaan... päätään, mutta vaikka hän olisi ollut selvin päin, Lucien olisi ollut aivan liian vahva.

"Kaikki hyvin, Susan", Lucien kuiskutti hänen korvaansa. "Se on pian ohi."

Lucienin oikea käsi singahti uskomattoman nopeasti kohti Susanin kasvoja. Susan tunsi jonkin pistävän kaulaansa, ja samalla hetkellä heidän katseensa kohtasivat.

Susanin täynnä kauhua.

Lucienin täynnä pahuutta.

Neljäkymmentäyksi

Lucien kuvaili yön tapahtumat eloisasti kuin ihminen, joka kertoo, mitä on juuri nauttinut aamupalaksi. Koko sen ajan hänen katseensa pysyi Hunterissa.

Hunter koetti parhaansa mukaan pysyä välinpitämättömänä. Hänen kurkkuaan oli kuitenkin alkanut hitaasti kuristaa, kun hän kuunteli Lucienin kuvailevan sitä, miten oli nujertanut Susanin. Hän vaihtoi asentoa tuolilla muttei rikkonut katsekontaktia Lucienin kanssa.

Lucien piti tauon, otti uuden siemauksen vettä eikä sanonut enää sanaakaan.

Kaikki odottivat.

Hiljaisuus.

”Sinä siis huumasit hänet”, Taylor sanoi.

Lucien väläytti innottoman hymyn.

”Ruiskutin häneen propofolia.”

Taylor vilkaisi Hunteria.

”Se on nopeasti vaikuttava nukutusaine”, Lucien selvensi. ”Uskomatonta, mitä kaikkea sitä saakin käsiinsä, kun onnistuu hankkimaan pääsyluvan Stanfordin lääketieteelliseen korkeakouluun.”

”Mitä seuraavaksi tapahtui?” Taylor kysyi. ”Minne veit hänet? Mitä teit?”

”Ei, ei, ei”, Lucien sanoi ja pudisti hiukan päätään. ”On minun vuoroni esittää kysymys. Niinhän me sovimme, eikö vain? Tähän mennessä ’kysymyspeli’ on ollut varsin yksipuolinen.”

”Ihan reilua”, Taylor myönsi. ”Kerro mitä seuraavaksi tapahtui ja esitä sitten oma kysymyksesi.”

”Ei käy. Nyt on minun vuoroni. Haluan vihdoinkin tyydyttää uteliaisuuteni.” Lucien hieroi hetken niskaansa ja kääntyi sitten jälleen Hunterin puoleen. ”Kerro minulle lapsuudestasi, Robert. Kerro äidistäsi.”

Hunterin leukaperät kiristyivät.

Taylor näytti hiukan hämmentyneeltä.

”Vastavuoroisuutta”, Lucien sanoi. ”Te poliisit, tai profiloijat, tai liittovaltion agentit tai mitkä lie yritätte aina ymmärtää, mikä saa minun kaltaiseni ihmiset toimimaan näin, eikö vain? Yritätte jatkuvasti selvittää, miten armottoman tappajan mieli toimii. Miten ihminen voi arvostaa niin vähän toisen ihmisen elämää? Miten jostakusta voi tulla kaltaiseni hirviö?” Lucien puhui tasaisella, monotonisella rytmillä. ”No, toisaalta minun kaltaiseni hirviö haluaisi tietää, mikä ajaa teidän kaltaisianne ihmisiä. Yhteiskunnan sankareita... parhaista parhaimpia... niitä, jotka uhraisivat elämänsä ihmisten puolesta, joita eivät edes tunne.” Lucien piti dramaattisen tauon. ”Te haluatte ymmärtää minua. Minä haluan ymmärtää teitä. Niin yksinkertaista se on. Ja kuten Freud sinulle sanoisi, agentti Taylor, jos haluat kaivautua syvälle ihmisen psyykeen, jos haluat ymmärtää sitä ihmistä, joksi hän on tullut, paras paikka on aloittaa lapsuudesta sekä äiti- ja isäsuhteesta. Eikö näin olekin, Robert?”

Hunter ei sanonut mitään.

Lucien naksautti hitaasti kummankin käden jokaista rystystä. Luiden karmiva rasahtelu kajahteli sellin seinissä.

”No niin, Robert, ole ystävällinen ja tyydytä kaksikymmentäviisi vuotta muhinut uteliaisuuteni. Mitä sanot?”

”Enpä usko, Lucien”, Hunter sanoi. Hänen äänensä oli tyyni kuin papilla rippituolissa.

”Voi, mutta minäpä uskon, Robert”, Lucien vastasi samalla rauhallisella sävyllä. ”Minä todella uskon. Sillä jos haluat tietää lisää siitä, mitä Susanille tapahtui, mukaan lukien hänen jäänteidensä löytöpaikan, saat luvan toteuttaa toiveeni.”

Solmu Hunterin kurkussa kiristyi hiukan tiukemmalle.

”Kerro minulle, mitä tapahtui, Robert. Miten äitisi kuoli?”

Hiljaisuus.

"Äläkä valehtele minulle, Robert, koska voin vakuuttaa, että huomaan sen kyllä."

Neljäkymmentäkaksi

Hunter palasi hetkeksi muistoissaan Susan Richardsin vanhempiin. Hän ja Lucien olivat tavanneet heidät pariin otteeseen, kun he olivat saapuneet Nevadasta Stanfordiin tapaamaan tytärtään. He olivat hurmaava pariskunta. Hunter ei muistanut heidän nimiään, mutta sen hän muisti, miten innoissaan ja ylpeitä he olivat siitä, että Susan oli hyväksytty niinkin arvovaltaiseen yliopistoon. Hän oli kummankin puolen suvusta ensimmäinen korkeakoulutettu.

Hunterin vanhempien tavoin myös Susanin äiti ja isä olivat hyvin vaatimattomista lähtökohdista, ja kumpainenkin oli joutunut hylkäämään lukiohaaveet ja menemään töihin auttaakseen perheitään. Kun Susan oli syntynyt, he olivat luvanneet itselleen, että tekisivät kaikkensa tarjotakseen tyttärelleen paremmat eväät elämään kuin olivat itse saaneet. He alkoivat säästää Susanin collegerahastoon, kun tyttö oli vasta kolmen kuukauden ikäinen.

Yhdysvaltain lainsäädännön mukaan henkilö voidaan julistaa kuolleeksi, kun hänestä ei ole kuulunut mitään vähintään seitsemään vuoteen. Vuosien määrä tosin saattaa hiukan vaihdella osavaltiosta toiseen. Mutta sanoipa laki mitä hyvänsä, Hunter oli varma, että mikäli Susan Richardsin vanhemmat olivat yhä elossa, he ruumiin tai konkreettisten todisteiden puuttuessa elättelivät yhä heikkoja toiveita tyttärensä löytymisestä. Vähintä, mitä hän heille saattoi antaa, oli jonkinlainen mielenrauha sekä mahdollisuus haudata tyttärensä arvokkaasti.

”Äitini kuoli syöpään, kun olin seitsemän ikäinen”, Hunter sanoi. Hän näytti edelleen kohtuullisen rennolta tuolissaan.

Lucien hymyili voitonriemuisesti. "Kyllä, sen verran tiedänkin jo, Robert. Minkätyyppinen syöpä?"

"Glioblastooma."

"Primaarisen aivosyövän aggressiivisin tyyppi", Lucien totesi tunteettomalla äänellä. "Se oli varmasti raskas isku. Miten nopeasti sairaus eteni?"

"Riittävän nopeasti", Hunter sanoi. "Lääkärit löysivät sen liian myöhään. Hän kuoli kolmen kuukauden kuluttua diagnoosista."

Oli Taylorin vuoro vaihtaa asentoa.

"Kärsikö hän?" Lucien kysyi.

Hunterin leukaperät kiristyivät jälleen.

Lucien nojasi eteenpäin, asetti kyynärpäät polville ja ryhtyi hyvin hienovaraisesti hieromaan käsiään.

"Kerropa minulle, Robert." Hän lausui seuraavat kaksi sanaa hitaasti pitäen tauon niiden välillä. "Kärsikö äitisi? Kirkuiko hän öisin tuskasta? Muuttuiko hän vahvasta, hymyilevästä, elämäniloisesta ihmisestä tunnistamattomaksi luukasaksi? Rukoiliko hän kuolemaa?"

Hunter pani merkille, että Lucien oli vaihtanut taktiikkaa, ainakin toistaiseksi. Häntä ei enää kiinnostanut päästä Taylorin ihon alle. Tänään kohteena oli Hunter. Ja Lucien teki hiton hyvää työtä.

"Kyllä", Hunter vastasi.

"Kyllä?" Lucien tokaisi. "Kyllä mihin?"

"Kaikkeen."

"No, sano se."

Hunter veti henkeä.

Lucien odotti.

"Kyllä, äitini kärsi. Kyllä, hän huusi öisin tuskasta. Kyllä, hän muuttui vahvasta, hymyilevästä, elämäniloisesta ihmisestä tunnistamattomaksi luukasaksi, ja kyllä, hän rukoili kuolemaa."

Taylor vilkaisi Hunteria silmänurkastaan, ja hänen ihonsa kohosi kananlihalle.

"Mikä hänen nimensä oli?" Lucien kysyi.

"Helen."

"Oliko hän kuollessaan sairaalassa vai kotona?"

"Kotona", Hunter sanoi. "Hän ei halunnut olla sairaalassa."

"Ymmärrän." Lucien nyökkäsi. "Hän halusi olla perheensä kanssa... rakkaittensa kanssa. Hyvin jaloa, joskin outoa ja hivenen sadistista, että hän halusi seitsenvuotiaan poikansa todistavan omakohtaisesti kärsimystään, tuskaansa... Veikkaanpa, että se oli jokseenkin musertava kokemus."

Muistojen vyöryn keskellä Hunterin oli mahdotonta pysytellä tyynenä. Hän käänsi katseensa ja puristi huulensa yhteen, kasasi itsensä. Kun hän puhui jälleen, hänen äänensä oli niin vakaa kuin suinkin mahdollista, mutta siitä huokuvaa surua hän ei kyennyt kätkemään.

"Äitini työskenteli minimipalkattuna siivoojana. Isäni työskenteli yövartijana ja teki päivisin kaikkia mahdollisia hanttihommia kompensoidakseen pientä palkkaansa. Kuun loppu tiesi aina kamppailua perheessämme silloinkin, kun molemmat olivat vielä terveitä. Meillä ei ollut säästöjä, koska mitään ei koskaan jäänyt säästöön. Isäni pieni henkivakuutus ei korvannut kuluja. Meillä ei ollut varaa sairaalalaskuihin. Äidin oli pakko olla kotona."

Pitkä, raastava hiljaisuus.

"Vau, siinäpä vasta surullinen tarina, Robert", Lucien totesi vihdoin kylmästi. "Saatan oikein kuulla viulut taustalla. Kerropa minulle: olitko kotona, kun äitisi kuoli?"

Hunter pudisti päätään. "En."

Lucien suoristi selkänsä ja nyökkäsi tyynesti. Sen jälkeen hän nousi seisomaan. "Minähän sanoin, että huomaisin, mikäli valehtelet minulle, Robert. Ja tuo oli valhe. Tämä kuulustelu on ohi."

Taylorin hämmästynyt katse tanssahteli Hunterin ja Lucienin välillä.

"Vittuun Susanin jäänteet", Lucien sanoi. "Ette löydä niitä koskaan. Yrittäkääpä selittää se hänen perheelleen."

Neljäkymmentäkolme

Lucien kääntyi ja käveli hitaasti pesualtaalle.

Taylor jännittyi istuimellaan. Kiusallinen tilanne kesti vain muutaman sekunnin, ennen kuin Hunter kohotti molemmat kätensä antautumisen merkiksi. ”Okei, Lucien. Olen pahoillani.”

Lucien haroi hiuksiaan mutta pysyi selin Hunteriin ja Tayloriin. Hän ei pitänyt kiirettä; oli kuin hän olisi harkinnut Hunterin anteeksipyyntöä.

”No, enpä minä kai voi sinua oikeasti moittia, Robert”, hän sanoi lopulta. ”Sinun piti kokeilla, pystynkö todella huomaamaan, valehteletko. Se on ihan loogista. Miksi luottaisit minuun nyt? En pystynyt koskaan aiemmin tunnistamaan, valehtelitko vai et. Sinulla ei ollut minkäänlaisia paljastavia eleitä. Olit aina se, joka piti naaman peruslukemilla missä tahansa tilanteessa.” Hän kääntyi lopulta kuulustelijoidensa puoleen. ”No, ystäväni, sinusta on selvästi tulossa vanha, tai sitten minä olen oppinut tulkitsemaan ihmisiä paljon, paljon paremmin.”

Hunter ei epäillyt sitä hetkeäkään. Monista sarjamurhaajista tulee ajan myötä asiantuntijoita ihmisten tarkkailemisessa ja heidän kehonkielensä sekä kätkettyjen merkkiensä tulkitsemisessa. Se auttaa heitä valitsemaan oikean uhrin ja täsmällisen hetken iskeä.

”No niin”, Lucien jatkoi. ”Painan sen villaisella tämän ainoan kerran, vanhojen aikojen muistoksi, mutta älä valehtele minulle enää, Robert.” Hän istuutui jälleen sängylle. ”Haluaisitko kenties muuttaa vastaustasi?”

Lyhyt tauko.

”Kyllä, olin kotona äitini kuollessa”, Hunter aloitti. ”Kuten sanoin, isäni työskenteli yövartijana, ja äitini kuoli yöllä.”

”Olit siis kahden äitisi kanssa.”

Hunter nyökkäsi.

Lucien odotti, mutta Hunter ei sanonut enempää. ”Älä lopeta nyt, Robert. Pelottivatko hänen huutonsa sinua öisin?”

”Kyllä.”

”Mutta sinä et piileskellyt huoneessasi.”

”En.”

”Miksi et.”

”Koska minua pelotti enemmän se, etten voisikaan olla äidin apuna, kun hän tarvitsi minua.”

”Tarvitsiko hän? Tuona viimeisenä yönä? Tarvitsiko hän sinua?”

Hunter pidätti henkeään.

”Tarvitsiko hän sinua, Robert?”

Hunter näki Lucienin silmissä jotain, mitä ei ollut aiemmin pannut merkille – täydellistä varmuutta, ikään kuin hän olisi jo tiennyt kaikki vastaukset, ja mikäli Hunter poikkeaisi hivenenkin totuudesta, Lucien tietäisi.

”Kyllä”, Hunter vastasi lopulta.

”Miten hän tarvitsi sinua?” Lucien kysyi. ”Ja muista: älä valehtele minulle.”

”Pillerit”, Hunter sanoi.

”Mitä niistä?”

”Äiti käytti niitä. Ne karkottivat kivun, ainakin hetkeksi. Mutta syövän levitessä pillerien teho heikkeni.”

”Hän siis tarvitsi enemmän”, Lucien sanoi.

Hunter nyökkäsi.

Lucienin kasvoille kohosi mietteliäs ilme. Hetkeä myöhemmin hänen huulensa käpristyivät häijyyn hymyyn.

”Mutta nehän olivat reseptilääkkeitä, eikö niin?” hän sanoi. ”Todennäköisesti hyvin vahvoja, todennäköisesti opioideja, mikä tarkoittaa, että annostuksen ylittäminen oli tosi huono juttu. Pillerit eivät varmaankaan olleet hänen yöpöydällään, Robert? Eivät voineet olla. Tahattoman yliannoksen riski olisi ollut liian suuri. Missä ne sitten olivat? Kylpyhuoneessa? Keittiössä? Missä?"

Hiljaisuus.

"Pillerit, Robert. Missä niitä säilytettiin?" Lucien toisti.

Hunter kuuli uhkan miehen äänessä.

"Isäni piti niitä keittiön kaapissa."

"Mutta äitisi pyysi niitä sinä yönä."

"Kyllä."

Lucien raapi vasemman poskensa arpea.

"Hän ei enää kestänyt tuskaa, vai kuinka?" hän yllytti. "Hän olisi ennemmin kuollut. Itse asiassa hän rukoili kuolemaa, ja sinä toimit lähettinä, koska toit pillerit hänelle, eikö vain? Montako pilleriä toit, Robert?" Sitten ymmärrys valkeni, ja hän kohotti kättään samalla hetkellä, kun hänen silmänsä laajenivat aavistuksen. "Ei, hetkinen. Sinä toit hänelle koko purkin, eikö vain?"

Hunter ei sanonut mitään, mutta muisti vei hänet takaisin tuohon yöhön.

Yöt olivat aina pahimpia. Äidin huudot kuulostivat kovemmilta, vaikerointi tuntui kumpuavan syvemmältä ja se oli tuskan kuorruttamaa. Huudot saivat hänet aina vapisemaan. Ei niin kuin silloin, kun hänellä oli kylmä. Nämä väkevät vavahdukset tulivat syvältä hänen sisältään. Äidin sairaus aiheutti äidille niin paljon kipua, ja hän toivoi, että olisi voinut jollain lailla auttaa.

Seitsemänvuotias Robert Hunter oli kuullut äitinsä tuskaiset huudot ja avannut varovasti makuuhuoneen oven. Häntä itketti. Häntä oli itkettänyt kamalan paljon äidin sairastumisen jälkeen, mutta isä oli sanonut, ettei hän saanut itkeä.

Sairaus oli tehnyt äidistä ihan erinäköisen. Äiti oli niin laiha, että Robert näki törröttävät luut velton ihon alta. Upea pitkä vaalea tukka oli nyt hauras ja sähärä. Ennen niin tuikkivista silmistä oli kadonnut elämä, ja ne olivat vajonneet syvälle kuoppiinsa.

Robert pysähtyi vavisten ovelle. Äiti oli käpertynyt kerälle sänkyynsä. Polvet oli vedetty vasten rintaa. Käsivarret olivat tiukasti jalkojen ympärillä. Naama oli tuskasta vääristynyt. Äiti siristi silmiään ja yritti keskittyä pikkuruiseen, ovella seisovaan hahmoon.

”Ole kiltti, kulta”, hän kuiskasi tunnistaessaan poikansa. ”Voitko auttaa äitiä? En kestä enää tätä tuskaa.”

Robert joutui käyttämään kaiken tahdonvoimansa, että pystyi pitämään kyynelet lukittuina kurkkuunsa. ”Mitä minä voin tehdä, äiti?” Hänen äänensä oli yhtä heikko kuin äidin. ”Soitanko isille?”

Äiti onnistui vaivoin pudistamaan päätään. ”Isi ei voi auttaa, enkeli, mutta sinä voit. Voitko tulla tänne... ole kiltti. Voitko auttaa minua?”

Äiti näytti nyt aivan eri henkilöltä. Hänen silmiensä alla oli valtavan tummat pussit. Huulet olivat halkeilleet ja kuivat.

”Minä lämmitän sinulle maitoa, äiti. Sinä tykkäät kuumasta maidosta.”

Hän tekisi mitä vain, jotta näkisi äidin vielä hymyilevän. Kun hän astui lähemmäs, äiti vavahti, kun uusi tuskan aalto hyökyi hänen ylitseen.

”Ole kiltti, enkeli. Auta minua.” Äiti haukkoi henkeään.

Vaikka isä oli kieltänyt, Robert ei pystynyt enää pidättämään kyyneliään. Ne alkoivat vieriä hänen poskillaan.

Äiti näki nyt, että hän vapisi pelosta. ”Kaikki on hyvin, enkeli. Kaikki menee hyvin”, äiti sanoi tärisevällä äänellä.

Robert astui lähemmäs ja laittoi käden äidin käteen.

”Minä rakastan sinua, äiti.”

Sanat toivat kyynelet äidin silmiin. ”Minäkin rakastan sinua, oma pieneni.” Äiti puristi kevyesti hänen kättään. Enempään hänellä ei enää ollut voimia. ”Tarvitsen apuasi, enkeli... ole kiltti.”

”Mitä minä voin tehdä, äiti?”

”Voitko hakea minulle pillerini, kulta? Sinähän tiedät missä ne ovat, eikö niin?”

Robert pyyhkäisi räkää oikean käden kämmenselällä. Häntä pelotti. ”Ne ovat kauhean korkealla”, hän sanoi kätkien katseensa äidiltä.

"Pystyisitkö mitenkään saamaan ne minulle, nuppu? Ole kiltti, olen ollut kipeä niin kauan aikaa. Et tiedä, miten kovasti minuun sattuu."

Robertin silmät olivat niin täynnä kyyneliä, ettei hän nähnyt kunnolla. Hänen sydämensä tuntui tyhjältä, ja hänestä tuntui, että kaikki voima oli kaikonnut hänestä. Sanaakaan sanomatta hän kääntyi hitaasti kannoillaan ja avasi oven.

Äiti yritti huutaa hänen peräänsä, mutta äidin ääni oli niin heikko, ettei se kantanut kuin pari metriä.

Robert palasi parin minuutin kuluttua kantaen tarjotinta, jolla oli lasillinen vettä, kaksi pikkuleipää sekä lääkepurkki. Äiti tuijotti sitä hädin tuskin silmiään uskoen. Hyvin hitaasti ja käsittämättömien tuskien saattelemana hän hivuttautui istuma-asentoon. Robert astui lähemmäs, asetti tarjottimen yöpöydälle ja ojensi äidille vesilasin.

Äiti halusi niin kovasti halata häntä, mutta hänellä oli hädin tuskin voimia liikkua. Sen sijaan hän väläytti Robertille aidoimman hymyn, minkä Robert oli koskaan nähnyt. Äiti yritti, mutta hänen sormensa olivat niin heikot, ettei hän saanut purkkia auki. Äiti katsoi häntä apua anoen.

Robert otti purkin äidin vapisevista käsistä, painoi kantta alas ja väänsi sitä vastapäivään. Sitten hän kaatoi kaksi pilleriä äidin kädelle. Äiti laittoi ne suuhunsa ja nielaisi ne kulauttamatta vettä. Hänen katseensa aneli lisää.

"Luin etiketin, äiti. Siinä sanotaan, ettei päivässä saa ottaa yli kahdeksaa. Otit juuri kaksi, joten se tekee yhteensä kymmenen tänään."

"Sinä olet niin fiksu, enkelini." Äiti hymyili taas. "Olet aivan ainutlaatuinen. Rakastan sinua niin paljon ja olen niin pahoillani, kun en saa nähdä sinun varttuvan."

Robertin silmät kyyneltyivät jälleen, kun äiti puristi luiset sormensa lääkepurkin ympärille.

Robert piti siitä tiukasti kiinni.

"Kaikki on hyvin", äiti kuiskasi. "Kaikki on nyt hyvin."

Robert päästi epävarmasti irti. ”Isi suuttuu minulle.”
”Ei suutu, enkelini. Lupaan sinulle.” Äiti laittoi vielä kaksi pilleriä suuhunsa.
”Toin sinulle nämä keksit.” Robert osoitti tarjotinta. ”Ne ovat sinun suosikkeja, äiti. Ole kiltti ja syö yksi. Et syönyt tänään oikein mitään.”
”Minä syön, kulta, ihan kohta.” Äiti otti vielä pari pilleriä. ”Kun isi tulee aamulla kotiin, sano hänelle, että rakastan häntä ikuisesti. Voitko tehdä sen?”
Robert nyökkäsi. Hänen katseensa lukkiutui nyt jo miltei tyhjään lääkepurkkiin.
”Mitä jos menisit lukemaan kirjaa, enkeli? Sinähän rakastat lukemista.”
”Minä voin lukea täällä, äiti, niin ettei sinun tarvitse olla yksin. Voin istua nurkassa, jos haluat. Lupaan olla ihan hiljaa.”
Äiti ojensi kättään ja kosketti hänen hiuksiaan. ”Minun on nyt hyvä olla, kulta. Kipu alkaa mennä pois.” Äidin silmät lupsuivat.
”Minä vartioin sitten huonetta. Istun ihan oven ulkopuolella.”
Äiti hymyili tuskaisesti. ”Miksi sinä haluat vartioida huonetta, kulta?”
”Sanoit minulle kerran, että joskus Jumala tulee ja vie sairaat ihmiset taivaaseen. En halua, että hän vie sinua. Istun ovella, ja jos hän tulee, käsken häntä menemään pois. Minä sanon hänelle, että sinä voit paremmin ja ettei hänen pidä viedä sinua.”
”Käsketkö sinä Jumalaa häipymään?”
Robert nyökytteli ankarasti.
Äiti alkoi itkeä uudestaan. ”Minun tulee sinua ihan kamala ikävä, Robert.”
Taylor katsoi Hunteria. Hänen sydäntään vihloi.
Lucienin huulille kohosi kylmä hymy, kuin jää tumman, sysimustan järven ylle. ”Sinä siis lähdit huoneesta”, hän sanoi.
Hunter nyökkäsi.
”Ja silloin painajaiset alkoivat”, Lucien päätteli kuin psykologi, joka oli vihdoin murtautunut potilaan suojamuurin läpi.

Kellarikäytävään lankesi järkyttynyt hiljaisuus, mutta ei pitkäksi aikaa. Katse keskittyneenä Lucieniin Hunter päästi vihdoinkin muistosta irti.

"Susan, Lucien", hän sanoi. Suru oli kaikonnut hänen äänestään. "Sait mitä halusit. Nyt on sinun vuorosi kertoa, mitä tapahtui sen jälkeen, kun huumasit hänet autossa."

Neljäkymmentäneljä

La Honda, 18 kilometriä Palo Altosta.
Kaksikymmentäviisi vuotta sitten.

Susan Richardsin nytkäytti hereille raskaan oven pamahdus. Äkillisestä äänestä huolimatta hänen silmänsä avautuivat hitaasti, ja hän joutui räpyttelemään niitä jatkuvasti kuin niihin olisi lentänyt hiekanjyviä, jotka nyt raapivat sarveiskalvoa. Silmäluomet tuntuivat raskailta ja väsyneiltä, ja yrittipä hän miten kovasti hyvänsä, hän ei pystynyt keskittämään katsettaan mihinkään. Kaikki hänen ympärillään näytti sumealta.

Aivan ensimmäiseksi hän tajusi, miten kovasti häntä huimasi. Aivan kuin hän olisi jumissa sumeassa unessa, josta hän ei kyennyt heräämään. Suu oli rutikuiva ja kieli tuntui santapaperilta. Sitten hän tunsi hajun – likainen, kostea, homeinen, vanha ja kuvottava. Hänellä ei ollut aavistustakaan, missä hän oli, mutta paikka löyhkäsi siltä kuin kukaan ei olisi käynyt siellä vuosiin. Kaameasta hajusta huolimatta Susanin keuhkot vaativat saada täyttyä ilmalla, ja vetäessään henkeä hän miltei maistoi huoneessa vellovan pilaantuneen lemun. Yksi syvä henkäys sai hänet kakomaan.

Aivan yhtäkkiä, epätoivoisten yskähdysten välissä, hän tunsi terävää, sietämätöntä kipua. Nääntyneellä keholla kesti pari sekuntia paikantaa sen lähde. Kipu säteili oikeasta käsivarresta.

Susan tajusi istuvansa jonkinlaisella kovalla, erittäin epämukavalla tuolilla. Ranteet oli sidottu yhteen tuolin selkänojan taakse, nilkat tuolinjalkoihin. Hän oli litimärkä ja valui hikeä. Hän yritti kohottaa päätään, joka retkotti oudosti eteenpäin, ja liike sai pahoinvoinnin aallon kuohumaan vatsan halki.

Hän ei pystynyt tunnistamaan huoneen valonlähdettä. Se saattoi olla jalkalamppu tai vanha katosta roikkuva hehkulamppu, mutta olipa se mikä hyvänsä, se langetti huoneeseen heikkoa, kellertävää hehkua. Hän sai lopulta katsottua oikealle ja yritti nyt keskittyä selvittämään, mikä hänen käsivarttaan vaivasi. Hänellä oli yhä tokkurainen olo, joten kesti tovin, ennen kuin hän pystyi keskittämään katseensa ja näkemään selvästi. Ja kun hän näki, hänen sydämensä täyttyi kauhusta.

"Hyvä Jumala." Sanat valuivat hänen huuliltaan.

Hänen oikeasta käsivarrestaan puuttui valtava ihoalue – olkapäästä aina kyynärpäähän saakka. Sen tilalla oli raakaa, veristä lihaa. Hetken näytti siltä kuin haava olisi elossa. Veri virtasi hänen käsivarttaan pitkin käsille ja sormien välistä betonilattialle ja muodosti suuren tulipunaisen lammikon tuolin ympärille.

Susan nytkäytti välittömästi päätään ja oksensi syliinsä. Ponnistus sai hänet tuntemaan olonsa entistä heikommaksi; hänen päässään pyöri aina vain pahemmin.

"Sori siitä, Susan", hän kuuli tutun äänen sanovan. "Sinähän et ole oikein koskaan sietänyt nähdä verta, vai kuinka?"

Susan yskäisi vielä pari kertaa ja yritti yskiä kammottavaa oksennuksen makua suustaan. Hän katsoi eteensä ja onnistui vihdoin keskittämään katseensa edessään seisovaan hahmoon.

"Lucien..." hän kuiskasi heikosti.

Hänen mieleensä palasi välähdyksiä edellisestä illasta The Rocker Clubilla. Sitten hän muisti istuneensa Lucienin autossa... Lucien oli katsonut häntä vihaisesti. Ja sitten tyhjää.

"Mitä..." Hän ei saanut lausetta loppuun, sillä hänen kurkkuunsa sattui aivan liikaa äänen tuottamiseksi. Hänen katseensa sinkosi vaistomaisesti takaisin kohti oikean käsivarren raakaa lihaa, ja koko hänen kehonsa vavahti.

"Ah", Lucien tokaisi huolettomasti ja kurotti taakseen. "Älä sitä murehdi. Tuskinpa sinä tätä kammotusta kaipaat, vai kuinka?"

Lucien näytti hänelle suurta lasitölkkiä, joka oli täynnä vaaleanpunertavaa nestettä. Siinä kellui jotain. Susan pakotti väsyneet silmänsä siristymään muttei edelleenkään osannut sanoa, mikä se oli.

"Ai, anteeksi", Lucien sanoi huomatessaan hänen hämmennyksensä ja nappasi kelluvan esineen hansikoidulla kädellään. "Minäpä näytän sinulle. Reunat ovat jo vähän käpristyneet." Hän suoristi reunat ja venytti märkää ihonriekaletta, jonka oli nylkenyt Susanin käsivarresta alle tunti sitten. "Tämä on kuvottava tatuointi, Susan. En käsitä, miten voit millään ilveellä pitää sitä siistinä."

Kitkerä sappi kohosi jälleen Susanin suuhun, ja hän alkoi kakoa ja yskiä epätoivoisesti.

Lucien odotti huvittuneen oloisena, kunnes kohtaus oli ohi.

"Mutta hieno muistoesine siitä kyllä tulee", Lucien sanoi ja nyökkäili pariin kertaan. "Ja arvaapa mitä? Ajattelin tosiaan kokeilla muistoesineitten keräilyä. Katsoa, miltä se tuntuu. Kokeilla teoriaa sen taustalla. Mitä sanot?"

Susanin pää jyskytti hulluna takovan sydämen tahdissa. Köysi, jolla hänen ranteensa ja nilkkansa oli sidottu, tuntui viiltävän luihin saakka. Hän halusi puhua, mutta pelko tuntui pyyhkineen joka ainoan sanan hänen kauhistuneesta mielestään. Vain hänen silmänsä peilasivat hänen kauhuaan ja epätoivoaan.

Lucien palautti tatuoidun ihonpalan lasitölkkiin.

"Kuule", hän sanoi, "minulla on ollut se ruisku piilotettuna autooni nyt jo melkein vuoden ajan. Olen monta kertaa ollut lähellä käyttää sitä."

Susan hengitti sisäänpäin, ja ilma tuntui kulkevan hänen nenäänsä möykkyinä.

"Mutten kertaakaan sinuun", Lucien jatkoi. "Ajattelin usein, että kävisin hakemassa prostituoidun. Tiedän sinun muistavan kriminologian luennoilta, että he ovat helppoja kohteita – lähestyttäviä, saatavissa sekä useimmiten anonyymejä." Hän kohautti välinpitämättömästi harteitaan. "Ikävä kyllä se ei mennyt aivan niin. En koskaan tuntenut olevani aidosti valmis siihen, mutta tänä iltana minulla oli erilainen olo. Voisi varmaankin sanoa, että tänä iltana tunsin ensimmäisen *aidon* tappajan impulssini."

Kyynelet kihosivat Susanin silmiin. Huoneen ilma tuntui sakeammalta, jopa saastuneemmalta... melkein hengityskelvottomalta.

"Tunsin uskomatonta tarvetta toimia ja olla ajattelematta seurauksia", Lucien sanoi.

Miehen silmissä kimmelsi uudenlainen päättäväisyys. Susan näki sen, ja se sai uuden pakokauhun aallon huuhtoutumaan hänen ylitseen.

"Päätin siis olla taistelematta himoani vastaan", Lucien jatkoi ja siirtyi askelen lähemmäs. "Päätin toteuttaa fantasiani. Siksi olemme täällä."

Susan yritti hengittää rauhallisemmin, yritti ajatella, mutta kaikki tuntui edelleen kammottavalta unelta. Mutta jos se oli unta, miksi hän ei herännyt?

"Lucien..." hän raakkui. Ääni tuntui juuttuvan paisuneeseen kurkkuun. "En tie–"

"Ei, ei, ei", Lucien keskeytti ja heristi vasenta etusormeaan. "Et voi sanoa mitään. Etkö ymmärrä, Susan? Paluuta ei enää ole." Hän levitti käsivartensa kuin esitelläkseen huonetta. "Olemme nyt täällä. Prosessi on alkanut. Tulvaportit ovat auki, tai mitä kliseetä sitä nyt itse kukin haluaakin käyttää. Mutta niin tai näin, tämä tapahtuu."

Silloin Susan huomasi ilmeen Lucienin silmissä – se oli etäinen ja jääkylmä kuin miehellä vailla sielua. Ja se halvaannutti hänet pelosta.

Hänen kauhunsa kiihdytti Lucienia. Lucien oli odottanut, että tuo kiihtymys kamppailisi jonkin toisen tunteen kanssa – kenties moraalin tai hellyyden... hän ei ollut aivan varma minkä, mutta jonkin kuitenkin. Tuo ristiriita ei kuitenkaan toteutunut. Hän ei tuntenut kuin puhdasta riemua voidessaan vihdoin tehdä jotain, mistä oli niin kauan fantisoinut.

Susan halusi puhua, kirkua, mutta hänen pakokauhun jähmettämät huulensa eivät suostuneet liikkumaan. Sen sijaan hänen silmänsä anelivat Lucienilta armoa... armoa, jota ei koskaan tullut.

Lucien ryntäsi varoittamatta eteenpäin ja puristi kätensä Susanin kaulan ympärille.

Susanin silmät laajentuivat kauhusta. Kaulalihakset kiristyivät kehon pyrkiessä puolustautumaan hyökkäykseltä, leuka loksahti auki ja hän haukkoi henkeä, mutta aivot tiesivät, että taistelu oli jo hävitty. Lucienin peukalot pusersivat Susanin kurkkua samalla, kun hänen suuret kämmenensä painoivat kaulavaltimoa ja -laskimoita juuri sen verran lujaa, että tuloksena oli merkittävä tukkeuma ja kaulan verenkierron häiriintyminen.

Kun Susan alkoi potkia ja nytkähdellä tuolissa, Lucien asettautui hänen päälleen, jotta hän pysyisi aloillaan. Juuri silloin Lucien tunsi jonkin antavan periksi peukaloidensa alla. Hän ymmärsi, että oli sillä hetkellä murskannut Susanin kurkunpään ja henkitorven. Mutta vaikka hän tiesi, että Susan kuolisi muutamassa sekunnissa, hän ei lakannut puristamasta. Hän jatkoi, kunnes oli murtanut kieliluun, ja koko sen ajan hänen hulluuden ja kiihkon täyttämä katseensa oli nauliintunut suoraan Susanin kuoleviin silmiin.

Neljäkymmentäviisi

Hunter istui hiljaisena. Hän ei keskeyttänyt kertaakaan kertomusta, jonka Lucien tarjoili kylmästi ja tunteettomasti, mutta hän joutui koko ajan kamppailemaan pitääkseen tunteensa kurissa.

Myös Taylor oli kuunnellut kertomusta hiljaisena ja keskeyttämättä, mutta hän huomasi aina välillä liikehtivänsä istuimellaan. Jokainen pieni, hermostunut ele tuntui miellyttävän ja huvittavan Lucienia aina vain enemmän.

”Ennen kuin kysyt”, Lucien sanoi ja katsoi Hunteria, ”en saanut seksuaalista tyydytystä. En koskenut Susaniin sillä tavalla.” Hän kohautti harteitaan. ”Jos totta puhutaan, hänen ei pitänyt olla ensimmäiseni. Hänen ei pitänyt edes olla uhri. Hän ei esiintynyt yhdessäkään niistä tuhansista fantasioista, joita minulla ennen sitä päivää oli ollut. Oli vain hyvin valitettava sattuma, että siinä kävi niin.”

”Tuhansista?” Taylor kysyi.

Lucien hymyili. ”Älä viitsi olla noin naiivi, agentti Taylor. Luuletko, että kaltaiseni ihmiset päättävät hetken mielijohteesta ryhtyä murhailemaan? Että tuon mielijohteen jälkeen me vain lähdemme seuraavana päivänä ulos ja valitsemme ensimmäisen uhrimme?” Hän pudisti ivallisesti päätään. ”Kaltaiseni ihmiset fantisoivat toisten satuttamisesta hyvin kauan aikaa, agentti Taylor. Jotkut aloittavat fantisoinnin lapsina, jotkut myöhemmällä iällä, mutta me kaikki fantisoimme, ja me teemme sitä koko ajan. Oma kiinnostukseni kuolemaa kohtaan alkoi hyvin varhain. Isäni nimittäin oli innokas metsästäjä. Hänellä oli tapana viedä minut metsästämään Coloradon vuoristoon. Lumouduin siitä, kun sain odottaa, vaania ja katsoa eläintä suoraan silmiin ennen liipaisimen vetämistä."

Lucien raapi otsaansa tarkkaillen samalla Hunteria. Sitten hän hymyili.

"Voi sinua, Robert. Pystyn käytännössä kuulemaan aivojesi raksutuksen. Sisäinen psykologisi ryhtyy jo etsimään teoreettisia yhteyksiä lapsuusaikojen metsästysharrastuksen ja sen tappajan välillä, joka minusta sittemmin tuli." Hän naurahti. "Ennen kuin ehdit kysyä, en kastellut vuodettani lapsena enkä koskaan tuntenut kiinnostusta tulipalojen sytyttämiseen."

Lucien viittasi Macdonaldin triadiin. Tämän psykologiaan pohjautuvan teorian mukaan kolme piirrettä – eläinrääkkäys, pakkomielle tulipalojen sytyttämiseen sekä jatkuva yökastelu viidennen ikävuoden jälkeen – samanaikaisesti nuorella henkilöllä esiintyessään nostavat alttiutta syyllistyä myöhemmällä iällä väkivaltaiseen käytökseen, erityisesti henkirikoksiin. Triadin ja väkivaltarikollisten välillä ei ole kyetty osoittamaan merkittäviä tilastollisia yhteyksiä, mutta useimpien pidätettyjen sarjamurhaajien on todettu syyllistyneen lapsuusiässään eläinrääkkäykseen. Hunter oli hyvin tietoinen teoriasta.

Lucien nyppäisi etusormellaan jotain kahden etuhampaansa välistä. "No, ei muuta kuin analysoimaan, ystävä hyvä. Olen kuitenkin varma, että pääsen vielä yllättämään sinut."

"Olet jo yllättänyt."

Lucienin suupielet kohosivat omahyväisesti.

"Metsästysvuosistani huolimatta", hän jatkoi, "aloin nähdä unia vasta ensimmäisenä lukiovuotenani."

Taylorin kasvoilla häilähti kiinnostus.

"Näissä unissa en metsästänyt. Satutin ihmisiä. Joskus tuttuja ihmisiä, joskus sellaisia, joita en ollut koskaan ennen nähnyt... he olivat vain mielikuvitukseni umpimähkäisiä tuotteita. Unet olivat hyvin väkivaltaisia, oletettavasti pelottavia, mutta ne täyttivät minut kiihtymyksellä ja saivat minut tuntemaan oloni hyväksi, niin hyväksi, etten halunnut herätä ollenkaan. En halunnut unien päättyvän... ja silloin aloin fantisoida päiväsaikaan, täysin hereillä. Näiden..." Lucien haki ilmasta oikeaa ilmaisua: "...sanotaanko 'intensiivisten fantasioideni' pääroolissa esiintyivät yleensä minulle epämieluisat ihmiset... opettajat, koulukiusaajat, tietyt perheenjäsenet... mutta ei aina." Hän piti tauon, ja hänen kasvoilleen kohosi välinpitämätön ilme. "Niin tai näin, Susan ei koskaan ollut yksi heistä. Hän ei koskaan esiintynyt yhdessäkään väkivaltafantasiassani tai unessa. Hän vain sattui sinä yönä sopimaan *täydelliseen* profiiliin."

Lucien nousi seisomaan, käveli pesualtaalle ja täytti vesikuppinsa.

"Tämä oli todellinen syy siihen, miksi halusin opiskella psykologiaa ja rikollista käyttäytymistä", hän jatkoi palattuaan sängynreunalle. "Halusin pyrkiä ymmärtämään, mitä mielessäni liikkui. Miksi täällä uiskenteli väkivaltafantasioita." Hän naputti oikeaa ohimoaan etusormensa kärjellä. "Miksi nautin fantasioista niin paljon, voisinko tehdä mitään päästäkseni niistä eroon?" Hän hörähti. "Mutta arvatkaapa mitä? Yliopistolla oli aivan päinvastainen vaikutus. Mitä enemmän opiskelin ja mitä enemmän tappajan mieltä käsitteleviä teorioita luin, sitä enemmän tappaminen alkoi minua kiinnostaa." Lucien piti tauon ja siemaisi vettä. "Halusin testata niitä."

"Testata niitä?" Taylor kysyi. "Testata ketä, tai mitä?"

"Teorioita", Hunter sanoi lukien rivien välistä.

Taylor katsoi häntä.

Lucien osoitti Hunteria ja väänsi naamaansa kuin sanoen: *Osuit kertalaakista oikeaan, Robert.* "Halusin testata teorioita." Hän nojautui hiukan eteenpäin. "Eivätkö ne kiinnostaneet sinuakin, Robert? Olit intomielinen opiskelija – etkö muka halunnut ymmärtää, mitä *todella* liikkuu tappajan päässä? Mikä saa heidät toimimaan? Etkö halunnut tietää, pitivätkö meille opetetut teoriat paikkansa vai olivatko ne vain typeriä arvauksia, joita joukko nörttipsykologeja oli aikansa kuluksi väsäillyt?"

Hunter tutki edelleen ääneti Lucienia.

”No, minua kiinnosti”, Lucien sanoi. ”Mitä enemmän teorioita opiskelin, sitä enemmän vertasin niitä siihen, millaisen olon fantasiani minulle tuottivat. Ja lopulta yksi teorioista osoittautui kohdallani todeksi.”

Lucien katsoi Tayloria tavalla, joka sai hänet tuntemaan olonsa alastomaksi, haavoittuvaiseksi.

”Haluatko arvata, mikä teoria oli kyseessä, agentti Taylor?”

Taylor kieltäytyi pelkäämästä. ”Se teoria, jonka mukaan ihmisen täytyy olla sairas paskaläjä ja päästään sekaisin, mikäli haluaa tehdä jotain sellaista kuin sinä?” Taylor vastasi, eikä hänen äänessään ollut minkäänlaista vihaa tai kiihtymystä.

Se sai Lucienin vain hymyilemään. ”Robert?” Hän kääntyi katsomaan Hunteria kulmakarvat koholla.

Hunteria ei huvittanut pelata pelejä, mutta Lucien piteli yhä kaikkia kortteja käsissään.

”Fantasiat eivät jonain päivänä riitäkään”, Hunter sanoi.

Lucienin hymy leveni, ja hän puhutteli jälleen Tayloria. ”Hän todella *on* hyvä, vai kuinka? Aivan oikein, Robert. Jatkoin fantisoimista, kunnes eräänä päivänä tajusin, etteivät fantasiat riittäneet. Ne eivät enää tuottaneet minulle samanlaista hyvänolontunnetta kuin ennen. Tajusin, että saavuttaakseni saman mielihyvän minun oli siirryttävä seuraavalle tasolle.” Hän kääntyi jälleen tuijottamaan Hunteria aivan kuin olisi hänelle kiitollisuudenvelassa. ”Sitten sinä sanoit jotain, mikä sai kaiken liikkeelle, Robert.”

Neljäkymmentäkuusi

Mikäli Lucien odotti jonkinlaista reaktiota Hunterilta, hän joutui pettymään. Hunter pysytteli täysin liikkumatta ja vastasi Lucienin tuijotukseen. Taylor oli se, joka yllättyi.

"Mitä tarkoitat?" hän kysyi ja vääntelehti tuolillaan.

Lucien piti katseensa vielä hetken Hunterissa hakien yhä reaktiota.

Ei mitään.

"Robert ja minä tapasimme käydä hyvin pitkiä keskusteluja näiden teorioiden tiimoilta", Lucien aloitti. "Se oli vain luonnollista. Kaksi nuorta, nälkäistä mieltä yrittämässä ottaa selkoa tästä sairaasta maailmasta, yrittämässä saada mahdollisimman hyviä arvosanoja. Mutta erään väittelymme aikana, toisena opiskeluvuotenamme Stanfordissa, Robert sanoi jotakin, mikä todella sai ajatukseni liikkeelle."

Taylor vilkaisi Hunteria.

Hunter piti katseensa Lucienissa.

"Selvennän sinulle tilannetta, agentti Taylor", Lucien sanoi ja hymyili häijysti. "Opiskelimme aivojen fysiologiaa. Väittely koski sitä, pystyisikö tiede jonakin päivänä tunnistamaan aivoistamme sellaisen osan, vaikka kuinkakin pienen, joka kontrolloi mielihalujamme, aivan kaikenlaisia, myös sellaisia, jotka liittyivät tappamisen himoon."

Lucien katsoi Hunteria. Hän tiesi sanomattakin, että Hunter muisti tuon väittelyn.

"Toivottavasti et pane pahaksesi, jos käytän samaa esimerkkiä kuin sinä tuolloin, Robert", Lucien sanoi. "Muistan sen edelleen hyvin." Hän ei odottanut Hunterin vastausta. "Kuvitellaan veljekset", Lucien aloitti kohdistaen sanansa Taylorille, "identtiset kaksoset, jotka varttuivat identtisissä olosuhteissa ja ympäristössä. Molemmat saivat vanhemmiltaan saman määrän rakkautta ja hellyyttä. He kävivät samoja kouluja, samoja kursseja ja heille opetettiin samat moraaliset arvot. Molemmat olivat hyvin suosittuja oppilaita. Molemmat olivat erittäin hyviä oppilaita." Lucien kohautti harteitaan. "Hyvännäköisiäkin. Yritän tässä sanoa, agentti Taylor, ettei heidän kasvatuksessaan ollut pienintäkään eroa."

Taylorin otsa rypistyi vain aavistuksen, mutta Lucien pani sen merkille.

"Sinnittele vain", hän sanoi, "pääsen kohta asiaan. Sanotaan, että veljeksistä tuli kovia musadiggareita." Lucien iski silmää Hunterille. "Molemmat pitivät samantyyppisestä musiikista ja samoista bändeistä. He alkoivat käyttää samanlaisia vaatteita ja hiustyylejä kuin idolinsa. He ostivat kaikki idoliensa albumit." Lucien piti tauon ja hymyili. "No, se oli niihin aikoihin, nykyään he vain lataisivat musiikin, eikö vain? Oli miten oli, heillä oli t-paidat, lippikset, julisteet, hihamerkit... kaikki oheishärpäkkeet. He kävivät jokaisella keikalla, joka heidän kotikaupungissaan järjestettiin. Mutta yksi eroavaisuus oli. Veli A:lle riitti fanius. Hän oli tyytyväinen, kun sai käydä keikoilla, kuunnella biisejä huoneessaan ja pukeutua kuten idolinsa. Veli B puolestaan halusi jotain muuta. Fanittaminen, keikoilla käyminen ja musan kuuntelu ei riittänyt. Jokin hänen sisällään sanoi, että hänen oli päästävä osaksi musiikkisirkusta. Hänen oli saatava kokea se kaikki itse. Niinpä veli B opetteli soittamaan ja liittyi bändiin. Ja siinä se oli."

Lucien antoi sanojensa kellua ilmassa ja Taylorin sulatella niitä ennen kuin jatkoi tarinaansa.

"Juuri tuo pieni ero merkitsee *kaikkea*, agentti Taylor. Miksi veli B, joka on kasvanut täsmälleen identtisissä puitteissa, haluaa hiukan enemmän kuin veli A? Miksi toinen tyytyy olemaan fani, toinen ei?"

Mikäli Taylor pyrki keksimään vastausta, Lucien ei jäänyt odottamaan.

"Samaa teoriaa voi huoleti soveltaa myös murhanhimoon." Tällä kertaa virne oli entistä itsevarmempi. "Jotkut väkivaltaan taipuvaiset ihmiset voivat tyytyä fantisointiin, väkivaltaelokuvien katsomiseen, väkivaltaisten kirjojen lukemiseen. Heille riittää, että he katsovat väkivaltakuvia Internetistä tai hakkaavat nyrkkeilysäkkiä tai vastaavaa, mutta jotkut..." Hän pudisti päätään hitaasti. "Jotkut kokevat tarvetta mennä hiukan pitemmälle. Muuttua veli B:ksi. Ja tämä himo, tämä vietti, joka saa meidät haluamaan jotakin kiihkeämmin kuin toiset – Robert ei uskonut tieteen koskaan pystyvän selvittämään sitä, ei ainakaan fyysisesti, sillä juuri tuo vietti tekee meistä yksilöitä. Se saa meidät eroamaan toisistamme."

Hunter tarkkaili edelleen Lucienia. Mies alkoi innostua omasta puheestaan kuin saarnamies kirkossa. Kiihtymystä tuntui lisäävän se, että Lucien huomasi saaneensa Taylorin mietteliääksi.

"Väitätkö, että Robertin vuosien takainen argumentti katkaisi kamelin selän ja sai sinut aloittamaan tappamisen?" Taylor kysyi. Hänen äänessään oli häivähdys sarkasmia. "Pyritkö syyttämään jotakuta muuta teoistasi? No, se on tyypillistä."

Lucien viskasi päätään taaksepäin ja nauroi eloisasti. "En lainkaan, agentti Taylor. Olen tehnyt sen, minkä olen tehnyt, koska halusin tehdä sen." Hän osoitti sormella Hunteria. "Fysiologia sikseen. Tuo väite pysäytti minut, vanha ystäväni. Ymmärsin nimittäin juuri silloin, että minun oli tehtävä se. Minun oli lakattava fantisoimasta. Minun oli lakattava taistelemasta himoa vastaan. Minun oli siirryttävä seuraavalle tasolle... minun oli ryhdyttävä veli B:ksi. Siksi aloin suunnitella. Katsohan, agentti Taylor, yksi kriminologian opiskelun hienoista puolista on se, että saamme tietoa pahamaineisimmista tappajista, mitä tämän maan päällä on kävellyt. Ja usko pois, minä tutkin heitä perin pohjin. Luin ja tilasin erikoislehtiä. Pänttäsin lukuisien oikeuspsykiatrien kirjoituksia. Sain tietää seksimurhaajista, sarjamurhaajista, armeijamurhaajista, massamurhaajista ja ammattimurhaajista. Tutkin verilöylyjä ja salamurhia. Opiskelin aiheesta käytännössä kaiken mahdollisen, mutta aivan erityistä huomiota minä kiinnitin... tekijöiden virheisiin. Etenkin virheisiin, jotka johtivat heidän kiinni jäämiseensä."

Taylor päätti iskeä takaisin. "No, et näyttänyt loppujen lopuksi tutustuneen siihen riittävän tarkasti, ottaen huomioon nykytilanteen." Hän antoi katseensa kiertää Lucienin selliä.

Taylorin kipakka kommentti ei näyttänyt vaivaavan Lucienia. "Ah, tutustuin aiheeseen enemmän kuin riittävän hyvin, agentti Taylor. Valitettavasti kukaan ei voi ennustaa onnettomuuksia. En istu tässä siksi, että olisin tehnyt virheen tai koska sinä tai edustamasi organisaatio olisi saanut jotakin aikaiseksi. Olen tässä yksinomaan seitsemän päivän takaisen valitettavan tapahtumaketjun vuoksi. Minulla ei ollut osaa eikä arpaa näihin tapahtumiin. Myönnä pois, agentti Taylor: FBI:llä ei ollut aavistustakaan olemassaolostani. Te ette tutkineet minua, yhtäkään peitehenkilöllisyyttäni tai yhtäkään rikosta, jonka olin tehnyt."

"Me olisimme lopulta napanneet sinut", Taylor sanoi.

"Mutta sehän on selvää." Lucien virnisti itsevarmasti. "Niin tai näin, kuten äsken sanoin, aloin suunnitella. Ensimmäinen kohta listallani oli eristyksissä olevan, anonyymin paikan löytäminen. Halusin paikan, jossa minua ei häirittäisi. Paikan, jossa voisin puuhastella rauhassa."

"Ja löysit sellaisen paikan La Hondasta", Hunter sanoi.

"Totta vie", Lucien vahvisti. "Vanha, hylätty mökki keskellä metsää. Riittävän lähellä Stanfordia, jotta pääsin sinne helposti. Ja parasta oli, että saatoin kulkea sinne syrjäisiä pikkuteitä pitkin. Kukaan ei huomaisi minua."

Lucien nousi seisomaan ja venytteli voimakasta kehoaan.

"Mökki on yhä pystyssä", hän sanoi. "Siitä ei ole kovinkaan kauan, kun kävin siellä viimeksi." Hän ei istuutunut enää. "Arvatkaapa mitä? Minulla on vähän päänsärkyä, ja nälkäkin kaivertaa. Mitä sanoisitte, jos pitäisimme tauon?" Hän veti hihansa ylös ja katsoi rannettaan ikään kuin hänellä olisi ollut kello. "Jatketaan kahden tunnin päästä. Miltä kuulostaa?"

"Ei hyvältä, Lucien", Hunter sanoi. "Missä Susanin jäännökset ovat?"

"Ei merkitse mitään, vaikka saisitkin sen selville vasta kahden tunnin kuluttua, Robert. Sinulla ei taida olla kiire rynnätä pelastamaan häntä, vai kuinka?"

Neljäkymmentäseitsemän

Ulkona aurinko paistoi jälleen kerran pilvettömältä taivaalta. Se oli niitä lämpimiä, riemuisia päiviä, jotka saivat ihmiset hymyilemään ilman syytä. Taianomaisuus ei kuitenkaan ylettynyt BSU:n rakennukseen saakka.

Hunter oli löytänyt tyhjän kokoushuoneen toisesta kerroksesta. Hän seisoi ikkunan ääressä tuijottamassa kaukaisuuteen, kun Taylor astui sisään ja sulki oven hiljaa perässään.

"Täällä sinä siis olet."

Hunter ei kääntynyt vaan vilkaisi rannekelloaan. He olivat jättäneet Lucienin selliinsä vasta kymmenen minuuttia sitten, mutta siitä tuntui kuluneen tunteja.

"Onko kaikki hyvin?" Taylor kysyi ja astui lähemmäs.

"Jep, mitäs tässä", Hunter vastasi. Hänen äänensä oli vakaa ja varma.

Taylor epäröi hetken. "Kuule, minun täytyy päästä täältä hetkeksi pois."

Hunter kääntyi katsomaan häntä.

"Minun täytyy päästä ulos tunniksi tai jotain, haukkaamaan vähän raitista ilmaa, ennen kuin palaan kellariin."

Hunterin oli helppo olla yhtä mieltä.

"Täällä lähellä on yksi paikka, joka pitää terassin auki tällaisina päivinä", Taylor lisäsi. "Siellä on mahtavaa ruokaa, mutta vieläkin parempaa kahvia siltä varalta, ettei ole nälkä. Mitä jos häivyttäisiin täältä hetkeksi helvettiin?"

Hänen ei tarvinnut kysyä kahdesti.

Neljäkymmentäkahdeksan

Vaikka Hunter ja Taylor olivat edellisen kerran syöneet yli neljä ja puoli tuntia sitten, heillä ei ollut nälkä. Hunter tilasi tavallisen mustan kahvin, Taylor päätyi tuplaespressoon. He istuivat pienen italialaisen ravintolan ulkopöydässä Garrisonville Roadilla alle viidentoista minuutin ajomatkan päässä FBI:n koulutuskeskuksesta.

Taylor hämmensi kahviaan ja katseli, kun ohut ruskea vaahto katosi hitaasti pinnalta. Hän harkitsi kertovansa Hunterille, miten pahoillaan oli tämän äidin kohtalosta. Hän harkitsi kertovansa myös oman äitinsä kohtalosta, mutta mietittyään tarkemmin hän päätti, ettei kumpainenkaan hyödyttäisi ketään. Hän lakkasi sekoittamasta kahviaan ja asetti lusikan lautaselle.

”Mitä Lucien tarkoitti sanoessaan, että ystävänne Susan vain sattui sinä iltana sopimaan täydellisesti profiiliin?”

Hunter odotteli kahvinsa viilenemistä. Hän ei ollut koskaan ymmärtänyt sellaisia ihmisiä kuin Carlos Garcia, hänen työparinsa LAPD:ssa, joka kaatoi kiehuvan kuumaa kahvia kuppiin, odotti viisi sekuntia ja hörppi sumpin kuin se olisi ollut hanalämmintä.

Hunter kohotti katseensa Tayloriin.

”Lucien ja Susan olivat molemmat juuri valmistuneet Stanfordista”, hän sanoi. ”Susanin yliopistopäivät olivat ohi. Hänen ei tarvinnut enää käydä luennoilla. Hänellä ei ollut työpaikkaa, ei pomoa, ei poikaystävää, ei aviomiestä. Hänen ei niin sanoakseni tarvinnut leimata missään kellokorttiaan. Hänen perheensä asui Nevadassa. Kukaan ei odottanut kuulevansa Susanista mitään vähään aikaan, etenkin kun hän oli jo kertonut kaikille, että aikoi valmistujaisten jälkeen lähteä reissuun.”

”Eli mikäli hän katoaisi”, Taylor sanoi tarttuen Hunterin ajatuskulkuun, ”ihmiset vain olettaisivat, että hän todella oli lähtenyt matkoille. Kenelläkään ei ollut mitään syytä huolestua, ei ainakaan vähään aikaan.”

”Naulan kantaan”, Hunter sanoi. ”Olosuhteet tuolla nimenomaisella hetkellä tekivät hänestä parhaan mahdollisen uhrin. Anonyymin sellaisen. Uhrin, jota kukaan ei kaipaisi. Ja Lucien tiesi sen oikein hyvin.”

Pitkä, nuoren näköinen tarjoilijatyttö, jonka pitkä tumma tukka oli ranskalaisella letillä, saapui heidän pöytänsä luo.

”Oletteko varmoja, ettette halua vilkaista ruokalistaa?” hän kysyi ripaus italiaista korostusta äänessään. ”Voin suositella gnoccheja keittiömestarin erikoisjuustolla, tomaatilla ja basilikalla höystetyn kastikkeen kera.” Hän väläytti heille hurmaavan hymyn. ”Se on niin hyvää, että tekee mieli nuolla lautanen puhtaaksi.”

Gnocchit olivat Hunterin ehdoton suosikki italialaisten ruokalajien saralla, mutta hänellä ei siitä huolimatta ollut ruokahalua.

”Vau, kuulostaa todella houkuttelevalta”, hän sanoi ja hymyili tytölle valoisasti. ”Minulla vain ei tänään oikein ole ruokahalua. Ehkä jokin toinen kerta.” Hän nyökkäsi Taylorille.

”Samat sanat, ei ole yhtään nälkä. Minulle riittää tänään pelkkä kahvi, kiitos.”

”Hyvä on”, tarjoilija sanoi. Hän oli hetken hiljaa. Katsoi jälleen heitä. ”Toivottavasti saatte asiat selvitettyä”, hän lisäsi ystävällisesti. ”Näytätte hyvältä yhdessä.” Hän väläytti heille vielä yhden myötätuntoisen hymyn ja siirtyi sitten ottamaan vastaan tilausta parin pöydän päässä istuvalta seurueelta.

”Sellaisia vibojako meistä lähtee?” Taylor kysyi, kun tarjoilijatyttö oli kuuloetäisyyden päässä. ”Että olemme välejämme selvittelevä pariskunta?”

Hunterin huulilla karehti huvittunut hymy. Hän kohautti harteitaan. ”Niin kai sitten.”

Taylor näytti hetken milteipä nolostuneelta, mutta pian hänellä oli taas pokerinaama. ”Uskotko todella, ettei Susanilla ollut roolia

Lucienin väkivaltafantasioissa?" hän kysyi. "Entä uskotko, että Susan todella oli hänen ensimmäinen uhrinsa? Ja että hän ei raiskannut tätä?"

Hunter nojautui taaksepäin tuolissaan. "Miksi luulet, että hän valehtelisi moisesta?"

"En ole varma. Ehkä siksi, että yritän vain ymmärtää... Jos kerran Susan todella oli Lucienin ihka ensimmäinen uhri eikä Lucien ollut fantisoinut hänestä, miten kummassa hän kävi Susanin kimppuun eikä jonkun... tuntemattoman?"

Hunter kurtisti kulmiaan. "Emmekö me juuri puhuneet siitä minuutti sitten?"

"Ei, minä puhun nyt tuosta nimenomaisesta illasta, tai jopa siitä viikosta, Robert. Tarkoitan, että huolimatta sen illan olosuhteista, jotka tekivät Susanista 'täydellisen uhrin', hän ja Susan olivat käsittääkseni ystäviä. Lucien oli omien puheittensa perusteella jopa hiukan kiinnostunut hänestä romanttisessa mielessä, mikä viittaa jonkinlaiseen emotionaaliseen siteeseen."

Hunterin kahvi oli jäähtynyt sen verran, että hän saattoi ottaa kunnon hörpyn. "Ja sinä ajattelet, että on paljon vaikeampaa siepata, nylkeä ja tappaa ihminen, jonka tuntee, johon on ihastunut ja jonka kokee hyväksi ystäväkseen?"

"Juuri niin." Taylor nyökkäsi. "Varsinkin, jos kyseinen ihminen on hänen ensimmäinen uhrinsa. Jos Lucien ei ollut fantisoinut erityisesti Susanin tappamisesta, miksi hän olisi mennyt kiduttamaan ja tappamaan ystävänsä? Hänhän olisi voinut pokata jostain baarista tai klubilta täysin anonyymin uhrin – ventovieraan naisen – jonkun prostituoidun, en tiedä, joka tapauksessa jonkun, jota kohtaan hänellä ei ollut minkäänlaisia tunteita, jonkun, josta hän ei olisi voinut vähempää välittää."

"Lucienille Susan oli juuri sitä."

Taylor rypisti otsaansa.

"Katsot asiaa omasta näkökulmastasi, Courtney", Hunter sanoi ja laski kahvikuppinsa pöydälle. "Yrität ymmärtää sitä omalla mielelläsi. Ja kun teet niin, tunteesi tulevat väliin. Sinun täytyy katsoa asiaa Lucienin silmillä. Hänen psykopatiansa ei ole uhrikeskeistä."

Taylor katsoi Hunteria pitkän tovin. Jokainen FBI:n käyttäytymistieteiden yksikön agentti on tietoinen siitä, että on olemassa kaksi pääasiallista aggressiivisen psykopaatin tyyppiä. Ensimmäiselle tyypille – uhrikeskeiselle – uhrit ovat kaikkein tärkein osa yhtälöä. Tekijä fantisoi *tietynlaisesta* uhrista, joten kaikkien hänen valitsemiensa uhrien on oltava tämän tyyppisiä, sovittava profiiliin. Yleensä kyse on fyysisistä ominaisuuksista. Uhrikeskeisten psykopaattien fantasia kiertyy uhrin ulkomuodon ympärille. Juuri uhrin fyysiset piirteet kiihdyttävät ja kiihottavat heitä. Useimmiten siksi, että nämä piirteet tuovat heidän mieleensä jonkun toisen ihmisen. Näissä tapauksessa kyseessä on lähestulkoon aina jonkinlainen vahva emotionaalinen yhteys, ja yhdeksässä tapauksessa kymmenestä fantasioihin liittyy jonkinlainen seksiakti. Tappaja kohdistaa uhriin lähestulkoon aina seksuaalista väkivaltaa joko ennen tai jälkeen murhan.

Toiselle pääasialliselle aggressiiviselle psykopaattityypille – väkivaltakeskeiselle – uhri on toissijainen. Tärkeintä yhtälössä on väkivalta, ei uhri. Tekijä saa tyydytyksensä tappoaktista eikä fantisoi tietyntyyppisestä uhrista. Hän ei myöskään fantisoi seksin harrastamisesta uhrin kanssa, koska hän saa seksistä vain vähän tai ei lainkaan nautintoa. Päinvastoin, seksi häiritsee väkivaltaa. Tällainen psykopaatti fantisoi kiduttamisesta, tuskan tuottamisesta, siitä Jumalan kaltaisesta voimasta, jonka tappaminen hänelle tuottaa. Uhriksi voi valikoitua kuka hyvänsä, jopa ystävät ja perheenjäsenet. Hän ei lajittele. Tämän vuoksi hän pystyy saavuttamaan huomattavasti korkeamman emotionaalisen irtautumisen tason kuin uhrikeskeinen psykopaatti. Hän voi helpostikin siepata, kiduttaa ja surmata ystävän, sukulaisen, rakastajan, puolison... Väkivaltakeskeiselle psykopaatille tunnesiteillä ei ole väliä. Tunteilla ei yksinkertaisesti ole merkitystä.

"Mistä tiedät, ettei Lucienin psykopatia ole uhrikeskeistä?" Taylor kysyi lopulta.

Hunter joi kahvinsa loppuun ja taputteli suutaan servietillä. "Siitä, mitä olemme tähän mennessä saaneet tietoomme."

Taylor nojautui hiukan lähemmäs ja kallisti päätään.

"Muistatko Lucienin talolta löytyneet muistoesineet?" Hunter selitti. "Kaikki esineet eivät olleet peräisin naisilta, ja naisilta otetut pikkuhousut olivat kaikki eri kokoa. Se kertoo meille, ettei uhrin ulkoisilla piirteillä tai edes sukupuolella ole Lucienille merkitystä. Mutta Lucien myös kertoi sen meille itse... kahdesti."

Taylor pysyi vaiti. Hunter huomasi, että hän kävi mielessään läpi aamun kuulustelua.

"Hän kertoi meille, että näki lukioaikoinaan unia ihmisten satuttamisesta", Hunter muistutti. "Joskus unissa esiintyivät hänelle tutut ihmiset, joskus hän ei ollut koskaan nähnytkään heitä... he olivat vain hänen mielikuvituksensa umpimähkäisiä tuotteita – hänellä ei siis ollut mitään erityistä tyyppiä."

Taylor muisti, että Lucien oli sanonut niin, mutta hän ei ollut osannut täysin nähdä yhteyttä.

"Sitten hän kertoi meille, että oli alkanut fantisoida valveilla ollessaan. Näissä väkivaltafantasioissa pääroolia näyttelivät yleensä ihmiset, joista hän ei pitänyt. Joskus he olivat opettajia, joskus koulukiusaajia, joskus perheenjäseniä... mutta ei aina. Hän ei erotellut ihmisiä fyysisten piirteiden tai sukupuolen perusteella. Lucienin unissa ja fantasioissa ei ollut väliä sillä, ketä hän satutti. Häntä innosti surmateko itsessään."

Hunter vilkaisi kelloaan. Oli aika lähteä liikkeelle.

"Usko pois, Courtney. Tunteet, joita Lucienilla Susania kohtaan oli, eivät olisi estäneet häntä tappamasta. Edes rakkaus ei olisi."

Neljäkymmentäyhdeksän

Lucienille oli annettu lounaaksi alumiinitarjotin, jolla oli yksi leipäviipale, möykkyistä perunamuusia, pieni määrä vihanneksia sekä kaksi kananpalaa, jotka uiskentelivat jonkinlaisessa kellertävässä kastikkeessa. Ruoasta puuttui suola, ja se oli maustettu ylimääräisellä hyppysellisellä täyttä tyhjää. Lucien oli vakuuttunut siitä, että FBI oli päivittänyt mauttoman ruoan määritelmän, mutta ei se häntä varsinaisesti haitannut. Hän ei syönyt maun tai nautinnon vuoksi. Hän söi pitääkseen kehonsa ja mielensä ravittuna, tarjotakseen lihaksilleen edes osan niiden tarvitsemista ravintoaineista. Ja hän söi annoksensa viimeistä murua myöten.

Vain kymmenen minuuttia sen jälkeen, kun Lucien oli saanut lounaansa syötyä, hän kuuli tutun surahduksen ovelta käytävän päästä.

”Miltei sekunnilleen kahden tunnin kuluttua”, hän sanoi, kun Hunter ja Taylor astuivat hänen näkökenttäänsä. ”Minulla olikin sellainen kutina, että te kaksi olisitte täsmällisiä.” Lucien odotti, että he istuutuisivat. ”Haittaako, jos nousen seisomaan ja kävelen hiukan puhuessamme? Se saa veren virtaamaan helpommin päähäni ja auttaa minua sulattamaan sitä paskaa, jota te täälläpäin nimitätte ruoaksi.” Hän nyökäytti kohti tyhjää tarjotinta.

Kenelläkään ei ollut mitään sitä vastaan.

”No niin”, Lucien sanoi. ”Mihin jäimmekään?”

Hunter ja Taylor tiesivät molemmat, että Lucien ei ollut unohtanut, mihin he olivat jääneet. Kysymys vain kuului peliin.

”Susan Richards”, Taylor sanoi, risti tyynesti säärensä, asetteli sormensa yhteen ja lepuutti oikeaa kyynärpäätään tuolinsa käsinojaan.

”Ah, aivan”, Lucien vastasi alkaessaan hitaasti kulkea vasemmalta oikealle sellinsä etuosassa. ”Mitä hänestä?”

”Hänen jäänteensä, Lucien”, Hunter sanoi vakaalla mutta vaarattoman kuuloisella äänellä. ”Missä ne ovat?”

”Juurikin niin. Olin aikeissa kertoa siitä, eikö vain?” Lucienin uudessa hymyssä oli jotain perverssiä. ”Oletko jo ottanut yhteyttä hänen vanhempiinsa, Robert? Ovatko he yhä elossa?”

”Mitä?”

”Susanin vanhemmat. Mehän tapasimme heidät pariin otteeseen, muistatko? Ovatko he yhä elossa?”

”Kyllä. He ovat yhä elossa”, Hunter vahvisti.

Lucien nyökkäsi. ”He vaikuttivat mukavilta ihmisiltä. Sinäkö ilmoitat heille uutisen?”

Hunter oletti niin, mutta Lucienin peli alkoi väsyttää häntä. Vastaus kuin vastaus, kunhan Lucien jatkaisi puhumista, hän ajatteli.

”Kyllä.”

”Teetkö sen puhelimitse vai ajattelitko kertoa kasvokkain?”

Mikä tahansa vastaus.

”Kasvokkain.”

Lucien pohti asiaa hetken ja palasi sitten Hunterin alkuperäiseen kysymykseen. ”Kuulehan, Robert, koin sinä yönä asioita… tunteita, itse asiassa, joista olin siihen mennessä lukenut vain kriminologian oppikirjoista, kuulustelujen transkriptioista ja pidätettyjen rikollisten omista selonteoista. Kyse oli hyvin henkilökohtaisista ja intiimeistä tunteista, ja mitä enemmän niistä luin, sitä enemmän halusin kokea ne itse, sillä se oli ainoa keino selvittää, pitivätkö ne paikkansa myös minun kohdallani.”

Hän keskeytti puheensa ja tuijotti seinää edessään kuin lumoutuneena jostakin sillä roikkuvasta näkymättömästä taideteoksesta.

”Sinä iltana, Robert, minä todella tunsin, miten Susanin elämänvalo hiipui sormenpäitteni alla.” Lucien siirsi katseensa käsiinsä ennen kuin jatkoi: ”Tunsin hänen sydämensä sykkeen kämmenissäni, ja mitä enemmän puristin, sitä heikommaksi se kävi.” Hän kääntyi vielä kerran kohti Hunteria ja Tayloria. ”Ja silloin minä tunsin yleneväni. Se oli kuin ruumiista irtautumisen kokemus. Ymmärsin silloin sen, mistä niin moni oli todistanut. Ymmärsin, että tuo tunne, josta olimme niin moneen kertaan lukeneet, oli todellinen."

Taylor vilkaisi saman tien Hunteria ja käänsi sitten katseensa takaisin Lucieniin. "Mistä tunteesta sinä puhut?"

Lucien ei vastannut mutta välitti kysymyksen katseellaan Hunterille.

"Jumaltunteesta", Hunter sanoi.

Lucien nyökkäsi. "Osuit jälleen oikeaan, Robert. 'Jumaltunne.' Niin äärimmäisen mahdin tunne, että siihen hetkeen saakka kuvittelin sen olevan varattu ainoastaan Jumalalle. Mahti tukahduttaa elämä. Ja voin vakuuttaa, että se mitä sanotaan, on totta. Tuo tunne muuttaa ihmisen elämän ikuisiksi ajoiksi. Se on päihdyttävää, Robert, addiktoivaa, jopa hypnotisoivaa. Varsinkin, jos katsoo suoraan heidän silmiinsä, kun puristaa elämän heidän ruumiistaan. Sillä hetkellä sitä *muuttuu* Jumalaksi."

Ei, Hunter mietti. *Sillä hetkellä sitä ohikiitävän hetken ajan vertaa itseään Jumalaan. Vain harhainen ihminen kuvittelee voivansa muuttua Jumalaksi, olkoonkin kuinka lyhyeksi ajaksi.* Hän ei sanonut mitään mutta pani merkille, että Lucien oli puristanut kätensä hitaasti nyrkkiin ennen kuin kääntyi katsomaan Tayloria.

"Kerrohan, agentti Taylor, oletko koskaan tappanut ketään?"

Kysymys löi Taylorin täydellisesti ällikällä. Hänen sydämensä lähti kiitämään kuin taisteluhävittäjä muistojen pyörremyrskyn vallatessa hänet.

Viisikymmentä

Se oli tapahtunut kolme vuotta sen jälkeen, kun Taylor oli valmistunut FBI:n akatemiasta. Hän oli saanut siirron New Yorkin aluetoimistoon, mutta illan tapahtumilla ei ollut mitään tekemistä yhdenkään tutkinnan kanssa, joiden parissa hän oli niihin aikoihin työskennellyt.

Sinä iltana Taylor oli syynännyt tuntikausia New York Cityn ja New Jerseyn poliisilaitosten yhdistettyjä tutkintakansioita, jotka käsittelivät Mainosmurhaajaksi eli lyhyesti MM:ksi nimettyä sarjamurhaajaa.

Kuluneiden kuukausien aikana MM oli anaaliraiskannut ja tappanut kuusi naista – neljä New Yorkissa ja kaksi New Jerseyssä. Kaikki kuusi olivat olleet itsenäisiä seksityöntekijöitä. Kaikki kuusi olivat myös sopineet tiettyyn fyysiseen profiiliin – tummat olkamittaiset hiukset, ruskeat silmät, ikä yhdeksäntoista ja kolmenkymmenenviiden välillä, keskipaino, keskipituus. Pseudonyymiä ”Mainosmurhaaja” käytettiin, koska ainoa pitävä todiste, jonka poliisi oli yhdeksän kuukautta kestäneen tutkinnan aikana onnistunut löytämään, oli se, että kaikki kuusi naista olivat laittaneet paikallisiin ilmaisjakelulehtiin mainoksen, jossa he tarjosivat ”tantrahierontaa”.

Kun yhdeksän kuukautta oli kulunut eikä tuloksia ollut herunut, New Yorkin pormestari oli käskenyt poliisipäällikköä pyytämään FBI:ltä apua. Courtney Taylor oli toinen niistä kahdesta agentista, jotka määrättiin avustamaan tapauksen tutkinnassa.

Kello oli kahtakymmentä yli puolenyön tuona lokakuun lopun yönä, kun Taylor poistui FBI:n toimistosta Federal Plaza -rakennuksen 23. kerroksesta. Hän ajoi hitaasti Manhattanin halki ja Midtown-tunnelin läpi kohti Astoriaa, Queensin luoteisosaa, jossa hänellä oli pieni kaksio. Hän oli ollut hyvin mietteissään, seulonut sekalaisia ajatuksiaan ja yrittänyt koota yhteen joitakin tutkinnan piirteitä. Vasta nähdessään 21st Avenuen ympärivuorokauden auki pidettävän elintarvikeliikkeen hän muisti, että kotoa puuttui useampia ruokatarvikkeita.

"Hitto soikoon!" hän henkäisi, käänsi auton oikealle ja pysäköi aivan kaupan viereen. Kun hän sammutti moottorin, vatsa muistutti hänelle senhetkisestä nälkätilanteesta esittämällä oman versionsa valaitten soidinkutsusta.

Siihen aikaan aamusta kaupassa ei ollut juuri ketään – käytävillä kuljeskeli vain pari kolme asiakasta. Nuori kassamyyjä nyökkäsi robottimaiset huomenet Taylorille ja keskittyi jälleen pokkariin, jota oli lukemassa.

Taylor nappasi korin sisäänkäynniltä ja alkoi lappaa siihen tavaraa miettimättä sen tarkemmin, mitä oikeasti tarvitsi. Hän oli juuri ottanut kaupan perällä sijaitsevalta kylmäosastolta kahden litran maitokanisterin, kun hän kuuli kovaa metakkaa kaupan etuosasta. Hän kurtisti kulmiaan ja kurkisti kulman taakse, muttei nähnyt mitään tavallisesta poikkeavaa. Siitä huolimatta vaisto sanoi, että jokin oli pielessä, ja Taylor oli jo kauan sitten oppinut luottamaan vaistoonsa. Hän laski korin lattialle ja siirtyi seuraavalle käytävälle.

"Pidä vittu kiirettä, äijä, tai ammun vittu aivosi tälle saatanan paskalattialle. Tässä ei ole vittu koko yötä aikaa", hän kuuli jonkun huutavan hyvin hermostuneella äänellä liikkeen etuosasta.

Taylor tarttui välittömästi Glock 22 -aseeseensa, vapautti varmistimen ja latasi aseen hyvin hiljaa. Vatsan parittelevat valaat olivat vaienneet äkillisesti ja antaneet tietä sydämen takomalle heavy metal -rumpusoololle. Tämä ei ollut hyvin valmisteltu ja tarkoin harkittu FBI-operaatio. Tämä ei ollut harjoitus. Tämä oli silkkaa huonoa onnea. Tämä oli todellista ja tapahtui tässä ja nyt.

Taylor kyyristyi niin, ettei näkyisi kassalle, ja hivuttautui ripeästi eteenpäin. Hän pysähtyi ennen kuin pääsi käytävän päähän ja onnistui hyllyillä olevien tuotteiden lomasta vilkaisemaan katonnurkkaan asennettua pyöreää valvontapeiliä.

"Saatanan paska-aivo, luuletko että mä pelleilen?" hän kuuli levottoman äänen papattavan. "Luuletko, että tää on vittu jotain peliä? Pane vittu vauhtia tai saat luodin rumaan kalloosi. Kuulitko, mitä mä vittu sanoin?"

Taylorin sydämen rumpusoolo otti vauhtia. Hän näki peilin kautta tekijän. Poika oli yksin ja näytti nuorelta. Hän oli pitkä ja laiha, ja hänellä oli yllään siniset farkut, tumma löysä New York Yankeesin huppari sekä punamusta bandanahuivi kasvojen peittona. Hän osoitti kauhistuneen kassamyyjän päätä puoliautomaattisella Beretta 92 -pistoolilla.

Poika käänteli päätään vauhkon kanan lailla aina parin sekunnin välein tarkistaakseen kaupan sisäänkäynnin ja käytävät. Niinkin kaukaa Taylor näki, että nuorukainen oli jonkin huumausaineen vaikutuksen alainen ja aivan muissa maailmoissa. Se teki tilanteesta vielä rutkasti pahemman.

Jatkuvasta vilkuilusta huolimatta Berettaa pitelevä nuorukainen oli niin sekaisin, ettei edes huomannut juuri kaupan ulkopuolelle pysähtynyttä poliisiautoa.

Konstaapeli Turkowski ei ollut vastannut hätäkeskuksen soittoon. Tuolla pienellä ruokakaupalla, joka sijaitsi hämärässä kadunkulmassa Queensin uumenissa, ei ollut tiskin takana hälytysnappia. Ei, konstaapeli Turkowskin oli vain tullut nälkä, ja hän oli päättänyt käydä hakemassa donitseja ja ehkä pari Twinkies-patukkaa, jotka pitäisivät hänet liikkeessä seuraavat pari tuntia. Hän oli ensin ajatellut käydä hakemassa burriton Jackson Avenuen Taco Bellistä, mutta koska kulman takana oli ympäri vuorokauden auki oleva ruokakauppa, hän päättikin ottaa jotain makeaa.

Turkowski oli nuori poliisi, joka oli työskennellyt NYPD:n leivissä kaksi ja puoli vuotta. Hän oli vasta pari kuukautta aiemmin alkanut partioida välillä yksin. Tänä iltana hänellä oli käynyt huono tuuri, ja hänet oli määrätty soolopartioon.

Hän astui ulos autostaan ja sulki kerrankin oven paiskaamatta sitä kiinni – ei meteliä.

Kaupassa kauhistunut myyjä oli saanut tungettua kassakoneen rahat paperipussiin ja oli juuri aikeissa ojentaa sen ryöstäjälle, kun hän näki nuoren konstaapelin ilmestyvän ovensuulle.

Turkowski näki Berettaa pitelevän nuorukaisen hetkeä ennen kuin nuorukainen näki hänet. Hänellä ei ollut aikaa kutsua apuvoimia. Hardcore-poliisikoulutus otti vallan, ja sekunnissa Turkowski oli kaivanut aseen kotelosta ja osoitti sillä kaksin käsin nuorukaista.

"Laske ase", hän huusi vakaalla äänellä.

Ryöstäjä oli jo unohtanut rahat ja myyjän. Hänen ainoa huolenaiheensa oli nyt asetta pitelevä kyttä. Hän kiepahti ympäri, ja sadasosasekunnin kuluttua hän tähtäsi Berettalla Turkowskin rintaa.

"Vittu, kyttä. Laske itse", nuorukainen sanoi ja piteli asettaan sivuttain yhden käden otteella – katujengityyliin.

Oli päivänselvää, että ryöstäjä oli hermostunut, mutta hän ei ollut ensikertalainen. Hän oli kääntyessään astunut hyvin ketterästi taaksepäin ja asettunut strategisesti selkä kohti kaupan etuosaa. Kassamyyjä oli nyt aavistuksen hänen oikealla puolellaan, konstaapeli aavistuksen vasemmalla puolella ja kaupan käytävät suoraan hänen edessään, mikä salli hänelle ainoana kolmikosta hyvän kokonaiskuvan tilanteesta.

Käytävällä piileskelevällä Taylorilla oli käänteiset näkymät ryöstäjään nähden. "Sanoin, että laske ase", Turkowski toisti ja hivuttautui askelen oikealle. "Laske ase maahan, astu askel eteenpäin ja polvistu kädet pään takana."

Taylor oli edennyt käytävällä kyyryssä ja äänettömästi ja oli nyt melkein kaupan etuosassa. Kukaan ei ollut toistaiseksi huomannut häntä. Hän näki uudesta piilopaikastaan paremmin tilanteen, erityisesti tekijän. Nuorukaisen silmät olivat selällään adrenaliinista, levottomuudesta ja huumeista. Hänen asentonsa oli jäykkä mutta peloton, ikään kuin hän olisi ollut vastaavassa tilanteessa aiemminkin. Ikään kuin hänellä olisi tilanne hallinnassa. Turkowski puolestaan vaikutti kireämmältä.

”Haista vittu, kyttä”, nuorukainen sanoi ja kiskaisi vasemmalla kädellään punamustan bandanan nenänsä ja suunsa päältä antaen sen roikkua löysänä kaulassa, niin että kasvot paljastuivat.

Taylor tiesi välittömästi, että se oli paha merkki. Hän tiesi myös, että oli aika toimia, ennen kun tilanne riistäytyisi käsistä.

Liian myöhään.

Kun Taylor nousi seisomaan kyyryasennostaan, kohtaus hidastui kuin valkokankaalle heijastetussa elokuvassa. Ryöstäjä ei ollut vielä huomannut häntä, eikä kukaan saa koskaan tietää, ehtikö hän edes vaistota Taylorin läsnäoloa, ennen kuin tämä teki itsensä tiettäväksi. Nuorukainen ei kuitenkaan antanut konstaapeli Turkowskille mahdollisuutta... ei varoitusta. Hän puristi Beretta 92:n liipaisinta kolme kertaa peräjälkeen.

Ensimmäinen laukaus osui Turkowskia oikeaan olkapäähän. Se repi jänteitä, pirstoi luuta ja räjäytti ilmoille verisen usvapilven. Toinen ja kolmas laukaus osuivat suoraan rintaan, aivan sydämen yläpuolelle, tuhoten sydämen vasemman ja oikean eteisen, keuhkovaltimon sekä verisuonia. Turkowski oli vainaa jo ennen kuin rojahti maahan.

Sotkusta ja verestä huolimatta nuorukainen ei panikoinut. Hän kiepahti nopeasti kantapäillään kohti kassamyyjää, nappasi rahakassin ja kohotti asettaan. Jos oli jo tappanut kytän, miksi jättää silminnäkijä henkiin, hän selvästi ajatteli.

Taylor oli nähnyt päätöksen nuorukaisen vauhkossa katseessa ja liikkeissä. Hän tiesi, mitä tapahtuisi, ellei hän toimisi. Ennen kuin painajainen ehti muuttua todeksi, Taylor oli astunut pois käytävän suojasta ja tähtäsi nyt Glock 22:llaan Berettaa heiluttelevaa poikaa.

Ryöstäjä näki silmänurkastaan liikettä oikealla puolellaan. Hän kiepahti vaistomaisesti ympäri, sormi alkoi jo painaa liipaisinta.

Taylorilla ei ollut aikaa huutaa käskyä tai varoitusta, mutta hän tiesi myös, ettei sillä olisi merkitystä. Nuorukainen ei olisi reagoinut. Hän olisi ampunut Taylorin yhtä määrätietoisesti kuin oli ampunut poliisin.

Taylor painoi liipaisinta vain kerran.

.40 kaliiperin Smith & Wessonin luodin oli tarkoitus ainoastaan haavoittaa. Osua poikaa kyynärvarteen tai olkapäähän. Pakottaa hänet pudottamaan aseensa. Taylor oli kuitenkin ampunut nopeasti ja kesken pojan liikkeen. Luoti osui ylemmäs kuin oli tarkoitettu ja viitisen senttiä oikeammalle. Nuorukainen kaatui taaksepäin. Pala hänen kurkkuaan roiskahti seinälle hänen taakseen. Hänellä kesti kolme ja puoli minuuttia vuotaa kuiviin. Ambulanssilla kesti kahdeksan minuuttia päästä kaupalle.

Hän oli vasta kahdeksantoista.

Viisikymmentäyksi

Taylor räpytteli muiston mielestään ja pyrki parhaansa mukaan pitämään ilmeensä neutraalina ja liikkeensä mahdollisimman vakaina.

”Anteeksi kuinka?” Hän kallisti päätään tavalla, joka vihjasi, ettei hän ollut kunnolla kuullut Lucienin kysymystä.

”Olet varmasti osallistunut satoihin FBI:n tutkintoihin, agentti Taylor”, Lucien sanoi. ”Haluan tietää: oletko yhdenkään aikana joutunut vetämään aseesi esiin ja tappamaan ihmisen, vaikka vain ’itsepuolustukseksi’?”

Taylor ei ollut valmis käymään Lucienin kanssa läpi sitä, mitä tuona yönä kauan sitten oli tapahtunut, ja hän tiesi, että mikäli hän vastaisi totuudenmukaisesti, Lucien ryhtyisi tökkimään haavaa, kunnes se vuotaisi jälleen verta. Hän yritti keskittyä hengittämiseen, silmiinsä ja kaikkeen muuhun, mikä saattaisi paljastaa hänet, ja antoi lopulta vastauksensa.

”En.”

Lucien tarkkaili Tayloria, mutta tällä kertaa Taylorin pokka piti. Jos jokin oli paljastanut hänet, Lucien ei ainakaan antanut ymmärtää huomanneensa sitä.

”Robert?” Lucien esitti kysymyksen Hunterille.

Jälleen kerran Hunterista tuntui, että jollain tavoin Lucien jo tiesi vastauksen.

”Kyllä”, hän sanoi. ”Ikävä kyllä olen tappanut ihmisiä ollessani virantoimituksessa.”

”Kuinka monta?”

Hunterin ei tarvinnut miettiä asiaa. ”Olen ampunut ja tappanut kuusi ihmistä.”

Lucien makusteli sanoja hetken. ”Eikä sinua vallannut järisyttävä voimantunne? Etkö kokenut ’jumaltunnetta’? Et kertaakaan?”

”En kokenut.” Hunter ei epäröinyt. ”Jos olisin voinut välttää ampumisen, olisin välttänyt sen.”

He tuijottivat toisiaan usean kiivaan sekunnin ajan, ikään kuin heidän katseensa olisivat käyneet omaa köydenvetokamppailuaan.

”Susanin jäänteet, Lucien”, Hunter sanoi vihdoin. ”Missä ne ovat?”

”Hyvä on”, Lucien myöntyi ja rikkoi katsekontaktin. Hän veti syvään henkeä. ”Kuten jo aiemmin sanoin, Robert, La Hondan mökki on yhä olemassa. Kun tuon yön taika oli hiipunut, kun adrenaliini ei enää tärisyttänyt minua, tiesin, että minun oli hankkiuduttava ruumiista eroon niin, ettei kukaan löytäisi sitä. Tämä oli toinen syy siihen, miksi valitsin juuri kyseisen paikan – se oli metsän keskellä.” Rento olkainkohautus. ”En tosin tiennyt, että se tapahtuisi sinä yönä”, hän lisäsi. ”Se ei ollut tarkoitukseni, kun lähdin asuntolasta tapaamaan Susania. Kuten sanoin, niin vain kävi.”

Hän ryhtyi jälleen kulkemaan edestakaisin sellissään, kädet selän takana.

”Niinpä kaivoin lopun yötä, aina aamuun saakka. Tuloksena oli suunnilleen puolentoista metrin syvyinen hauta. Olin jo ostanut jätesäkkejä ja kahvijauhetta ja pari purkillista puumanvirtsaa.”

Sekä Hunter että Taylor tiesivät, että kahvijauhe harhauttaa tehokkaasti eläimen hajuaistia. Se hämmentää muita eläimiä ja saa ne yleensä kadottamaan hajujäljen, mikäli ne ovat saalistamassa. Puumanvirtsaa voi ostaa useista kaupoista ympäri Yhdysvaltoja. Sen haju pelottaa tiehensä useat muut eläimet, kuten ketut, sudet ja kojootit. Kyseessä on yksinkertainen luonnonlaki – mitä vahvempi ja tappavampi saalistaja, sitä useammat eläimet sen haju karkottaa tiehensä.

”Hautasin hänen ruumiinsa metsään talon taakse”, Lucien sanoi, ”multa-, kahvijauhe- ja puumanvirtsakerrosten alle. Peitin kaiken lehdillä ja oksilla. Voin vakuuttaa, ettei sitä hautaa ole koskaan häirinnyt yksikään ihminen tai eläin.”

”Missä tämä talo sijaitsee?” Hunter kysyi.

Lucien käytti seuraavat kaksi minuuttia antamalla Hunterille ja Taylorille tarkat ohjeet siitä, miten mökille pääsi Sears Ranch Roadilta.

Lucien pysähtyi aivan Hunterin eteen. ”Kerrotko heille kaiken? Kerrotko heille totuuden?”

Hunter tiesi, että Lucien puhui jälleen Susanin vanhemmista.

”Kyllä.”

”Tuota noin... miltähän heistä mahtaa tuntua? Mikä mahtaa olla heidän reaktionsa?”

”Miksi se sinua liikuttaa?” Taylor sylkäisi sanat suustaan. ”Ainakin he saavat vihdoin rauhan. He pystyvät hautaamaan arvokkaasti tyttärensä jäänteet. He saavat myös varmuuden siitä, että hirviö, joka vei Susanin heiltä, pannaan lukkojen taakse loppuelämänsä ajaksi.”

Lucien marssi yhä edestakaisin sellissään, mutta sen sijaan, että olisi kulkenut vasemmalta oikealle, hän ryhtyi kävelemään takaseinän ja etuosan pleksilasin väliä.

”Voi ei, enhän minä siitä puhunut, agentti Taylor.” Lucienin ilme muuttui omahyväisen virneen ja huvittuneen hymyn sekasikiöksi. ”Tarkoitin, että... miltähän heistä tuntuu, kun heille selviää, että he *söivät* oman tyttärensä?”

Viisikymmentäkaksi

Adrian Kennedy oli päättänyt peruuttaa kaikki tapaamisensa Washington DC:ssä ja pysytellä FBI:n koulutuskeskuksessa Quanticossa ainakin pari päivää. Kaikkien FBI:ssä viettämiensä vuosien aikana yksikään tutkinta tai epäilty ei ollut kiehtonut häntä yhtä paljon kuin Lucien Folter.

Hän oli myöhään edellisiltana määrännyt tiimin ottamaan selvää Susan Richardsin vanhemmista. Siksi Hunter tiesi, että he olivat yhä elossa. Susanin isä oli nyt seitsemänkymmenenyhden ja äiti kuudenkymmenenyhdeksän. Molemmat olivat eläkkeellä. Kennedy oli kertonut Hunterille senkin, että he asuivat yhä samassa vanhassa talossa Nevadan Boulder Cityssä ja että he soittelivat edelleen vähintään kerran kuussa Palo Alton ja Santa Claran piirikunnan poliisilaitoksille tiedustellakseen, oliko Susanin tapauksesta uutta tietoa.

Kennedy ja tohtori Lambert olivat seuranneet kaikkia kuulusteluja pidätyssellien tarkkaamon monitoreista. Aina silloin tällöin jompikumpi kommentoi lyhyesti jotakin, mitä kuulustelussa oli sanottu, mutta muutoin he katsoivat äänettöminä. Heti, kun Kennedy oli kuullut Lucienin ohjeet siitä, miten Susan Richardsin haudalle La Hondan -mökin takana pääsi, hän tarttui edessään työpöydällä olevaan puhelimeen.

”Saanko langan päähän San Franciscon aluetoimistosta vastaavan erikoisagentin... nyt heti!”

Muutaman sekunnin kuluttua Kennedy puhui erikoisagentti Bradley Simmonsin kanssa. Tämä lempeäkäytöksinen mies oli ollut FBI:n leivissä kaksikymmentä vuotta, yhdeksän niistä San Franciscossa. Hänellä oli yhä vahva eteläisen Teksasin korostus.

Kennedy oli kuunnellut tarkkaan Lucienin ohjeita. Hänen ei tarvinnut edes kuunnella nauhoitusta tai tarkistaa muistiinpanojaan. Hän pystyi helposti toistamaan Lucienin ohjeet sanasta sanaan.

”Ota yhteyttä La Hondan poliisilaitokseen ja piirikunnan seriffinvirastoon *vain*, jos on aivan pakko, ymmärrätkö?” Kennedy sanoi, kun agentti Simmons oli kirjannut kaiken muistiin. ”Tämä on *yksinomaan* FBI:n operaatio. Meidän käsityksemme mukaan paikka on eristyksissä metsän keskellä, ei naapureita, ei ketään lähettyvillä. Se on yksi syy siihen, miksi hän valitsi sen, joten kenenkään muun ei tarvitse tietää tästä. *Älä anna kenenkään saada vihiä.* Ryhdy hommiin heti ja soita sillä sekunnilla, kun löydät jotain.”

Kennedy laski puhelimen pöydälle ja kiinnitti huomionsa jälleen monitoreihin ja kuulusteluun – juuri ajoissa kuullakseen Lucienin viimeisen kommentin. Hän jäykistyi ja katsoi tohtori Lambertia.

”Sanoiko hän juuri, että he *söivät* oman tyttärensä?”

Tohtori Lambert istui monitorin ääressä epäuskoinen ilme kasvoillaan. Hänen teki mieli katsoa tallenne uudestaan ihan vain varmistuakseen asiasta, mutta hän tiesi, ettei se ollut tarpeen. Hän oli kuullut oikein. Siirtämättä katsettaan näytöltä hän nyökkäsi hitaasti.

Juuri sillä hetkellä tarkkaamon ovelle koputettiin. Koputtaja ei odottanut vastausta vaan työnsi oven auki.

”Johtaja Kennedy”, mies sanoi ja astui huoneeseen.

Chris Welch oli hieman päälle neljänkymmenen, ja hänellä oli lyhyt vaalea tukka, jonka hän oli kammannut otsalta. Mukanaan hänellä oli jonkinlainen muistikirja.

”Anteeksi, että häiritsen, sir.” Welch työskenteli FBI:n käyttäytymisanalyysiyksikössä. ”Pyysitte ilmoittamaan välittömästi, mikäli löytäisimme näistä kirjoista jotakin tärkeää.” Hän kohotti kantamaansa muistikirjaa. Se oli tuiki tavallinen 20 kertaa 27 senttimetrin kokoinen muistikirja, jossa oli marmorikuvioiset, ruskean ja mustan sävyiset kovat kannet.

Kaikki Lucienin Murphyn-talosta takavarikoidut kirjat ja muistikirjat oli toimitettu FBI:n käyttäytymisanalyysiyksikölle, BAU:lle. Heidän tehtävänsä oli tutkia niiden sisältöä.

”Ajattelin, että haluaisitte varmasti vilkaista tätä.” Welch napautti muistikirjan auki ja ojensi sen Kennedylle.

Kennedy silmäili läpi useamman sivun ennen kuin henkäisi syvään.

”Hyvä Jumala sentään!”

Viisikymmentäkolme

Vaikka ilmastointi oli täydellä teholla, käyttäytymistieteiden yksikön rakennuksen alatason viisi lämpötila tuntui painostavalta. Hunterin niskaan oli kihonnut hikikarpaloita, jotka olivat alkaneet hitaasti norua alas selkää. Lucienin sanat saivat ne jähmettymään paikoilleen. Nuo sanat tuntuivat hyytäneen ilman kuin arktinen tuulenpuuska.

”He tekivät mitä?” Hunter kysyi, ja hänen äänensä lävisti hiljaisuuden, joka oli sumentanut ilman Lucienin viimeisten sanojen jälkeen.

Lucien oli kävellyt takaseinälle ja pysähtynyt. Hän oli selin Hunteriin ja Tayloriin.

”Kyllä, kuulit oikein, Robert”, hän sanoi. ”Susanin vanhemmat söivät hänet...” Hän kallisti päätään toiselle sivulle. ”Tarkoitan, etteivät... tietenkään aivan kaikkea, pari pilkottua sisäelintä vain.”

Taylor tunsi, miten jokin alkoi kieppua ympäriinsä hänen vatsassaan.

”Miten?” Hunter kysyi. ”Hehän olivat jo palanneet Nevadaan valmistujaisten jälkeen.”

”Tiedän”, Lucien sanoi. ”Kävin heidän luonaan.”

”Sinä teit mitä?” Tällä kertaa puhuja oli Taylor.

Lucien kääntyi katsomaan heitä. ”Kävin heidän luonaan kaksi päivää tuon yön jälkeen... otin mukaani lahjan... itse leipomani piiraan.”

Kiepit Taylorin vatsassa muuttuivat pelottavaksi vuoristoradaksi.

”Stanfordista ei ole Nevadan Boulder Cityyn mitenkään ylettömän pitkä matka”, Lucien sanoi Taylorille. ”Susan oli esitellyt vanhempansa meille – Robertille ja minulle siis – paria vuotta aiemmin. Tapasimme heidät uudestaan valmistujaisseremonian jälkeen. Susan ja minä valmistuimme molemmat arvosanalla *cum laude,* ja he olivat hyvin ylpeitä tyttärestään. Kuka tahansa vanhempi olisi ollut."

Hunter pani merkille tuskin havaittavan tuskan häivähdyksen Lucienin viimeisissä sanoissa.

"He olivat hurmaava pariskunta", Lucien jatkoi. "Susan oli suloinen tyttö. Päätin, että se oli oikea teko."

"Oikea teko?" Taylor oli saanut sellaisen tällin, että pystyi hädin tuskin pidättelemään itseään. Hänen oli pakko kysyä. "Miten niin se oli oikea teko?"

"Sinähän se tämän tapauksen tutkija olet, agentti Taylor. Kerro sinä minulle." Lucien kuulosti alentavalta. "Järjestetäänpä pieni ajatusleikki. Sanotaan, että kyse olisi tyystin eri tutkinnasta. Sanotaan, että pidätettynä en olisi minä. Sanotaan, että sinulle olisi määrätty tapaus, jonka aikana sinulle selviäisi, että tekijä oli syöttänyt uhrin sisäelimiä tämän perheelle. Mikä olisi päätelmäsi, agentti Taylor? Minua kiinnostaa tietää."

Pelaa hänen peliään. Anna hänen uskoa, että hän on niskan päällä. Taylor muisti Hunterin sanat. Hän tiesi, että Lucien halusi päästä hänen ihonsa alle ja horjuttaa hänen itsevarmuuttaan. Hän ymmärsi nyt, että aina kun hän menetti malttinsa, Lucien koki voittaneensa uuden taistelun. *Anna hänelle se, mitä hän haluaa.*

"Koska olet mielenvikainen psykopaatti?" Taylor sanoi. "Koska se tuntui sinusta hauskalta tempulta? Koska se ruokki jumalharhaasi?"

Lucien risti käsivartensa rinnalle ja tutkaili kiinnostuneena Tayloria. Haastava hymy uhkasi venyttää hänen huulensa.

"Varsin kiintoisa johtopäätös, agentti Taylor", hän vastasi sarkasmi sanoista noruen. "Kuin suoraan aidon ammattilaisen suusta. Minusta mikään ei ole niin viihdyttävää kuin katsella, kun ihmiset antautuvat tunteittensa vietäviksi. Ongelmana on vain se, että samalla katoaa objektiivisuus. Se sumentaa arvostelukyvyn ja avaa oven aivan uudenlaiseen virheiden maailmaan. Opin sen itse kauan sitten."

Lucien kääri hihansa kuin hänellä ei olisi huolen häivääkään ja vilkaisi jälleen olematonta rannekelloaan.

"Oli miten oli, alan kyllästyä näihin kysymyksiin, ja teilläkin on varmasti paljon töitä tehtävänä. Niin... luita kaivettavana, selityksiä laadittavana, tarinoita kerrottavana."

Lucien kävi rennosti makuulle sängylleen ja risti sormensa pään taakse.

"Kerro Susanin vanhemmille terveisiä, jooko, Robert? Ja ai niin, jos sinua mietityttää... kyllä, nautin sinä iltana aterian heidän kanssaan."

Viisikymmentäneljä

Hunter iski nyrkkeilysäkkiä niin rajusti, että se heilahti taaksepäin miltei kokonaisen metrin. Hän oli hakannut yhtä BSU-rakennuksen kuntosalin neljänkymmenenviiden kilon nahkasäkeistä hiukan alle tunnin ajan. Hänen paitansa ja sortsinsa olivat likomärät hiestä, jota valui hänen otsaltaan vesiputouksen lailla. Armoton treeni oli saanut hänen kehonsa jomottamaan, ja hän oli henkisesti näännyksissä. Hän tarvitsi kuitenkin aikaa ajatella, aikaa järjestellä päässään sekavina vyyhteinä kieppuvia ajatuksia. Hänen täytyi saada irrottautua kaikesta edes pariksi minuutiksi, ja Hunterin tapauksessa irrottautumiseen auttoi useimmiten kunnon treeni.

Tänään *ei* kuitenkaan ollut sellainen päivä. Turhautuminen virtasi hänen suonissaan kuin paha veri, ja yrittipä hän hakata nyrkkeilysäkkiä kuinka lujaa tai nostella kuinka paljon painoja hyvänsä, hän ei tuntunut pääsevän siitä eroon.

”Jos olisin kolmekymmentä vuotta nuorempi, olisin haastanut sinut tuon säkin äärellä”, Kennedy sanoi salin ovelta. Paikka oli autio Hunteria lukuun ottamatta. ”Taot sitä tosin siihen malliin, että olisit todennäköisesti lyönyt minut seinän läpi. Ihme, ettei kätesi ole vielä murtunut.”

Pitkä päivä ja kokonainen tupakka-aski saivat Kennedyn karhean äänen kuulostamaan entistäkin heikommalta ja kähisevämmältä.

Hunter paukutti viimeisen napakan iskusarjan säkkiin – jabi, jabi, suora, vasen koukku, suora. Säkki heilahti takaisin ja siitä kömpelösti sivulle, ikään kuin se olisi saanut tarpeekseen ja vihdoin lannistunut. Hunter tarttui säkkiin ja pysäytti sen. Hän huohotti raskaasti, kasvot olivat tumman vaaleanpunaiset ja käsivarsien ja olkapäiden suonet pullistelivat ponnistuksesta ja kiihtyneestä verenkierrosta. Hän painoi läähättäen päänsä nyrkkeilysäkille. Hän ei pitänyt turhaa kiirettä vaan odotti, että hengitys palautui hitaasti normaaliksi. Hikipisarat ropsahtelivat leualta kengille ja lattialle.

Kennedy astui lähemmäs.

"Onko La Hondasta kuulunut mitään?" Hunter kysyi lopulta, yhä nyrkkeilysäkkiä halaten.

Kennedy nyökkäsi, ei järin innostuneena.

Hunter kiskoi hampaillaan auki nyrkkeilyhanskojensa tarranauhat ja kääntyi katsomaan johtajaa.

"Neljä agenttia kävi tarkistamassa mökin."

Hunter työnsi oikeanpuoleisen nyrkkeilyhanskan vasempaan kyynärkoukkuun ja kiskoi kätensä vapaaksi. Sen jälkeen hän poisti vasemman hanskan.

"He löysivät talon, josta Lucien kertoi." Kennedy viskasi Hunterille pyyhkeen. "Agentit noudattivat Lucienin antamia ohjeita ja ryhtyivät kaivamaan. He kaivoivat tunnin." Hän ojensi Hunterille A4-kokoisen kirjekuoren. "Ja löysivät tämän."

Hunter kuivasi ripeästi kasvonsa ja kätensä ennen kuin tarttui kirjekuoreen ja otti sieltä muutaman tulostetun valokuvan. Hänen sydämensä alkoi jälleen jyskyttää kiivaammin, kun hänen silmänsä ahmivat kuvia.

Ensimmäisessä kuvassa oli kokonainen ihmisen luuranko. Luut olivat vanhat ja ajan haalistamat ja lepäsivät silmämääräisesti puolentoista metrin syvyisessä haudassa.

Toinen kuva oli lähiotos kallosta.

Hunter tuijotti kuvia hiljaisena pitkän aikaa. Hänen katseensa viipyi toisessa kuvassa paljon pitempään kuin ensimmäisessä, ikään kuin hän olisi mielessään rekonstruoinut Susanin kasvoja kallon ylle.

Kennedy perääntyi askelen ja antoi Hunterin sulatella kuvia hetken ennen kuin puhui uudestaan. "Koska tiedämme jo, että Lucien on sarjatekijä, meidän on protokollan mukaan tongittava koko tontti", Kennedy sanoi, "ja etsittävä mahdollisten muiden ruumiiden jäänteitä. Operaatio on valtava, eikä meillä ole mitään mahdollisuutta tehdä sitä ilman, että osallistamme paikallisviranomaiset ja langetamme Hollywoodin kokoisen valokeilan tapauksen ylle."

"Odottaisin vielä jonkin aikaa, Adrian", Hunter sanoi. Hän ei ollut koskaan ollut protokollan ylin ystävä. "Ainakin siihen asti, kunnes olemme saaneet Lucienin kuulusteltua. Toistaiseksi hän on ollut meille rehellinen. Jos samalle alueelle on haudattu muita ruumiita, minulla on sellainen tunne, että hän kertoo meille. Tapauksen tuominen julkisuuteen juuri nyt ei hyödytä yhtään ketään."

Kennedy toimi yleensä sääntöjen mukaan, mutta tässä asiassa hän oli taipuvainen olemaan yhtä mieltä Hunterin kanssa.

"Menee ainakin pari päivää, ennen kuin pystymme kokeiden avulla vahvistamaan, että kyseessä todella on Susan Richardsin luuranko", Kennedy sanoi.

"On se", Hunter vastasi ja palautti tulosteet kirjekuoreen.

Kennedy loi Hunteriin kysyvän katseen.

"Lucienilla ei ollut mitään syytä valehdella", Hunter sanoi.

Kennedyn ilme oli yhä kysyvä.

"Tiedämme jo, että hän tappoi Susanin", Hunter selvensi. "Hän kertoi sen meille, ja kellarista löytynyt kehystetty tatuointi vahvisti asian. Jos hän olisi hankkiutunut Susanin ruumiista eroon tavalla, jonka jälkeen jäänteitä olisi mahdoton löytää, hän olisi kertonut sen." Hän naputti sormellaan kuorta. "Jos nuo olisivat jonkun muun hänen tappamansa ihmisen jäänteet, hänellä ei olisi ollut mitään syytä väittää niitä Susanin luiksi, koska hän tietää, että me testaamme ne joka tapauksessa."

Kennedy nyökäytti vielä kerran. "Ymmärrän, mutta ihan vain varmuuden vuoksi meidän kannattaa odottaa virallista vahvistusta, ennen kuin otat yhteyttä hänen vanhempiinsa."

Hunter nyökkäsi hitaasti ja kuivasi sitten kätensä ja käsivartensa uudestaan. Hän ei totisesti odottanut sitä, että pääsisi kertomaan uutiset Susanin vanhemmille. "Minun täytyy käydä suihkussa."

"Tule huoneeseeni, kun olet valmis", Kennedy sanoi. "Minulla on sinulle muutakin näytettävää."

Viisikymmentäviisi

Kahdenkymmenen minuutin kuluttua Hunter seisoi johtaja Kennedyn huoneessa tukka yhä märkänä suihkun jäljiltä. Paikalla oli myös agentti Taylor. Hän oli avannut poninhäntänsä, ja vaaleat hiukset valuivat nyt laineina olkapäiden yli. Hänellä oli yllään tumma kynähame, jonka kaulukseen oli työnnetty sininen pusero, sekä mustat nailonsukkahousut ja mustat remmiavokkaat. Hän istui toisessa Kennedyn työpöydän eteen asetetuista nojatuoleista. Käsissään hänellä oli samat valokuvat, joita Hunter oli katsellut salilla ja joissa näkyivät Susan Richardsin jäänteet.

Kennedy nousi pöytänsä takaa.

”Vieläkö sinä juot skottilaista?” hän kysyi Hunterilta.

Skottilainen single malt -viski oli Hunterin suurin intohimo. Toisin kuin monet muut, hän osasi arvostaa juoman suutuntumaa sen sijaan, että olisi vain riipaissut kännit sen avulla. Joskus tosin kunnon perseetkin olivat paikallaan.

Hunter nyökkäsi. ”Entä itse?”

”Aina mahdollisuuksien mukaan.” Kennedy käveli vasemmalle puolelleen kaapin luo, avasi sen ja otti esiin kolme lasia sekä pullon 25-vuotiasta Tomatinia.

”Ei kiitos minulle, sir”, Taylor sanoi ja pani valokuvat takaisin kirjekuoreen.

”Rentoudu, agentti Taylor”, Kennedy sanoi rauhoittavasti. ”Tämä on epävirallinen tapaaminen, ja tämänpäiväisen jälkeen väittäisin, että ryyppy on enemmän kuin tarpeeseen.” Epäröivä tauko. ”Paitsi jos et juo skottilaista. Siinä tapauksessa voin järjestää sinulle jotain muuta.”

”Skottilainen käy hyvin, sir”, Taylor vastasi itsevarmasti.

”Jäitä?”

Hunter pudisti päätään. ”Vesitilkka riittää, kiitos.”

”Sama täällä”, Taylor sanoi.

Kennedy hymyili. ”Näyttää siltä, että minulla on huoneessani kaksi aitoa skottiviskin ystävää.”

Hän kaatoi kaikille kunnon tujauksen, lisäsi tipan vettä ja ojensi lasin niin Hunterille kuin Taylorillekin.

”Minun täytyy kysyä sinulta jotain, Robert”, Kennedy sanoi vakavampaan sävyyn.

Hunter siemaisi viskiään. Se oli miellyttävän runsasta olematta ylitsevuotavaa, seassa oli häivähdys sitrusta ja hedelmää. Kompleksi mutta hyvin sulava suutuntuma. Hän nautiskeli mausta hetken aikaa.

Taylor teki saman.

”Luuletko, että Lucien valehteli kannibalismista?” Kennedy kysyi. ”Emme pysty mitenkään todistamaan sitä.”

”En näe, mitä hän hyötyisi valehtelemisesta”, Hunter vastasi.

”Ehkä hän teki sen sokkiefektin vuoksi, Robert”, Kennedy sanoi. ”Jumalkompleksista kärsivät ihmiset nauttivat huomiosta. Te molemmat tiedätte sen.”

Hunter pudisti päätään. ”Ei Lucien. Hän ei kaipaa kuuluisuutta. Ei ainakaan vielä. Niin kuvottavalta kuin se kuulostaakin, en usko, että hän valehtelee teoistaan... siitä että söi Susanin lihaa tai sisäelimiä... tai että tarjoili niitä hänen vanhemmilleen.”

Kennedy piti tuon. Epäusko paistoi hänen silmistään. ”Tiedät, ettei minulla ole psykologitaustaa, Robert, joten esitän sinulle saman kysymyksen kuin Lucien agentti Taylorille.” Hän nyökäytti Taylorin suuntaan. ”Miksi hän tekisi niin? Lucien ylitti osavaltioiden rajat mukanaan Susanin sisäelimistä leivottu piiras, jota hän syötti tytön vanhemmille. Ristus sentään. Sehän on raivohulluuden tuolla puolen, pahuuden, moraalittomuuden tuolla puolen, pahempaa kuin mikään, mitä olen koskaan kuullut. Ja minä olen kuullut ja nähnyt elämässäni paljon. Millainen pahansuopa mieli saa ketään toimimaan tuolla lailla?" Hän otti uuden suullisen skottiviskiä.

Taylor katsoi Hunteria uteliaana.

Hunter kohautti harteitaan ja katsoi muualle.

"Olen lukenut tutkimuksia, kirjoja, esseitä ja väitöskirjoja kannibaalitappajista, yksittäisistä ja sarjasellaisista", Kennedy lisäsi. "Herra tietää, että meillä on ollut vuosien varrella muutamakin noissa samoissa alakerran selleissä. Ja minun ymmärtääkseni suuri osa heistä syö uhrejaan siksi, koska uhrit ovat heille hyvin merkityksellisiä ja koska he uskovat, että heidän syömisensä lujittaa sidettä heidän välillään. Heistä tuntuu, että jos he syövät pienenkin palasen uhrista, tämä pysyy heidän kanssaan ikuisesti. Kaikkea sellaista paskaa." Hän pudisti aavistuksen päätään. "Kai jokaisella heistä on omat harhakuvitelmansa. Mutta mennä nyt syöttämään sitä muille...? Sehän on silkkaa sadismia ja täysin psykoottista toimintaa. Mikä muu voisi selittää sen?"

Hunter ei sanonut mitään.

Kennedy yllytti.

"Eli jos sinulla on tiedossasi jotain, mikä voisi hiukan valaista tätä hulluutta, Robert, ole hyvä ja kerro, koska minä en yksinkertaisesti tiedä. Miksi hän syötti Susanin lihaa tämän vanhemmille? Oliko se puhdasta sadismia?"

Hunter siemaisi jälleen juomaansa ja nojautui kirjahyllyä vasten. "Ei, en usko, että se oli sadismia. Uskon, että hän teki sen, koska tunsi syyllisyyttä."

Viisikymmentäkuusi

Kennedyn epäuskoinen katse pompahteli Hunterin ja Taylorin väliä. FBI-agentti ei näyttänyt lainkaan yllättyneeltä.

"Voisitko hiukan tarkentaa, Robert?" Kennedy kysyi kuiskaavalla äänellään. "Minusta uhrin syöttäminen tämän omille vanhemmille ei kuulosta syyllisyyttä potevan ihmisen teolta."

Hunter katseli ympärilleen kuin etsien ilmassa leijuvaa vastausta. "Voimme pallotella vaikka minkälaisia teorioita, Adrian, mutta ainoa, joka todella tietää, mitä Lucienin päässä liikkui, on Lucien itse."

"Ymmärrän kyllä sen", Kennedy myönsi. "Haluaisin silti tietää, miksi uskot syyllisyydellä olevan mitään tekemistä asian kanssa."

"Mikäli Lucien puhuu totta sanoessaan, että Susan oli hänen ensimmäinen uhrinsa", Hunter sanoi, "eikä meillä ole mitään syytä epäillä sitä, voimme siinä tapauksessa olettaa, että hän koki syyllisyyttä ja katumusta, joiden tiedetään yleensä piinaavan ensi kertaa tappavia."

Kennedy ja Taylor tiesivät sen kumpikin. FBI:n käyttäytymistieteen yksikön määritelmän mukaan "sarjamurha" kuvaillaan seuraavasti: *Kolmen tai useamman murhan sarja, suoritettu kolmessa tai useammassa erillisessä tilanteessa, joiden välillä on "viilentymisjakso". Murhilla on myös oltava yhtäläisiä piirteitä, jotta niitä voidaan järkevissä määrin olettaa saman henkilön tai henkilöiden suorittamiksi.*

Kennedy tiesi, että tuo viilentymisjakso, varsinkin sarjan ensimmäisten murhien aikana, johtuu melkein aina siitä, että tekijä tai tekijät kokevat syviä syyllisyyden ja/tai katumuksen tunteita välittömästi rikoksen suorittamisen jälkeen.

Se on ymmärrettävää. Monet väkivallantekijät, joista lopulta tulee sarjamurhaajia, kamppailevat kauan aikaa, joskus vuosia, fantasioiden, halujen, tuhoisien vaistojen ja jopa raivokohtausten kanssa. Heidän on aina vain vaikeampi vastustaa niitä, kunnes himo lopulta ottaa heissä vallan. Se simppeli tosiasia, että heidän täytyy *kamppailla* niin kauan näitä vaistoja vastaan, osoittaa selvästi, että he tietävät ihmisen surmaamisen olevan väärin. Syyllisyys on peri-inhimillinen, psykologinen reaktio.

Useimmiten ihmiset tuntevat jonkintasoista syyllisyyttä tehtyään jotain, minkä tietävät vääräksi – jos he ovat vaikkapa luntanneet kokeessa, varastaneet lehden naapurin ovelta, pettäneet kumppaniaan, valehdelleet tai vastaavaa. Syyllisyyden tunne on suoraan verrannollinen siihen, miten vääräksi he tekonsa kokevat – mitä pahempi teko, sitä suurempi syyllisyys. Eikä murhaa kauheampaa pahaa tekoa tahdo oikein olla. Siitä syystä monet ensikertalaiset vajoavat masennuksen pimeisiin syövereihin ja kokevat järisyttävää syyllisyyttä heti surmateon jälkeen. Siinä mielessä kävi täysin järkeen, että myös Lucien oli kokenut valtavia mielenalhoja ja syyllisyydentunteita tuon aivan ensimmäisen murhan jälkeen.

”Okei, hyväksyn että Lucienin on täytynyt kamppailla eritasoisten syyllisyydentunteiden kanssa Susanin murhan jälkilöylyissä”, Kennedy myönsi. ”En silti edelleenkään ymmärrä, miksi hän syötti Susanin ruumiinosia tämän omille vanhemmille, oli hän syyllisyyden murtama tai ei, Robert.”

”Minä näen kaksi *mahdollista* syytä”, Hunter sanoi ja viittasi kädellään. ”Mainitsit toisen vain hetki sitten.”

Kennedy siristi aavistuksen silmiään. ”Ja mikähän se mahtoi olla?”

”Tappajien usko siihen, että nauttimalla uhriensa lihaa he saavat uhrin pysymään luonaan ikuisesti. Uhrit muuttuvat osaksi tappajaa”, Taylor puolittain kuiskasi. ”Tai sitä ihmistä, joka heidät syö.” Hän antoi Kennedyn pohtia hetken tätä väitettä.

Kennedy hoksasi saman tien. ”Helvetti! Tunteensiirto kolmannelle osapuolelle.” Hän vilkaisi Hunteria saadakseen vahvistusta ja jatkoi sen jälkeen. "Lucien siis uskoi, että mikäli Susanin vanhemmat söisivät Susanin lihaa, tytär pysyisi ikuisesti *heidän* luonaan?"

"Kuten Lucien sanoi", Taylor huomautti, "Susanin ei ollut koskaan tarkoitus olla uhri, ja hänen mielestään Susanin vanhemmat olivat miellyttäviä ihmisiä. Robert saattaa siis olla oikeassa. Lucien on voinut tehdä niin siksi, että tunsi syyllisyyttä riistettyään heiltä tyttären."

Kennedy pohti asiaa pitkän, hiljaisen hetken ajan.

"Entä toinen mahdollinen syy?" hän kysyi lopulta.

"Toinen syy yhdistyy ensimmäiseen", Hunter sanoi. "Lucienhan sanoi meille, että hänellä oli tapana käydä metsästämässä isänsä kanssa, eikö vain?"

"Kyllä, muistan sen", Kennedy sanoi.

"Hän sanoi myös, että hänen isänsä oli loistava metsästäjä."

"Kyllä, muistan senkin."

"Okei. Monet metsästäjät tuntevat uskomuksen, joka on kulkenut sukupolvien ajan Yhdysvaltain alkuperäisasukkaiden keskuudessa", Hunter selitti.

Kennedy kohotti kysyvästi kulmakarvojaan.

"Alkuperäisasukkaat eivät koskaan metsästäneet huvin tai urheilun vuoksi. He metsästivät yksinomaan saadakseen ruokaa, ja he uskoivat, että heidän oli syötävä se, minkä he kaatoivat – aina, sillä saaliin syöminen oli saaliin kunnioittamista. He uskoivat, että se piti eläinten sielun tässä maailmassa. Se osoitti kunnioitusta. Oli epäkunnioittavaa antaa eläinten lihan mennä haaskuuseen."

Kennedy ei ollut tiennyt sitä, mutta hänen mielensä palasi välittömästi Susan Richardsin kansioon, joka lepäsi hänen työpöydällään. Susanin äiti oli toisen polven shoshone. Tämä Yhdysvaltain alkuperäisasukkaisiin kuuluva heimo oli elänyt alueella, josta tuli myöhemmin Nevadan osavaltio. Hänen perheensä nimi oli Tuari, joka tarkoitti "nuorta kotkaa". Kennedy oli hyvin tietoinen siitä, että myös Lucien tiesi sen.

Taylor katsoi Hunteria ihmeissään.

"Minä luen paljon", Hunter totesi ennen kuin Taylor ehti esittää kysymyksen.

"Uskot siis, että Lucien ainakin omassa mielessään suoritti itselleen synninpäästön, vaikkakin vähäisessä mittakaavassa", Kennedy pikemminkin totesi kuin kysyi. "Hän osoitti myötätuntoa. Syöttämällä Susanin lihaa tämän vanhemmille hän yritti pitää Susanin sielun elossa *heille* ilman, että he itse tiesivät sitä."

"*Jokaisella on omat harhauskonsa.*" Hunter toisti Kennedyn aikaisemmat sanat. "Mutta kuten sanoin, voimme pallotella niin paljon teorioita kuin haluamme, mutta ainoa, joka todella tietää, mitä Lucienin päässä liikkuu, on Lucien itse."

"Salli minun siinä tapauksessa kysyä", Kennedy sanoi. "Minkä takia hän sinun mielestäsi söi itse Susanin lihaa? Hänhän sanoi, että nautti vanhempien kanssa sinä iltana aterian."

"Koska hän kokeili."

Kennedy nipisti nenänvarttaan kuin aistien tulevan päänsäryn.

"Yliopistossa Lucien ei varsinaisesti epäillyt yhtäkään teoriaa, jotka selittivät sadististen tappajien tekoja", Hunter sanoi. "Hän tiesi, että ne perustuivat pidätettyjen väkivaltarikollisten kertomuksiin, mutta oli sillä hilkulla, ettei näiden tekijöiden *tunteista ja emootioista* tullut hänelle pakkomiellettä."

Kennedy muisti jotain, mitä Lucien oli sanonut erään kuulustelun aikana. "Hän halusi kokea ne itse."

"Niihin aikoihin hän ei koskaan varsinaisesti pukenut tuntemuksiaan sanoiksi", Hunter sanoi. "Mutta tiedämme nyt, että juuri sitä hän halusi. Hän halusi kokeilla. Ja juuri se erottaa Lucienin useimmista muista tapaamistani psykopaateista."

Kennedy kohotti kysyvästi kulmakarvojaan.

"Tiedämme, että hän surmasi Susanin, ensimmäisen uhrinsa, kuristamalla", Hunter selvensi. "Mutta mikäli vertaamme Susanin murhaa tähän viimeiseen temppuun, kahteen irtopäähän hänen takakontissaan... tekotapa, väkivallan taso, kaikki on eksponentiaalisesti pahempaa. Olen valmis lyömään vetoa siitä, että hänen käyttämänsä väkivalta eskaloituu kerta kerralta. Lucien ei kuitenkaan tee sitä siksi, että hänen sisällään riehuisi hallitsemattomia haluja."

"Hän tekee sen tietoisesti", Taylor sanoi saatuaan kiinni Hunterin ajatuksenjuoksusta. "Hän tekee sen, koska haluaa tietää, miltä hänestä *tuntuu* väkivallan muuttuessa alati pahemmaksi."

"Se on pelottava ajatus", Kennedy sanoi. "Se päättäväisyyden ja itsekurin määrä, jota vaaditaan siihen, että kykenee ylittämään itsensä raakuudessa murha murhan jälkeen, kahdenkymmenenviiden vuoden ajan, menee ohi minun käsityskykyni. Ja sinä uskot, että hän tekee niin vain voidakseen kokea jonkin *tunteen*?"

Hunter oli vaiennut. Hän kaiveli muistinsa syövereistä jotakin ammoin unohdettua. "Piru vieköön!" hän vihdoin huudahti.

"Mitä?" Kennedy kysyi.

"Uskomatonta, että hän todella tekee sen", Hunter mutisi.

"Tekee minkä?"

"Luulen, että Lucien on saattanut laatia tietokirjaa."

Viisikymmentäseitsemän

Kennedyn olkapäät jäykistyivät, kun kummallinen vavahdus valtasi hänen kehonsa. Sellaista ei tapahtunut usein, kun oli kyse BSU:n tutkimista rikostapauksista. Hän odotti, että Hunter jatkaisi.

”Muistan erään keskustelumme.” Hunterin muisti kaiveli menneisyyttä. ”Se taisi olla toisena opiskeluvuotenamme. Keskustelimmeääriväkivaltaisten murhien emotionaalisista laukaisimista ja vieteistä – siitä, mitkä psykologiset tekijät saivat henkilön tekemään aina vain uudestaan sadistisia ja julmia tekoja.”

”Okei”, Kennedy sanoi uteliaana.

”Niihin aikoihin meillä oli vain joukko eri psykologien ja psykiatrien luomia teorioita sekä kourallinen vangittujen tappajien kertomuksia. Pitäkää mielessä, ettei sellaisia pahamaineisia kannibaalitappajia kuin Jeffrey Dahmer, Armin Meiwes tai Andrei Tšikatilo ollut vielä pidätetty. Heidän kuulustelunsa, kertomuksensa ja ajatuksensa eivät vielä olleet saatavilla.”

Kennedy ja Taylor nyökkäsivät molemmat.

”Kuten olen sanonut”, Hunter jatkoi, ”Lucien ei epäillyt näiden kertomusten todenmukaisuutta, mutta hän ei ollut täysin vakuuttunut kaikista psykologisista teorioista. Muistan hänen pohtineen usein: *Miten he voivat tietää varmasti*?”

”Eivät he voineetkaan”, Taylor sanoi. ”Siksihän ne ovatkin vain teorioita, eivät faktoja.”

”Juuri niin”, Hunter myönsi. ”Ja Lucien ymmärsi sen.”

”Mutta hän ei ollut tyytyväinen”, Kennedy päätteli.

”Ei niin. Ja sinä päivänä hän ehdotti jotain niin älyvapaata, että olin jo ehtinyt unohtaa sen.”

”Ja se oli?”

Hunter veti syvään henkeä yrittäessään muistella yksityiskohtia. ”Lucien sai täysin surrealistisen idean siitä, että joku ryhtyisi koemielessä tappajaksi”, hän sanoi lopulta. ”Hän intoili siitä, miten uraauurtava juttu rikollisen käyttäytymisen psykologialle olisi, jos täysin tervejärkinen yksilö lähtisi murharetkelle, kohoaisi aina vain uusille väkivallan tasoille ja kokeilisi eri metodeja ja fantasioita ja samaan aikaan tekisi kaikesta kattavia muistiinpanoja, joihin kuuluisivat tuntemukset sekä psykologinen mielentila murhan tekohetkellä ja heti sen jälkeen. Kyseessä olisi jonkinlainen seikkaperäinen psykologinen tutkimus murhaajan mielestä murhaajan itsensä kirjoittamana.”

Kennedy jäykistyi aavistuksen kamppaillen vastaan samaa inhottavaa vavahdusta, joka oli kuohuttanut hänen sisuksiaan vain hetkeä aiemmin.

”Hän uskoi, että tuollaisesta aidolla selonteolla täytetystä muistikirjasta, tai jopa muistikirjojen sarjasta, muodostuisi tietokirja, eräänlainen tutkijoille suunnattu rikollisen käytöksen raamattu.”

Kennedy raapi vasenta poskeaan. Hän ei voinut olla miettimättä, että niin absurdilta kuin ajatus kuulostikin, Lucien oli oikeassa. Sellainen kirja tai kirjasarja olisi korvaamaton; siitä tulisi todennäköisesti yksi kriminologien, psykologien ja lainvalvontaviranomaisten eniten siteeraamista teoksista kautta maailman. Sellainen kirja, varsinkin jos sen olisi kirjoittanut kriminaalipsykologian loppututkinnon omaava henkilö, joka ymmärsi tällaisen tiedon tärkeyden ja tietäisi myös tarkalleen, *minkälainen* tieto oli tärkeää, muodostuisi ilman muuta pyhäksi kirjaksi päättymättömässä sodassa väkivaltaisia saalistajia vastaan.

”Luulen, että hän saattoi olla tekemässä juuri sitä”, Hunter sanoi. Ajatus sai hänen vatsansa vellomaan. ”Siirtyminen murhasta toiseen, väkivallan asteittainen kasvaminen, uusien asioiden kokeilu, erilaiset metodit... ja päiväkirjan pitäminen siitä, miten hän koki murhaamisen erityisesti emotionaaliselta kantilta. Sellainen olisi tarjonnut hänelle hänen tarvitsemansa tekosyyn.”

Kennedy katsoi Hunteria kulmat kurtussa. ”Tekosyyn?”

"Lucien on sosiopaatti, siitä ei ole epäilystäkään. Me tiedämme sen ja hän tietää sen. Erona on tämä: hän on tiennyt sen pitkän aikaa. Hänhän kertoi sen meille, kuten varmaan muistatte?"

Taylor nyökkäsi. "Hän alkoi fantisoida jo kouluaikoina."

"Aivan, ja uskon että tuo tieto satutti häntä. Ei tavallisen nuoren pitäisi haaveksia ihmisten tappamisesta. Ehkä se sai hänet tuntemaan, että jokin hänen aivoissaan oli rikki, että hän oli epänormaali. Hän jopa kertoi meille, että ryhtyi opiskelemaan rikollisen käyttäytymisen psykologiaa, jotta pystyisi ymmärtämään itseään."

"Mutta pieleen meni", Kennedy sanoi.

"Ei mennyt", Hunter totesi. "Jos jotain, se sai hänen mielikuvituksensa laukkaamaan entistäkin villimmin. Se sai hänet kehittämään ainakin hänen omissa korvissaan uskottavan motiivin."

"Mikäpä voisi olla parempi oikeutus karmivien väkivallantekojen suorittamiselle kuin usko siihen, että tekee sen jalon asian puolesta", Taylor sanoi seuraten Hunterin ajatuksenjuoksua. "Kaikki tieteen nimissä."

"Tuo valheellinen usko on saattanut helpottaa hänen sisäistä tuskaansa", Hunter lisäsi. "Lucien pystyi sen jälkeen toteuttamaan mielihalujaan, koska omasta mielestään hän ei enää ollut sosiopaatti... hän oli tiedemies, tutkija. Jokaisella on omat harhakuvitelmansa, kuten varmaan muistatte."

Kennedy rikkoi katsekontaktin.

"Onko jotakin muuta?" Hunter kysyi. "Jotakin, mitä et ole kertonut meille?"

Kennedy kohautti vastaukseksi harteitaan ja veti suunsa viivaksi. Hän käveli työpöydälleen, avasi ylimmän oikeanpuoleisen laatikon ja kaivoi esiin muistikirjan. Kyseessä oli sama muistikirja, jonka erikoisagentti Chris Welch oli aiemmin päivällä ojentanut hänelle pidätyssellien tarkkaamossa.

Hunter tunnisti muistikirjan välittömästi samaksi, jonka hän ja erikoisagentti Taylor olivat nähneet Lucienin kellarissa.

"Saatat ikävä kyllä olla oikeassa, Robert", Kennedy sanoi. "Me nimittäin löysimme tämän."

Viisikymmentäkahdeksan

Hunter otti muistikirjan Kennedyn kädestä kuin olisi pelännyt tätä hetkeä jo vuosia ja avasi sen.

Taylor siirtyi Hunterin viereen.

Ensimmäisellä sivulla oli viimeistelemätön, mustavalkoinen lyijykynäluonnos: naisen kirkuvat, tuskasta vääristyneet kasvot.

Hunter irrotti katseensa kirjasta ja vilkaisi Kennedyä.

BSU:n johtaja viittoi Hunteria jatkamaan.

Hunter käänsi seuraavalle sivulle. Ei enää piirroksia, vain käsin kirjoitettua tekstiä. Hunter tunnisti välittömästi Lucienin käsialan.

Hän alkoi lukea.

Mieleni on selvästi alkanut muuttua. Alkuun tunsin jokaisen tapon jälkeen musertavaa syyllisyyttä, aivan kuten olin odottanutkin. Joskus syyllisyyden tunne jatkui kuukausia. Olin monta kertaa vähällä antautua poliisille. Lupasin itselleni monta kertaa, etten enää koskaan tekisi sitä. Mutta kun aika kului ja syyllisyydentunne hiipui, hitaasti ja vakaasti, halu toistaa teko palasi. Halusin sen palaavan. Jokaisen uhrin myötä syyllisyydentunne väheni siinä määrin, etten nykyään koe sitä juuri lainkaan – korkeintaan muutaman päivän ajan, jos sitäkään.

Ei epäilystäkään: mieleni on sopeutunut. Murhaaminen tuntuu minusta nykyään luonnolliselta. Kun olen ulkona, katselen usein ympärilleni, ja katseeni kiinnittyy johonkin tiettyyn ihmiseen baarissa, junassa, kadulla... missä hyvänsä olenkin, huomaan miettiväni, miten helposti voisin jonkun tappaa. Miten kovaa saisin hänet kirkumaan. Miten paljon kipua voisin tuottaa ennen kuin lopulta tappaisin hänet. Nämä ajatukset kiihottavat minua enemmän kuin koskaan.

Mielihaluista eroon pääseminen on muuttunut aina vain vaikeammaksi, mutta totuus on, etten edes halua niistä eroon. Ymmärrän nyt, että tappamisesta on tullut minulle hyvin väkevä huume. Väkevämpi kuin yksikään tavanomainen huume, jota olen koskaan kokeillut. Olen täydellisesti koukussa. Riippuvuudestani huolimatta olen oppinut, että tarvitsen jonkinlaisen sysäyksen, joka työntää minut lopullisesti reunan yli.

Tuo sysäys voi olla mikä vain – kiinnostukseni saattaa herätä, jos näen tietyn näköisen tyypin. Laukaisimena voi myös toimia hänen puhetyylinsä tai tapa, jolla hän katsoo minua. Se voi myös olla hänen pukeutumistyylinsä, hajuvetensä, jokin hänen tekonsa, tietty maneeri... mitä vain. Tiedän vasta, kun näen sen.

Näin sen jälleen eilisiltana.

Hunter käänsi sivua. Hän ei kuitenkaan lukenut vaan vilkaisi Kennedyä. Johtaja oli työntänyt kädet syvälle housuntaskuihin. Roikkuvat posket tuntuivat viime päivien aikana keränneen lisäpainoa, ja tummat silmänaluset näyttivät entistäkin sairaalloisemmilta. Hänen katseensa oli lukkiutunut muistikirjaan Hunterin käsissä.

Hunter palasi lukemaan sivulle kirjoitettuja sanoja.

Oli myöhä. Olin juuri tilannut kolmannen tuplaviskini. En etsinyt mitään tai ketään. Minun teki vain mieli juoda itseni humalaan, siinä kaikki. Itse asiassa halusin juoda itseltäni tajun kankaalle. Oli täysin sattumaa, että olin päätynyt Mississippin Forest Cityyn. En ollut kirjautunut motelliin tai mitään. Olin vain ajatellut vetää perskännit, sammua autooni parkkipaikalle, herätä seuraavana päivänä ja jatkaa matkaa.

Mutta niin ei käynytkään.

Istuin baarin perällä omissa oloissani. Oli hiljainen ilta, asiakkaita oli harvakseltaan. Baarimikko oli ystävällinen ja yritti aloitella keskustelua, mutta olin sen verran tyly, että hän otti vihjeestä vaarin.

Kun baarimikko kaatoi minulle seuraavaa paukkua, baariin astui uusi asiakas. Hän oli iso, paljon isompi kuin minä – sekoitus lihasta ja rasvaa. Hän oli kymmenisen senttiä pitempikin. Baarimikko kutsui häntä nimellä Jed.

Jedin tukka oli niin lyhyt, että ihmettelin, miksei hän vain ajellut sitä kokonaan pois. Leuan alla oli rosoinen puolikuun muotoinen arpi: joku oli selvästikin käytellyt rikkinäistä pullonpohjaa hänen naamaansa. Hän oli myös murtanut nenänsä useammin kuin kerran, ja oikea korva näytti hiukan muodottomalta, ikään kuin se olisi joskus murskautunut kalloa vasten. Ei tarvinnut olla älyn jättiläinen huomatakseen, että Jed hankkiutui mieluusti tappeluihin.

Hän istuutui baaritiskin ääreen, vasemmalle neljän jakkaran päähän minusta. Kaksi asiakasta, jotka olivat istuneet pöydissä takanamme, nousivat ja poistuivat paikalta.

Näytti siltä, ettei Jed ollut järin suosittu kaveri.

Hän löyhkäsi halvalta viinalta ja tunkkaiselta hieltä.

”Vittu bisseä, Tom”, hän rähähti hiukan laahaavalla äänellä. Hänen pupillinsa olivat lautasen kokoiset, eli hän oli sekoittanut päätään jollakin viinaa vahvemmalla.

”Ei kai nyt sentään, Jed.” Baarimikko epäröi ja piti äänensä vakaana. ”On myöhä, ja olet ottanut jo ihan riittävästi yhdelle illalle.”

Jedin bulldoginnaama kurtistui entisestään.

”Kuka vittu sinä olet minun juomisiani vahtimaan, Tom?”

Hänen äänensä kohosi pari desibeliä, ja jälleen yksi asiakas luikahti ulos ovesta.

”Minä päätän, koska olen saanut tarpeeksi. Ja nyt vittu annat sen kaljan ennen kuin työnnän pullon perseeseesi, saatanan hintti.”

Tom otti olutpullon jääkaapista, kiersi korkin auki ja asetti sen baaritiskille Jedin eteen.

Jed tarttui pulloon ja hörppäsi siitä puolet kolmella isolla kulauksella.

Tajusin tuijottavani vasta, kun Jed kääntyi minua kohti.

”Vittuako siinä kyyläät?” hän tivasi ja työnsi pullon syrjään.

”Oletko joku vitun homo?”

En vastannut hänelle mutten kääntänyt katsettanikaan.

”Esitin kysymyksen, homo.”

Jed otti uuden huikan.

”Tykkäätkö näkemästäsi, hinttari?” Hän kohotti oikeaa käsivarttaan ja pullisti hauista kuin kehonrakentaja. Sen jälkeen hän heitti minulle lentosuukon.

Tämä itseään Jediksi kutsuva paskakasa oli hypnotisoinut minut.

”Anna olla, Jed”, baarimikko yritti tulla väliin. Hän osasi selvästi ennustaa, mitä tuleman piti. ”Anna olla jo. Kaveri tuli vain ottamaan ryypyn kaikessa rauhassa.”

Baarimikko viestitti minulle katseellaan: *Usko hyvän sään aikana. Et halua tätä.*

En liikahtanutkaan. En todennäköisesti edes räpäyttänyt silmääni.

”Vittu turpa umpeen, Tom”, Jed sanoi ja osoitti baarimikkoa sormella katsoen samalla minua. ”Haluan tietää, miksi tämä homppeli tuijottaa minua. Haluatko panna tänä yönä oikeaa miestä? Sitäkö sinä haluat, peppu-Pedro? Haluatko maistaa tätä?” Jed osoitti kaksin käsin massiivista alavatsaansa.

Mittailin hitaasti katseellani hänen kehoaan, ja se tuntui suututtavan häntä rajattomasti. Hänen leukansa lukkiutuivat raivosta. Hänen naamansa punehtui entisestään, ja hän nousi uhkaavasti baarituoliltaan.

Ja siinä se oli.

Sysäys.

Se ei johtunut hänen vastenmielisestä käytöksestään tai hajustaan tai nimittelystään tai siitä, että hän oli niin saakelin ruma, että hänen täytyi todennäköisesti lähestyä peiliä hiipien. Se ei johtunut edes siitä, ettei hän antanut minun juopua rauhassa. Se johtui siitä, että hän kuvitteli voivansa osoittaa minulle ylemmyytensä. Se sysäsi minut reunan yli.

Sillä hetkellä tiesin, että Jed kuolisi sinä yönä.

Viisikymmentäyhdeksän

Hunter lakkasi lukemasta ja katsoi Kennedyä.

Vaikka Kennedy näki sanat ylösalaisin, hän oli seurannut Hunterin katsetta ja tiesi täsmälleen, missä kohtaa Hunter oli pysähtynyt.

"Jatka lukemista", hän sanoi. "Pian seuraa käänne."

En haastanut Jediä. En siinä. En halunnut ryhtyä nyrkkitappeluun hänen kanssaan julkisella paikalla. Se olisi ollut aivan liian uhkarohkeaa.

Asetin tiskille kolmekymmentä dollaria maksuksi juomistani, nousin baarituolilta ja peräännyin pari askelta.

"Mikä nyt tuli, hintti?" Jed sanoi ja liikutteli käsiään kuin gangstaräppäri. "Pelottaako?"

Tom oli tullut tiskin takaa ja puuttui ripeästi peliin asettumalla Jedin ja minun väliin.

"Älä nyt, Jed, ei tässä mitään ongelmaa ole. Kaveri ei sanonut mitään ja on juuri lähdössä, eikö niin?"

Tom käänsi kaulaansa katsoakseen minua. Hänen katseensa rukoili minua lopettamaan ajoissa ja poistumaan paikalta.

Napsahdin lopulta transsistani, lakkasin tuijottamasta Jediä ja käännyin kannoillani.

"Hyvä, saatanan munaton nillittäjä. Häivy täältä, ennen kuin pieksän sinut siniseksi."

Avasin oven ja astuin ulos lämpimään, kosteaan yöhön.

En mennyt mihinkään. Nousin vain autooni, ajoin tien toiselle puolelle ja pysäköin hämärään paikkaan ruosteisen roskasäiliön viereen. Minulla oli sieltä käsin suora näköyhteys baarin sisäänkäynnille.

Odotin.

Jed hoippuroi ulos neljänkymmenenkuuden minuutin kuluttua ja löysi tiensä kolhuisen Fordin lava-auton luo. Kesti melkein minuutin, ennen kuin hänen onnistui saada avain lukkoon ja avata ovi. Hän ei lähtenyt suorinta tietä ajamaan, ja hetken luulin, että hän sammuisi autoon, mutta niin ei käynyt. Hän sytytti jointin ja poltteli koko hemmetin sätkän ennen kuin käynnisti moottorin.

Seurasin häntä, kun hän kääntyi tielle. Pidin etäisyyteni, mutta ei minun olisi tarvinnut. Jed oli pahassa soosissa. Hän ei olisi huomannut, vaikka häntä olisi seurannut kultaiseen balettihameeseen sonnustautunut vaaleanpunainen elefantti.

Jed ajoi holtittomasti, ja eniten minua pelotti, että kytät pysäyttäisivät hänet. Jed olisi siinä tapauksessa viettänyt yön putkassa rattijuopumuksen vuoksi, ja minä olisin todennäköisesti vain ajanut tieheni. Jedin kannalta oli valitettavaa, ettei poliiseja sinä yönä näkynyt Mississippin Scottin piirikunnan Forest Cityssä.

Jed asui aivan pikkukaupungin liepeillä yksikerroksisessa, likaisessa, vanhassa, haalistuneensinisessä puutalossa tien varrella. Autotallia ei ollut, ja soralla päällystetyn pihatien vieressä rehotti pensaita ja ylikasvanutta ruohoa. Hän pysäköi lava-auton tonttia kiertävän ruosteisen metalliaidan viereen ja poltteli uuden jointin, ennen kuin vihdoin lähti vaappumaan kohti taloa.

Löysin paikan, johon saatoin pysäköidä pois Jedin silmistä. Odotin kaksikymmentä minuuttia ja hiivin hyvin hiljaa talolle. Etuovi oli lukossa, mutta löysin pian avoimen ikkunan. Tiesin, että sellainen olisi. Yö oli aivan liian kuuma ja tukala, jotta ilmastoimattomassa talossa olisi voinut pitää kaikkia ikkunoita ja ovia kiinni.

Talossa haisi rasvalta, käristetyltä sipulilta, tunkkaiselta tupakalta ja kuivalta mädältä. Paikka oli saastainen ja sietämättömän sotkun vallassa, mutta Jedin tavattuani en ollut odottanut yhtään enempää.

Hiivin syvemmälle taloon. Makuuhuone oli helppo löytää. Riitti, että seurasin kuorsauksen ääntä. Ja Jed kuorsasi kuin kiimainen hirmulisko. Päätin kuitenkin, etten halunnut surmata häntä sänkyynsä. Se olisi ollut aivan liian helppoa.

Kiihtymys sai veren kuplimaan suonissani, ja sydämeni alkoi hakata uutta rytmiä. Adrenaliinirauhaseni pääsivät siitä kärryille ja alkoivat pumpata täydellä teholla. Kuola valui suustani kuin nälkäisellä koiralla teurastajan puodissa. Halusin pitkittää tunnetta mahdollisimman kauan. Mikään ei kiihdytä niin paljon kuin uhrin talossa piileskely ja oikean hetken odottaminen.

Hain keittiöstä terävän veitsen. Onneksi valinnanvaraa oli runsaasti. Tiesin, että Jedin kaltainen lihava rasvapallo nousisi keskellä yötä ja menisi joko keittiöön hakemaan lisää sapuskaa tai vessaan lorottamaan neljän litran kuset. Äijä oli juonut sen verran kaljaa, että huussi oli todennäköisempi vaihtoehto. Kätkeydyin suihkuverhon taakse, jotta hän näkisi minut vasta, kun olisi liian myöhäistä.

Peitin kenkäni muovipusseilla, jotka olin nekin löytänyt keittiöstä, vedin suihkuverhon sivuun, nousin saastaiseen kylpyammeeseen, nojauduin kaakeliseinään ja odotin. Pystyn olemaan tarpeen vaatiessa tuntikausia liikkumatta.

Odottaminen sai koko kehoni kihelmöimään kuin olisin seissyt porekylvyssä, oman mahtini päihdyttämänä.

Jed laahautui vessaan tunnin ja kolmenkymmenenneljän minuutin kuluttua minuutin kuluttua.

Vedin syvään henkeä estääkseni itseäni käymästä hänen kimppuunsa liian aikaisin. Olin viiltänyt muoviverhoon pienen aukon, josta näin ulos. Jed seisahtui eksyneen näköisenä astuttuaan kylpyhuoneeseen.

Ja oikea hetki koitti juuri silloin.

Kuusikymmentä

Oli kuin sanat olisivat hypnotisoineet Hunterin ja Taylorin. He eivät pystyneet irrottamaan katsettaan Lucienin muistikirjasta. Tuntui kuin he olisivat lukeneet bestseller-trillerią, paitsi että joka ainoa sana oli totta.

Jed kääntyi yhä kännissä, pilvessä ja puoliunessa kohti suihkuverhoa ja venytti valtavat käsivartensa korkealle päänsä päälle. Haukotuksen myötä hänen suunsa avautui mustaksi aukoksi, ja haistoin verhonkin takaa hänen mädän hengityksensä. Silmien verestys oli yhdistelmä aiemmin poltettua ruohoa, alkoholia ja raskasta unta, josta hän oli juuri herännyt. Hänellä oli päällään pelkät paskaiset bokserit. Näky sai minut melkein nauramaan.

Hetken näytti siltä, että hän yritti keskittää katsettaan suihkuverhoon. Ehkä hän oli huomannut viiltämäni aukon. En voi olla varma, mutta tiesin, että se oli merkkini.

Olin niin adrenaliinin ja kiihtymyksen vallassa, että minun on täytynyt liikkua tuplanopeudella. Jedin aivot ja refleksit puolestaan olivat niin pahasti alkoholin, huumeiden ja unen turruttamat, että hän reagoi kaksi kertaa tavallista hitaammin. Nämä kaksi tekijää yhdessä aiheuttivat sen, ettei Jed huomannut ilmaantumistani lainkaan.

Vedin vasemmalla kädelläni suihkuverhon sivuun samalla, kun jo työnnyin eteenpäin. Oikea käteni ja veitsi liikkuivat nopeasti korkeassa kaaressa oikealta vasemmalle.

Terä osui Jediä juuri siihen mihin halusinkin – kaulan ja kurkun poikki. Terävän veitsen ja voimakkaan liikkeen yhdistelmä olisi osoittautunut tappavaksi kenen tahansa kohdalla. Veitsi viilsi läpi ihon ja lihaksen kuin ne olisivat olleet riisipaperia. Korkealle ilmaan suihkunneiden valtimoroiskeiden – ne osuivat ensin kasvoihini, sitten suihkuverhoon ja taakseni seinälle – perusteella tiesin viiltäneeni läpi Jedin sisempien kaulalaskimoiden. Olin myös rikkonut hänen ylemmän ilmatiehyensä. Hänen katseensa kohtasi omani ohikiitävän hetken ajaksi, mutten ole varma, tunnistiko hän minua tai edes ymmärsi, mitä tapahtui.

En välittänyt siitä, ymmärsikö hän vai ei. Kehoni oli jo ekstaasin vallassa. Tartuin Jeffin takaraivoon vasemmalla kädelläni ja nykäisin hänen päätään rajusti taaksepäin paljastaen tappavan haavan kokonaisuudessaan. Nautin katsellessani, miten veri suihkusi hänen kaulastaan, ryöppysi pitkin rintaa ja vaahtosi suusta. Hänen äänijänteensä saivat tuotettua vain tukahtunutta, kurlaavaa ääntä. Pitelin häntä tuossa asennossa, kunnes hänen vauhko katseensa sammui. Kunnes kurlaava ääni oli poissa. Kunnes hänen ruumiinsa muuttui pelkäksi kuolleeksi painoksi.

Kun Jed oli lysähtänyt lattialle, pysyttelin kylpyhuoneessa vielä seitsemän minuuttia yhä päihtyneenä kaikista niistä luonnonkemikaaleista, joita aivoni olivat minulle tarjonneet. En tuntenut syyllisyyttä. En katumusta.

Pesin kasvoni ja käteni mutten ollut erityisen huolissani vaatteistani. Polttaisin ne heti, kun olisin lähtenyt talosta.

Oli aika siirtyä eteenpäin.

Kohtalo osaa kuitenkin yllättää, ja kun kävelin pitkin lyhyttä käytävää ja ohitin Jedin makuuhuoneen, jokin osui silmiini ja sai minut pysähtymään. Ovi oli apposen avoinna, ja näin hänet ensimmäisen kerran.

Oli vaikea uskoa, että Jedin kaltaisella valtavalla ihmispaskalla voisi olla tyttöystävää. Tiesin, ettei nainen ollut hänen vaimonsa, sillä kummallakaan ei ollut vihkisormusta. Mutta tyttöystävä hänellä oli, ja siinä hän makasi sammuneena sängyllä. Yllättävää kyllä, nainen ei ollut alkuunkaan yhtä iso ja ruma kuin Jed: hänellä oli lyhyt tumma tukka, korkeat poskipäät, herkät huulet ja sileä hunajanvärinen iho. Hän oli viehättävä, hyvinkin suuressa määrin. Jää ikuiseksi mysteeriksi, miten hän oli päätynyt yksiin Jedin kanssa.

Seisoin ovella ja tuijotin nukkuvaa naista vielä hetken. Jedin kurkun leikkaamisen nostattama huuma virtasi yhä suonissani. Miten kukaan voisi suosikkihuumeensa päihdyttämänä kävellä pois, kun hänelle tarjotaan niin auliisti lisää?

Kehoani alkoi jälleen kihelmöidä, ja tunsin, miten liipaisinta vedettiin pääni sisällä jo toistamiseen samana yönä. Päätin, etten enää taistelisi himoani vastaan, joten astuin hiljaa ja varovasti huoneeseen ja asetuin vuoteelle naisen viereen. Tunsin yhä Jedin jättämän lämmön.

En liikahtanutkaan kahteenkymmeneenkahteen minuuttiin. Pysyttelin vain paikoillani ja katsoin Jedin nukkuvaa tyttöystävää, odottaen, hengittäen hänen hiustensa tuoksua, tuntien hänen lämpimän kehonsa niin lähellä omaani.

Sitten hän liikahti.

Hän kierähti ympäri ja kietoi käsivartensa rintani ympärille uniseen halaukseen, niin kuin pariskunnat tekevät. Hänen silmänsä pysyivät kiinni. Hänen kätensä asettui olkapäälleni, enkä minä pystynyt hillitsemään itseäni. Tartuin hänen käteensä niin lempeästi kuin pystyin, kohotin sen huulilleni ja ryhdyin suutelemaan ja nuolemaan hänen sormiaan. Ne tuoksuivat ja maistuivat käsivoiteelta.

Hän varmaankin nautti suukottelusta ja näykkimisestä, sillä hän voihkaisi kevyesti ja asetti hitaasti säärensä ylleni. Sen asettuessa kehoni ylle hän vaistosi alitajuisesti ja ymmärrettävästi Jedin ruumiinmassan poissaolon. Hän oli tottunut Jedin kokoon. Hänen säärensä hermot rekisteröivät sen, mutta hänen uneliailla aivoillaan kesti muutama sekunti tulkita signaalit. Kun niin tapahtui, hän kurtisti kulmiaan jo ennen kuin hänen silmänsä rävähtivät auki.

Huoneen valaistus ei ollut kehuttava. Hänellä oli apunaan vain täysikuu, joka roikkui nyt matalalla itäisen seinän avoimen ikkunan takana. Kasvoni olivat puolittain varjojen peitossa.

En ilmeisesti ollut peseytynyt niin huolellisesti kuin olin kuvitellut, sillä juuri sillä hetkellä pisara Jedin verta ropsahti hiuksistani otsalleni, norui pitkin kulmakarvaani ja valkoiselle tyynyliinalle.

Nainen räpytteli jälleen silmiään. Tällä kertaa räpäys oli hermostunut ja täynnä kauhua. Hänen aivonsa rekisteröivät jonkin olevan vialla. Ne aistivat vaaran ja herättivät hänet nopeasti. Hän nykäisi päätään kauemmas, niin että pystyi paremmin tarkentamaan katsettaan, ja sen jälkeen kauhu jähmetti hänet paikoilleen.

Hän näki muukalaisen veren liottamissa vaatteissa, makaamassa siinä, missä hänen poikaystävänsä olisi pitänyt olla, tuijottamassa häntä suoraan silmiin, kaksi hänen sormeaan työnnettynä suuhunsa.

Kuusikymmentäyksi

Hunter lopetti lukemisen ja sulki muistikirjan.

Erikoisagentti Taylor astui levottomana taaksepäin ja huitaisi viskinsä yhdellä huikalla.

”Missä muut ovat?” Hunter kysyi ja nyökkäsi kohti muistikirjaa.

”Tuo on ainoa”, Kennedy vastasi. ”Muissa Murphyn-talolta löydetyissä muistikirjoissa ei ollut mitään. Pari piirrosta ja luonnosta muttei muuta. Ei mitään tällaista.”

”Näitä täytyy olla enemmän.” Hunter kuulosti hiukan hämmentyneeltä. ”Oletko varma, että he kävivät läpi kaikki kirjat ja muistikirjat?”

”Olen”, Kennedy vahvisti. ”Lucienin täytyy säilyttää niitä jossakin muualla, kenties hajautettuna useampaan paikkaan. Se ei yllättäisi minua lainkaan. Sinun täytyy selvittää asia kuulustelujen aikana.”

Hunterin ilme koveni.

Kennedy ymmärsi yskän. Uupumus alkoi todella kuulua hänen käheässä äänessään, joka oli nyt alkanut muistuttaa raakuntaa.

”Kuule, Robert, en missään tapauksessa hyväksy yhtä ainutta Lucienin tekoa. Mikäli kuitenkin olet oikeassa sen suhteen, että hän on kirjannut muistiin kaikki tekonsa ja tuntemuksensa, hän on jo tehnyt sen kaiken eikä sitä saa tekemättömäksi. Jos nämä muistikirjat todella ovat olemassa, voimme yhtä hyvin etsiä ne käsiimme. Ensinnäkin niistä löytyy todisteita sarjamurhaajatapauksesta, joka epäilyksettä jää historiankirjoihin. Toisekseen näistä muistiinpanoista ja teksteistä saamamme psykologinen ja käyttäytymistieteellinen tieto sekä ymmärrys saattaa osoittautua käänteentekeväksi kamppailussamme äärimmäisen väkivaltaisia rikoksenuusijoita vastaan. Lainvalvontaviranomaisena ja psykologina tiedät sen vallan mainiosti, Robert."

Hunter ei keksinyt siihen mitään sanottavaa.

"Seattlen itsepalveluvarastosta ei siis löytynyt mitään muuta?" Taylor kysyi.

"Ei muuta kuin arkkupakastin ja irti leikatut ruumiinosat", Kennedy vahvisti.

Kaikki vajosivat hetkeksi ajatuksiinsa.

"Kysyin Scottin piirikunnan seriffinvirastosta Mississippissä", Kennedy jatkoi lopulta. "Jed Davis ja hänen tyttöystävänsä Melanie Rose teurastettiin talossaan Forest Cityn ulkopuolella kaksikymmentäyksi vuotta sitten. Heidät löysi Rosen äiti, joka piipahti tuomaan pariskunnalle kotitekoista omenapiirakkaa kaksi päivää murhien jälkeen. Ketään ei koskaan pidätetty." Hän piti tauon painottaakseen sanojaan ja vetääkseen henkeä. "Oikeuslääkärin mukaan Melanie Rosen pää oli sahattu irti keittiöveitsellä. Pää oli jätetty olohuoneen ruokapöydälle. Sen hänen äitinsä näki ensimmäiseksi katsoessaan sisään ikkunasta." Kennedy katsoi Hunteria, ja ilme hänen kasvoillaan oli vakava kuin sydänkohtauksen alla. "Lucien tappoi hänet vain siksi, että hän sattui olemaan kotona, Robert. Lucien tappoi hänet puhtaan nautinnon tähden."

Hunter sulki silmänsä ja puristi huulensa toisiaan vasten.

"Luit kuvauksen", Kennedy lisäsi. "Hän kirjoitti sen teurastamista seuranneena päivänä. Kertomus ja sanavalinnat ovat selkeitä ja tarkkoja, eivät hysteerisiä tai edes hermostuneita. Me kaikki tiedämme, että se tarkoittaa täydellistä emotionaalista irtautumista. Kuten olet sanonut, hänen kirjoitelmansa ovat tapaustutkimus siitä, mitä brutaalin tappajan mielessä liikkuu – miten hän ajattelee, mitä hän tuntee, mikä häntä ajaa – ennen hyökkäystä, sen aikana ja sen jälkeen. Voit kutsua minua itsekkääksi, Robert, mutta minä haluan tuon tiedon. Me *tarvitsemme* tuon tiedon. Jos ne kirjat ovat olemassa, minä haluan ne."

Hunter käveli ikkunalle ja katsoi ulos. Yö ja sadepilvet olivat tummentaneet taivaan, mutta jollain tavoin se sai hänet näkemään asiat selkeämmin, ymmärtämään jotakin, mitä hän ennen tätä ei ollut ymmärtänyt. Ja hän kirosi itseään, koska ei ollut tajunnut sitä aiemmin.

"Kyllä sinä ne saat, Adrian", hän sanoi. "Lucien haluaa sinun saavan ne."

Taylor kurtisti kulmiaan ja Kennedy loi Hunteriin vinon katseen. "Mitä tarkoitat?"

"Tämä kaikki oli ennalta suunniteltua", Hunter sanoi.

Taylorin ja Kennedyn hämmennys vain kasvoi.

"Mikä oli suunniteltua, Robert?" Taylor kysyi.

"Kiinni jääminen." Hunter kääntyi katsomaan heitä. "No, ajoitus ei ehkä mennyt sataprosenttisesti putkeen sen suhteen. Ehkä Lucien olisi halunnut jatkaa toimintaansa vielä jonkin aikaa. Hän ei olisi ikinä osannut ennustaa, että Wyomingin onnettomuus olisi johtanut meidät hänen kimppuunsa, mutta uskon, että hän on koko ajan laskenut sen varaan, että jää jonain päivänä kiinni."

Kennedyllä kesti hetken saada kiinni Hunterin ajatuksenjuoksusta. "Niinpä. Mitä järkeä on kirjoittaa tietokirja tappamisesta ja käyttäytymismotivaatiosta, jos kukaan ei koskaan lue sitä... tai tutki sitä?"

Hunter oli ääneti samaa mieltä.

Taylor pohti asiaa hetken muttei ollut aivan yhtä vakuuttunut. "Joo, mutta miksi hän sitten halusi jäädä kiinni? Hänhän olisi voinut toimittaa kirjat FBI:lle, lähettää ne nimettömänä tai jotain."

"Sillä ei olisi ollut samaa vaikutusta", Hunter huomautti.

"Robert on oikeassa", Kennedy komppasi. "Muistikirjoilla ei olisi itsessään ollut samaa painoarvoa kuin tekijän nappaamisella. Meillä olisi kestänyt paljon pitempään löytää hänet, koska olisimme miettineet kuumeisesti, olivatko kirjat huijausta vai eivät. Nyt kun Lucien on pidätettynä... häntä on kuulusteltu ja hän on johdattanut meidät ruumiiden jäänteiden luo... se kaikki lisää muistikirjojen uskottavuutta."

Kennedy vaikeni uuden ymmärryksen valjetessa. Hän katsoi Hunteria. "Ja siksi hän pyysi sinua paikalle."

Hunter huokaisi ja nyökkäsi.

"Koska *sinä* lisäät Lucienin hahmon uskottavuutta", Kennedy sanoi. "Olitte opiskelutovereita. Jaoitte asuntolahuoneen. Olitte parhaita ystäviä. Tiedät, miten älykäs hän on, ja hän tiesi, että sinä myös vahvistaisit sen." Hän kiersi työpöytänsä taakse. "Hän laskee varmasti sen varaan, että muistat käymänne keskustelun 'tappamisen tietokirjasta'. Hän tiesi, että muistaisit Susan Richardsin. Olet kaiken aikaa ollut tärkeä osa hänen suunnitelmaansa."

"Hänen uskottavuutensa on nyt todistettu", Taylor keskeytti, "joten miksette vain pyydä häneltä muistikirjoja? Jos olette oikeassa, ja hän halusi alun alkaenkin, että FBI saisi ne haltuunsa, hänen luulisi kertovan mielihyvin, missä ne ovat."

"Ei hän kerro", Hunter sanoi. "Ei vielä."

"Miksi ei?"

"Koska hän ei ole vielä valmis."

Kuusikymmentäkaksi

Hunter onnistui saamaan kolmen ja puolen tunnin levottomat unet. Hän oli jalkeilla kello 05.00. Puoli seitsemään mennessä hän oli jo käynyt kahdeksan kilometrin lenkillä, ja puoli kahdeksalta hän ja Taylor olivat jälleen alatasolla viisi.

Kuten edellisenäkin päivänä, Lucien odotti heitä tyynesti sänkynsä reunalla oikea sääri vasemman ylle nostettuna ja kädet ristissä sylissä.

Hunter, Taylor ja Kennedy olivat edellisenä iltana päättäneet, että oli järkevintä olla painostamatta Lucienia puhumaan muistikirjoista, mikäli ne ylipäätään olivat olemassa. Uhrien jäänteet olivat tärkeysjärjestyksessä ensimmäisenä.

"Mietin, mahdatko yhä olla täällä, Robert", Lucien sanoi, kun kuulustelijat istuutuivat paikoilleen. "Ajattelin, että saattaisit ehkä haluta nähdä Susanin jäänteet omin silmin. Ajattelin, että saattaisit olla matkalla Nevadaan tapaamaan hänen vanhempiaan." Hän silmäili Hunterin ilmettä muttei löytänyt mitään. "Mutta kyllähän te hänet löysitte?" Kysymys kuulosti välinpitämättömältä.

"Me löysimme hänet", Taylor vahvisti.

"Ah, niinpä tietenkin", Lucien sanoi aivan kuin olisi juuri muistanut jotakin. "Testejä ja lisää testejä. Kyllähän sinä tiedät, että se on hän, eikö niin, Robert?"

Ei reaktiota.

"Mutta FBI ei evääänsä väräytä, ennen kuin labrasta on saatu varmistus. Protokolla sanelee niin. Olisi hutilointia ja mahdollisesti erittäin vaurioittavaa molempien osapuolten kannalta tiedottaa Susanin vanhemmille ennen kuin Susanin jäänteistä on saatu sataprosenttinen varmistus. Se on hyvin ymmärrettävää."

"Onko La Hondan -talon liepeille haudattu muita uhreja?" Hunter kysyi.

Lucien hymyili. "Harkitsin sitä kyllä. Sijaintihan on aivan loistava. Piilossa kaikelta. Ei naapureita. Kukaan ei tule kyttäämään." Hän pudisti päätään. "Mutta ei. Susan oli La Hondan ainoa ruumis. Tämä on valtava maa, Robert. Vastaavia paikkoja ei ole vaikea löytää. Oli miten oli, Susanin jälkeen minulla kesti kauan ennen kuin sain itseni ryhdistäytymään." Hän naksautteli käsiensä rystysiä toisiaan vasten. "Me kaikki olemme kuulleet ja lukeneet 'viilentymistauoista' sarjamurhien välillä, mutta voin sanoa... se voi olla aika helvetin synkkää aikaa."

Hunter ei ollut erityisen innostunut kuulemaan Lucienin henkilökohtaisia tilityksiä tunnetiloistaan, ja vaikka hän tiesikin, että Lucien pyrki venyttämään jokaista kuulustelua mahdollisimman pitkälle, hän painosti silti miestä antamaan hänelle haluamansa tiedon.

"Kerro meille jonkin toisen uhrin nimi ja sijainti, Lucien."

Lucien jatkoi aivan kuin ei olisi kuullutkaan kysymystä.

"Susanin jälkeisinä päivinä, viikkoina ja kuukausina, kun tappamisen synnyttämä 'huumaava vaikutus' oli hiipunut" – hän piirsi ilmaan lainausmerkit – "olin aivan varma siitä, etten enää koskaan tekisi sitä. Mutta ajan kuluessa himot alkoivat pikkuhiljaa palailla. Ja ne palasivat väkevämpinä, vaativampina. Kaipasin ylimaallista päihtymystilaa. Kaipasin mahdin tunnetta, joka minut oli tuona yönä Susanin kanssa vallannut. Tiesin myös, että niin kehoni kuin aivonikin halusivat kuollakseen kokea sen uudestaan."

"Miten pitkään sitä kesti?" Taylor kysyi. "Tarkoitan 'viilennysaikaa'? Miten pitkä aika Susan Richardsin ja toisen uhrisi välillä oli?"

"Seitsemänsataayhdeksän päivää."

Lucienin ei tarvinnut edes miettiä vastausta. Luku oli etsattu hänen aivoihinsa. Jokainen yksityiskohta kaikista hänen teoistaan oli etsattu hänen aivoihinsa.

"Olin jo Yalessa", hän jatkoi. "Hänen nimensä oli Karen Simpson."

Hunter kurtisti kulmiaan.

Lucien katsoi häntä ja nyökkäsi. ”Aivan oikein, Robert. Karen oli todellinen. Kaikki ne tatuoinnit, huuli- ja nenälävistykset, sentin mittaiseksi venytetty vasen korvanlehti, Bettie Pagen tyylinen otsatukka... Tapasin hänet Yalessa, aivan kuten teille kerroin, mutta eräästä asiasta minä valehtelin. Karen ei ollut huumeidenkäyttäjä. Keksin sen, koska se sopi tarinaan, jonka halusin teille pari päivää sitten tarjoilla. Opin tempun matkan varrella. Jos aikoo valehdella, kannattaa käyttää mahdollisimman paljon paikkansapitäviä faktoja – todellisia ihmisiä, nimiä, kuvauksia, paikkoja, aikajanoja ja niin edelleen. Ne on helpompi muistaa, ja jos täytyy myöhemmässä vaiheessa kertoa tarina uudestaan, kiinnijäämisen riski on pienempi.”

Hunter tunsi teorian.

”Kuten jo aiemmin sanoin, Karen oli hyvin hurmaava nainen. Hänkin teki väitöskirjaa psykologiasta. Meillä oli tapana opiskella yhdessä. Itse asiassa...” Lucien väläytti heille höpsön hymyn, sellaisen, joka viestitti: *Tiedän jotain, mitä te ette tiedä.* ”Te molemmat olette jo tutustuneet häneen.” Hän loi Hunteriin ja Tayloriin haastavan katseen.

”Ne muut kellarin kehystetyt tatuoinnit”, Hunter sanoi

”Aivan oikein, Robert”, Lucien myönsi. ”Kurjet.”

Lucienin kellarista löydettyjen kehystettyjen ihonpalasten joukossa oli värikäs, kahta kurkea kuvaava tatuointi. Malli oli otettu Katsushika Hokusain maalauksesta *Kurjet lumisessa männyssä.*

”Se oli tatuoitu hänen oikeaan kyynärvarteensa”, Lucien sanoi. ”Ja vaikka Karen oli vasta toinen uhrini, päätin hieman irrotella.”

Kuusikymmentäkolme

Tapa, jolla Lucien lausui viimeiset sanansa, tuntui hyytävän ilman hetkeksi. Oli kuin pahuus olisi kaiken aikaa lymyillyt kulman takana ja aikoi juuri tehdä itsensä tiettäväksi.

"Kuten olen sanonut", Lucien jatkoi, "himot alkoivat palailla muutaman kuukauden kuluttua siitä, kun olin lähtenyt Stanfordista, mutta ne muuttuivat sietämättömiksi vasta paljon myöhemmin. Alkuun kuvittelin pärjääväni niiden kanssa. Luulin, että ne olisi helppo pitää kurissa, mutta kuten jokaiselle rikoksenuusijalle lopulta selviää, olin väärässä."

Lucien hieroi molemmin käsin niskaansa, sulki silmänsä ja kallisti päätään taaksepäin. Useamman äänettömän sekunnin jälkeen hän hengitti ulospäin.

"Tällä kertaa tilanne oli muuttunut. Kuten aiemmin sanoin, ajattelin Susania mahdollisena uhrina vasta tapahtumayönä. Tällä kertaa tiesin, että valintani kohdistuisi Kareniin. Olin tiennyt sen siitä päivästä lähtien, kun tapasin hänet."

"Mikä sai sinut tekemään tuon päätöksen?" Taylor kysyi. "Mikä sai sinut valitsemaan Karenin?"

Lucien näytti vaikuttuneelta. "Oikein hyvä kysymys, agentti Taylor. Alat oppia."

Tatuoinnit, Hunter mietti. Vaikka Karen ei fyysisesti muistuttanutkaan Susania, tatuoinnit toivat Lucienin mieleen Susanin. Hän oli jo aiemmin myöntänyt, että jahtasi samaa päihtymystä. Uusi uhri, jolla myös oli suuria tatuointeja, tarkoitti että Lucien pystyisi nylkemään hänet osittain aivan kuten Susaninkin. Samoja metodeja, samaa toimintatapaa toistamalla useimmat rikoksentekijät uskovat, että voivat saavuttaa samat tuntemukset ja saman huuman kuin aiempien murhien yhteydessä.

Lucien näytti siltä kuin tämä olisi ensimmäinen kerta, kun hän ylipäätään mietti syitä siihen, miksi oli valinnut Karenin.

"Tatuoinnit varmaankin olivat se ensimmäinen asia, joka minua veti kohti Karenia."

Hunter ei silmäänsä räpäyttänyt.

"Pitää muistaa, että suuret värikkäät tatuoinnit eivät kaksikymmentäkolme vuotta sitten olleet yhtä suosittuja kuin tänä päivänä", Lucien sanoi. "Varsinkaan naisten keskuudessa. Tatuoinnit toivat mieleeni Susanin." Hänen sanansa olivat kuivia kuin luut. Ne tuntuivat imevän kaiken kosteuden ilmasta. "Aloin nähdä niistä unia. Aloin fantisoida leimojen nylkemisestä Karenin iholta aivan kuten olin tehnyt Susanille. Ja silloin tajusin, että eräs toinen teoria oli osoittautumassa todeksi."

Lucien nyökkäsi Hunterille aivan kuin he olisivat vuosia sitten lyöneet salaa vetoa siitä, mitkä teoriat osoittautuisivat todeksi ja mitkä eivät.

"Alitajuisesti aivoni palasivat jatkuvasti samaan toimintatapaan, jota olin käyttänyt Susanin yhteydessä, ja me kaikkihan tiedämme miksi, eikö vain? Vaikka alkuperäinen toimintatapani olikin kaikkea muuta kuin täydellinen, tiesin, että minun olisi miellyttävämpää turvautua samaan metodiin, jota olin käyttänyt aiemmin ja jonka tiesin toimivaksi. Tuttuus, agentti Taylor. Sen vuoksi rikoksenuusijat harvemmin vaihtavat toimintatapaansa." Hän osoitti Taylorin muistivihkoa. "Voit kirjata sen muistiin, jos haluat."

Lucien nousi seisomaan, kaatoi itselleen lasillisen vettä pesualtaan hanasta ja palasi sängyn reunalle.

"Päätin kuitenkin, etten halunnut miellyttävää ja helppoa kokemusta. En halunnut tehdä jotain, minkä olin jo tehnyt. Se ei kuulunut suunnitelmaani. Niinpä aloin miettiä, mitä tekisin toisin. Jo ennen Kareniin tutustumista olin tiennyt, että tappaisin uudestaan. Mielessäni ei enää ollut epäilyksiä. En enää kyennyt hillitsemään himojani. Tiesin, että tappaminen oli ajan kysymys ja että minun täytyi vain löytää oikea uhri. Siksi aloitin uuden kätköpaikan etsimisen."

"Missä hän on?" Hunter kysyi.

"Voi, hän on yhä Connecticutissa", Lucien vahvisti. "Itse asiassa ei kovinkaan kaukana New Havenista ja Yalen yliopistosta." Lucienista tuntui säteilevän jotakin ylimaallista, kuin kohtalokasta tyyneyttä, joka pystyi säikäyttämään kenet hyvänsä.

"Missä tarkalleen ottaen?" Hunter painosti.

Lucien epäröi, lähinnä näön vuoksi, kallisteli päätään kuin puolittain epävarmana.

"Minä kerron, mutta haluan ensin esittää kysymyksen."

Taylor tarkkaili valppaasti Lucienia. Hän ei ikinä unohtaisi pahansuopaa hymyä, jonka Lucien heille väläytti.

"Tiedättekö, mikä LIN-räjähde on?"

Kuusikymmentäneljä

Lucien oli tavannut Karen Simpsonin toisen opiskeluvuotensa alussa Yalen yliopistossa. Karen oli juuri tullut vaihtoon jostakin englantilaisesta paikasta ja oli vasta asettumassa aloilleen. Lucien ei ollut koskaan unohtanut ensimmäistä kertaa, kun näki... ei, kuuli hänet. Juuri Karenin ääni kiinnitti hänen huomionsa ensimmäiseksi... hänen brittiaksenttinsa.

Erään jokseenkin ikävystyttävän kriminaalipsykologiaa ja rikollista käyttäytymistä käsitelleen luennon lopussa Karen nosti kätensä esittääkseen kysymyksen. Lucien oli jo kerännyt kirjansa ja valmistautui lähtemään, kun Karenin ääni sai hänet pysähtymään niille sijoilleen. Tyynessä ja välinpitämättömässä tavassa, jolla nainen lausui jokaisen sanan, oli jotakin hyvin vetoavaa. Karenin lauseitten hurmaava rytmi kuulosti miltei hypnoottiselta. Mahtavinta oli, että tämä kaikki tarjoiltiin mitä karismaattisimmalla brittiaksentilla.

Lucienin katse löysi Karenin luentosalin toisesta päästä, melkein kätkeytyneenä muiden opiskelijoiden joukkoon. Hän ei voinut olla 160 senttiä pitempi, Lucien tuumi. Hän astui askelen sivuun nähdäkseen paremmin. Naisen meikki näytti erilaiselta – raskaammalta, goottimaisemmalta kuin muilla. Hänellä oli yllään tumma t-paita, jossa luki "The Cure" ja jossa oli valokuva tyypistä, jolla oli sotkuinen tumma tukka, raskas musta silmämeikki sekä huonosti sudittua punaista huulipunaa.

Mutta ennen kaikkea Lucienin huomion kiinnitti suuri, värikäs tatuointi naisen oikeassa olkavarressa. Hänen henkensä salpaantui hetkeksi, kun hän näki sen. Yhtäkkiä hänen mieleensä läjähti muistoja Susanista ja siitä, mitä tuona yönä hiukan yli kaksi vuotta sitten oli tapahtunut. Muistikuvia siitä, miten hän oli varovasti nylkenyt ihoa Susanin käsivarresta. Muistot palauttivat järisyttävän huuman, jollaista hän ei ollut tuon yön jälkeen kokenut, ja hetken Lucienia huimasi ja hän melkein menetti tasapainonsa.

Mikä tuo on? hän mietti koottuaan itsensä ja yrittäessään tarkentaa katsettaan kohti tatuointia. Kuvassa näytti olevan kaksi suurta lintua, mutta niin kaukaa hän ei voinut olla varma. Siitä hän sen sijaan oli varma, ettei Karen Simpson koskaan valmistuisi Yalesta. Naisen kohtalo olisi hyvin, hyvin toisenlainen.

Lucien ystävystyi Karenin kanssa nopeasti. Itse asiassa jo samana päivänä. Hän oli seurannut naista etäältä ympäri kampusta parin tunnin ajan, kunnes täydellinen tilaisuus koitti puolivälissä iltapäivää. Karen oli juuri astunut ulos psykiatrisen sairaalan rakennuksesta aivan vanhan kampuksen eteläpuolella, kun hän äkkiä pysähtyi ja ryhtyi etsimään jotain repustaan. Hän kaiveli sitä pari minuuttia, kunnes luovutti. Hän huokaisi syvään ja vimmastuneena ja vilkuili ympärilleen hiukan eksyneen oloisena.

"Onko kaikki hyvin?" Lucien kysyi. Hän huomasi tilaisuutensa tulleen ja lähestyi naista varovasti. Hänen kasvoillaan oli miellyttävä, viaton ilme.

Karen hymyili ujosti. "Kyllä, kaikki hyvin. Olen vain näköjään kadottanut kampuksen kartan. Ei välttämättä kaikkein fiksuin veto, kun on ensimmäistä viikkoa näin isolla kampuksella."

Yalen yliopisto levittyy 339 hehtaarin tiluksille. Opiskelijoita on yli yksitoistatuhatta.

"Totta turiset", Lucien myönsi ja naurahti myötätuntoisesti. "Mutta sinua saattoi lykästää. Pieni hetki", hän sanoi, kohotti sormensa odottamista tarkoittavaan eleeseen ja kaiveli omaa reppuaan. "Kas tässä. Tiesin, että se oli täällä jossain. Saat tämän." Hän ojensi Karenille uuden kartan.

"Eikä!" Karenin silmät hehkuivat. "Oletko aivan varma?"

"Aivan varma. Tunnen paikat kohtuullisen hyvin. En vain koskaan oikein siivoa reppuani, joten kartta on ollut siellä iät ajat."

Hän kohautti olkiaan huolettoman oloisena. ”Mutta joo, minne sinun pitäisi päästä nyt?”

”Yritän löytää Grove Street Cemeteryn.”

Karenin brittiversio sanasta *cemetery* kohotti hymyn Lucienin huulille.

”Vau, sinne on aikamoinen matka.” Hän osoitti etelään. ”Miksi muuten haluat hautausmaalle, jos sopii kysyä?”

”Voi ei, en minä varsinaisesti hautausmaalle ole menossa. Se on vain siinä lähellä. Minun pitäisi mennä Dunhamin labraan, ja muistaakseni se on kadun toisella puolella.”

Lucien nyökkäsi. ”Pitää paikkansa. Mutta hei, olen itsekin menossa siihen suuntaan. Voin saattaa sinut sinne, jos haluat.”

”Oletko varma?”

”Tietenkin. Olen menossa Becton Centeriin, ja se sijaitsee vastapäätä Dunham Labia.”

”Kävipä minulla tuuri”, Karen sanoi ja asetti repun oikealle olalleen. ”Se olisi hienoa, jos siitä ei tosiaan ole vaivaa. Kiitos oikein kovasti.”

Lucien vilkaisi Karenia syrjäsilmällä mietteliäs ilme kasvoillaan. ”Hetkinen.” Hän osoitti Karenia sormella. ”Olit tänä aamuna kriminaalipsykologian ja rikollisen käyttäytymisen luennolla, eikö vain?” Esitys olisi varmistanut hänelle paikan teatterikorkeakoulusta.

Yllätys paistoi Karenin kasvoilta. ”Olin kyllä. Olitko sinäkin?”

”Jep, istuin takarivissä. Teen väikkäriä psykologiasta.”

Jopa suurempi yllätys.

”Niin minäkin. Sain juuri siirron Lontoon University Collegesta.”

”Vau, Lontoosta. Olen aina halunnut käydä Lontoossa.” Lucien ojensi kättään. ”Olen muuten Lucien.”

Ja niin heistä tuli ystävät.

Lucien tiesi jo, että tappaisi uudestaan. Hän oli alkanut fantisoida tekotavasta kahdeksisen kuukautta aiemmin, ja mitä enemmän hän tappamista mietti, sitä vaikeammaksi hänen kävi kontrolloida impulssejaan. Karen Simpsonin tapaaminen täytti hänet äärettömällä helpotuksella, ikään kuin hän olisi juuri löytänyt pitkään kadoksissa olleen palapelin palasen, joka oli jäytänyt hänen mieltään kuukausia.

Lucien ei tosin halunnut liioitella. Hän tiesi, että ihmiset näkisivät heidät yhdessä, joten hän ei halunnut esiintyä Karenin parhaana ystävänä tai mahdollisena poikaystävänä. Heidän luokseen poliisi tulisi kolkuttamaan ensimmäisenä naisen kadottua. Ei, Lucien piti huolen siitä, että näyttäytyi vain yhtenä opiskelijana Karenin ystäväpiirissä. Enemmänkin tuttavana kuin ystävänä.

Suunnitteluun meni vielä kuukausia. Neljä niistä hän käytti löytääkseen piilopaikan, jonne voisi viedä Karenin ja tehdä surmatyönsä kaikessa rauhassa, kenenkään häiritsemättä. Lopulta hän löysi hylätyn tönön syvältä metsän uumenista Saltonstalljärven liepeiltä. Paikka muistutti paljonkin La Hondan -mökkiä. Yhdestä asiasta Lucien oli varma: hän nylkisi Karenin elävältä. Juuri nylkeminen oli kiihdyttänyt häntä kaikkein eniten tuona yönä Susanin kanssa. Ja se tarkoitti, että hänen täytyisi pitää Karenia vankina ainakin parin tunnin ajan.

Lucien halusi kuitenkin myös kokeilla. Hän ei halunnut kuristaa Karenia kuten oli tehnyt Susanille. Hän halusi jotakin uutta, jotakin erilaista. Hän löysi vastauksen eräänä aamuna, kun yksi hänen ystävistään, joka opiskeli Yalessa molekyyli-, solu- ja kehitysbiologiaa, kertoi hänelle pieleen menneestä kokeesta Pierce Laboratoryssa. Kun ystävä kuvaili tapahtumia, Lucien tunsi veren kihelmöivän suonissaan. Hän tiesi nyt, miten halusi Karenin kuolevan.

Kuusikymmentäviisi

Yalen yliopisto sulkeutui kesäloman ajaksi toukokuun puolivälissä. Lucien oli innokkaana odotellut ja suunnitellut jo jonkin aikaa, ja hän pelasi korttinsa juuri niin kuin pitikin.

Huhtikuun tienoilla hän oli kysynyt Karenilta, aikoiko tämä palata Englantiin kesäksi.

”Oliko tuo vitsi?” Karen oli vastannut. ”Englannin kesät ovat kuin tämän mestan lauhat keväät. Olen odottanut ensimmäistä jenkkikesääni jo hyvän tovin.”

”Aiotko jäädä tänne?”

”En usko. Ajattelin käydä ensin New Yorkissa. Olen aina halunnut nähdä New Yorkin, Broadwayn ja kaiken. Otan ehkä jopa uuden tatuoinnin. Siellä on parikin loistavaa studiota. Sen jälkeen olen ajatellut lähteä Floridaan ja rannikolle. Viettäisin pari päivää biitsillä. Ei kai sitä ihan turhan päiten aurinko-osavaltioksi kutsuta.” Karen hymyili.

”Aiotko tehdä kaiken omin päin?” Se oli Lucienin avainkysymys.

Karen kohautti olkiaan. ”Kyllä kai.” Hän katsoi Lucienia kysyvästi. ”Mutta toki minulle matkakumppani kelpaisi. Mitä sanot, Lucien? Siitä voisi tulla hauskaa... Ensin New York, sitten rantaelämää?”

Lucien rutisti naamaansa ja keksi nopean verukkeen parista kesätyöstä. Hän tiesi, että jos hän vastaisi myöntävästi, Karen todennäköisesti kertoisi jollekulle, että he matkustaisivat yhdessä – ystävälle, professorille, vanhemmilleen, kenelle vain. Ja jos reissulta palaisikin pelkkä Lucien, hänen nimensä olisi ensimmäisenä poliisin listalla. Mutta jos Karen katoaisi ollessaan yksin reissussa, kysymyksiä alettaisiin esittää vasta paljon myöhemmin. Monet olettaisivat, että hän oli keskeyttänyt opintonsa vuoden jälkeen ja palannut Englantiin. Hälytyskellot alkaisivat todennäköisesti soida vasta, kun hänen vanhempansa alkaisivat huolestua yhteydenpidon puutteesta.

He tapasivat uudestaan viisi päivää ennen kesälomaa, ja Karen kertoi Lucienille aikovansa lähteä New Yorkiin ja Floridaan neljän päivän kuluttua. Se tarkoitti, että Lucienilla oli kolme päivää aikaa saada kaikki valmiiksi. Hän oli kuitenkin järjestellyt asioita huolellisesti jo kahden kuukauden ajan. Melkein kaikki tarvittava oli jo paikoillaan. Häneltä puuttui vain pari kemikaalikanisteria, ja hän tiesi täsmälleen, mistä ne saisi.

Lucien piipahti Karenin yksiössä päivää ennen kuin naisen oli määrä lähteä New Yorkiin. Lucienin suunnitelma oli yksinkertainen. Hän kutsuisi Karenin sinä aamuna eväsretkelle Saltonstalljärvelle ja sanoisi, että he palaisivat illansuussa. Jos Karen ei jostain syystä voisi tulla, Lucien pyytäisi hänet pikaiselle läksiäisdrinkille myöhemmin illalla. Hän oli varma, että Karen suostuisi siihen. Niin tai näin, lopullinen päämäärä oli sama – hän halusi olla Karenin kanssa kahden joko syrjäisellä retkipaikalla tai omassa autossaan, ennen kuin Karen lähtisi reissuun.

Karen sanoi kyllä piknikille.

He lähtivät liikkeelle yhdentoista aikaan aamupäivällä. Lucien ajoi tasaista vauhtia, ja matka hänen valitsemaansa syrjäiseen paikkaan kesti vain hiukan alle kaksikymmentäviisi minuuttia. Tällä kertaa Lucien ei tainnuttanut uhriaan autossa. Yllätyshyökkäystä ei ollut. Ei kaulaan survaistua ruiskua. Lucien oli valmistanut oikean retkiaterian, johon kuului voileipiä, salaatteja, hedelmiä, donitseja, suklaata, olutta ja samppanjaa. He söivät, joivat ja nauroivat kuin parhaat ystävykset. Ja kun Lucien kaatoi loput samppanjat Karenin lasiin, hän lisäsi joukkoon sen verran rauhoittavaa lääkettä, että nainen vaipuisi syvään, unettomaan uneen vähintäänkin tunniksi.

Lääkkeellä kesti viisi minuuttia toimia.

Kun Karen avasi silmänsä uudestaan, piknikkiä tai ulkoilmaa ei enää ollut. Hän tuli tajuihinsa hyvin hitaasti, ja kaikkein ensimmäiseksi hän tajusi, että hänen päätään särki rajusti. Tuntui kuin kallon sisällä olisi ollut jokin eläin, joka raapi hänen aivojaan.

Kehnossa valossa ja kivun keskellä kesti kokonaista neljä minuuttia, ennen kuin hän vihdoin pystyi tarkentamaan katsettaan. Silloinkin hänellä oli vaikeuksia ymmärtää, missä oli. Hän istui pimeässä, tunkkaisessa ja saastaisessa huoneessa, jonka seinät tuntuivat olevan lankkua; paikka muistutti tavallista takapihan isohkoa työkaluvajaa. Mutta vaisto kertoi, ettei hän ollut kenenkään takapihalla. Hän oli jossain muualla. Jossain, mistä kukaan ei häntä löytäisi... paikassa, jossa kukaan ei kuulisi hänen huutoaan. Ja kun ymmärrys valkeni hänelle, juuri sitä hän yritti – huutaa. Ja silloin hän tajusi, etteivät hänen huulensa liikkuneet. Leukakaan ei liikkunut. Pakokauhu otti hänet valtaansa, ja hän yritti katsoa ympärilleen. Hänen kaulansa ei liikkunut.

Hyvä Jumala!

Hän yritti liikuttaa sormiaan.

Ei mitään.

Käsiään.

Ei mitään.

Jalkojaan ja varpaitaan. Ei mitään.

Sääriään ja käsivarsiaan. Ei mitään.

Hän pystyi liikuttamaan ainoastaan silmiään.

Hän katsoi alas ja näki, että istui halvalla metallituolilla, ilman kahleita. Hänen käsivartensa roikkuivat velttoina tuolin kyljillä.

Sekunnin ajan hän uskoi näkevänsä unta. Hyvin pian hän heräisi omasta sängystään, nauraisi ja ihmettelisi, miksi hänen aivonsa olivat tuottaneet niinkin kiduttavia mielikuvia. Silloin jokin liikahti varjoissa hänen oikealla puolellaan, ja sisuksissa kasvava kauhu kertoi hänelle, ettei tämä ollut unta.

Hänen katseensa sinkosi liikkeen suuntaan.

"Tervetuloa takaisin, unikeko", Lucien sanoi ja astui pimeydestä.

Karenilla kesti muutama sekunti tajuta, että aivan kaikki Lucienissa tuntui erilaiselta. Alkaen vaatteista – miehellä oli yllään pitkä, labratyyppinen, läpinäkyvä muovihaalari. Lenkkaritkin oli peitetty sinisillä, muovisilla kengänsuojuksilla.

Lucien hymyili hänelle.

Karen yritti puhua, mutta kieli tuntui raskaalta ja turvonneelta. Hänen kurkustaan kumpusi vain tulkitsematonta korinaa.

"Et ikävä kyllä pysty sanomaan mitään", Lucien selitti. "Katsohan, Karen, olen ruiskuttanut sinuun suksinyylikoliinipohjaista lääkettä."

Kauhu räjähti Karenin silmissä.

Suksinyylikoliini on neuromuskulaarinen salpaaja, joka estää hermoimpulssien siirtymisen neuromuskulaarisen liitoksen kautta haluttuihin luurankolihaksiin halvaannuttaen ne – Karenin tapauksessa koko hänen kehonsa. Hermojärjestelmä pysyy kuitenkin toiminnassa, mikä tarkoitti, että Karen pystyi edelleen tuntemaan kaiken.

Lucien vilkaisi kelloaan. "Olet tässä tilassa vielä jonkin aikaa." Hän astui lähemmäs. "Tiedätkö, etten oikein pidä tatuoinneista? En ole varma, olenko sanonut sitä sinulle aiemmin. Pakko kuitenkin myöntää, että tuo sinun olkavartesi kuva on oikein kaunis. Japanilainen, eikö vain?" Sen sanoessaan hän veti oikean kätensä selkänsä takaa, ja metallinen terä kimmelsi hämärässä valossa.

Karenin katseessa ei ollut enää tilaa vahvemmalle pelolle. Hänen silmänsä vain laajenivat uusien, tunnistamattomien äänten paetessa hänen kurkustaan.

Lucien astui vieläkin lähemmäs.

"Suurin syy siihen, miksi halvaannutin sinut", hän sanoi, "oli se, etten halua sinun kiemurtelevan ja sotkevan tätä juttua. Tämä on hyvin pikkutarkkaa työtä." Lucien katsoi veistä – laserinterävää kirurginskalpellia. "Tämä sitten sattuu jonkin verran."

Kyynelet valuivat pitkin Karenin poskia.

"Mutta on tässä sinun kannaltasi hyväkin puoli... Tämä ei ole ensimmäinen kertani."

Kuusikymmentäkuusi

Karen aneli kehoaan liikkumaan. Hän yritti kerätä kaikki jäljellä olevat voimavaransa, kaiken mahdollisen tahdonvoiman, mutta se ei riittänyt. Hänen kehonsa yksinkertaisesti kieltäytyi reagoimasta, yrittipä hän miten kovasti hyvänsä. Hän yritti kirkua, puhua, anella, mutta kieli tuntui edelleen valtavalta karvaiselta yökköseltä hänen suussaan.

Lucien rikkoi skalpellilla Karenin lapaluun päällisen ihon hitaasti ja taidokkaasti. Ensimmäinen veripisara pulpahti ulos, ja hän poisti sen sideharsonpalalla. Tämän jälkeen hän ryhtyi hyvin varovaisesti viiltämään ja irrottamaan ihoa Karenin käsivarresta.

Karenin pää oli jähmettynyt samaan asentoon kuin istualtaan nukahtaneella ihmisellä; se oli retkahtanut eteenpäin, aavistuksen oikealle. Leuka oli matalalla ja kosketti melkein rintaa. Lucien oli asettanut hänet tuohon asentoon tieten tahtoen. Hän tiesi, että kun huume alkaisi vaikuttaa, Karen ei kykenisi liikuttamaan kaulaansa, ainoastaan silmiään. Hän halusi Karenin näkevän.

Ja Karen näki.

Kun Lucien siirtyi lähemmäs, Karenin katse singahti oikealle, ja hän näki ihonsa lävistävän skalpellin ja käsivarresta pulpahtavan veren. Hän oli kuitenkin niin peloissaan, että tuska tuli viiveellä. Kesti useamman sekunnin, ennen kuin terävä ja syvälle uppoava kipu vihdoin tavoitti hänet ja sai eläimellisen, käheän murinan kumpuamaan syvältä hänen sisuksistaan.

Nyljentä yhdistettynä Karenin kauhuun täytti Lucienin mielen turruttavalla tyydytyksellä, jota hän ei osannut selittää. Tunne päihitti kaikkien hänelle tuttujen huumeiden vaikutuksen.

Koko prosessi oli nopeasti ohi, ja sen lopussa Lucien leijui päihtyneenä kemikaaleista, jotka hänen aivonsa olivat vapauttaneet hänen verenkiertoonsa. Hän olisi suoriutunut nyljennästä puolta vähemmässä ajassa, mutta Karen sinnitteli vain pari minuuttia ennen kuin taintui. Lucien halusi Karenin olevan hereillä, hän halusi naisen panikoivan, ja niinpä hän keskeytti nyljennän siksi aikaa, että sai naisen jälleen tajuihinsa. Siihen meni aikaa.

Kun hän oli vihdoin valmis, hän odotti, että Karen tuli jälleen tajuihinsa. Sen jälkeen hän kohotti verisen, tatuoidun ihonriekaleen naisen nähtäväksi.

Karenin sisäelimet eivät olleet halvaantuneet, ja kun hänen silmänsä näkivät sen, mikä ennen oli ollut osa hänen olkavarttaan, hänen vatsansa lennätti puolet sisällöstään ruokatorveen, ja hän oksensi päälleen.

"Älä pelkää, Karen", Lucien sanoi ryhtyessään siistimään häntä.

Miehen kosketus sai Karenin vavahtamaan sisäisesti.

"Tuo on ainoa tatuointi, jonka sinulta haluan. En ota sinulta muita."

Karenilla oli yhteensä viisi tatuointia.

"Mutta minulla on sinulle yllätys." Lucien nousi ylös ja katosi hetkeksi varjoihin.

Karen kuuli vaimeaa, raapivaa, metallista ääntä, ikään kuin Lucien olisi ryhtynyt raahaamaan oluttynnyriä lattian poikki. Kun mies ilmestyi jälleen näkyviin, Karen erotti vihdoin, mitä hän raahasi, eikä se ollut oluttynnyri. Lucienilla oli mukanaan kaksi metallisäiliötä, jotka muistuttivat sairaaloiden suuria happisäiliöitä. Mutta Karen tiesi, ettei noissa säiliöissä ollut happea.

Kummankin säiliön suuttimeen oli yhdistetty letku. Lucien asetti säiliöt noin puolentoista metrin päähän Karenin tuolista ja vetäytyi takaisin varjoihin. Hän palasi hetken kuluttua mukanaan puomimikrofoni, jota oli hiukan tuunattu. Telineessä oli nyt kaksi puomia yhden sijasta.

Lucien asetti telineen Karenin ja säiliöiden väliin ja sääti puomeja – yhden ylös, toisen alas. Ylempi oli Karenin rinnan, alempi lantion tasalla.

Karen seurasi Lucienin jokaista liikettä järisyttävän kauhun vallassa. Hän melkein tunsi sisäelintensä tärisevän.

Lucien kiinnitti letkun kumpaankin puomiin, niin että molemmat letkut osoittivat nyt suoraan Kareniin.

"Minulla on sinulle kysymys, Karen."

Karen ei voinut kuin tuijottaa häntä.

"Oletko koskaan kuullut LIN-räjähteestä?"

Hän väänsi molempia säiliöitä, niin että niiden etiketit osoittivat Karenia. Kun Karen luki ne ja ymmärsi, mitä säiliöt pitivät sisällään, hänen sydämensä jähmettyi.

Kuusikymmentäseitsemän

Taylor oli kurtistellut kulmiaan Lucienin kysymykselle, mutta Hunter tiesi tarkalleen, mistä hän puhui.

LN2, LIN ja LN ovat kaikki nestemäisen typen lyhennyksiä. LIN-räjähde on superjäähdytetty nestetyppiräjähde. Sitä alettiin nimittää LIN-räjähteeksi sen jälkeen, kun armeija oli kehittänyt nestetyppeä sisältäviä kranaatteja ja räjähteitä, joita saattoi magneetin avulla kiinnittää rakenteisiin, esimerkiksi oviin, kävelyteihin, siltoihin ja niin edelleen. Niiden pääasiallinen tarkoitus oli eri materiaalien, kuten metalliseosten, metallin, muovin ja puun, hyperjäädyttäminen, mikä sai ne äärimmäisen hauraiksi ja helposti murrettaviksi. Ongelmia koittaa, kun nestetyppiräjähde on kosketuksissa ihmisihon kanssa.

Nestetyppikranaatit eroavat muista tunnetuista kranaateista yhdellä yksinkertaisella tavalla. Niiden ei tarvitse rikkoa tai läpäistä kohteen ihoa tappaakseen.

Niiden tehokkuus perustuu maapallon yleisimmän mineraalin – veden – ainutlaatuisiin kemiallisiin ominaisuuksiin.

Vesi on planeetan ainoa luonnossa esiintyvä aine, joka laajenee viiletessään. Mikäli ihmiskehoon osuu superjäähdytettyä nestetyppeä, keho kylmenee hyvin, hyvin nopeasti. Verisolut jäätyvät välittömästi – tätä kutsutaan ”sokkijäähdytykseksi”. Sotkuista siitä tulee siksi, että verisolut koostuvat 70-prosenttisesti vedestä, ja verisolujen vesi alkaa laajentua hyvin nopeasti. Vesimolekyylien ripeä laajentuminen kohdehenkilön verenkierrossa johtaa kaikenkattavaan verenvuotoon. Kohdehenkilö vuotaa verta käytännössä kaikkialta – silmistä, korvista, suusta, nenästä, kynsistä, sukuelimistä *ja* ihon läpi.

Koska nestetyppi on niin kylmää, molekyylien laajentuminen ei lakkaa, minkä seurauksena ihmiskehon jokainen verisolu ennen pitkää räjähtää. Tuloksena on sietämättömän tuskallinen kuolema sekä harvinaisen kammottava näky.

Lucien selitti pikaisesti prosessin Taylorille.

"Voin sanoa", Lucien totesi Hunterille ja Taylorille. "Se, mitä Karenin ruumiille tapahtui sen jälkeen, kun ruiskutin sille nestetyppeä, oli aivan helvetin pelottavaa, jopa minun silmissäni. Oli kuin kaikki hänen sisällään olisi räjähtänyt, ja verta tulvi joka..." Hän huokaisi syvään, raapi partaansa ja antoi katseensa kiertää karussa sellissä. "Kaikkialta, käytännössä. Siivosin ja desinfioin sitä hökkeliä neljä kokonaista päivää, niin etteivät villieläimet valtaisi sitä lähtöni jälkeen." Lucien piti pienen muistelutauon. "Ystäväni Yalessa kertoi, että he olivat tehneet samaisen kokeen labrassa elävälle sammakolle. Kun hän selitti, mitä oli tapahtunut, yritin kuvitella, miten ihmiskeho reagoisi. Mutta edes vilkas mielikuvitukseni ei onnistunut kohoamaan todellisuuden tasolle."

Jos Hunter ja Taylor olivat epäilleet, mahtoivatko he sittenkään istua puhtaan pahuuden edessä, epäilykset olivat kaikonneet viimeisten parin minuutin aikana. Kumpainenkaan ei halunnut enää kuulla ainuttakaan yksityiskohtaa.

"Paikka, Lucien?" Hunter kysyi. Hänen äänensä oli vakaa ja asiallinen. "Hautasitko hänet Saltonstalljärven lähelle?"

Lucien siveli vasemmanpuoleisen seinän betoniharkon uurteita. "Jo vain. Ja minulla on teille yllätys. Kävin siellä vielä neljä kertaa Karenin jälkeen, mikäli ymmärrätte yskän." Hän mutristi huulensa kuin sanoakseen: *Minkäs minä sille mahdan*? ja kohautti huolettomasti harteitaan. "Se oli hieno paikka, mukavasti suojassa kaikelta."

"Väitätkö, että löydämme tontilta viisi ruumista yhden sijasta?" Taylor kysyi.

Lucien antoi jännityksen tiivistyä vielä hetken ennen kuin nyökkäsi. "Mm-hmm. Haluaisitko tietää heidän nimensä?"

Taylor mulkaisi häntä.

Lucien naurahti. ”No mutta tietenkin haluaisit.” Hän sulki silmänsä ja hengitti sisäänpäin aivan kuin hänen muistinsa olisi kaivannut ylimääräistä happea. Kun hän avasi ne jälleen, niissä oli tyhjä, tunteeton katse. Hän aloitti.

”Emily Evans, kolmekymmentäkolme vuotta, New York Citystä. Owen Miller, kaksikymmentäkuusi vuotta, Ohion Clevelandista. Rafaela Gomez, kolmekymmentäyhdeksän vuotta, Pennsylvanian Lancasterista. Ja Leslie Jenkins, kaksikymmentäkaksi vuotta, Kanadan Torontosta. Hän oli Yalen kansainvälisiä opiskelijoita.”

Lucien piti tauon ja veti syvään henkeä.

”Haluatteko, että kerron teille, miten he kuolivat?” Hänen huulillaan karehti hymy, joka ei noussut silmiin saakka.

Hunterilla ei ollut aikomustakaan istua kellarissa kuuntelemassa Lucienin kerskailua siitä, miten hän oli kiduttanut ja surmannut kunkin uhrinsa.

”Ruumiin kätköpaikka, Lucien, ei muuta”, Hunter sanoi.

”Niinkö?” Lucien näytti pettyneeltä. ”Juuri kun tämä alkoi olla hupaisaa. Karen oli vasta toinen uhrini. Minusta tuli aina vain parempi uusien myötä, uskokaa pois.” Hän iski Taylorille vihjaavasti silmää. ”Paljon parempi.”

”Olet saatana psykopaatti.” Taylor ei enää kyennyt hillitsemään itseään. Häntä inhotti jo pelkkä miehen näkeminen.

Hunter kääntyi Tayloria kohti ja yritti äänettömästi pyytää häntä olemaan puuttumatta asiaan.

”Sitäkö mieltä olet?” Lucien tarttui tilaisuuteen.

Taylor viis veisasi Hunterin katseesta. ”Tiedän sen.”

Lucien näytti siltä kuin olisi hetken miettinyt hänen sanojaan. ”Kuulehan, agentti Taylor, sinulla todella on ongelmia naiiviuden kanssa. Jos kuvittelet, että olen himojeni kanssa yksin, olet totisesti väärässä ammatissa.” Hän heilautti peukalonsa olkansa yli. ”Joka päivä tuhansilla, miljoonilla ihmisillä on murhanhimoisia ajatuksia. Jotkut alkavat saada niitä hyvin, hyvin nuorina. Joka päivä lukuisat ihmiset haaveksivat siitä, että pääsisivät surmaamaan puolisonsa, kumppaninsa, naapurinsa, pomonsa, pankinjohtajansa, kusipääkiusaajat, jotka piinaavat heidän elämäänsä... Lista sen kuin jatkuu."

Taylor vilkaisi Lucienia kuin tämän argumentilla ei olisi minkäänlaista totuuspohjaa.

"Sinä puhut hetkellisistä, kiivaista *ajatuksista*", hän totesi tyynesti painottaen sanaa *ajatus*. "Ne ovat ymmärrettäviä, vihaisia, psykologisia reaktioita johonkin tiettyyn tekoon. Ei se tarkoita, että mikään niistä toteutuisi koskaan."

"Hautapaikka, Lucien", Hunter keskeytti. Hän ei kuolemakseenkaan käsittänyt, miksi Taylor yhä lietsoi tulta. "Missä Karenin jäänteet ovat?"

Lucien sivuutti Hunterin. Häntä kiinnosti enemmän yllyttää Tayloria vielä hiukan pitemmälle.

"Naiivia, naiivia, naiivia, agentti Taylor", hän sanoi ja pudisti päätään. "Jokaisessa ihmisajatuksessa, olipa se sitten hetken huumassa mietitty tai ei, piilee aina se riski, että se saattaa jonain päivänä muuttua enemmäksi kuin vain ajatukseksi – joko vihan, loukkauksen, harhakuvitelmien karisemisen, mustasukkaisuuden vuoksi... Tuhat erilaista tekijää voivat auttaa sitä toteutumaan. Sitä kutsutaan *todennäköisyyden laiksi*. Olet varmasti kuullutkin siitä. Tietokantanne tulvivat siitä esimerkkejä. Ja niin käy, koska kenestä hyvänsä, ja todella tarkoitan kenestä hyvänsä kasvatuksesta, sukupuolesta, yhteiskuntaluokasta, rodusta, uskomuksista, statuksesta tai mistään muustakaan riippumatta, voi oikeanlaisissa olosuhteissa tulla tappaja."

Anna olla jo, Courtney, Hunter rukoili mielessään.

Taylor ei antanut olla. "Sinä todella olet harhainen", hän vastasi mitään ajattelematta.

Vastaus tuntui huvittavan Lucienia entistä enemmän.

"En usko, että minä tässä olen harhainen, agentti Taylor. Ymmärrätkö? Ihmisen on helppo sanoa, ettei hän koskaan ylittäisi tiettyä rajaa, jos hän ei koskaan joudu kohtaamaan tuota rajaa."

Lucien antoi sanojensa kellua ilmassa, jotta Taylor pystyi sulattelemaan niitä hetken ennen kuin jatkoi.

"Jos tämä ihminen jonain päivänä joutuukin kasvotusten tällaisen rajan kanssa, hänellä on silloin kovasti toisenlainen ääni kellossa. Usko minua, agentti Taylor. Se oli yksi kokeistani – esittelin tuon rajan henkilölle, joka vannoi, ettei koskaan riistäisi kenenkään henkeä." Lucien katsoi kynsiään kuin miettien, olivatko ne leikkaamisen tarpeessa. "Ja voi veljet, kylläpä hän sen rajan ylittikin."

Taylor oli tukehtua omaan hengitykseensä.

Hunter tuijotti Lucienia epäuskoisena.

"Väitätkö, että pakotit jonkun murhaamaan osana koettasi? Todistaaksesi teoriasi?" Taylor kysyi.

Hunter ei epäillyt hetkeäkään, etteikö Lucien olisi kyennyt moiseen tekoon. Hän oli kykeneväinen paljon enempäänkin. Hunter oli kuitenkin kuullut riittämiin, ja vaikka Taylor olikin tutkinnan johtava agentti, hän kohotti kättään ja puuttui peliin.

"Hautapaikka, Lucien. Missä päin New Havenia ruumiit ovat?"

Lucien raapi jälleen partaansa ja silmäili Hunteria.

"Tietenkin minä kerron sinulle, Robert. Minähän lupasin kertoa. Olen kuitenkin kertonut teille kaikenlaista aivan liian pitkään, ja nyt on minun vuoroni esittää kysymys. Se oli sopimuksemme."

Hunter oli ehtinyt odottaa tätä. "Kerro ensin, missä ruumiit ovat, ja kun FBI on käynyt paikan päällä, voit esittää kysymyksesi."

Lucien komppasi silmänliikkeellä. "Ymmärrän logiikkasi, mutta FBI on jo varmasti todentamassa niitä neljää nimeä, jotka sinulle juuri annoin." Hän katsoi katon nurkassa olevaan valvontakameraan ja hymyili sille. "Se tarkoittaa, että olen jo antanut jotakin, mikä pitää teidät kiireisinä. Nyt on siis minun vuoroni."

Lucien kasasi itsensä ja tuijotti sen jälkeen suoraan Hunterin silmiin.

"Kerro minulle Jessicasta, Robert."

Kuusikymmentäkahdeksan

Pidätyssellien tarkkaamossa johtaja Kennedy tarttui puhelimeen ja soitti yhdelle tutkintatiimeistään heti, kun oli kuullut Lucienin Hunterille ilmoittamat neljä nimeä.

"Tarvitsen todisteet siitä, että kyse on oikeista ihmisistä", hän sanoi johtavalle agentille. "Henkilötunnukset, ajokortit, mitä vain." Hän saneli kolme ensimmäistä henkilöä sekä heidän ikänsä ja kotikaupunkinsa sellaisina kuin Lucien oli ne sanonut. "Neljäs henkilö – Leslie Jenkins – on kotoisin Kanadasta, Torontosta. Hän oli kansainvälinen opiskelija Yalessa todennäköisesti 90-luvun alussa. Tarkistakaa Yalesta, ja jos tarve vaatii olkaa yhteydessä Kanadan suurlähetystöön Washingtonissa. Minun on myös saatava tietää, onko näitä henkilöitä ilmoitettu kadonneiksi. Palaa asiaan niin pian kuin pystyt." Hän laski nopeasti puhelimen pöydälle.

Kennedy muisti käyneensä kerran keskustelun FBI:n riveihin liittyneen sotilasaseiden asiantuntijan kanssa. He olivat puhuneet LIN-kranaateista ja -räjähteistä. Ase-ekspertti oli näyttänyt hänelle aidon tallenteen siitä, mitä ihmisruumiille tapahtuu sen altistuttua superjäähdytetylle nestetypelle. Kennedy oli todennäköisesti nähnyt enemmän kuolleita ruumiita ja käynyt useammilla väkivaltarikosten tapahtumapaikoilla kuin suurin osa koko FBI:n porukasta, mutta hän ei ollut koskaan nähnyt mitään aivan tuon tallenteen kaltaista.

Kennedy valmistautui ottamaan yhteyttä FBI:n aluetoimistoon Connecticutin New Havenissa ja pyytämään heitä lähettämään tiimin tutkimaan osoitetta, jonka Lucien heille pian antaisi, kun Lucien muuttikin suunnitelmaa ja kysyi Hunterilta Jessicasta.

"Kuka on Jessica?" tohtori Lambert kysyi ja katsoi Kennedyä.

Kennedy pudisti aavistuksen päätään. "Ei mitään käsitystä."

Kuusikymmentäyhdeksän

Lucienin kysymyksen kajahdellessa seinillä Hunter tunsi, kuinka ilma imeytyi hänen keuhkoistaan. Oli kuin joku olisi juuri iskenyt häntä baseballmailalla vatsaan. Hän katsoi Lucienia silmät sirrillä, puolittain omia korviaan epäillen.

Taylorin katse vaelsi väkisinkin Hunterin suuntaan.

"Anteeksi kuinka?" Minkäänlainen pokerinaama ei olisi pystynyt naamioimaan hänen hämmästystään.

"Jessica Petersen", Lucien toisti selvästikin Hunterin reaktiosta nauttien. Nimi vaelsi hitaasti halki ilman, savun lailla. "Kerro minulle Jessica Peterseniství, Robert. Kuka hän oli?"

Hunter ei pystynyt irrottamaan katsettaan Lucienista. Hänen aivonsa pyrkivät parhaansa mukaan ymmärtämään, mitä parhaillaan tapahtui.

Poliisin tai lääkärin tietojärjestelmät, hän päätteli. *Se on ainoa mahdollinen keino. Lucien pääsi jollain ilveellä käsiksi joko poliisirekisteriin tai potilastietoihin tai molempiin.* Hunter muisti sillä hetkellä tunteen, joka hänet oli vallannut, kun Lucien oil inttänyt hänen äidistään. Hunterista tuntui, että Lucien tiesi jo kaikki vastaukset. Todennäköisesti tiesikin, mikäli oli päässyt käsiksi poliisirekisteriin tai potilastietoihin. Oikeuslääkärin raportissa mainittiin, että Hunterin äiti oli kuollut kipulääkkeiden yliannostukseen, ja kuolinaika oli merkitty keskiyön tienoille. Ei olisi ollut vaikeaa selvittää, että Hunterin isä työskenteli öisin eikä siksi ollut tapahtuma-aikaan ollut kotona. Ainoa muu henkilö, joka siihen aikaan yöstä oli kotona, oli seitsenvuotias Robert Hunter. Lucien olisi leikiten pystynyt päättelemään suurimman osan siitä, mitä tuona yönä todella oli tapahtunut. Hän vain tarvitsi Hunterin täyttämään aukkokohdat.

”Kuka hän oli?” Lucien kysyi jälleen, viileällä äänellä.

Hunter räpytteli hämmennyksen sumun tiehensä. ”Eräs ihminen, jonka tunsin vuosia sitten”, hän lopulta vastasi samaan sävyyn.

”Älä viitsi, Robert”, Lucien sinkautti. ”Tiedän, että pystyt parempaankin. Ja sinä tiedät, ettet voi valehdella minulle.”

Heidän katseensa kamppailivat hetken keskenään.

”Seurustelin hänen kanssaan nuorempana”, Hunter sanoi.

”Miten nuorena?”

”Hyvin nuorena. Tapasin hänet pian sen jälkeen, kun olin väitellyt.”

Lucien nojautui taaksepäin sängyllään ja suoristi jalat eteensä ottaen mahdollisimman mukavan asennon. ”Miten kauan te seurustelitte?”

”Kaksi vuotta.”

”Olitteko rakastuneita?” Lucien kysyi ja kallisti hiukan päätään toiselle sivulle.

Hunter epäröi. ”Lucien, mitä tekemistä tällä on –”

”Vastaa kysymykseen, Robert”, Lucien keskeytti hänet. ”Voin kysyä mitä haluan, liittyipä se aiheeseen tai ei. Se oli sopimus, ja juuri nyt haluaisin, että kerrot minulle lisää Jessica Petersenistä. Olitko rakastunut häneen?”

Taylor liikahti tuolillaan.

Hunterin nyökkäys oli hiuksenhieno. ”Kyllä, olin rakastunut häneen.”

”Suunnittelitko meneväsi naimisiin hänen kanssaan?”

Hiljaisuus.

Lucien kohotti kulmakarvojaan antaen ymmärtää, että odotti vastausta.

”Kyllä”, Hunter sanoi. ”Olimme kihloissa.”

Ohikiitävän hetken ajan Taylor kuuli Hunterin äänen sortuvan.

”Kas, sepä kiintoisaa”, Lucien kommentoi. ”Mikä meni pieleen? Tiedän, ettet ole naimisissa tai eronnut. Mitä siis tapahtui? Miksi et mennytkään naimisiin rakastamasi naisen kanssa? Jättikö hän sinut jonkun muun takia?”

Hunter otti riskin. "Kyllä, hän löysi jonkun muun. Jonkun paremman."

Lucien pudisteli päätään ja imi äänekkäästi ilmaa hampaittensa välistä jokaisen pään liikkeen aikana. "Oletko varma, että haluat koetella minua uudestaan, Robert? Oletko varma, että haluat valehdella minulle? Koska juuri sitä sinä nyt teet." Lucienin ilme ja äänensävy olivat muuttuneet teräksenlujiksi. "Enkä minä *todellakaan* pidä siitä."

Taylor piti ilmeensä tyynenä, mutta hänen silmissään oli eksynyt katse.

"Arvaa mitä?" Hunter sanoi ja kohotti molemmat kätensä ilmaan. "Minä en puhu tästä."

"Jospa kuitenkin", Lucien heitti.

"Ei käy", Hunter vastasi samalla konservatiivisella sävyllä, jolla psykologi puhuttelee potilastaan. "Minut tuotiin tänne, koska kuvittelin auttavani vanhaa ystävää. Ihmistä, jonka luulin tuntevani. Kun he näyttivät minulle kuvaasi Los Angelesissa vain muutama päivä sitten, olin varma, että kyseessä oli pahemmanlaatuinen virhe. Suostuin lentämään tänne, koska kuvittelin voivani auttaa FBI:tä selvittämään tämän sotkun ja osoittamaan, ettet ollut se mies, jonka he uskoivat sinun olevan. Olin väärässä. En voi auttaa, koska mitään selvitettävää ei ole. Sinä olet kuka olet ja teit mitä teit. Ikävä kyllä kukaan ei pysty sitä muuttamaan. Mutta niin kuin itse sanoit – asialla ei ole kiire, koska emme pysty pelastamaan ketään – ja kun lähden, FBI selvittää, mihin olet kätkenyt uhriesi jäänteet."

Hunter vilkaisi vaivihkaa Tayloria. Agentin otsa oli rypistynyt sen jälkeen, kun hän oli kuullut sanan "lähden".

"He vain käyttävät eri metodeja", Hunter jatkoi. "Vähemmän konventionaalisia. Tiedät varmasti, mitä on luvassa. Siinä voi mennä pari päivää pitempään, mutta usko pois, Lucien, kyllä sinä lopulta puhut."

Hunter nousi ylös valmiina poistumaan.

Lucien näytti yhtä tyyneltä kuin aina.

”Olen sitä mieltä, että sinun kannattaisi istuutua uudestaan, ystävä hyvä, sillä siteerasit minua juuri väärin.”

Hunter oli hiljaa.

”En sanonut, että meillä ei ole mikään kiire. Sanoin, ettei Susanin jäännösten löytämisellä ole kiire, koska et pystyisi enää mitenkään pelastamaan *häntä*.”

Jokin Lucienin sanavalinnoissa sai Hunterin sydämen kompuroimaan, nousemaan pystyyn ja kompuroimaan uudestaan.

”Enkä ole koskaan sanonut, ettette pystyisi pelastamaan ketään. Minä nimittäin luulen, että meillä on vielä aikaa.” Seurasi kireä tauko, jonka aikana Lucien vilkaisi rannettaan ja tarkisti jälleen ajan olemattomasta kellostaan. ”En ole tappanut kaikkia sieppaamiani uhreja, Robert.” Lucien yhdisti sanoihinsa niin kylmän ja tunteettoman katseen, että se olisi voinut kuulua kalmolle. ”Yksi on yhä elossa.”

KOLMAS OSA

Kilpajuoksu aikaa vastaan

Seitsemänkymmentä

Syrjäinen piilopaikka.
Kolme päivää sitten.

Nainen köhi ja pärskähteli herätessään, tai ainakin hän luuli heräävänsä. Hän ei voinut olla enää varma. Todellisuus oli yhtä kammottava kuin hänen pahimmat painajaisensa. Hän oli vuorokauden ympäri hämmennyksen tilassa, sillä aivot tuntuivat olevan jatkuvan sumun peitossa – puolittain turtana, puolittain hereillä.

Auringonvalon puutteen takia hän oli menettänyt ajantajunsa jo jonkin aikaa sitten. Hän tiesi, että oli ollut lukittuna tähän löyhkäävään murjuun jo pitkän aikaa. Hänestä se tuntui vuosilta, mutta kyse saattoi olla pelkistä kuukausista, ehkä jopa viikoista. Aika vain valui eteenpäin, eikä kukaan laskenut sitä.

Hän muisti yhä yön, jolloin oli tavannut miehen baarissa kaupungin itäpuolella. Mies oli häntä vanhempi mutta hurmaava, hyvännäköinen, hyvin koulutettu, erittäin älykäs ja hauska, ja hän todella osasi kehua naista. Mies sai hänet tuntemaan olonsa ainutlaatuiseksi. Sai hänet kokemaan, että hän valaisi koko taivaan. Illan päätteeksi mies tilasi hänelle taksin eikä tarjoutunut tulemaan mukaan. Mies oli hyvin kohtelias ja herrasmiesmäinen. Mies pyysi hänen puhelinnumeroaan.

Hänen oli pakko myöntää, että hän oli aika innoissaan, kun mies soitti vain muutaman päivän kuluttua ja pyysi häntä illalliselle. Hän suostui leveä hymy huulillaan.

Mies nouti hänet sinä iltana, seitsemän tienoilla, mutta he eivät koskaan ehtineet ravintolaan saakka. Kun hän istuutui autoon ja kiinnitti turvavyötään, hän tunsi piston kaulansyrjässään. Mies oli toiminut niin nopeasti, ettei hän ollut edes huomannut tämän käden liikettä. Hän oli herännyt tässä kylmässä ja kosteassa huoneessa.

Huoneen koko oli täsmälleen kaksitoista kertaa kaksitoista askelta. Hän oli laskenut sen uudestaan ja uudestaan. Karkeat seinät oli tehty tiilistä ja laastista, lattia oli hiomatonta betonia. Metalliovessa oli suorakaiteen muotoinen, lukittava kurkistusaukko osapuilleen puolentoista metrin korkeudella lattiasta. Kuin vankilan ovessa. Takaseinää vasten oli työnnetty ohut, likainen patja. Täkki haisi märältä koiralta. Ei tyynyä. Nurkassa oli muoviämpäri, johon häntä oli käsketty tekemään tarpeensa. Ikkunoita ei ollut. Heikko, kellertävä hehkulamppu, joka oli lukittu metallihäkkiin katon keskelle, oli päällä vuorokauden ympäri.

Hän oli vangiksi joutumisensa jälkeen nähnyt sieppaajansa vain silloin, kun tämä oli tullut tuomaan ruokaa ja vettä sekä uuden rullan kovaa vessapaperia ja vaihtamaan ämpärin tyhjään.

Toistaiseksi mies ei ollut koskettanut tai satuttanut häntä. Mies ei ollut edes pahemmin puhunut. Hän oli kirkunut, anellut, rukoillut, yrittänyt puhua, mutta mies vastasi hänelle tuskin koskaan. Kerran miehen reaktio oli säikäyttänyt hänet niin, että hän oli laskenut alleen. Hänen alitajuntansa oli silkasta kauhusta painostanut häntä kysymään mieheltä, mitä tämä hänestä tahtoi, mitä tämä hänelle tekisi. Eräänä päivänä hän oli antanut periksi ja kysynyt. Mies ei ollut vastannut mitään vaan pelkästään katsonut häntä, ja miehen silmistä hän oli nähnyt jotain, mitä ei ollut koskaan ennen nähnyt – puhdasta pahuutta.

Mies toi hänelle ruokaa ja vettä joskus päivittäin, mutta ei aina. Vaikka hän olikin menettänyt tyystin ajantajunsa, hän pystyi yhä ymmärtämään, että joskus annosten välit olivat aivan liian pitkät. Huomattavasti pidemmät kuin päivän tai kaksi.

Kerran, kolmannen tai neljännen ruokatoimituksen jälkeen, hän oli odottanut oven avautumista ja yrittänyt yllätyshyökkäystä jäljellä olevien voimiensa turvin. Hän oli yrittänyt raapia miehen naamaa lohkeilleilla kynsillään. Tuntui kuin mies olisi kaiken aikaa odottanut sitä, ja ennen kuin hän onnistui edes raapaisemaan miestä, tämä oli lyönyt häntä vatsaan niin kovaa, että hän oli taittunut kaksin kerroin ja oksentanut. Hän oli viettänyt loppupäivän lattialla sikiöasennossa, tuskasta kouristellen, vatsa arkana ja ruhjeilla.

Joskus ruoka-annokset olivat edellistä suurempia – enemmän vesipulloja, enemmän keksipaketteja, enemmän suklaapatukoita, enemmän leipiä, joskus jopa hedelmiä. Sitten mies oli poissa päiväkausia. Mitä enemmän syötävää hän toi, sitä kauemmin kesti, ennen kuin hän palasi. Viimeisin annos oli ollut kaikista suurin.

Hän ei ollut varma, kauanko siitä oli, mutta hän tiesi, että siitä oli enemmän aikaa kuin koskaan aiemmin. Hän oli nopeasti oppinut säännöstelemään elintarvikkeita hyvin taitavasti. Siinä vaiheessa, kun ruoka ja vesi olivat loppumaisillaan, mies oli aina palannut tuomaan täydennystä, mutta ei tällä kertaa.

Ruoka oli loppunut jonkin aikaa sitten, ehkä kolme tai neljä päivää sitten. Hänen mielestään se tuntui pitemmältä. Päivä tai kaksi sen jälkeen myös vesi oli loppunut. Hänellä oli heikko ja kuivettunut olo. Hänen huulensa olivat kuivat ja halkeilleet. Koska hänellä oli niin nälkä, huoneen kylmyys ja kosteus tuntuivat tavallistakin pahemmilta. Hän vietti suurimman osan ajasta kerällä huoneen nurkassa, siihen haisevaan täkkiin kääriytyneenä. Siitä huolimatta hän ei lakannut tärisemästä.

Hänen kurkkunsa oli jo jonkin aikaa tuntunut olevan jatkuvassa tulessa, mutta tänään enemmän kuin koskaan. Hän tarvitsi epätoivoisesti vettä. Hänen silmäluomensa vaikuttivat raskailta, ja niiden avaaminen vaati voimainponnistusta. Päätä särki niin pahasti, että pieninkin liike tuntui kuin se olisi hänen viimeisensä, ennen kuin aivot räjähtäisivät kallon sisällä.

Kun hän kohotti käden nihkeälle otsalleen, oli kuin hän olisi koskettanut kuumaa metallia. Hän paloi sisältä.

Hän onnistui valtavan kamppailun jälkeen kohottamaan päätään ja katsomaan ovelle. Hän kuvitteli kuulleensa jotakin. Ehkä askelia. Joku oli tulossa.

Niin järjettömältä kuin se tuntuikin, hänen huulilleen kohosi hymy. Ihmisaivot ovat hyvin monimutkainen elin, ja hauras sekä pirstoutunut mieli voi joskus takertua oljenkorsiin. Juuri sillä hetkellä hän ei ajatellut miestä hirviönä, joka todennäköisesti raiskaisi hänet toistuvasti ennen kuin lopulta tappaisi hänet. Hän ajatteli miestä pelastajana, joka palasi tuomaan ruokaa ja vettä ja tyhjentämään piripintaan täyden wc-ämpärin, joka täytti huoneen löyhkällä ja sairaudella.

Hän piteli kiinni seinästä ja nousi hitaasti seisomaan. Hän onnistui pääsemään ovelle taistelusta väsyneen sotilaan epävarmoin askelin ja painoi korvansa sitä vasten.

"Haloo..." hän huikkasi niin heikolla äänellä, että se tuntui kuuluvan pelokkaalle pikkulapselle.

Ei vastausta.

"Haloo... oletko sinä siellä? ...ole kiltti?"

...

"Voisinko saada vähän vettä?" Hänen äänensä oli nyt itkun kuristama. Hän tärisi niin rajusti, että hampaat löivät loukkua.

"Ole kiltti...?" Hän alkoi nyyhkyttää. "Ole kiltti ja auta minua... Vain pari tippaa vettä, ole kiltti."

Hän kuuli vain absoluuttista hiljaisuutta.

Hän pysytteli lattialla ovensuussa, korva painettuna sitä vasten, kauan aikaa – todennäköisesti pari tuntia. Ei kuulunut ääntäkään. Ei ollut koskaan kuulunutkaan. Hänen väsyneet aivonsa olivat niin epätoivoiset, että ne olivat alkaneet tehdä hänelle temppujaan. Hänellä oli niin korkea kuume, että hän alkoi hallusinoida.

Kesti jonkin aikaa, ennen kuin nyyhkytys laantui. Hän pyyhki kyynelet silmistään ja likaisilta poskiltaan, ja koska hänellä ei ollut voimia nousta enää jalkeille, hän ryömi takaisin nurkkaansa täkin luo huoneen toiselle puolelle.

Hän oli sekoamassa. Hän tunsi, miten alkoi menettää järkeään. Hän käpertyi jälleen kerran kerälle ja alkoi kuiskuttaa itselleen: "Älä anna periksi. Pysy lujana. Sinä selviät tästä. Pysy vahvana..." Hän piti tauon ja kurtisti kulmiaan samalla, kun hänen hämmentynyt katseensa kiersi huonetta. "Pysy vahvana..." hän toisti ja vaikeni jälleen, pakotti aivojaan muistamaan, mutta se oli poissa. Hän ei voinut uskoa, että se oli poissa.

"Olen..."

Ei mitään.

"Nimeni on..."

Tyhjää.

Hän halusi epätoivoisesti käskeä itseään pysymään vahvana, mutta hän ei muistanut omaa nimeään. Hän alkoi itkeä uudestaan.

Seitsemänkymmentäyksi

”Madeleine”, Lucien sanoi. Hän istui yhä sängyllään jalat rennosti eteenpäin venytettyinä. ”Hänen nimensä on Madeleine Reed. Hän kuitenkin haluaa, että häntä kutsutaan Maddyksi.”

Hunterin sisuksissa alkoi kihelmöidä, kuin hiilihappokuplat olisivat kuohuneet hänen verenkierrossaan alati leviävän hädän vallassa.

Taylorista tuntui kuin joku olisi juuri läimäyttänyt häntä kasvoille.

”Mitä?” hän kysyi ja nojautui eteenpäin tuolillaan.

”Madeleine Reed, tai mikäli haluatte, Maddy Reed”, Lucien toisti ja kohautti olkiaan. ”Hän on kaksikymmentäkolmevuotias. Sieppasin hänet huhtikuun 9. päivänä Pennsylvanian Pittsburghista, mutta hän on syntynyt Missourin Blue Springs Cityssä.” Hän nyökäytti kohti käytävän päätä sellinsä ulkopuolella. ”Voitte käydä tarkistamassa, jos haluatte. Hänen perheensä on varmasti tähän mennessä jo hulluna huolesta.”

Hunter ja Taylor tiesivät molemmat, että Adrian Kennedy kuunteli kuulustelua. Hän saisi nimen ja kaiken muun tarkistettua muutamassa minuutissa.

”Huhtikuun 9. päivänä?” Taylor sanoi silmät hämmästyksestä suurina. ”Siitähän on neljä kuukautta.”

”Onpa hyvinkin”, Lucien myönsi. ”Mutta älä huoli, agentti Taylor, olen vuosien varrella kehittänyt toimivan järjestelmän.” Hän hymyili. ”Jätän hänelle ruoka- ja vesiannoksia ennen lähtöäni, ja Maddy on oikein nokkela. Hän oivalsi hyvin nopeasti, että hänen täytyy säännöstellä elintarvikkeita tai ne loppuisivat, ennen kuin toisin uusia. Ja voin sanoa, että hänestä on sukeutunut aikamoinen asiantuntija." Hän avasi kätensä ja tutkaili kämmenselissä risteäviä suonia. "Minun oli kuitenkin tarkoitus palata neljä viisi päivää sitten."

Hän antoi sanojensa painon iskeytyä täysillä päin Hunteria ja Tayloria ennen kuin jatkoi.

"Jos Maddylta loppui ruoka ja vesi pari päivää sitten, hän on nyt varmastikin hyvin heikossa hapessa, siitä ei ole epäilystäkään, mutta hän on todennäköisesti yhä hengissä. Kuinkahan kauan niin mahtaa olla asianlaita? En osaa sanoa."

"Missä hän on?" Hunter kysyi.

"Kerro minulle Jessica Peterseniѕtä", Lucien vastasi. "Kerro minulle naisesta, jota rakastit."

Hunter veti syvään henkeä.

"Kerro meille, missä Maddy on, Lucien, jotta voimme pelastaa hänet, ja minä lupaan kertoa sinulle mitä ikinä haluatkin kuulla."

Lucien hieroi ihoa kulmakarvojensa välissä. "Mmm." Hän teeskenteli miettivänsä asiaa. "Ei. Ei käy. Kuten sanoin, nyt on sinun vuorosi vastata minun kysymyksiini. Olen antanut teille riittävästi."

"Minä vastaan kysymyksiisi, Lucien", Hunter sanoi. "Annan sinulle siitä sanani. Mutta jos häneltä loppui ruoka ja vesi neljä päivää sitten, meidän täytyy päästä hänen luokseen nyt." Hunterin äänestä huokuva hätä sähköisti ilman.

Lucien vain tuijotti häntä rennosti.

"Mitä järkeä on antaa hänen kuolla tällä tavalla, Lucien?" Hunter aneli. "Mitä hyvänsä tyydytystä saatkin uhriesi surmaamisesta, Madeleinen kuolemasta sinä et sitä saa."

"Todennäköisesti en", Lucien myönsi.

"Ole siis kiltti ja anna hänen elää."

Lucien ei ollut milläänkään.

"Se on ohi, Lucien. Katso ympärillesi. Jäit kiinni. Sattumalta, mutta jäit silti kiinni. Ei ole mitään järkeä riistää enää kenenkään henkeä." Hunter piti tauon. "Ole kiltti. Sinussa täytyy olla vielä jotain inhimillistä. Anna armoa tämän ainoan kerran. Anna meidän pelastaa Madeleine."

Lucien nousi takaisin seisomaan. "Kiva puhe, Robert", hän sanoi ja suipisti suutaan. "Lyhyt, suoraan asiaan ja juuri oikea määrä tunnetta. Hetken pelkäsin, että silmäsi kyyneltyisivät." Sarkasmi tuli Lucienilta luonnostaan. "Mutta minähän *olen* armollinen. Omalla tavallani. Ja näin se menee: haluan ensin kuulla Jessicasta. Sen jälkeen, ja vain sen jälkeen, minä kerron mistä päin New Havenia Karen Simpsonin ja neljän muun uhrin jäänteet löytyvät ja missä Madeleine Reed on. Sen jälkeen sinä ja agentti Taylor voitte olla sankareita."

Lucien näki, miten Taylor vilkaisi rannekelloaan.

"Aivan, teiltä loppuu aika", hän nyökytti. "Jokaisesta sekunnista on nyt yhtäkkiä tullut arvokas, eikö vain? Eikä teidän tarvitse kertoa minulle, että nestehukalla voi olla peruuttamattomia neurologisia vaikutuksia. Ellette pääse ajoissa liikkeelle, hän saattaa jo olla vihannes löydettäessään, vaikka vielä elossa olisikin."

Lucien osoitti Hunterin tuolia.

"Eli perse penkkiin, Robert, ja leipäläpi auki."

Seitsemänkymmentäkaksi

Hunter vilkaisi kelloaan, vaihtoi nopean, huolestuneen katseen Taylorin kanssa ja palasi istuimelleen.

"Mitä haluat tietää?" hän sanoi ja katsoi Lucienia suoraan silmiin.

Lucienin huulilla välähti voitonriemuinen irve. "Haluan tietää, mitä tapahtui. Miten ihmeessä et mennytkään naimisiin kihlaamasi naisen kanssa? Miksi sinä ja Jessica ette ole yhdessä?"

"Koska hän menehtyi."

Taylor käänsi päätään ja näki Hunterin ilmeen. Miehen silmissä kimmelsi, ja hän uskoi näkevänsä niissä suurta surua.

Myös Lucien näki sen. "Miten?" hän kysyi. "Miten Jessica kuoli?"

Hunter tiesi, ettei voinut valehdella. "Hänet murhattiin", hän vastasi.

Taylor ei voinut kätkeä hämmästystään.

"Murhattiin?" Lucien kurtisti kulmiaan. "Okei, nythän tämä muuttuukin kiintoisaksi. Ole hyvä ja jatka, Robert."

"Ei ole enempää. Olimme kihloissa ja hänet murhattiin, ennen kuin ehdimme mennä naimisiin. Siinä kaikki."

"Siinä ei ole koskaan kaikki, Robert. Tuo oli pelkkää pintaa, eikä se ole tämän harjoituksen tarkoitus. Kerro, mitä tapahtui. Olitko paikalla? Näitkö sen tapahtuvan? Kerro, miltä sinusta tuntui. Juuri sen minä haluan tietää. Syvällä sisimmässäsi velloneet tunteet. Ajatukset, jotka liikkuivat päässäsi."

Hunter epäröi sadasosasekunnin verran.

"Ei mitään kiirettä", Lucien haastoi. "Ei minua haittaa. Muista kuitenkin, että kello tikittää Madeleine-paralle."

"Ei, en ollut paikalla", Hunter sanoi. "Jos olisin ollut, sitä ei olisi tapahtunut."

"Rohkea tunnustus, Robert. Missä sinä siis olit?" Lucien asettui takaisin sängyn reunalle. "Aloita toki alusta."

Hunter ei ollut koskaan puhunut tapahtuneesta kenellekään. Hänestä oli parempi lukita jotkin asiat paikkaan, jossa hän itsekin vain harvoin vieraili.

"En niihin aikoihin toiminut LAPD:n etsivänä", hän aloitti. "Olin pelkkä keskisen suurpiirin konstaapeli. Työparini ja minä partioimme sinä päivänä Rampartin alueella."

"Antaa tulla", Lucien sanoi, kun Hunter pysähtyi vetämään henkeä.

"Jess ja minä olimme kihloissa, mutta emme asuneet yhdessä", Hunter selitti. "Se oli meillä suunnitelmissa, kunhan minut ylennettäisiin rikostutkijaksi. Sen oli määrä tapahtua jo parin viikon päästä, mutta asuimme yhä eri osoitteissa. Meidän oli tarkoitus tavata sinä iltana. Aioimme mennä ulos syömään. Jess oli varannut pöydän jostain West Hollywoodin ravintolasta. Mutta sinä päivänä, iltapäivän lopulla, työparini ja minut lähetettiin kotiväkivaltakeikalle Westlakeen.

"Pääsimme osoitteeseen alle kymmenessä minuutissa, mutta siellä oli kovin hiljaista. Liian hiljaista. Aviomiehen oli täytynyt nähdä ikkunasta mustavalkoinen automme. Nousimme kyydistä, kävelimme ovelle ja koputimme. Itse asiassa parini Kevin koputti. Minä kävelin talon sivulle katsomaan ikkunasta."

"Mitä sitten tapahtui?" Lucien yllytti.

"Aviomies ampui Kevinin katkaistulla 12-kaliiperin haulikolla postiluukun läpi. Hän piileskeli sen takana odottamassa meitä." Hunter katsoi käsiään. Ase oli ladattu raskaalla täyteisellä luodilla. Siltä etäisyydeltä ammus käytännössä repi Kevinin ruumiin kahtia.

"Hetkinen", Lucien sanoi. "Kaveri siis ampui tuosta vain kytän oven läpi?"

Hunter nyökkäsi. "Hän oli vetänyt crack-kokaiinia jo useamman päivän. Se oli pääsyy kotiväkivaltaan. Äijän aivot olivat yhtä sohjoa.

Hän oli lukinnut vaimonsa ja pikku tyttärensä taloon ja raiskannut ja hakannut heitä. Pikkutyttö oli kuuden."

Jopa Lucien pysähtyi miettimään. "Mitä teit sen jälkeen, kun hän oli repinyt työparisi kahtia haulikolla?"

"Vastasin tuleen. Kiskoin Kevinin ovelta ja vastasin tuleen."

"Ja...?"

"Tähtäsin matalalle", Hunter sanoi. "Alavartaloon. En hakenut tappavaa laukausta, tarkoitukseni oli vain haavoittaa. Molemmat laukaukseni osuivat, mutta niiden vauhti hidastui, koska luodit menivät ensin oven läpi. Ensimmäinen osui aviomiestä oikeaan reiteen, toinen nivusiin."

Lucien pärskähti. "Ammuitko kaverilta mulkun?"

"Se oli tahatonta."

Tällä kertaa Lucien nauroi syvään ja antaumuksellisesti. "No, jos paskakasa käytti hyväksi omaa kuusivuotiasta tytärtään, hän oli nähdäkseni ansainnut sen."

Tayloria ihmetytti, että Lucienin kaltaisella miehellä oli otsaa nimitellä ketään paskakasaksi.

"Selvisikö hän?" Lucien kysyi.

"Kyllä. Soitin apuvoimia, mutta verenvuoto ja nivusvamma säikäyttivät miehen sen verran pahasti, että hänen päänsä selveni. Hän avasi oven ja antautui jo ennen kuin apuvoimat ja ambulanssi ehtivät paikalle."

"Mutta työparisi ei selvinnyt", Lucian päätteli.

"Ei. Hän oli kuollut jo ennen kuin iskeytyi maahan."

"Ikävä juttu", Lucien tokaisi täysin tunteettomasti. "Eli et varmaankaan ehtinyt Jessin kanssa sinä iltana syömään." Hän vaikeni ja tutkaili Hunteria. "Haittaako, jos kutsun häntä Jessiksi?"

"Kyllä haittaa."

Lucien nyökkäsi. "Okei, pyydän anteeksi ja muotoilen lauseen uudestaan. Et siis varmaankaan ehtinyt sinä iltana syömään Jessican kanssa?"

"En ehtinyt."

Seitsemänkymmentäkolme

Los Angeles, Kalifornia.
Kaksikymmentä vuotta sitten.

Hunter oli auttanut Kevinin ruumiin kuolinsyyntutkijan pakettiautoon, minkä jälkeen hänen täytyi käydä tapahtumat yksityiskohtaisesti läpi tapausta tutkimaan määrättyjen etsivien kanssa. Sen jälkeen hän ajoi Rampart General Hospitaliin tarkistamaan, miten hänen ampumansa mies voi.

Lääkäri saapui leikkaussalista kertomaan tilanteen. Mies, jonka nimi oli Marcus Colbert, jäisi eloon, mutta joutuisi todennäköisesti nilkuttamaan loppuikänsä eikä hänellä enää koskaan olisi aktiivista seksielämää kenenkään kanssa.

Hunterin pää oli täysin sekaisin, mutta hänen oli siitä huolimatta palattava poliisilaitokselle ja täytettävä useita raportteja, ennen kuin hän pääsi lähtemään kotiin.

Protokollan mukaan kuolonuhreja vaatineen ammuskelun jälkeen tapaukseen osallistuneen LAPD:n lainvalvojan oli käytävä vähintäänkin muutamaan otteeseen LAPD:n psykologin pakeilla, ennen kuin hän sai palata täysimääräisesti työhönsä – riippuen psykologin arviosta. Pomo sanoi hänelle, että ensimmäinen sessio hänelle määrätyn psykologin kanssa koittaisi kahden päivän päästä.

Hunter istui tyhjässä huoneessa ja tuijotti pitkän aikaa kädessään olevaa kynää ja edessään pöydällä olevia tyhjiä raporttiliuskoja. Päivän tapahtumat pyörivät kerran toisensa jälkeen hänen mielessään kuin toistolle soimaan jäänyt kappale. Hän ei voinut uskoa, että Kevin oli kuollut – että hänet oli pelkurimaisesti ampunut vainoharhainen crack-hörhö. Kevin ja hän olivat olleet työpari siitä lähtien, kun Hunter oli puolitoista vuotta aiemmin liittynyt LAPD:hen. Kevin oli ollut hyvä mies.

Kun Hunter lopulta oli saanut raportit tehtyä, kello oli jo lähes kymmenen illalla. Hän oli ymmärrettävistä syistä unohtanut tyystin illallissuunnitelmat Jessican kanssa. Hän soitti pyytääkseen anteeksi ja selittääkseen, miksei ollut ilmestynyt paikalle tai soittanut aiemmin, mutta puhelin soi pari kertaa ja meni suoraan vastaajaan.

Jessica oli hyvin kaunis ja älykäs nainen, ja hän ymmärsi täydellisesti hankaluudet, joita lainvalvontaviranomaisen kanssa seurustelemiseen liittyi – pitkät työpäivät, viime hetken peruutukset, huolen kumppanin hyvinvoinnista, kaiken. Hän tiesi myös, että kun Hunter ylennettäisiin etsiväksi, nuo hankaluudet pahenisivat asteella tahi kahdella, mutta hän oli rakastunut eikä millään muulla ollut väliä.

Hunter jätti lyhyen anteeksipyyntöviestin, mutta ei mennyt yksityiskohtiin; hän kertoisi kaiken myöhemmin kasvokkain. Jessica oli myös hyvin herkkä, ja vaikka Hunter olikin yrittänyt peitellä asiaa, Jessica vaistoaisi varmasti hänen äänestään huokuvan surun ja tilanteen vakavuuden.

Hunterista oli outoa, ettei Jessica vastannut puhelimeen. Hän ei uskonut, että kihlattu oli lähtenyt ulos, ei siihen aikaan tiistai-iltana. Ehkä Jessica oli pahastunut tänä iltana hiukkasen enemmän kuin aiemmilla kerroilla, jolloin hänen oli täytynyt peruuttaa viime hetkellä. Vaikka Hunterilla oli yhä pää pyörällä, hän onnistui silti ajattelemaan sen verran järkevästi, että pysähtyi ympäri vuorokauden auki pidettävän ruokakaupan kohdalla ja osti Jessicalle kukkakimpun.

Hunter nousi autosta ja lähestyi taloa, mutta joka askelen myötä karmiva tunne hänen sisällään kasvoi.

Kuudes aisti, ennakkoaavistus, vaisto, miksi sitä halusikaan kutsua – kun Hunter oli päässyt ovelle, se suorastaan kirkui hänelle. Jokin oli pielessä.

Hänellä oli omat avaimet, mutta hän ei tarvinnut niitä. Etuovi ei ollut lukossa. Jessica ei koskaan jättänyt etuovea lukitsematta.

Hunter työnsi oven auki ja astui Jessican pimeään olohuoneeseen. Hänen nenäänsä iskeytyi saman tien heikko, metallinen, kuparinen haju, joka käytännössä halvaannutti hänen sydämensä ja sai hänen selkäpiinsä tärisemään pelosta.

Veri ei haise miltään virratessaan ihmisen kehossa. Vasta, kun se joutuu kosketuksiin ilman kanssa, se saa selkeästi erottuvan, eikemiallisen, metallisen hajun, joka muistuttaa suuresti kuparia. Tuo sama löyhkä oli ympäröinyt Hunteria koko iltapäivän.

"Hyvä Jumala, ei." Kauhistuneet sanat noruivat hänen huuliltaan.

Kukat putosivat lattialle.

Hän kurotti vapisevan kätensä kohti valokatkaisinta.

Kun huone kylpi kirkkaassa valossa, Hunterin maailma suistui pimeyteen. Niin syvään pimeyteen, ettei hän uskonut enää koskaan löytävänsä sieltä tietä ulos.

Jessica makasi vatsallaan omassa verilammikossaan keittiön oven vierellä. Olohuone Hunterin ympärillä oli yhtä kaaosta – rikkoutuneita lamppuja, viskeltyjä huonekaluja, avattuja lipastonlaatikoita – selkeitä kamppailun merkkejä.

"Jess... Jess... " Hunter juoksi Jessican luo ja huusi rakastettunsa nimeä äänellä, joka ei tuntunut kuuluvan hänelle.

Hän polvistui Jessican viereen, housut kihlattunsa vereen tahriutuen.

"Hyvä Jumala." Hänen äänensä särkyi.

Hän tarttui Jessicaan ja käänsi tämän ympäri.

Jessicaa oli puukotettu useaan kertaan. Viiltohaavoja oli molemmissa käsivarsissa, käsissä, rinnassa, vatsassa ja kaulassa.

Hunter katsoi Jessican kauniita kasvoja, ja kyynelet sumensivat hänen näkökenttänsä. Jessican huulet olivat jo kalvenneet. Kasvojen ja käsien ihossa oli aivan tietynlainen violetti sävy. Kuolonkankeus ei ollut vielä alkanut, mutta se teki tuloaan, mikä kertoi Hunterille, että Jess oli murhattu alle neljä tuntia sitten – niihin aikoihin, kun hänen olisi pitänyt hakea Jessica illalliselle. Ymmärrys siitä sai pimeyden hänen sisällään syöksymään aivan uusiin syövereihin. Sielu tuntui hylkäävän hänet ja jättävän jälkeensä vain tyhjän kehon, joka hukkui suruun.

Hunter sipaisi hellästi hiukset Jessican kasvoilta, suuteli hänen otsaansa, veti hänet rintaansa vasten ja syleili tiukasti. Hän haistoi yhä Jessican hienostuneen hajuveden. Tunsi hänen hiustensa pehmeyden.

"Anna anteeksi, Jess." Tukahduttava tuska hukutti hänen sanansa. "Olen niin pahoillani."

Hän piteli Jessicaa sylissään, kunnes kyynelet ehtyivät.

Jos hän olisi voinut vaihtaa paikkaa Jessican kanssa, jos hän olisi voinut puhaltaa oman henkensä tämän kehoon, hän olisi tehnyt sen. Hän olisi antanut elämänsä Jessican puolesta hetkeäkään miettimättä.

Hän päästi vihdoin irti, ja kun hän käänsi päätään, hän näki jotain, mikä oli jäänyt häneltä tyystin huomaamatta. Olohuoneen seinälle oli kirjoitettu verellä *kyttä huora.*

Seitsemänkymmentäneljä

Kun Hunter vihdoin kertoi Lucienille tuosta yöstä, hänen vatsassaan avautui pimeä, pohjaton kuilu, kuin vanha haava, joka ei ollut koskaan kunnolla parantunut. Se kiskoi hänen sydäntään alaspäin ja palautti hänen uumeniinsa tyhjyyden, jota hän oli kahdenkymmenen vuoden ajan yrittänyt parhaansa mukaan jättää taakseen.

Kaikki olivat hiljaa pitkän ajan.

"Menetit siis molemmat partnerisi samana yönä", Lucien sanoi. Ellei Hunter olisi tiennyt paremmin, hän olisi voinut vaikka vannoa, että Lucienin äänessä oli vaimea surun häivähdys.

Hunter räpytti kerran silmiään ja työnsi muiston niin kauas mielestään kuin pystyi. "Madeleine, Lucien. Missä hän on?"

"Hetkinen, ystäväni, ei niin nopeasti."

"Miten niin ei niin nopeasti?" Hunter vastasi. Hänen kulmansa kiristyivät vihasta. "Olet kuullut kaiken mitä Jessican kohtalosta on kerrottavana. Sitähän sinä halusit, eikö niin?"

"Ei, se oli vain osa siitä." Lucien kohotti molempia käsiään aselevon merkiksi. "Mutta koska kerroit, mitä sinä yönä tapahtui, annan sinulle jotain vastalahjaksi. Se on vain reilua. Kuunteletko?"

Lucienilla kesti vain kaksi minuuttia antaa heille yksityiskohtaiset ohjeet New Havenin Saltonstalljärvellä sijaitsevalle tontille. Sieltä he löytäisivät Karen Simpsonin jäänteet, samoin kuin neljä muuta Lucienin aiemmin mainitsemaa uhria.

Hunter ja Taylor kuuntelivat hyvin tarkkaan ja keskeyttämättä. He olivat varmoja, että Adrian Kennedy teki muistiinpanoja pidätyssellien tarkkaamossa ja että muutamassa minuutissa New Havenin aluetoimistosta lähtisi tiimi kohti Lucienin tonttia.

"No niin", Lucien sanoi lopetettuaan. "Jos haluatte, että annan teille Madeleinen, palataan Jessicaan ja siihen, mitä hänen murhansa jälkeen tapahtui. Jäikö tekijä kiinni?"

"Tekijät", Hunter korjasi. "Rikosteknikot löysivät asunnosta kahdet jäljet, joista kumpiakaan ei löytynyt poliisin arkistoista."

Lucien näytti yllättyneeltä. "Oliko kyseessä seksuaalirikos?"

"Ei", Hunter vastasi, ja hänen silmänsä kimmelsivät helpotuksesta, "häneen ei ollut kohdistettu seksuaalista väkivaltaa. Se oli ryöstö. He veivät muutamia Jessican koruja, mukaan lukien kihlasormuksen hänen sormestaan, hänen käsilaukkunsa ja kaiken asunnosta löytyneen käteisen."

"Ryöstö?" Se kuulosti Lucienista oudolta.

Niin Tayloristakin.

"Miksi he sitten tappoivat hänet?" Lucien kysyi.

Hunter oli hiljaa. Käänsi katseensa. Katsoi jälleen Lucienia. "Minun takiani."

Lucien odotti, mutta Hunter ei sanonut enempää. "Miten niin sinun takiasi? Oliko kyseessä kosto? Halusiko joku antaa sinulle samalla mitalla?"

"Ei", Hunter sanoi. "Jessicalla oli asunnossaan useita kuvia meistä kahdesta. Yhdessä niistä minulla oli univormu. Kaikkien noiden kuvien kehykset oli murskattu. Osaan oli kirjoitettu verellä 'sika'. Joissakin luki 'vittuun kytät'."

Yksityiskohtien selvetessä Lucien kallisti hitaasti päätään. "Eli kun ryöstäjille selvisi, että hän oli kihloissa LAPD:n konstaapelin kanssa, he päättivät tappaa hänet huvin vuoksi."

Hunter ei sanonut mitään. Hän ei räpäyttänyt edes silmäänsä.

"En yritä opettaa vanhalle koiralle uusia temppuja", Lucien sanoi. "Mutta oletko koskaan nähnyt jengiläisiä? Jengiläisten aivoihin on ohjelmoitu päättymätön viha poliiseja kohtaan, varsinkin Los Angelesin kaltaisessa kaupungissa. Poliiseja vihaavat yhtä paljon ainoastaan entiset vangit, mutta jos sormenjälkiä ei löytynyt arkistoista, nuo kaksi ryhmää pitää selvästikin rajata pois."

Hunter tiesi sen vallan mainiosti. Hän ja tapausta tutkimaan määrätyt etsivät olivat yrittäneet puristaa tietoa joka ikiseltä jengikontaktilta, joka heillä oli. He eivät saaneet kenestäkään irti mitään, eivät pihaustakaan.

"Haaskaamme aikaamme", Hunter sanoi, ja ärtymys alkoi kuultaa hänen äänestään. "Minulla ei ole enää mitään sanottavaa Jessicasta tai siitä yöstä. Hänet murhattiin. Tekijöitä ei saatu koskaan kiinni. Kerro, missä Madeleine on, Lucien. Anna meidän pelastaa hänet."

Lucien ei ollut vieläkään valmis. "Sinä siis syytit itseäsi hänen kuolemastaan." Lucien ei kysynyt. "Itse asiassa se oli tuplaten sinun vikasi, eikö vain? Ensinnäkin siksi, että he tappoivat hänet ammattisi takia. Toisekseen et ehtinyt hänen luokseen ajoissa, vaikka sinun olisi pitänyt."

Hunter pysytteli hiljaa.

"Ihmismieli on hassu juttu." Lucien puhui harjoitetulla terapeutin äänellä – matalalla, tyynellä ja järkevällä. "Vaikka tietäisit oikein hyvin, ettei kumpikaan näistä asioista, joista olet itseäsi vuosikaudet syyttänyt, oikeasti ole sinun vikasi, ja vaikka psykologina ymmärrät, miksi olet itseäsi syyttänyt, et siltikään pysty väistämään syyllisyyttä."

Lucien nauraa hekotti ja nousi seisomaan. "Ei se, että ymmärtää psykologiaa, Robert, tarkoita, että olisi immuuni psykologiselle traumalle ja paineille. Eihän lääkärin ammattikaan estä lääkäriä sairastumasta."

Sitäkö Lucien yritti? Hunter kysyi itseltään. *Puolustaako hän Jessican murhan avulla omia alhaisia tekojaan? Lucien tiesi tappamisen olevan väärin. Psykologina hän todennäköisesti ymmärsi himojaan ja niiden lähtökohtia, mutta se ei tarkoittanut, että hän olisi pystynyt kontrolloimaan niitä.*

"Ja tämä on syy, miksi olet sen koommin ollut yksineläjä, eikö niin, Robert?" Lucien sanoi. "Syytät itseäsi tapahtuneesta. Hän sai surmansa, koska oli lähellä sinua. Lupasit taatusti itsellesi, ettet antaisi saman tapahtua enää koskaan."

Hunter ei ollut psykoanalyysituulella. Hänen täytyi saada tämä loppumaan. Ja hänen oli tehtävä se nyt. Mikä tahansa vastaus kävisi. ”Kyllä, juuri siksi. Ja nyt kerrot meille, missä Madeleine on.”

”Hetken päästä. Et ole vielä tyydyttänyt sisäistä psykologiani, Robert. Haluan tietää, mitä tapahtui päässäsi sen jälkeen, kun Jessica oli murhattu. Kerro minulle siitä tunteiden maanjäristyksestä, jonka tiedän sinun käyneen läpi. Kerro siitä minulle, ja annan sinulle Madeleinen.”

Kahdenkymmenen vuoden kuluessa Hunter oli oppinut elämään edellä mainittujen tunteiden kanssa.

”Mitä tiedettävää siinä on?” hän kysyi tyynesti.

”Haluan tietää vihasta sisälläsi, Robert. Raivosta. Haluan tietää, olitko riittävän vihainen tappaaksesi. Lähditkö heidän peräänsä?” Lucien kysyi. ”Tekijöiden? Jessican tappajien?”

”Siitä käynnistettiin tutkinta”, Hunter sanoi.

”En kysynyt sitä”, Lucien sinkautti ja pudisti päätään. ”Haluan tietää, käynnistitkö *sinä* oman ristiretkesi tekijöiden löytämiseksi, Robert.”

Hunter oli aikeissa vastata, kun Lucien keskeytti hänet.

”Älä valehtele minulle nyt, Robert. Madeleinen henki on siitä kiinni.”

Hunter tunsi Taylorin katseen.

”Kyllä. En ole koskaan lakannut etsimästä heitä.”

Hunterin vastaus tuntui innostavan Lucienia.

”Nyt koittaa miljoonan dollarin kysymys, Robert”, hän sanoi. ”Jos löytäisit heidät, pidättäisitkö heidät vai langettaisitko oman tuomiosi... oman kostosi?”

Hunter raapi ääneti kämmenselkäänsä.

”Tappaisit heidät itse, eikö vain?” Lucienin hymy oli itsevarma. ”Näen sen silmistäsi, Robert. Näin sen, kun elit uudestaan tuota yötä. Lyön vaikka vetoa, että agentti Taylorkin näki sen. Vihan. Raivon. Tuskan. Vittuun rikostutkijan virka. Vittuun laki, jota vannoit pitäväsi yllä. Tämä menee kaiken edelle. Oman elämäsi edelle. Jos pääsisit kasvokkain niiden ihmisten kanssa, jotka riistivät sinulta Jessican, murhaisit heidät hetkeäkään epäröimättä. Tiedän, että tekisit niin. Tiedän, että olet miettinyt sitä satoja, kenties tuhansia kertoja."

Hunter hengitti sisään nenänsä kautta ja ulos suun kautta.

"Helvetti, saattaisit jopa kiduttaa heitä hetken nähdäksesi heidän kärsivän tekonsa tähden. Se olisi hauskaa, eikö olisikin?"

Lucien näki lihaksen nytkähtävän Hunterin leukaperissä.

"Kuten olen jo aiemmin sanonut", hän jatkoi, "oikeissa olosuhteissa kenestä tahansa voi tulla tappaja. Jopa niistä, joiden on määrä 'suojella ja palvella'." Hänen kuollut katseensa olisi voinut sulattaa jäätä. "Muista, Robert, että murha on murha. Syillä sen takana ei ole merkitystä. On aivan sama, oliko kyse oikeutetusta kostosta tai sadistisesta murhanhimosta." Hän toi kasvonsa parin sentin päähän pleksilasista. "Ja sen tähden sinusta saattaa jonain päivänä tulla samanlainen kuin minusta."

Lucien totisesti käytti sairaalla tavalla Jessican murhaa selittämään tekemiään hirmutekoja, Hunter mietti. *Ensin hän vetoaa psykologiseen syyhyn, nyt emotionaalisiin.* Hunter oli varma, että Lucien oli lukenut poliisiraportit. Koska hän tunsi Hunterin vuosien takaa niinkin hyvin, hän oli takuulla päätellyt, ettei Hunter ollut koskaan lakannut etsimästä Jessican tappajia. Hän oli määrätietoisesti yllyttänyt Hunteria kertomaan tarinansa, jotta voisi halventaa sen ja käyttää sitä esimerkkinä ja perusteluna omille sairaille teoilleen.

Hunterilla oli suuttumuksesta huolimatta mielessään vain yksi asia. Hän oli päätellyt Lucienin saavuttaneen tavoitteensa. Muuta sanottavaa ei ollut.

"Kerro meille, missä Madeleine on, Lucien."

Lucien nauraa hekotti. "Hyvä on. En voi kuitenkaan vain kertoa teille sijaintia, Robert. Minun täytyy viedä teidät sinne."

Seitsemänkymmentäviisi

Taylorilla kesti hetken ymmärtää, mitä Lucien oli sanonut. Hän mulkoili miestä.

"Anteeksi kuinka?"

Lucien perääntyi pleksilasin luota. Hänen ilmeessään ei ollut huolenhäivää.

"En voi vain antaa teille ohjeita hänen löytämisekseen, agentti Taylor. Se ei toimisi. Minun täytyy viedä teidät sinne itse."

Hunter ei vaikuttanut yllättyneeltä. Itse asiassa hän oli odottanut sitä. Se oli yksinomaan loogista. Madeleinen henki riippui siitä, miten nopeasti he hänen luokseen pääsisivät, ja oli aivan liian riskialtista toimia sanallisten tai kirjallisten ohjeiden varassa. Entä jos he pääsisivät lähelle sitä paikkaa, jossa Madeleine väitetysti oli vankina, eivätkä ohjeet enää täsmäisikään, koska ympäristö oli muuttunut? Entä jos he kääntyisivät väärästä risteyksestä? Entä jos ohjeissa olisikin virhe, tahallinen tai ei? He menettäisivät kallisarvoista aikaa, jos heidän pitäisi saada Lucien selittämään kaikki uudestaan puhelimessa tai videolinkin välityksellä.

Ei, Lucienin oli lähdettävä heidän kanssaan. Hänen oli johdatettava heidät henkilökohtaisesti paikalle.

Taylor kääntyi katsomaan Hunteria. Tämä nyökkäsi vaivihkaa.

Lucien hymyili. "Vielä yksi juttu", hän sanoi ja iski Taylorille silmää. "Meitä on sitten sillä reissulla vain kolme. Ei muita FBI-agentteja. Kukaan ei myöskään seuraa meitä sen enempää ilmassa kuin maitsekaan. Sinä, Robert ja minä lähdemme matkaan, ei ketään enempää eikä ketään vähempää. Tämä homma menee näin. Ei neuvotteluvaraa. Jos rikot sopimuksen tai epäilen, että meitä seurataan jollain tavoin, en johdata teitä minnekään. Madeleine kuolee yksin, unohdettuna ja hyljättynä, ja minä varmistan, että lehdistö saa tietää syyn. Voin elää se tunnollani. Voitteko te?"

Taylor tiesi olevansa tappioasemissa. Mikään ei ollut muuttunut sen jälkeen, kun heille oli selvinnyt, että Lucien oli ainoa, joka saattoi opastaa heidät uhriensa jäänteiden luo. Lucien piteli edelleen kortteja, nyt entistäkin tiukemmin, kun yksi uhreista oli väitetysti elossa. Lucien saattoi pompotella heitä miten parhaaksi katsoi, ja juuri sillä hetkellä sen enempää Hunter kuin Taylorkaan ei mahtanut asialle mitään.

"Kunhan ymmärrät, että sinulla on käsi- ja nilkkaraudat ja meillä aseet. Jos yrität jotain, ammumme sinut saman tien."

"En olisi vähempää odottanutkaan", Lucien vastasi.

"Olemme valmiita viidentoista minuutin kuluttua." Taylor nousi seisomaan. "Minne menemme?"

"Kerron sen matkan varrella", Lucien vastasi.

"Minun on saatava tietää, tarvitsemmeko lentokonetta vai autoa."

Lucien nyökkäsi hyväksyvästi. "Ensin lentokonetta. Sitten autoa."

"Minun täytyy saada tietää, kuinka paljon polttoainetta tarvitaan."

"Riittävästi Illinoisiin saakka."

Kun Hunter ja Taylor lähtivät kohti ovea käytävän perällä, Lucien pysäytti heidät.

"Se päivä taitaa olla lähempänä kuin luuletkaan, Robert", hän sanoi.

Hunter ja Taylor seisahtuivat kumpikin ja kääntyivät katsomaan Lucienia.

"Mikä päivä?" Hunter kysyi.

"Päivä, jolloin sinusta kenties tulee samanlainen kuin minusta." Mikäli Lucien oli aiemmin vaikuttanut kylmältä ja tunteettomalta, nyt hän kuulosti joltakin muinaiselta paholaiselta... täysin sydämettömältä hirviöltä. "Olet nimittäin kahden viimeisen päivän ajan, ystäväni, istunut sen miehen edessä, jota olet etsinyt kaksikymmentä vuotta."

Hunter tunsi vatsansa kiertyvän palloksi.

"Minä olen se, joka riisti sinulta Jessican."

Seitsemänkymmentäkuusi

Hunter ei liikkunut, ei hengittänyt, ei räpäyttänyt silmäänsä. Oli kuin koko hänen kehonsa olisi sulkeutunut.

”Mitä sinä sanoit?” Kysymyksen esitti Taylor.

Lucienin katse oli nauliutunut Hunteriin, mutta hämmentyneen ensireaktion jälkeen hän ei saanut mitään irti LAPD:n etsivästä.

”Luuletko, että sanon tämän vain päästäkseni ihosi alle, Robert?”

Omituinen tunne alkoi kasvaa syvällä Hunterin sisuksissa, mutta hän pysytteli tyynenä.

”Minkä selvästi olet tehnytkin”, Taylor keskeytti. Hän ei pystynyt peittämään äänestään kuultavaa ärtymystä. ”Sinulta loppuivat temput ja nyt sinä turvaudut viivytystaktiikkaan. Arvaa mitä? En yllättyisi, vaikka mitään Madeleine Reediä ei olisikaan. En yllättyisi, vaikka olisit äsken keksinyt hänet päästäsi, koska sinulla ei ole enää mitään esitettävää tässä pikku performanssissasi. Uskon, että lippaasi on tyhjä. Panikoit ja lauot tyhjiä kuteja, koska tiedät, että pelisi on lopullisesti pelattu.”

Lucien kääntyi katsomaan Tayloria, ja hänen huulillaan karehti hymy. ”Niinkö sinä todella kuvittelet, agentti Taylor? Että ammun tyhjiä kuteja, koska tiedän että pelini on pelattu? Etkö todellakaan keksi parempaa?” Hän nauraa pärskähti, ja sitten hänen katseensa muuttui jälleen jääksi. ”Vau, voisin syödä kulhollisen aakkoskeittoa ja paskantaa paremman argumentin.” Lucien nytkäytti leukaansa kohti sellin ulkopuolella olevaa valvontakameraa. ”Mikset käy kysymässä siltä porukalta, joka kuuntelee meitä? Käy kysymässä, onko Madeleine Reed todellinen vai ei. He ovat varmasti tehneet pientä tutkimusta.”

"Vaikka olisikin olemassa Madeleine Reed, joka on kotoisin Pennsylvanian Pittsburghista", Taylor sinkautti takaisin yhä tyyneytensä säilyttäen, "ja joka on ilmoitettu kadonneeksi joskus huhtikuun 9. päivän jälkeen, se ei tarkoita, että hän on sinun hallussasi tai että edes tiedät, missä hän on. Jokaisen tämän maan kadonneiden henkilöiden osaston sivuilta löytyy lista nimiä. Olet valmistautunut hyvin. Olet osoittanut sen. Olen varma, että jopa niinkin omahyväinen ihminen kuin sinä on varautunut mahdolliseen kiinnijäämiseen. On järkevää olettaa, että olet valmistellut parikin temppua sitä varten. Mutta vaikka olisitkin siepannut Madeleinen, et voi antaa meille minkäänlaisia todisteita siitä, että hän on yhä elossa. Olet voinut tappaa hänet kuukausia sitten, ja tiedät, ettemme voi mitenkään olla varmoja siitä. Niinpä sinä vain poimit hänen nimensä niiden monien joukosta, joita olet kiduttanut ja jotka olet murhannut, ja käytät häntä saadaksesi viimeisen tilaisuuden ulkomaailmassa."

Taylor veti henkeä, katsoi Hunteria ja sitten jälleen Lucienia.

"En vitsaillut sanoessani, että ammumme sinut heti, jos yrität jotakin", Taylor jatkoi. "Jos kuvittelet, että tämä reissu tarjoaa sinulle pakomahdollisuuden ja että me emme uskalla toimia määrätietoisesti, koska uskomme sinun pystyvän johdattamaan meidät elävän uhrin luo, voit miettiä uudestaan."

"No niin, tuo oli paljon parempi argumentti kuin se tyhjien kutien laukominen, agentti Taylor", Lucien sanoi ja taputti käsiään kolme kertaa. "Mutta kuten juuri huomautit, ette voi mitenkään olla varmoja. Niin että kun teille selviää, että eräs Madeleine Reed todella ilmoitettiin kadonneeksi Pennsylvanian Pittsburghissa huhtikuun 9. päivän jälkeen, onko teillä varaa kuvitella, että vain hämään?" Lucien antoi Taylorille parin sekunnin miettimisajan ennen kuin lisäsi: "Koska jos en bluffaakaan, sinun ja FBI:n niskaan sataa paskaa koko loppuelämäsi ajan."

Hunter hädin tuskin kuunteli. Lucienin sanat poukkoilivat yhä hänen päässään: *Olet nimittäin kahden viimeisen päivän ajan, ystäväni, istunut sen miehen edessä, jota olet etsinyt kaksikymmentä vuotta. Minä olen se, joka riisti sinulta Jessican.*

Jokainen atomi hänen kehossaan halusi uskoa, että Lucien bluffasi, mutta Hunter oli nähnyt jotakin hänen silmissään – huolestuttavaa uhmaa, jonka hän tiesi yleensä kulkevan käsi kädessä varmuuden kanssa.

"Näen silmiesi leiskunnan, Robert", Lucien sanoi ja siirsi huomionsa Taylorista. "Yrität päättää, puhunko totta vai en. Voin kenties auttaa sinua." Hän nuolaisi ylähuultaan. "Keltaiseksi rapattu talo, numero 5067 Lemon Grove Avenuen ja North Oxfordin kulmassa East Hollywoodissa."

Hunterin kurkku kuristui. Juuri se oli ollut Jessican osoite. Mutta jos Lucien oli lukenut poliisiraportit, hänen olisi ollut hyvin helppo saada tuo tieto käsiinsä.

Lucien luki hänen ajatuksensa.

"Tiedetään", hän tokaisi. "Eihän se mitään todista. Osoite on helppo hankkia. Mutta entäpä tämä? Mainitsemistasi valokuvista, joita Jessica oli asetellut ympäri asuntoaan, suurin oli hopeakehyksissä pienellä pöydällä olohuoneen tummanruskean nahkasohvan vieressä. Kuvassa te kaksi olitte jonkinlaisilla LAPD:n illalliskutsuilla tai palkintogaalassa. Olit univormussa ja esittelit ylpeänä palkintoasi. Jessicalla oli violetti iltapuku ja siihen sopiva käsilaukku. Hänen hiuksensa olivat vapaina mutta viskattuina vasemman olkapään taakse."

Lucien vaikeni, katse yhä tiukasti Hunterissa. Hän antoi entiselle ystävälleen tilaisuuden yhdistää nämä sanat kuviin, jotka Hunter oli lukinnut mielensä perukoille.

Ja sitten hän antoi viimeisen iskun.

"Mutta sinähän tiedät, mikä oli todellinen ero tuon ja kaikkien muiden kuvien välillä, jotka tekijä oli töhrinyt. Eikö vain, Robert? Tuo kuva oli ainoa, johon sana 'SIKA' oli kirjoitettu pystysuoraan, ei vaakasuoraan."

Seitsemänkymmentäseitsemän

Hunter tunsi, miten hänen sydämensä pysähtyi. Veri kohmettui hänen suonissaan, ja vatsanpohja muuttui mustaksi aukoksi, joka uhkasi nielaista hänen sielunsa tyhjyyteen. Hän halusi puhua, mutta ääni tuntui juuttuneen kurkkuun.

Hän oli kohdistanut Lucieniin katseensa mutta ei mieltään. Kaikki hänen ajatuksensa olivat palanneet takaisiin siihen yöhön, jolloin osa hänestä oli kuollut Jessican mukana. Hänen ei tarvinnut etsiä kauan. Jokainen hänen sinä yönä näkemänsä yksityiskohta oli lukittu syvälle hänen aivoihinsa. Noiden muistojen paikallistaminen oli tuskallista mutta helppoa. Hän näki sielunsa silmin valokuvan, josta Lucien oli puhunut – pirstoutuneen lasin, hopeakehykset, sanan "SIKA" kirjoitettuna suurin, verisin kirjaimin – pystysuoraan. Kuten Lucien oli sanonut, se oli valokuvista ainoa, johon sana oli kirjoitettu tuolla tavoin.

Hunter yritti parhaansa mukaan ajatella loogisesti ja pystyi jollain ilveellä hillitsemään vihansa, ennen kuin se kiehahti yli äyräiden.

Jos Lucien oli onnistunut pääsemään käsiksi Jessican murhan rikospaikkaraportteihin, oli mahdollista, että hän oli onnistunut myös saamaan kopiot rikospaikan todisteraportista sekä inventaariosta, joiden Hunter tiesi olevan hyvin yksityiskohtaiset.

Hunter hengitti ulos.

Lucien tarttui hänen epäilyksiinsä.

"Et siis edelleenkään ole vakuuttunut? Eikö aivojen puolustusmekanismi olekin kiehtova asia, Robert? Se pyrkii välillä, jopa alitajuisesti, välttämään ounastelemaansa intensiivistä psykologista tuskaa tekemällä kaikkensa vaihtoehtoisen vastauksen löytämiseksi. Se jopa sivuuttaa faktat ja pyrkii roikkumaan asioissa, joiden tietää olevan valheellisia. Mutta enpä minä voi sinua moittia, Robert. Sinun kengissäsi en totisesti itsekään haluaisi uskoa. Mutta totta se on."

Taylor tunsi ihollaan, miten häilyväiseksi ilma oli kellarikäytävällä muuttunut.

"Sinä bluffaat taas", hän yritti vielä kerran. Hänen äänensä oli vihainen ja pari desibeliä aiempaa lujempi. "Robert sanoi, että tekijöitä oli kaksi. Rikosteknikot löysivät tapahtumapaikalta kahdet sormenjäljet. Väitätkö, että sinulla oli tämän yhden kerran rikoskumppani? *Lisäksi...*" hän painotti ennen kuin Lucien ennätti vastata, "meillä on nyt sinun sormenjälkesi. FBI:n tietokonejärjestelmä tarkistaa ensi töikseen, löytyvätkö pidätetyn henkilön sormenjäljet IAFIS:n arkistosta, johon on yhdistetty monia ratkaisemattomia rikoksia. Mikäli sormenjälkesi olisivat vastanneet yksiäkään Jessican kotoa löytyneitä sormenjälkiä tai yksiäkään jonkin muun ratkaisemattoman rikoksen tapahtumapaikalta löydettyjä jälkiä, hälytyskellot olisivat soineet joka nurkasta päiväkausia sitten."

IAFIS on yhtä kuin Integroitu automatisoitu sormenjälkien tunnistusjärjestelmä. DNA-näytteen keräämisen jälkeen FBI:n tietokonejärjestelmä puolestaan etsii vastaavuuksia kansallisesta DNA-tietokannasta.

Lucien odotti kärsivällisesti, että Taylor puhuisi loppuun.

"Olen huomauttanut sinulle aiemminkin, agentti Taylor, että saatat joskus vaikuttaa varsin naiivilta. Luuletko tosissasi, että rikospaikan lavastaminen on vaikeaa? Luuletko, että on hankalaa saada murha näyttämään ryöstön sivutuotteelta? Luuletko, että jonkun muun henkilön sormenjälkien hankkiminen ja niiden paineleminen Jessican kotiin olisi tuottanut kaltaiselleni ihmiselle vaikeuksia?" Lucien naurahti. "Voin kertoa sinulle niiden kahden miehen nimet, joille sormenjäljet kuuluivat. Et pysty syyttämään minua mistään, mutta voin toki kertoa, mistä löydät heidän jäänteensä. Halusin sen näyttävän jengirikollisten suorittamalta ryöstöltä. Halusin, että poliisi etsisi kahta epäiltyä yhden sijasta. Miksi luulet, ettei FBI:llä ollut hajuakaan olemassaolostani, agentti Taylor? Miksi luulet, ettei käyttäytymistieteiden yksikkönne onnistunut niinkään monen murhan jälkeen yhdistämään yhtäkään toisiinsa? Miksi luulet, että ette ole etsineet murhaajaa, joka on tappanut ihmisiä kahdenkymmenenviiden vuoden ajan?"

Lannistus ja viha alkoivat uurtaa Taylorin kasvoja.

"Sitä kutsutaan harhaanjohtamiseksi, agentti Taylor. Saadaan poliisi uskomaan jotain, vaikka totuus on tyystin toinen. Se on eräänlainen taiteenlaji, ja olen siinä hyvinkin taitava."

Lucien siirsi huomionsa takaisin Hunteriin.

"Ehkä tämä poistaa epäilykset mielestäsi kertaheitolla ja lopullisesti, Robert. Sanoit, että kaikki Jessican korut oli viety, mutta kerroitko etsiville, mitä tarkalleen ottaen oli kateissa?"

Hunter tunsi inhottavan tunteen kiipivän ryyhelmän lailla ihoaan pitkin.

"Et tietenkään", Lucien sanoi. "Tuskin edes tiesit, mitä kaikkia koruja hän omisti. Voin kuitenkin kertoa täsmällisesti, mitä hänen luotaan vietiin. Hän säilytti korujaan söpössä pikku kukkarasiassa makuuhuoneen lipaston päällä. Sen vieressä oli kuva teistä kahdesta. Siihen kuvaan ei ollut koskettu, sitä ei ollut tuhottu. Te kaksi olette siinä hiekkarannalla." Lucien piti tauon, jonka aikana hän näki iskun osuneen kohteeseensa. Hän ei kuitenkaan ollut vielä valmis. "Vein koko rasian. Vein ruumiilta kuitenkin jo aiemmin mainitsemasi kihlasormuksen lisäksi kaksi timanttikorvakorua sekä viehättävän kaulakorun, josta roikkui valkokultainen kolibri. Sen silmänä oli pikkuruinen rubiini."

Minkäänlainen määrä itsehillintää ei olisi enää pystynyt pitämään Hunterin vihaa lukittuna hänen sisälleen. Hän loikkasi eteenpäin ja hakkasi molemmilla nyrkeillään pleksilasia useaan otteeseen.

Kyynelet kihosivat Hunterin silmiin. Niistä huokuva syvä tuska oli yhtä selkeää kuin paperille kirjoitetut sanat. Hänen itsensä sitä huomaamatta hänen huuliltaan karkasi yhteen puristuneiden hampaiden välistä yksi ainokainen sana.

"Miksi?"

Seitsemänkymmentäkahdeksan

Hunterin raivonpurkaus oli niin äkillinen ja niin väkivaltainen, että Taylor kavahti taaksepäin. Lucien taas hädin tuskin räpäytti silmäänsä. Hän oli odottanut sitä.

Kun Hunter vihdoin lakkasi jyskyttämästä pleksilasia, hänen käsiensä iho oli muuttunut raa'an punaiseksi, ja ruhjeet alkoivat jo näkyä. Koko hänen kehonsa vapisi raivosta, surusta ja hämmennyksestä. Lucien nautiskeli show'sta, mutta Hunterin kysymys ei jäänyt häneltä huomaamatta.

"Haluatko tietää syyn?" Lucien tokaisi.

Hunter vain mulkoili häntä. Hän ei voinut lakata vapisemasta. Juuri sillä hetkellä hän oli hyvin kaukana tervejärkisestä lähtöpisteestään.

Lucien kohottautui istumaan ikään kuin se, mitä hänellä oli sanottavanaan, vaatisi niskaan pistetyn lääkeruiskullisen tarjoamia voimia.

"Todellinen syy lienee se, etten mahtanut itselleni mitään", Lucien selitti. "Minulla oli ollut sinua kova ikävä, Robert. Kaipasin sitä ainokaista tosiystävää, joka minulla koskaan oli ollut. Niinpä kahdeksan kuukautta ennen Jessican tapausta päätin etsiä sinut käsiini Los Angelesista. En ottanut sinuun ennalta yhteyttä, koska halusin yllättää sinut. Halusin nähdä, tunnistaisitko minut, jos yhtäkkiä koputtaisin ovellesi."

Hunter antoi käsiensä pudota sivuilleen.

"Sain selville osoitteesi", Lucien jatkoi. "Se ei ollut vaikeaa. Niinpä minä vain hengailin asuintalosi liepeillä yhtenä iltana ja odottelin, että tulisit kotiin. Ajattelin, että suuren yllätyksen jälkeen

– tai ainakin kuvittelin, että se olisi sinulle suuri yllätys – voisimme käydä jossain kaljalla, jutella vanhoista ajoista… vaihtaa kuulumiset." Lucien kohautti olkapäitään. "Ehkä minulla syvällä sisimmässäni oli masokistinen tarve selvittää, huomaisitko mitään – tarkoitan psykopaattisia piirteitä. Halusin ehkä tarkistaa, näkisitkö arkipäivän naamioni taakse. Tai ehkä kyse ei ollut alkuunkaan siitä. Ehkä minä vain olin niin itsevarma, että halusin koetella itseäni, todistaa itselleni, että olin juuri niin hyvä kuin kuvittelin olevani. Ja mikä olisikaan parempi testi kuin viettää pari päivää parhaimman tuntemani rikolliseen käyttäytymiseen erikoistuneen psykologin kanssa? Jonkun, joka oli myös poliisi ja aikeissa tulla ylennetyksi etsiväksi. Jos sinä et pystyisi näkemään merkkejä, Robert, kuka sitten?"

Hunterin vatsassa velloi, ja hänen oli keskityttävä, jotta ei antaisi ylen.

"Mutta sinä et tullutkaan sinä iltana yksin kotiin", Lucien jatkoi. "Katsoin, kun pysäköit autosi, nousit ulos ja kiersit aidon herrasmiehen tavoin toiselle puolelle ja avasit matkustajan oven. Ulos astui kaunis nainen. Pakko antaa tunnustusta, Robert. Hän oli tyrmäävä."

Hunter pidätteli hengitystään estääkseen rintakehäänsä kohoilemasta tunnekuohun vallassa.

"En osaa sanoa, mitä oikein tapahtui", Lucien sanoi. "Mutta kokemus oli jo opettanut minulle, että huolimatta kaikista himoista, huolimatta kaikista väkivaltaisista ajatuksista ja impulsseista, huolimatta pysäyttämättömästä tarpeesta riistää ihmiseltä henki, tappaja tarvitsee kaikesta huolimatta jonkinlaisen kimmokkeen, joka lopulta työntää hänet reunan yli."

Hunter ja Taylor muistivat välittömästi katkelman Lucienin muistikirjassa, jonka Kennedy oli heille edellispäivänä näyttänyt.

"Jessican kohdalla kimmoke oli tapa, jolla hän katsoi sinua, kun tartuit hänen käteensä auttaaksesi hänet autosta, Robert", Lucien jatkoi. "Tapa, jolla hän suuteli sinua siinä keskellä parkkipaikkaa. Teidän välillänne oli niin paljon rakkautta, että tunsin sen ihollani aina sinne saakka, missä seisoin."

Hunterin käsi puristui jälleen nyrkkiin.

"Minä yritin, Robert. Yritin vastustaa sitä. Sen takia en tuolloin lähestynyt sinua. En halunnut tehdä sitä. En halunnut viedä Jessicaa sinulta. Lähdin Los Angelesista seuraavana aamuna ja tein kaikkeni unohtaakseni hänet. Jos joskus olen pyrkinyt vastustamaan himoa, niin tuolloin. Mutta kumpainenkaan teistä ei voi koskaan ymmärtää sitä, että kun pään sisäisestä liipaisimesta on kerran vedetty, sitä on tuhon oma. Pakkomielle tekee hulluksi. Sitä voi viivyttää, mutta sitä ei voi pidätellä. Se palaa aina uudestaan ja jyskyttää aivoja, kunnes ei kestä enää. Kunnes näyt ottavat elämän valtaansa. Ja tuon pisteen minä saavutin kahdeksan kuukauden kuluttua."

Hunter perääntyi askelen verran pleksilasista.

"Suunnittelin kaiken näyttämään ryöstöltä", Lucien sanoi. "Tapoin kaksi miestä vain saadakseni heidän sormenjälkensä. Tiesin, ettei heitä löydettäisi koskaan, joten yrittivätpä poliisit etsiä heitä miten uutterasti ja miten kauan hyvänsä, heidän sormenjälkensä eivät koskaan löytyisi yhdestään tietokannasta. Palasin Los Angelesiin. Näin teidät kaksi jälleen yhdessä, ja sen jälkeen seurasin Jessicaa hänen asunnolleen."

Jopa Taylorilla alkoi olla turta olo.

"En kiduttanut häntä", Lucien lisäsi. "En saanut seksuaalista tyydytystä. Tein sen niin nopeasti kuin pystyin."

"Et muka kiduttanut?" Taylor keskeytti. "Robert sanoi, että hänen kehonsa oli täynnä puukoniskuja."

"Kuoleman jälkeisiä", Lucien vastasi ja etsi katseellaan Hunteria. "Jos patologit olisivat olleet riittävän ammattitaitoisia, he olisivat huomanneet, että ensimmäinen viilto, kurkun poikki, oli kohtalokas. Kaikki muut oli tehty kuoleman jälkeen. Se oli osa ryöstöhuijaustani."

Kyseinen seikka oli aina ihmetyttänyt Hunteria sen jälkeen, kun hän oli lukenut ruumiinavausraportin. Hän oli olettanut sen johtuneen siitä, että tekijät olivat raivostuneet tajuttuaan Jessican olevan kihloissa poliisin kanssa.

"Lavastin rikospaikan rikkomalla kehyksiä, töhrimällä valokuvia, penkomalla kämpän ja viemällä koruja ja rahaa. Ja se oli siinä. Niin se kävi. *Siksi* se tapahtui."

Hunter tuijotti Lucienia silmääkään räväyttämättä. Hän astui jälleen pleksilasin luo, molemmat kädet yhä nyrkkiin puristettuina.

"Olit oikeassa, Lucien." Hänen äänensä oli niin tyyni, että se säikäytti Taylorin. "Vittuun poliisin virka. Vittuun se, mitä olen vannonut puolustavani. Sinä *olet* kuollut mies."

Hän kääntyi ja käveli pitkin käytävää ja pois kellarista.

Seitsemänkymmentäyhdeksän

Puolentoista minuutin kuluttua Hunter ja Taylor seisoivat johtaja Adrian Kennedyn toimistossa. Tohtori Lambert oli myös paikalla.

"Ymmärrän, että tilanne on muuttunut kannaltasi täydellisesti, Robert", Kennedy sanoi Hunterin tuijottaessa ikkunasta. "Kukaan ei olisi osannut odottaa tuollaista paljastusta, ja olen siitä syvästi pahoillani. En aio valehdella sinulle ja väittää, että ymmärrän, miltä sinusta tuntuu, koska en ymmärrä. Kukaan ei ymmärrä. Mutta on minulla siitä aika hyvä aavistus." Kennedy kuulosti väsyneeltä.

Hän käveli työpöydälleen, tarttui tietokonemonitorin vieressä olevaan tulosteeseen ja kaivoi lukulasit rintataskustaan.

"Yksi asia ei kuitenkaan ole muuttunut", hän sanoi ennen kuin alkoi lukea paperia. "Madeleine Reed, kaksikymmentäkolme vuotta, syntyi Blue Springs Cityssä Missourin osavaltiossa mutta asui katoamishetkellä Pennsylvanian Pittsburghissa. Hänet näki viimeisenä kämppäkaveri huhtikuun 9. päivänä juuri ennen kuin hän poistui asunnoltaan mennäkseen illalliselle miehen kanssa, jonka oli tavannut muutamaa päivää aiemmin baarissa. Madeleine ei palannut sinä yönä kotiin, mikä oli kämppiksestä outoa, koska Maddylla – joksi kaikki häntä kutsuivat – ei ollut tapana viettää kenenkään kanssa koko yötä ensimmäisillä treffeillä."

Hunter keskittyi maailmaan Kennedyn ikkunan ulkopuolella.

"Hän ei ollut palannut vielä kahdenkaan päivän päästä", Kennedy lisäsi. "Silloin kämppäkaveri, Selena Nunez, lähti käymään poliisiasemalla ja ilmoitti hänet kadonneeksi. Tutkijoiden yrityksistä huolimatta hänestä ei ole löytynyt jälkeäkään. Kukaan ei tiedä, miltä tämä salaperäinen mies, joka vei hänet illalliselle huhtikuun 9. päivänä, näyttää. Baarimikko siinä baarissa, jossa Madeleine oli edellisiltana käynyt, muistaa hänet. Baarimikko muistaa hänen myös jutelleen hieman itseään vanhemmalta vaikuttaneen miehen kanssa, mutta baarimikko ei kiinnittänyt miehen kasvoihin niin paljon huomiota, että olisi pystynyt kuvailemaan häntä täsmällisesti poliiseille." Kennedy asetteli lukulasinsa paremmin. "Madeleine työskenteli CancerCaressa. Hänen työnään oli tarjota tukea ja seuraa terminaalivaiheen syöpää sairastaville ihmisille, Robert. Hän on hyvä ihminen."

Kennedy ojensi tulosteen Hunterille.

Hunter ei liikahtanutkaan.

"Katso häntä, Robert."

Meni muutaman sekunti, ennen kuin Hunter vihdoin irrotti katseensa ikkunasta ja siirsi sen paperiliuskaan, jota Kennedy piteli kädessään. Sen liitteenä oli toinen tuloste – 10 kertaa 16 sentin kokoinen valokuva Madeleine Reedistä. Hän oli hyvin puoleensavetävä nainen, jolla oli vaalea ja sileä iho, aavistuksen itämäiset, vihreät silmät sekä hiukset, jotka lankesivat hohtavana, mustana ryöppynä olkapäiden yli. Hänen hymynsä näytti puhtaalta ja viattomalta. Hän näytti onnelliselta.

"Se tosiseikka, että Lucien saattaa tietää, missä Madeleine Reed on, ei ole muuttunut, Robert", Kennedy sanoi jälleen. "Et voi lähteä nyt. Et voi kääntää Madeleinelle selkääsi."

Hunter tutki kuvaa vielä hetken ja ojensi sen sitten takaisin sanaakaan sanomatta.

Kennedy käytti tilaisuutta hyväkseen ja jyräsi eteenpäin. "Tiedän, etten ole työnantajasi, Robert, joten en voi käskeä sinua tekemään mitään, mutta minä tunnen sinut. Tiedän moraalisi. Tiedän, mitä edustat ja mille olet elämäsi omistanut. Jos sallit tunteittesi nyt viedä sinua, et pysty enää jälkikäteen elämään itsesi kanssa, viis siitä miten tuskainen ja vihainen olo sinulla nyt on. Et pystyisi katsomaan itseäsi peilistä. Tiedät sen oikein hyvin."

Päänsärky nipisteli ja survahteli Hunterin silmien takana.

”Olen etsinyt Jessican tappajia nyt jo kaksikymmentä vuotta, Adrian.” Hunterin ääni oli matala ja täynnä tuskaa. ”Ei ole mennyt päivääkään, etten olisi katunut sitä, etten ollut hänen rinnallaan sinä iltana. Ei ole kulunut päivääkään, etten olisi luvannut hänelle ja itselleni, että löydän tappajat ja että kun löydän heidät, panen heidät maksamaan, huolimatta siitä mitä seurauksia siitä minulle itselleni olisi.”

”Ymmärrän sen”, Kennedy sanoi.

”Ymmärrätkö?” Hunter tivasi. ”Ymmärrätkö todella?”

”Kyllä ymmärrän.”

”Hän oli raskaana”, Hunter sanoi.

Ilma iskeytyi Kennedyn keuhkoista. Hän katsoi Hunteria hämmentyneenä.

”Jessica oli raskaana”, Hunter toisti. ”Olimme saaneet tietää sinä aamuna, sellaisen markettitestin avulla, mutta me molemmat tiesimme, että se oli totta. Se oli syy, miksi hän oli varannut siksi illaksi pöydän ravintolasta. Meidän oli määrä juhlia. Olimme molemmat...” Hunter pysähtyi haukkomaan henkeä. ”...niin onnellisia.”

Taylorin läpi kiiri halvaannuttava värähdys. Hän halusi sanoa jotain, muttei tiennyt mitä tai miten sen sanoisi.

”Lucien ei vienyt minulta ainoastaan naista, jonka kanssa olin menossa naimisiin, Adrian”, Hunter sanoi. ”Hän vei minulta perheen, joka minun oli määrä saada.”

Kennedy katsoi lattiaa vakavan hiljaisuuden vallassa. Se oli hänen tapansa osoittaa surunvalittelunsa ja kunnioittaa Hunterin tuskaa.

”Olen pahoillani, Robert”, Kennedy sanoi lopulta. ”En tiennyt sitä.”

”Ei kukaan muukaan tiennyt”, Hunter vastasi. ”Ei edes hänen perheensä. Halusimme kertoa kaikille vasta, kun Jess olisi ehtinyt käydä lääkärillä ja saada virallisen vahvistuksen.” Hunterin katse palasi ikkunaan. ”Pyysin oikeuslääkäriä poistamaan sen ruumiinavausraportista. En halunnut, että hänen vanhempansa saisivat tietää asiasta sillä tavalla, enkä nähnyt mitään syytä lisätä heidän tuskaansa.”

”Voin vain kuvitella tuskasi, vihasi ja sen, miten musertavaa sen on täytynyt sinulle olla, Robert”, Kennedy sanoi pitkän ja synkän hiljaisuuden jälkeen. ”Olen niin pahoillani.”

”Ja siitä huolimatta haluat panna minut suljettuun tilaan ihmisen kanssa, jota olen etsinyt kaksikymmentä vuotta ja jolle olen vannonut kostoa – ilman suojaavaa pleksilasia välissämme.”

”Hänet on vangittu, Robert”, Kennedy vastasi harkitulla äänellä. ”Lucien istuu pakovarmassa vankisellissä viisi kerrosta maanpinnan alapuolella FBI:n käyttäytymistieteellisessä yksikössä. Hän saa maksaa kaikesta, mitä on tehnyt. Hän saa maksaa siitä, mitä teki Jessicalle ja sinulle.” Hän osoitti tulostetta. ”Mutta tämä tyttö saattaa kuolla, ellet nouse siihen lentokoneeseen Lucienin kanssa. Tiedän, ettet halua sitä.”

”Voitte lähettää matkaan jonkun muun.”

”Emme voi, Robert”, Taylor sanoi. Hän seisoi Kennedyn työpöydän vierellä ja kääntyi katsomaan Hunteria. ”Kuulit, mitä Lucien alakerrassa sanoi. Sinä ja minä ja hän. Ei ketään enempää, ei ketään vähempää. Jos rikomme sopimuksen eikä Madeleine ole jo kuollut, hän kuolee – yksin – pidellen todennäköisesti viime sekuntiin saakka kiinni toivosta, että joku löytää hänet. Me olemme sen hänelle velkaa, Robert.”

Hunter ei sanonut mitään.

”Courtney on oikeassa, Robert”, Kennedy sanoi. ”Jos Madeleine ei jo ole kuollut, me haaskaamme kallisarvoista aikaa. Meidän on toimittava nyt. Älä anna vihasi ja surusi viedä Madeleinelta mahdollisuutta pelastua. Hänen ainoaa mahdollisuuttaan pelastua.”

Hunter katsoi vielä kerran Madeleinen kuvaa.

”Hän ei ole kuollut”, Hunter sanoi, eikä hänen äänessään ollut ripaustakaan epäröintiä.

”Mitä?” Kennedy kysyi.

”Sanoit, että ’jos Madeleine ei ole jo kuollut’.” Hunter pudisti päätään. ”Madeleine Reed ei ole kuollut. Hän on yhä elossa.”

Kahdeksankymmentä

Horjumaton varmuus Hunterin äänessä tuntui yhtäläisissä määrin sekä lohduttavalta että hämmentävältä.

Taylorin kysymys ei ilmennyt sanoista vaan aavistuksenomaisesta päänpudistuksesta sekä siristyvistä silmistä.

"Hän on elossa", Hunter toisti ja nyökkäsi määrätietoisesti.

"Miten voit olla niin varma?" tohtori Lambert kysyi. "Älä ymmärrä väärin, etsivä Hunter. Olen samaa mieltä johtaja Kennedyn kanssa. Uskon, että sinun on toimittava nyt, mutta sinun on myös hyväksyttävä, että saattaa olla jo myöhäistä pelastaa sen tyttöparan henkeä tai että Lucien saattaa jopa lähettää teidät hukkareissulle. Hän on luonteeltaan huijari, ja hänellä on vuosien kokemus. Kuten agentti Taylor edellisen kuulustelunne aikana sanoi, Lucien saattaa pitää tätä viimeisenä mahdollisuutena päästä ulkomaailmaan. Se antaa hänelle paremman tilaisuuden yrittää jotakin kuin sellissä viisi kerrosta maan alla."

"Voi olla", Hunter vastasi, "mutta Madeleine on yhä elossa."

"Toistan tohtori Lambertin kysymyksen", Kennedy puuttui puheeseen. "Miten voit olla niin varma, Robert?"

"Koska Madeleine Reed on Lucienin valttikortti", Hunter sanoi. "Hän on pidellyt sitä ensimmäisestä päivästä lähtien. Milloin te toitte hänet tänne BSU:hun?"

"Seitsemän päivää sitten", Kennedy vastasi. "Tiedät sen."

"Ja siitä huolimatta hän mainitsi Madeleinen vasta nyt", Hunter muistutti. "Kuten tohtori Lambert sanoi, Lucienilla on runsaasti kokemusta. Hän on pelannut tätä peliä hyvin kauan aikaa. Vaikka hän jäikin kiinni vahingossa, hän laskelmoi jokaisen liikkeensä pienintä yksityiskohtaa myöten. Kokenut pelaaja tietää valttikortteja koskevan tärkeimmän säännön."

"Älä koskaan pelaa niitä liian varhain", Taylor sanoi. "Pitele niistä kiinni parhaaseen mahdolliseen hetkeen saakka."

Hunter nyökkäsi. "Tai kunnes ne on pakko käyttää. Olette kaikki maininneet, miten vaikuttavan tarkkoja Lucienin sisäinen kello ja laskelmat ovat, vai mitä? Hän tietää täsmälleen, miten paljon ruokaa ja vettä on jättänyt Madeleinelle. Hän on sanonut, että Madeleine oppi säännöstelemään elintarvikkeitaan miltei täydellisesti. Hän tietää tarkkaan, milloin raja ylitetään. Hän on tiennyt sen ensimmäisestä päivästä alkaen. Olen varma, että hänellä on hyvin tarkka käsitys siitä, milloin koittaa se hetki, jolloin paluuta ei enää ole. Ja siitä huolimatta hän katsoi parhaaksi pelata valttikorttinsa vasta nyt. Syy siihen on tämä: hän haluaa tehdä tästä kilpajuoksun aikaa vastaan, sillä se asettaa meidät valtavan paineen alle. Helvetin paljon suuremman kuin silloin, jos etsisimme pelkkiä jäänteitä."

Kaikki sulattelivat Hunterin sanoja hetken.

"Ja siksi hän odotti näin kauan ennen kuin paljasti murhanneensa kihlattusi", tohtori Lambert sanoi. "Se ei ainoastaan aseta sinua äärimmäisen paineen alle vaan vaikuttaa myös mielentilaasi. Se horjuttaa sinua. Se saa sinut tunteiden valtaan ja siten haavoittuvammaksi, alttiimmaksi tekemään virheitä. Lucien tiesi sen vallan mainiosti."

Taylorin iho nousi kananlihalle.

"Mutta se tekee Robertista myös ailahtelevaisemman", hän sanoi. "Ellei Lucien olisi ollut pleksilasin takana, hän olisi todennäköisesti jo kuollut." Hän siirsi katseensa Hunteriin, joka viestitti omalla katseellaan olevansa sataprosenttisesti samaa mieltä.

"Ja ehkä hän haluaa juuri sitä", tohtori Lambert sanoi. "Hän ei halua yrittää pakoa ollessaan ulkomaailmassa teidän kanssanne. Hän haluaa tehdä poliisiavusteisen itsemurhan."

Kennedy ja Taylor kurtistivat kulmiaan, mutta Hunter oli ajatellut täsmälleen samaa tuijottaessaan ulos ikkunasta.

"Miksi hän haluaisi poliisiavusteisen itsemurhan?" Taylor kysyi.

"Koska tapahtuupa mitä hyvänsä, Lucien haluaa tulla muistetuksi", Hunter sanoi. "Hän janoaa pahamaineista kuuluisuutta." Hän piirsi ilmaan lainausmerkit. "Sitä 'arvovaltaa', joka tulee kuuluisan sarjamurhaajan tittelin myötä. Hän haluaa, että hänen perintöään tutkitaan kriminologian ja rikollisen käyttäytymisen kursseilla. Se on yksi syistä, miksi hän on tätä tietokirjaansa kirjoittanut, mikäli hän todella on tehnyt sitä."

"Ymmärrän", Taylor sanoi, "mutta niin käy luultavasti joka tapauksessa. Hänen ei tarvitse tulla tapetuksi saavuttaakseen sen."

"Totta", Hunter myönsi, "mutta hän ymmärtää myös, että hänen maineensa saisi eksponentiaalisesti buustia, mikäli hän ei päättäisikään päiviään kaltereiden takana tai osavaltion teloittamana. Olen varma, ettei se hänen mielessään ole sovelias päätös tälle hänen elinikäiselle projektilleen. Mutta jos FBI ampuu hänet kuoliaaksi yrittäessään pelastaa hänen viimeistä uhriaan..." Hunter kohautti harteitaan ja antoi sanojensa merkityksen täyttää ilman.

"Hänestä tulee legenda", tohtori Lambert komppasi.

"Eli olettaen, että Madeleine Reed on yhä elossa", Kennedy sanoi osoittaen sanansa Hunterille, "ja että Lucienin laskelmat pitävät kutinsa, miten kauan aikaa sanoisit meillä olevan, Robert?"

Hunter näytti epäilevältä. "Veikkaisin, että kun hän kertoi meille Madeleinesta, meillä oli parisenkymmentä tuntia aikaa löytää hänet. Sen jälkeen en enää pidättelisi henkeäni."

Kennedy vilkaisi kelloaan. "Meidän on siis toimittava nopeasti", hän sanoi. "Emme voi haaskata enää sekuntiakaan täällä, Robert."

Madeleinen valokuva oli yhä pöydällä. Näytti siltä kuin se tuijottaisi suoraan Hunteria.

"Onko lentokone valmiina?"

"On siinä vaiheessa, kun pääsette kiitoradalle", Kennedy vastasi, "mutta teidän kahden täytyy ensin laittautua valmiiksi."

"Valmistautukaa hyvin", tohtori Lambert sanoi, kun kaikki lähtivät liikkeelle, "koska uskon sinun olevan oikeassa, etsivä Hunter. Lucien pyrkii ärsyttämään teidät äärirajoillenne, ja tilanteen ollessa sellainen kuin se nyt on hänen ei tarvitse edes liiemmin yrittää.

Uskon, että kun hän pääsee ulos, hän tekee kaikkensa, ettei enää päädy takaisin tänne. Vaikka se veisi häneltä hengen."

Hunter veti takkinsa vetoketjun kiinni. "Ja se sopii minulle." Hän katsoi Tayloria. "Kunhan minä olen se, joka vetää liipaisimesta."

Kahdeksankymmentäyksi

Ennen kuin Hunter ja Taylor suuntasivat rakennuksen taakse turvaoven luona odottavalle kaupunkimaasturille, heitä pyydettiin luovuttamaan paitansa, jotta niihin saatiin sovitettua huipputason langattomat mikrofonit. Mikrofonit naamioitiin tavallisiksi napeiksi, mutta jotta nappi ei eroaisi muista, täytyi kummankin paidan kaikki napit vaihtaa. Aivan navan yläpuolinen nappi oli mikrofoni. Se yhdistyi pienellä kaapelilla erittäin tehokkaaseen mutta huomaamattomaan, purukumilevyä muistuttavaan satelliittilähettimeen, joka kiinnitettiin ristiselkään. Mikrofoni toimi myös GPS-paikantimena. Johtaja Adrian Kennedy tiimeineen olisi kaiken aikaa selvillä heidän tarkasta sijainnistaan. Hunter kuitenkin torjui ajatuksen heti, kun sai paitansa takaisin.

"Feikkinapit eivät ole täsmälleen samanvärisiä kuin alkuperäiset", hän sanoi Adrian Kennedylle.

"Riittävän lähellä", Kennedy vastasi.

"Ehkä useimpien ihmisten silmissä", Hunter sanoi. "Mutta ei Lucienin."

"Väitätkö, että hän kiinnittää huomiota sinun ja agentti Taylorin paidannappeihin?"

"Usko minua. Lucien on pannut merkille kaiken, Adrian. Hän imee tietoa kuin pesusieni."

"No, tämän parempaan me emme näin lyhyessä ajassa pysty", Kennedy totesi. "Minun on pakko olla teihin jatkuvassa kuuloyhteydessä, joten näillä mennään."

Tästä voi koitua kallis lasku, Hunter mietti.

Kaikki oli valmiina, kun kaksi Yhdysvaltain merijalkaväen sotilasta saattoi Lucienin ulos turvaovesta kymmenen minuutin kuluttua. Hänellä oli yllään sama oranssi vankihaalari kuin kuulustelujen aikana. Kädet ja nilkat oli kahlittu metalliketjuilla, jotka kiersivät lantion ja rajoittivat hänen liikkeitään – kädet eivät nousseet rinnan yli eikä hän pystyisi ottamaan yli kolmenkymmenen sentin askelia, mikä teki juoksemisen mahdottomaksi.

"Jotain puuttuu", Lucien sanoi Taylorille, kun tämä avasi maasturin takaoven, jotta Lucien pääsisi kapuamaan sisään.

"Etsivä Hunter liittyy seuraamme lentokoneessa", Taylor sanoi. Hän tiesi täsmälleen, mitä Lucien tarkoitti.

Lucien naurahti. "No niinpä tietenkin. Hän tarvitsee aikaa löytääkseen itsensä ja kenties tutkistellakseen tunteitaan, jotta tästä ei sukeutuisi täydellistä fiaskoa, eikö vain, agentti Taylor?"

Taylor ei vastannut. Jos hän antaisi tunteidensa ottaa vallan, hän todennäköisesti mäjäyttäisi Lucienia saman tien nyrkillä naamaan ja ampuisi miehen molemmat polvilumpiot murskaksi. Sen sijaan hän vain piteli ovea auki, kun merijalkaväen sotilaat auttoivat Lucienin takapenkille, lukitsivat kahleet auton lattian metallisilmukkaan ja ojensivat avaimet Taylorille.

"Pidän aurinkolaseistasi, agentti Taylor", Lucien sanoi Taylorin istuutuessa matkustajan penkille. "Ne ovat kovin... FBImaiset. Voisinko saada samanlaiset ihan vain tämän reissun kunniaksi?"

Taylor ei sanonut mitään.

"Vastaus on ilmeisesti kielteinen."

Lucien katsoi hetken raudoitettuja ranteitaan. Kun hän puhui jälleen, hänen äänensä oli hallittu ja tyyni – ei innostusta, ei vihaa, vain robottimaista monotonisuutta. "Miten uskoisit tämän päättyvän, agentti Taylor?"

Kuski, afrikkalaisamerikkalainen merisotilas, joka näytti siltä kuin voisi nostaa penkistä koko maasturin, käynnisti auton.

Taylor piti katseensa tiessä.

"Älähän nyt, agentti Taylor", Lucien intti. "Se on ihan asiallinen kysymys. Olen hyvin kiinnostunut tietämään, millaisia odotuksia sinulla on. Olet pärjännyt tähän asti erinomaisesti. Olet onnistunut hankkimaan tietoa, jonka avulla FBI on pystynyt löytämään kolmen uhrin jäännökset." Hänen kulmakarvansa kohosivat ja laskivat kerran. "Olettaen, että tiimisi on riittävän pätevä seuraamaan ohjeita, löydätte myös viiden New Haveniin jättämäni uhrin jäännökset. Olet myös onnistunut hankkimaan tietoa, joka saattaa johdattaa teidät elävän uhrin luo. Mikäli onnistut pelastamaan hänet, sinusta tulee sankari, agentti Taylor. Se ei ole ollenkaan hassumpi saldo kahden päivän kuulusteluista. Siksi kysymykseni on minusta reilu. Miten uskot tämän reissun päättyvän? Uskotko, että sinusta ja Robertista tulee sankareita, vai muuttuuko tämä pahimmaksi painajaiseksesi?"

Kuski vilkaisi häntä kysyvästi.

Oikeasti Taylorin teki mieli kääntyä katsomaan Lucienia ja ilmoittaa, että he aikoivat etsiä Madeleine Reedin ja panna tytön kärsimyksille pisteen. Sen jälkeen he toisivat Lucienin takaisin BSU:hun, jotta hän voisi kertoa, mistä loput uhrit löytyivät. Sen jälkeen Lucien saisi joko mädäntyä vankilassa tai osavaltio teloittaisi hänet. Niin tai näin, sillä ei olisi Taylorille minkäänlaista merkitystä, koska hänen ei tarvitsisi enää koskaan katsella Lucienin naamaa. Hän kuitenkin hillitsi itsensä eikä sanonut sanaakaan. Hän ei edes vilkaissut Lucienia.

Lucien ei antanut periksi.

"Luuletko, että hän tekee sen?" hän kysyi robottimaisella äänellä. "Luuletko, että Robert kostaa Jessican kuoleman? Luuletko, että hän unohtaa kaiken, mitä on pitänyt tärkeänä suurimman osan elämästään, ja antaa vihansa ottaa vallan?"

Ei vastausta.

"Luuletko, että hän ampuu minut, vai käyttääkö hän käsiään – murjoo minua, kunnes lakkaan hengittämästä?"

Taylor ei katsonut, mutta hän tiesi, että Lucienin kasvoilla oli jälleen tuttu, kuvottava virne.

He poistuivat FBI:n akatemian alueelta ja lähtivät pohjoiseen kohti Turner Fieldin kiitorataa.

”Miten sinä tekisit sen, agentti Taylor? Jos olisin riistänyt sinulta henkilön, johon olit tulenpalavasti rakastunut ja jättänyt sinulle pelkkiä kysymyksiä ja valtavasti verta, miten kostaisit minulle?”

Taylor tunsi veren kuumenevan suonissaan, mutta siitä huolimatta hän nieli joka ainoan sanan, joka uhkasi tulvia hänen suustaan.

Lucien vaihtoi taktiikkaa.

”Entä sinä, Lihasvuori?” Hän osoitti sanansa kuskille. ”Jos olisin murtautunut kotiisi ja murhannut raa'asti vaimosi, ja sinä olisit etsinyt minua kaksikymmentä vuotta, miten kostaisit minulle, kun vihdoin kohtaisit minut kasvokkain? Pystyisit takuulla murskaamaan kalloni yhdellä rusauksella, tuollaiset banaanisormet kuin sinulla on. Sinulla ja vaimollasi on varmasti hauskaa niiden kanssa.”

Kuski mulkaisi Lucienia vihaisesti taustapeilistä.

”Älä edes harkitse vastaavasi vangille, sotamies”, Taylor sanoi ja katsoi kuskia. ”Jätä täysin omaan arvoonsa hänen puheensa, olivatpa ne miten loukkaavia hyvänsä. Ymmärrätkö?”

”Kyllä, ma'am.” Vastaus lausuttiin matalalla bassoäänellä.

Lucien nauroi ääneen.

”Minäpä kerron, mitä mieltä itse olen, agentti Taylor. Uskon, että hän tekee sen. Uskon, että Robert murtuu ja saa vihdoin kostonsa. Uskon myös, että pystyt pysäyttämään hänet vain ja ainoastaan ampumalla hänet. Iso kysymys kuuluukin: ammutko?”

Kahdeksankymmentäkaksi

Hunter ja kaksi Yhdysvaltain merijalkaväen sotilasta odottelivat pienen, tilaustyönä valmistetun viiden istuttavan Lear Jet -suihkukoneen luona, kun Tayloria ja Lucienia kuljettava musta kaupunkimaasturi ajoi paikalle.

Taivaalle oli kerääntynyt raskaita pilviä. Tuntui kuin koko päivän mieliala olisi vaihtumassa – kirkkaus antoi tietä synkkyydelle, sininen harmaalle.

Taylor nousi autosta ja antoi toiselle merisotilaalle Lucienin kahleiden avaimet. Sotilaat ottivat vastuulleen vangin vapauttamisen takapenkiltä ja lentokoneeseen siirtämisen. Astuessaan muutamat askelet kohti lentokonetta he ohittivat Hunterin, ja Lucien kääntyi katsomaan Hunteria silmiin. Hän näki pelkkää tuskaa ja vihaa, ja hänen oli pakotettava hymy huuliltaan.

Vasta kun Lucienin kahleet oli kiinnitetty lentokoneen lattiaan, aivan istuimen viereen pultattuihin erikoisvalmisteisiin metallisilmukoihin, Hunter ja Taylor astuivat koneeseen.

Lucienin istuin oli matkustamon perällä. Sitä ympäröi metallihäkki, jonka armeijatasoisen, hyökkäyssuojatun sähkölukon saattoi avata vain ohjaamossa olevan napin avulla.

Taylor asetti takkinsa istuimelle Lucienin häkin eteen matkustamon oikealle puolelle muttei vielä istuutunut. Hunter asettui Taylorin viereen käytävän toiselle puolelle. Lentäjä odotteli kärsivällisesti ohjaamossa.

"No, minne päin Illinoisia me menemme?" Taylor kysyi Lucienilta.

"Emme mene Illinoisiin", Lucien vastasi asiallisesti.

Taylor epäröi hetken. "Miten niin? Sanoit, että olimme lähdössä sinne."

"En sanonut. Sanoin, että tarvitsemme sen verran bensiiniä, että sillä pääsee Illinoisiin. Jos meillä on sen verran polttoainetta, että pääsemme Illinoisiin, pääsemme samalla määrällä polttoainetta myös New Hampshireen. Olemme menossa sinne."

Lucienin istuin oli pultattu lattiaan, mutta muut matkustamon istuimet kääntyivät täydet 360 astetta. Hunter ei kääntänyt istuintaan katsoakseen Lucienia vaan piti sen suunnattuna eteenpäin. Häntä ei pahemmin yllättänyt, että Lucien pelasi yhä pelejään.

"New Hampshireen", Taylor sanoi.

"Aivan oikein, agentti Taylor. Muistatko osavaltion moton: 'Elä vapaana tai kuole?'"

"Okei, minne päin New Hampshirea me menemme?"

"Voit käskeä pilottia suuntaamaan kohti New Hampshirea. Annan hänelle lisäohjeita, kun pääsemme osavaltion ilmatilaan."

Taylor välitti ohjeet lentäjälle ja palasi istuimelleen. Hunterin tavoin hänkään ei halunnut olla kasvokkain vangin kanssa.

Minuutin kuluttua kone oli rullannut kiitoradan päähän ja lentäjä ilmoitti, että he olivat saaneet lähtöluvan. Suihkukoneen moottorit jyrähtivät käyntiin, ja kahdenkymmenen sekunnin kuluttua he olivat ilmassa. Kun kone kaarsi oikealle, ne pari auringonsädettä, jotka onnistuivat työntymään tummien pilvien läpi, heijastuivat terävästi lentokoneen rungosta.

Hunter tuijotti ikkunasta maan kadotessa näkyvistä hänen allaan. Lentokoneen pullotettu ilma tuntui hänestä sakeammalta kuin koskaan, kuin Lucienin läsnäolo olisi jollain lailla saastuttanut sen.

Taylor istui hiljaa, katse eteenpäin, yrittäen selvästi järjestellä aivoissaan mellastavaa ajatusten vyöryä. Hänellä oli mukanaan vesipullo, josta hän otti pikkuruisen siemauksen muutaman minuutin välein. Ei siksi, että häntä olisi janottanut; kyseessä oli vain hermostunut refleksi, jonka hänen kehonsa pakotti hänet miltei alitajuisesti tekemään, jotta hän pysyisi tyynenä.

Myös Hunter kamppaili ajatustensa kanssa, mutta tällä kertaa hänellä oli vastassaan kahdenkymmenen vuoden raivo ja turhautuminen. Molemmat tunteet vaativat päästä valloilleen.

He olivat lentäneet yli puolen tunnin ajan, kun he kuulivat jälleen Lucienin äänen.

"Uskotko, että joku voi syntyä pahana, agentti Taylor?" hän kysyi.

Taylor siemaisi taas vettä ja käänsi katseensa kohti käytävän toisella puolella istuvaa Hunteria. Näytti siltä, ettei Hunter ollut edes kuullut koko kysymystä. Hän oli täysin keskittynyt maailmaan ikkunan ulkopuolella, ei sen sisäpuolella.

Koska Taylor ei sanonut mitään, Lucien jatkoi.

"Tiedät varmaan, että lukuisat kriminologit, rikospsykologit ja -psykiatrit uskovat, että ihminen voi syntyä pahana, eikö vain? Että on olemassa jonkinlainen pahuusgeeni."

Taylor pysyi vaiti.

"Jos he uskovat pahuusgeeniin, se tarkoittaa, että he uskovat myös siihen, että pahuus tai ylenpalttinen väkivaltaisuus voi olla geneettistä. Uskotko sinä siihen, agentti Taylor? Uskotko, että vastasyntynyt voi periä pahuuden – tappajageenin – aivan kuten hän voi periä hemofilian tai värisokeuden?"

Taylor siemaisi jälleen vettä.

"Älähän nyt, agentti Taylor. Ole minulle mieliksi", Lucien sanoi. "Voiko ihmisestä tulla kaltaiseni paha, mielipuolinen tappaja geeniperimänsä vuoksi?"

Taylorin mielessä välähti juuri silloin ajatus: *Miksei tähän lentokoneeseen asennettu äänieristettyä pleksilasihäkkiä tämän metallikalterisen asemesta?*

"Kaksikymmentäseitsemän", Lucien sanoi ja lepuutti päätään istuimen päänojaa vasten.

Taylor vilkaisi automaattisesti Hunteria. Mies katseli edelleen ikkunasta, mutta Taylor oli varma, että hän oli kuullut Lucienin. Oliko Lucien vaihtanut täydellisesti puheenaihetta ja antoi heille nyt koordinaatteja? Hän kiepautti tuolinsa ympäri.

"Kaksikymmentäseitsemän?"

"Kaksikymmentäseitsemän", Lucien vahvisti ja nyökkäsi yhden ainokaisen kerran.

"Kaksikymmentäseitsemän mitä?"

"Osavaltiota", Lucien sanoi.

Taylor näytti hämmentyneeltä.

"Olen käynyt spermapankissa kahdessakymmenessäseitsemässä eri osavaltiossa", Lucien selitti. "Aina eri nimellä ja varustettuna sellaisella ansioluettelolla, että Englannin kuningatarkin olisi vaikuttunut. Se on osa pitkää, yhä jatkuvaa koetta."

Taylor tunsi happaman sapen kohoavan kurkkuunsa.

"Eli mikäli uskot, että ihmisestä voi tulla tappaja geeniperimänsä vuoksi, agentti Taylor", Lucien sanoi, "saatamme parin vuoden kuluttua kokea parikin yllätystä."

Tayloria kuvotti jo pelkkä samassa tilassa oleminen ja saman ilman hengittäminen Lucienin kanssa.

"Et ole ainoastaan sairas", hän sanoi inhon ilme kasvoillaan, "vaan myös täydellisen kieroutunut."

Ohjaamon kaiuttimet rätisivät kerran, minkä jälkeen kuului lentäjän ääni.

"Lähestymme Massachusettsin ja New Hampshiren rajaa. Onko uusia ohjeita?"

Lucienin kasvot tuntuivat syttyvän eloon.

"Seikkailu alkakoon."

Kahdeksankymmentäkolme

Syrjäinen piilopaikka.
Kaksi päivää sitten.

Madeleine Reedin silmät räpsähtelivät hitaasti ja tokkuraisesti useampaan kertaan, ennen kuin hän onnistui vihdoin avaamaan ne. Hän ei pystynyt heti tarkentamaan katsettaan. Itse asiassa kesti melkein kaksi minuuttia, ennen kuin esineet alkoivat käydä järkeen hänen murtuneessa ja nääntyneessä mielessään.

Hän makasi edelleen kippurassa vankisellinsä nurkassa koteloituneena likaiseen, haisevaan täkkiinsä. Mutta kietoipa hän iljettävää riepua ympärilleen miten tiukasti hyvänsä tai käpertyipä hän miten pienelle kerälle hyvänsä, hän ei onnistunut pitämään kylmää loitolla. Kuume oli ehkä laskenut, tai sitten se oli pahentunut. Hän ei osannut enää sanoa. Jokaista hänen kehonsa atomia särki niin kammottavalla tavalla, että hän oli jatkuvasti taintumisen partaalla.

Ainoa ääni sellissä oli ahdistava kärpästen surina niiden kuhistessa huoneen vastakkaisessa nurkassa ääriään myöten täyttyneen ulosteämpärin yllä.

Madeleine yskähti. Kuiva kurkku samoin kuin kasvot ja pää leimahtivat saman tien liekkeihin ja tuntuivat räjähtävän. Oksettava tuska sai hänen silmäluomensa räpsähtelemään hetken kuin perhosen siivet, ja hän lepuutti päätään seinään toivoen, että vajoaisi jälleen tiedottomuuteen.

Hän ei vajonnut.

Hän kasasi itsensä vielä kertaalleen ja katsoi tunnistamattomiksi muuttuneita luisia käsiään ja sormiaan. Kaikki kynnet olivat lohjenneet, kynsinauhat olivat kuivuneen veren kuorruttamat. Rystyset olivat punaiset ja turvonneet kuin vanhalla, akuutista reumatismista kärsivällä naisella. Hän ei ollut koskaan ollut niin laiha. Hän ei ollut koskaan ollut niin heikko, niin nälkäinen, niin janoinen.

Madeleine tajusi, että täkki oli yhä paikoitellen kostea. Todennäköisesti niiltä ajoilta, kun korkea kuume oli saanut hänet hikoilemaan itsensä läpimäräksi. Hän oli niin epätoivoinen, että hetken hulluudessa hän kohotti täkin suulleen ja imi sitä ahnaasti yrittäen saada kankaan kosteutta halkeilleille huulilleen ja kuivaan suuhunsa. Hän sai kuitenkin palkakseen vain suun täydeltä likaa ja niin vastenmielisen maun, että joutui saman tien kakomaan.

Kun yskiminen loppui, Madeleine katseli ympärilleen sellissä. Nestehukka ja aliravitsemus olivat kuitenkin jo alkaneet vaikuttaa häneen niin fysiologisesti kuin neurologisestikin. Hänen silmillään ei ollut enää voimaa tarkentaa yli metrin päähän.

Pitkin lattiaa lojui tyhjiä vesipulloja. Yhdessäkään ei ollut jäljellä pisaran pisaraa, mutta se ei estänyt Madeleinea tarttumasta lähimpään ja yrittämästä uudelleen. Hän kohotti pullon suulleen ja kallisti päätään taaksepäin, rutisteli ja puristi pulloa molemmin käsin.

Hän ei saanut mitään.

Hän antoi pullon pudota lattialle ponnistuksen näännyttämänä.

Hänen silmäluomensa rävähtivät vielä kerran. Hän oli epätoivoisen väsynyt ja surun musertama, mutta hän ei halunnut nukahtaa uudestaan. Hän tiesi äärimmäisen väsymyksen johtuvan siitä, että hänen kehonsa oli sulkeutumassa. Sillä ei ollut enää energiaa pysyä valveilla. Sillä ei ollut energiaa pitää kaikkia elimiä toimintakunnossa. Oli kuin valtava tehdas olisi sulkenut tiettyjä osastoja, koska sillä ei ollut riittävästi resursseja pitää niitä käynnissä.

Madeleine muisti nähneensä aihetta käsittelevän televisiodokumentin. Siinä kerrottiin, miten nestehukasta ja aliravitsemuksesta kärsivä keho pikkuhiljaa käytti varastonsa loppuun. Ensin rasvavarastot, sitten lihasten proteiinit ja ravinteet, kunnes kaikki oli lopussa ja energia hiipunut kokonaisuudessaan. Sen jälkeen keho alkoi sulkeutua. Tärkeimmät elimet, kuten maksa ja munuaiset, lakkasivat toimimasta kunnolla. Aivot, jotka koostuvat 75–80-prosenttisesti vedestä, saivat tuta nestehukan vaurioittavat vaikutukset. Nämä vaihtelivat henkilöstä toiseen ja saattoivat olla täysin umpimähkäisiä alkaen erittäin elävistä hallusinaatioista aina täydelliseen romahdukseen saakka. Tässä vaiheessa aivomassalle aiheutunut vaurio oli jo peruuttamaton.

Kun keholla ei enää ole ravintoaineita, siltä loppuu energia ja se joutuu ylirasitustilaan. Mikään maailmassa ei ole kuitenkaan niin monimutkainen ja älykäs kuin ihmiskeho ja ihmisaivot. Jopa tällaisenkin äärimmäisen ponnistuksen aikana niiden puolustusmekanismit toimivat parhaan kykynsä mukaan. Säästääkseen sitä vähäistä energiamäärää, joka vielä on jäljellä, ja estääkseen ihmistä kuolemasta kiduttavaan kipuun, nääntynyt keho pakottaa itsensä nukahtamaan. Kun niin tapahtuu, keho sulkee itsensä hitaasti, täydellisesti ja armollisesti. Ihminen ei enää koskaan avaa silmiään.

Madeleine tiesi kuolevansa. Hän tiesi, että jos hän jälleen nukahtaisi, hän ei todennäköisesti enää koskaan heräisi. Hän ei kuitenkaan tiennyt, mitä muutakaan tekisi. Häntä väsytti niin, että pelkkä sormen liikauttaminen tuntui maratonjuoksulta.

”En halua kuolla”, hän kuiskasi heikolla ja hengästyneellä äänellä. ”En halua kuolla tällä tavalla. En halua kuolla tässä kauheassa paikassa. Auttakaa minua.”

Sitten hänen mieleensä juolahti järjetön ajatus. Hän oli kuullut tarinoita ihmisistä, jotka joivat omaa virtsaansa. Niin iljettävältä kuin se hänestä kuulostikin, hän tiesi, että jotkut ihmiset kiihottuivat siitä seksuaalisesti. Hänen uupuneet aivonsa kuitenkin taistelivat pitääkseen hänet hengissä. Hän oli valmis mihin tahansa, kuvottavaa tai ei.

Madeleine tarttui sen enempiä miettimättä tyhjään vesipulloon. Hän onnistui suurin voimanponnistuksin nousemaan pystyyn, avaamaan nyt jo repaleisten housujensa napin ja vetoketjun ja laskemaan ne nilkkoihinsa. Pikkuhousut seurasivat perässä. Hän piteli pulloa oikeassa asennossa, sulki silmänsä ja keskittyi kaikin voimin pusertamaan jalka- ja vatsalihaksiaan.

Ei pisaraakaan.

Hänen kehonsa oli niin kuivunut, ettei sillä ollut enää mitään annettavaa. Hän ei kuitenkaan ollut valmis luovuttamaan. Hän yritti uudestaan, kerran toisensa jälkeen. Hänellä ei ollut aavistustakaan, kuinka kauan hän yritti. Mutta lopulta, ikuisuudelta tuntuneen ajan jälkeen, pullon pohjalle pirskahti pari pientä tippaa. Madeleine ilahtui niin suuresti, että alkoi nauraa hysteerisesti. Siihen saakka, kunnes keksi katsoa pulloon.

Ne pari virtsatippaa, jotka hän oli onnistunut pusertamaan, olivat tumman meripihkan väriset, ja se tiesi pahaa.

Mitä tummempaa ihmisen virtsa on, sitä kuivuneempi on keho.

Jos henkilö juo runsaasti nesteitä, kuten vettä, terve maksa ja terveet munuaiset suodattavat sen hyvin nopeasti, ottavat sen mitä keho tarvitsee ja hylkäävät loput. Hylätyt nesteet täyttävät rakon. Kun rakko on täynnä, ihminen tuntee tarvetta piipahtaa vessassa. Virtsaaminen on kehon pääasiallinen keino päästä eroon siitä, mitä keho ei tarvitse, mukaan lukien toksiineista, mutta ei aina. Jos henkilö nesteyttää itseään jatkuvasti, rakko täyttyy ylimääräisestä nesteestä, mutta tässä tapauksessa keho hankkiutuu pääasiassa eroon henkilön nauttimasta ylimääräisestä vedestä tai muista nesteistä. Virtsan toksiinipitoisuus on tällöin minimaalinen. Mitä vähemmän toksiineja, sitä vaaleampaa virtsa on. Päinvastainen pätee myös.

Värin perusteella Madeleine tiesi, että ne pari tippaa, jotka hän oli onnistunut pulloon virtsaamaan, sisälsivät todennäköisesti 99-prosenttisesti toksiineja. Jos hän joisi sen, hän joisi myrkkyä. Se ei auttaisi häntä pysymään hengissä. Se vauhdittaisi hänen kuolemaansa.

Hän tuijotti pulloa kauan aikaa. Se tärisi hänen kädessään. Hänen teki mieli itkeä. Hän itkikin, mutta pitkittyneestä kuivettumistilasta kärsivät kyynelrauhaset eivät pystyneet tuottamaan kyyneliä.

Lopulta kaikki voima kaikkosi hänestä, ja hän rojahti maahan. Pullo vieri sellin toiselle puolelle.

”En halua kuolla.” Sanat karkasivat kähisten hänen vapisevilta huuliltaan, mutta hän ei kyennyt enää taistelemaan. Hänellä ei ollut enää voimia pitää itseään hereillä.

Hänellä ei ollut enää toivoa.

Hänellä ei ollut enää uskoa.

Hän salli silmiensä painua kiinni ja alkoi hyväksyä vääjäämättömän totuuden.

Kahdeksankymmentäneljä

Koska Lucienin kädet eivät kahleiden vuoksi nousseet rintaa korkeammalle, hän nojautui eteenpäin niin että saattoi raapia nenäänsä.

Taylor oli kiepauttanut tuoliaan niin, että istui kasvokkain Lucienin kanssa, kun taas Hunter tuijotti yhä eteensä.

"Okei", Taylor sanoi. "Olemme saapuneet New Hampshiren ilmatilaan. Minne suunnataan?"

Lucien ei pitänyt kiirettä. "Hitto, kun nämä ovatkin epämukavat. Olisitko niin ystävällinen, että raapisit puolestani nenääni, agentti Taylor?"

Taylor mulkaisi häntä vastaukseksi.

"Jep, en odottanutkaan moista." Lucien suoristi vihdoin selkänsä. "Käske pilottia lentämään pohjoiseen. Kerro, kun hän on White Mountainin kansallispuiston kohdalla."

White Mountainin kansallispuisto on liittovaltion hoitama metsä, jonka kokonaispinta-ala on 125 000 hehtaaria. Noin 94 prosenttia siitä sijaitsee New Hampshiren osavaltion alueella. Puisto on niin laaja, ettei yksikään sen ylitse lentävä yksityislentokone voi olla huomaamatta sitä.

Taylor välitti tiedon lentäjälle ja palasi istuimelleen.

He lensivät vielä kahdenkymmenenseitsemän minuutin ajan, kunnes lentäjän ääni kuului jälleen kaiuttimista.

"Lähestymme juuri White Mountainin kansallispuiston eteläraja. Jatkanko pohjoiseen, vai onko palapeliin saatu uusi pala?"

Taylor kääntyi jälleen kohti Lucienia ja odotti.

Lucien tuijotti kämmenselkiään.

"Nyt tämä muuttuu kiintoisaksi", hän sanoi kohottamatta katsettaan. "Sano lentäjälle, että menemme Berliiniin."

Taylor tuijotti häntä epäuskoisena. "Anteeksi kuinka?"

"Sano lentäjälle, että menemme Berliiniin", Lucien toisti rennosti. Hän silmäili vielä tovin käsiään ennen kuin kohotti katseensa Tayloriin.

Taylor ei liikahtanut, mutta hänen ilmeensä muuttui ennätysajassa hämmästyneestä vihaiseksi.

"Rauhoitu, agentti Taylor", Lucien sanoi. "En puhu Saksan Berliinistä. Se olisi ollut hiukan kaukaa haettua jopa minulle. Mutta jos vilkaiset New Hampshiren karttaa, huomaat, että aivan pohjoiseen White Mountainin kansallispuistosta on pikkukaupunki nimeltä Berlin. Sen kunnallinen lentokenttä sijaitsee kiinnostavaa kyllä kolmetoista kilometriä pohjoiseen lähellä erästä toista kaupunkia, jonka nimi sattuu olemaan Milan." Hän naurahti. "Kovin eurooppalaista, vai mitä?"

Taylorin ilme rentoutui aavistuksen.

"Sano pilotille, että laskeudumme Berlinin kunnalliselle lentokentälle."

Taylor välitti tiedon lentäjälle lentokoneen sisäpuhelimen välityksellä.

Hunter oli pohtinut asiaa hetken aikaa, ja hänen oli vaikea uskoa, miten hyvin Lucien oli valmistautunut. *Miten kauan hän on tätä suunnitellut?* hän kysyi itseltään.

New Hampshiren osavaltio oli yksi harvoista, joilla ei ollut erillistä FBI:n aluetoimistoa. Se sijaitsi FBI:n Massachusettsin aluetoimiston toimivallan alla – aivan liian kaukana, jotta johtaja Kennedy olisi voinut lähettää sieltä käsin tukijoukkoja. Vaikka Lucien oli yksityiskohtaisesti ohjeistanut, ettei kukaan saanut seurata heitä sen enempää maa- kuin ilmateitse, Hunter tiesi, ettei Adrian Kennedy noin vain myöntyisi sarjamurhaajan vaatimuksiin. Kennedy olisi epäilemättä äärimmäisen varovainen, koska hän tiesi, että siepatun uhrin henki oli vaakalaudalla, mutta hänellä oli varmasti myös suunnitelma B käden ulottuvilla. Koska New Hampshiressa ei ollut aluetoimistoa, se tarkoitti, että mikäli Adrian Kennedy halusi toisen paikallisen ryhmän seuraamaan Hunteria ja Tayloria, hänen olisi pakko ottaa yhteyttä piirikunnan seriffinvirastoon tai paikalliselle poliisilaitokselle. Kummankaan henkilökuntaa ei ollut koulutettu korkean profiilin tarkkailuun, ja riski oli liian suuri. Lucien oli ottanut kaiken tämän huomioon sairaissa laskelmissaan.

"Olen juuri ottanut yhteyttä Berlinin kunnalliseen lentokenttään." Pilotin ääni kuului jälleen matkustamon kaiuttimista. "Laskeutumislupa on annettu, ja aloitamme laskeutumisen viiden minuutin kuluttua."

Kukaan ei nähnyt, miten leveästi Lucien hymyili sisäisesti.

Kahdeksankymmentäviisi

Oltuaan ilmassa vain hiukan alle kaksi tuntia Lear Jet kosketti Berlinin kunnallisen lentokentän pientä kiitorataa New Hampshiren osavaltiossa. Se rullasi nopeasti kiitoradan päähän, pois muiden pienkoneiden läheisyydestä, ja jäi odottamaan. Lentäjä oli jo ilmoittanut lennonjohdolle, että kone oli virallinen FBI:n lentokone liittovaltion asioilla, eikä sitä saanut lähestyä.

”Mitä nyt tapahtuu?” Hunter kysyi Lucienilta jo ennen kuin lentokone pysähtyi kokonaan. Tämä oli ensimmäinen kerta, kun Hunter oli puhutellut häntä sitten Quanticon.

”Nyt me hankimme auton”, Lucien vastasi ja väänsi naamaansa. ”Mutta tämä ei ole LAX, Robert, eikä lentokentän aulassa ole autonvuokrausyrityksiä. Itse asiassa täällä ei ole edes aulaa.” Hän nyökäytti kohti ikkunaa. ”Näet pian itse. Olet onnekas, jos löydät jostain edes myyntiautomaatin.”

Taylor vilkaisi kysyvästi Hunteria.

”Voitte soittaa autovuokraamoon, jos haluatte”, Lucien jatkoi. ”Sellainen löytyy varmasti joko Berlinistä tai Milanista, mutta kestää vähintään kaksikymmentä–kaksikymmentäviisi minuuttia, ennen kuin he saavat kaiken järjestettyä ja auton tänne asti. Ellette halua odottaa, suosittelen improvisaatiota.”

”Improvisaatiota?” Taylor kysyi.

Lucien kohautti harteitaan. ”Ottakaa auto haltuunne. Niin kuin elokuvissa. Teillähän on FBI:n virkamerkit. Täkäläinen väki on varmasti otettu niistä.”

Taylor mietti, mitä tehdä.

"Muistakaa, että jokainen sekunti on elintärkeä Madeleine-rukan kannalta", Lucien lisäsi. "Mutta pähkäilkää vapaasti niin kauan kuin mieli tekee."

"Sinä jäät tänne hänen kanssaan", Hunter sanoi ja siirtyi jo kohti lentokoneen ovea. "Minä lähden."

Taylor nyökkäsi. Juuri nyt häntä ei todellakaan huvittanut jättää Hunteria kahden Lucienin kanssa.

"Lähdetään", Hunter sanoi noustessaan takaisin lentokoneeseen.

"Joko meillä on auto?" Taylor kysyi ja pomppasi pystyyn. Hunter oli ollut poissa alle kolme minuuttia.

Hunter nyökkäsi. "Lainasin lennonjohtajalta."

"Selvän teki", Taylor sanoi. Hän ei kaivannut enempiä selittelyjä. Hän veti aseen kotelostaan ja osoitti sillä Lucienia. "Okei, me teemme tämän nyt hitaasti ja asiallisesti. Kun Robert painaa häkkisi oven avausnappia, lattiasilmukat avautuvat. Sen jälkeen sinä nouset seisomaan, *hitaasti*, astut sellistä ja pysähdyt. Ymmärrätkö?"

Lucien nyökkäsi välinpitämättömänä.

Taylor nyökkäsi Hunterille merkiksi. Hunter painoi lentäjän ohjaamon vieressä olevaa nappulaa, kaivoi aseen kotelostaan ja tähtäsi sillä Lucienia kuolettavasti.

Matkustamossa kaikui kovaääninen, elektroninen surina. Lucienin häkin ovi kalahti auki sisäänpäin. Metallikahleet, jotka pitivät hänen nilkkansa ja ranteensa yhdessä, irtosivat nekin lattian ja tuolin pidikkeistä.

"Hitaasti ylös", Taylor sanoi.

Lucien totteli.

"Astu eteenpäin ja ulos häkistä."

Lucien totteli.

"Kävele hitaasti ja rauhallisesti kohti meitä ja uloskäyntiä."

Lucien totteli.

Taylor siirtyi Lucienin taakse. Hunter pysytteli miehen edessä. Hän laskeutui portaat ensimmäisenä. Lucien ja Taylor seurasivat aivan perässä.

Punainen Jeep Grand Cherokee oli pysäköity muutaman metrin päähän lentokoneesta. Hunter käveli sen luo ja avasi takaoven.

"Kiva kärry", Lucien huomautti.

"Sisään siitä", Hunter vastasi.

Lucien seisahtui ja katseli ympärilleen. Ketään ei näkynyt. Berlinin kunnallinen lentokenttä oli pelkkä asvalttinen kiitorata metsän vieressä. Ei lentokenttäaulaa, ei loungea, ei mitään. Kiitoradan itäpuolella oli kaksi keskikokoista lentokonehallia, joihin kumpaankin mahtui muutama yksityiskone. Eteläpäässä oli kaksi pienempää hallintorakennusta. Muuta kentällä ei ollut.

Lucien katsoi taivaalle. Yö lankesi nopeasti, ja hämärän myötä oli alkanut tuulla viileästi. Hän piti katseensa taivaalla hyvän tovin, tarkkaili, kuunteli.

Hän ei nähnyt eikä kuullut mitään.

"Sisään siitä", Hunter komensi uudestaan.

Lucien siirtyi geishan askelin kohti autoa. Hunter piti ovea auki. Lucien istuutui ensin kuin koulutettu hienostoneiti ja nosti vasta sitten jalkansa sisään. Hänen oli helpompi niin, koska sekä kädet että jalat oli kahlittu vyötäisille.

Hunter sulki oven ja viittoi Tayloria menemään toiselle puolelle. Vasta, kun Taylor oli istuutunut paikalleen takapenkille, Hunter asettui kuskin paikalle.

Taylor osoitti yhä aseellaan Lucienia.

"Haluan, että istut selkä vasten selkänojaa", Taylor sanoi. "Ja käsivarsi kaiken aikaa oven käsivarsituella." Hän laski takapenkin käsivarsituen luoden hataran jakoviivan itsensä ja Lucienin välille. "Jos teet yhdenkin äkkiliikkeen, ammun sinulta polvilumpiot. Menikö perille?"

"Täydellisesti", Lucien vastasi.

Hunter käynnisti auton.

"Minne ajetaan?" hän kysyi.

Lucien hymyili.

"Ei yhtään minnekään."

Kahdeksankymmentäkuusi

Hunter oli ollut oikeassa. Johtaja Kennedyllä oli varasuunnitelma joka tilanteeseen.

Tasan kymmenen minuuttia sen jälkeen, kun Lear Jet oli noussut ilmaan Hunter, Taylor ja Lucien kyydissään, toinen suihkukone lähti liikkeelle Turner Fieldin kiitoradalta Quanticossa. Tässä koneessa oli viisi Kennedyn huippuagenttia, kaikki ammattimaisia tarkka-ampujia, jotka olivat ansainneet kannuksensa peiteoperaatioissa. Heillä oli mukanaan satelliittijäljitin, joka seurasi Hunterin ja Taylorin mikrofoninapeista lähtevää GPS-signaalia. Heillä oli koneessa myös korvat, sillä mikrofonit eivät lähettäneet puhetta ainoastaan johtaja Kennedylle FBI:n akatemiaan vaan myös suihkukoneessa matkaaville agenteille.

FBI:n operaatiohuoneessa Quanticossa Adrian Kennedy ja tohtori Lambert seurasivat tutkanäytöltä molempien lentokoneiden etenemistä. He olivat myös kuulleet jokaisen sanan, joka oli käyty Hunterin, Taylorin ja Lucienin välillä. Heti, kun heidän lentokoneensa laskeutui Berlinin kunnalliselle lentokentälle, Kennedy kaivoi puhelimen taskustaan.

”Johtaja.” Agentti Nicholas Brody, toisen suihkukoneen ryhmänjohtaja, vastasi matkapuhelimeensa toisella pirahduksella.

”Bird One laskeutui juuri”, Kennedy sanoi.

”Jep, näimme”, Brody vastasi. Myös he seurasivat ensimmäisen lentokoneen matkaa tutkasovelluksestaan.

”Käske pilottianne lentämään ympyrää”, Kennedy sanoi. ”Älkää, ja toistan: älkää missään tapauksessa ylittäkö ilmatilaa, joka on näkyvillä maasta käsin Berlinin kunnalliselta lentokentältä. Soitan, kun saatte laskeutumisluvan."

"Selvä, sir."

Agentti Brody lopetti puhelun, antoi uudet ohjeet lentäjälle, palasi istuimelleen ja odotti.

Kahdeksankymmentäseitsemän

Hunter kohtasi Lucienin kylmän katseen taustapeilistä. Lucienin huulilla karehti pöyhkeä, uhmakas hymy.

”Mitä tuo oli tarkoittavinaan?” Taylor kysyi. Hänen kärsivällisyytensä alkoi olla lopuillaan.

Lucien piti katseensa taustapelissä. Hänen silmänsä kävivät kamppailua Hunterin silmien kanssa.

”Me emme mene yhtään minnekään”, hän sanoi, ja hänen äänensä oli hallittu ja tasainen.

Hunter sammutti tyynesti moottorin.

”Mitä tarkoitat, Lucien?”

”Tarkoitan juuri sitä, mitä sellissäni sanoin”, Lucien totesi. ”Sopimukseen kuului, että matkaan lähdemme ainoastaan me kolme, eikä kukaan seuraa. Jos rikotte sopimuksen, en vie teitä minnekään. Luulin tehneeni asiani täysin selväksi.”

Hunter otti kätensä ohjauspyörältä ja kohotti kämmenensä ilmaan.

”Näetkö muita kuin me kolme? Seuraako kukaan meitä?”

”Ei vielä”, Lucien vastasi itsevarmasti ja katsoi sitten ylös ja oikealle, ”mutta he ovat tuolla ylhäällä. Todennäköisesti odottavat ja lentävät ympyrää. Te tiedätte sen ja minä tiedän sen.”

Taylor kysyvä katse löysi Hunterin taustapeilin kautta. Hunter tuijotti edelleen Lucienia.

”Ei, me emme tiedä sitä”, Hunter sanoi. ”Etkä tiedä sinäkään. Sinä oletat niin. Haluatko siis, että istumme tässä olettamassa sillä välin, kun Madeleinelta loppuu aika?”

”Oletukseni ovat aina erittäin tarkkoja, koska ne perustuvat faktoihin, Robert”, Lucien sanoi.

”Faktoihin?” sanoi Taylor tällä kertaa. ”Mihin faktoihin?”

Lucien siirsi vihdoin katseensa taustapeilistä Tayloriin. Hän huomasi, että agentin ote aseesta oli höltynyt aavistuksen verran.

”Katsohan, agentti Taylor, pääsemme liikkeelle heti, kun sinä ja Robert riisutte paitanne ja heitätte ne ikkunasta. Mitenkäs olisi?”

”Anteeksi kuinka?” Taylor sanoi. Hän onnistui pakottamaan kasvoilleen loukkaantuneen ilmeen. Suoritus oli hyvinkin Oscarin arvoinen.

”Paitanne”, Lucien toisti. ”Riisukaa ne ja heittäkää ulos ikkunasta.”

Hunter ja Taylor olivat hiljaa.

”Tuotat minulle pettymyksen, Robert”, Lucien sanoi. ”Luulitko, etten huomaisi paitojenne nappeja?”

Taylorin leukapielessä nytkähti lihas.

Lucien puhutteli häntä. ”Hyvä yritys, mutta värit eivät aivan natsaa aiempiin.” Hän kohotti oikeaa etusormeaan ja osoitti Taylorin paitaa. ”Nuo ovat pari sävyä tummempia. Veikkaan, että meillä on tässä mikrofoni, GPS-satelliittilähetin ja kenties kamerakin?”

Ei vastausta.

”Mikä pettymys. Olin kuvitellut, että FBI olisi huolellisempi.” Lucien kohautti olkapäitään. ”Mutta enhän minä toisaalta antanut teille juurikaan varoitusaikaa.”

Hunterin aiempi ajatus palasi hänen mieleensä: *tämä voi osoittautua kalliiksi virheeksi.*

”Eli”, Lucien jatkoi, ”meillä on muutama vaihtoehto. Voitte riisua paitanne ja heittää ne ikkunasta...” Hän iski Taylorille provosoivasti silmää. ”Ja se lisäisi suuresti iloani täällä takapenkillä. Tai voitte repiä napit irti, yhden kerrallaan, ja heittää ne ulos ikkunasta.” Lucien tuijotti yhä Tayloria. ”Sinulla on takuulla kaunis napa, agentti Taylor.”

”Haista paska.” Taylor ei kyennyt hillitsemään itseään.

Lucien naurahti. "Vaihtoehtoisesti voitte pitää paidat päällänne nappeineen päivineen ja repäistä pois satelliittilähettimet, jotka on varmastikin teipattu johonkin ruumiinosaanne."

Taylor ei edes huomannut näyttävänsä vihaiselta lapselta, joka on juuri jäänyt kiinni valheesta.

"Ja kuulkaa", Lucien lisäsi, "voitte vapaasti haaskata tähän niin paljon aikaa kuin haluatte." Hän asetti päänsä vasten nahkaista päätukea ja sulki silmänsä. "Kertokaa, kun olette tehneet päätöksenne."

Hunter avasi turvavyönsä, nojautui eteenpäin ja repäisi satelliittilähettimen alaselästään.

Ase yhä Lucieniin kohdistettuna Taylor teki saman.

Quanticon operaatiohuoneessa johtaja Adrian Kennedy kuuli raapivan äänen. Hiukan sen jälkeen Hunterin mikrofoni mykistyi. Parin sekunnin kuluttua myös Taylorin mikrofoni vaikeni. Kaksi täplää, jotka edustivat heitä tutkanäytöllä, hiipuivat olemattomiin.

Tutkajärjestelmän luona istuva agentti näpytteli pikaisesti useita komentoja tietokoneeseensa ja katsoi sitten Kennedyä, joka seisoi hänen vierellään. "Menetimme heidät, sir. Olen pahoillani. Emme voi tehdä mitään täältä käsin."

"Saatanan paskiainen", Kennedy kuiskasi hampaitaan kiristellen.

Berlinin kunnallisen lentokentän yläpuolella taivaalla kiertelevässä Bird Twossa agentti Brody haroi lyhyeksi kynittyä tukkaansa ja lausui täsmälleen saman kommentin.

Kahdeksankymmentäkahdeksan

”Noin on paljon parempi”, Lucien sanoi, kun Hunter ja Taylor olivat heittäneet satelliittilähettimensä auton ikkunoista. ”Otetaan vielä varman päälle. Riisukaa vyönne ja pudottakaa nekin ikkunasta.”

”Meillä ei ollut muita lähettimiä”, Taylor sanoi.

”Pantu muistiin”, Lucien sanoi ja nyökkäsi kohteliaasti. ”Pahoittelen, etten kuitenkaan juuri nyt pysty luottamaan teihin, agentti Taylor. Voisitteko nyt ystävällisesti riisua vyönne?”

Hunter ja Taylor tottelivat ja pudottivat vyönsä ikkunasta.

”Sitten tyhjennätte taskunne. Pikkurahat, luottokortit, lompakot, kynät… kaikki. Ja kellot myös.”

”Entä tämä?” Taylor sanoi ja näytti Lucienille avainnippua. Samaa, jonka avulla he olivat päässeet sisään Murphyn kaupungissa Pohjois-Carolinassa sijaitsevaan taloon.

”Sitä ei kannata heittää pois, agentti Taylor. Tarvitsemme sitä päästäksemme sisään tähän uuteen paikkaan.”

Hunter ja Taylor pudottivat kellonsa ja taskujensa sisällön ikkunasta.

”Älkää huoliko”, Lucien sanoi. ”Lentäjä varmasti noukkii kaiken talteen, kun olemme lähteneet liikkeelle. Ette menetä mitään. Ja koska olemme päässeet vauhtiin, riisutaan saman tien kengätkin. Popot pois ja auton ulkopuolelle.”

”Kengät?” Taylor kysyi.

”Olen nähnyt kengänkantoihin kätkettyä lähettimiä, agentti Taylor. Ja koska olette jo kerran pettäneet luottamukseni, en jätä mitään sattuman varaan. Mutta mikäli haluatte vielä tuhlata aikaa, en käy vastustamaan."

Muutaman sekunnin kuluttua Hunterin bootsit ja Taylorin kengät osuivat asvalttiin auton sivulla.

Lucien nojautui hitaasti eteenpäin ja katsoi Taylorin jalkoja.

"Sinulla on oikein nätit varpaat, agentti Taylor." Hän nyökkäsi hyväksyvästi. "Ja lakka on punaista, intohimon väriä. Kiintoisaa. Tiesitkö, että arviolta kolmestakymmenestä neljäänkymmeneen prosentilla miehistä on jonkinlainen jalkafetissi? Maailmassa on varmasti montakin ihmistä, jotka tappaisivat päästäkseen koskettamaan noita sieviä varpaita."

Lucienin sanat saivat Taylorin vavahtamaan inhosta, ja hän siirsi vaistomaisesti jalkojaan taaksepäin kuin pyrkien kätkemään ne.

Lucien naurahti eloisasti.

"Ja viimeisimpänä vaan ei vähäisimpänä", hän jatkoi. "Hankkiudutaan eroon myös matkapuhelimista, eikös vain? Me kaikki tiedämme, että niissä on jäljitettävä GPS-siru."

Niin paljon kuin Hunteria ja Tayloria suututtikin, he eivät voineet väittää vastaan. Lucien piteli yhä kaikkia kortteja käsissään. He tekivät työtä käskettyä, ja puhelimet putosivat ikkunoista.

Lucien hymyili Hunterille tyytyväisenä peruutuspeilin kautta.

"Nyt taitaa riittää", hän sanoi. "Voit käynnistää auton uudestaan, Robert."

Hunter käynnisti. Satelliittinavigointijärjestelmä käynnistyi kojelaudan 8,4 tuuman kosketusnäytöllä.

"Et tarvitse tuota", Lucien sanoi. "Tiellä ei ole nimeä tai numeroa. Se on pelkkä soratie."

"Miten me pääsemme sinne?"

"Minä opastan teitä", Lucien sanoi. "Ja aivan ensimmäiseksi me hankkiudumme helvettiin tältä paskakentältä."

Kahdeksankymmentäyhdeksän

Johtaja Adrian Kennedy tuijotti tutkanäyttöä Quanticon FBI-akatemian operaatiohuoneessa. Hän oli tuijottanut sitä jo kauan yrittäen keksiä, mitä tekisi seuraavaksi.

”Voimme yrittää jäljittää heidän matkapuhelintensa GPS-signaalia”, tutkajärjestelmää valvova agentti ehdotti.

Kennedy kohautti harteitaan. ”Voihan sitä kokeilla, mutta tämä kaveri on liian fiksu. Hän huomasi napit vain siksi, että ne olivat paria sävyä tummemmat kuin alkuperäiset. Jumalauta. Kuka panee merkille toisen ihmisen nappien värin?”

”Joku, joka tietää mitä tekee”, tohtori Lambert sanoi. ”Lucien ei olettanut, että FBI noin vain myöntyisi hänen vaatimuksiinsa. Hän tiesi, että yrittäisimme jotain, ja hän oli valmistautunut siihen.”

”Juuri sitä minä tarkoitan”, Kennedy sanoi. ”Jos hän osasi varautua nappeihin, hän ei missään tapauksessa anna Robertin ja agentti Taylorin jatkaa matkaa kännykät taskuissaan. Kymmenvuotias nulikkakin tietää, että matkapuhelimen GPS-sirun pystyy jäljittämään.” Hän katsoi tutkajärjestelmän äärellä istuvaa agenttia. ”Mutta kokeile ihmeessä.”

Agentti avasi sisäisen FBI-sovelluksen tietokoneellaan. ”Mikä agentin nimi on?” hän kysyi.

”Courtney Taylor”, Kennedy vastasi. ”Hän työskentelee käyttäytymistieteiden yksikössä.”

Vielä pari näpäytystä.

”Löytyi”, agentti sanoi.

Hänen avaamassaan sovelluksessa oli listattu kaikkien FBI-agenteille myönnettyjen matkapuhelinten jäljitettävät GPS ID-numerot.

”Tähän menee hetki.” Agentti alkoi naputella kiivaasti. Pian näytölle ilmestyi sana ”paikallistaa” sekä kolme välkkyvää pistettä. Vain parin sekunnin päästä näyttö julisti: ”GPS ID löydetty.”

Tutkajärjestelmään ilmestyi uusi piste.

”Puhelin on päällä”, agentti sanoi. ”GPS toimii yhä, mikä tarkoittaa, että puhelinta ei ole tuhottu ja akku on yhä paikoillaan. Paikka on täsmälleen sama kuin aiemmin. He ovat yhä Berlinin kunnallisen lentokentän kiitoradalla.”

”Joko niin”, Kennedy sanoi, ”tai sitten heidän on käsketty heittää puhelimet pois.” Hän katsoi tohtori Kennedyä, joka nyökkäsi.

”Juuri niin minä tekisin.”

Puhelin soi Kennedyn taskussa. Siellä oli Bird Twon agentti Brody.

”Johtaja”, Brody sanoi Kennedyn vastattua puhelimeen. ”Pilottimme on juuri ollut yhteydessä Bird Onen pilottiin. Hänen mukaansa kohteen sisältämä auto on poissa, mutta he jättivät kiitoradalle kasan kaikenlaista – matkapuhelimia, lompakkoja, vyöt, jopa kengät. Kohde ei ota minkäänlaista riskiä.”

Kennedy oli saanut vastauksensa.

”Mitä haluatte meidän tekevän?” Brody kysyi. ”Meillä ei ole enää maassa silmiä emmekä tiedä kohteen tarkkaa sijaintia, joten laskeutuminen voi olla turhan riskialtista. Vaikka onnistuisimmekin laskeutumaan kohteen huomaamatta, emme pysty seuraamaan heitä, kun olemme maassa.”

”Ymmärrän”, Kennedy sanoi. ”Ja vastaus on: en ole vielä varma. Soitan takaisin, kunhan olen keksinyt jotain.” Hän lopetti puhelun. Hänen väsyneet aivonsa raksuttivat parhaansa mukaan, ja sitten hänellä välähti. ”Auto”, hän sanoi, katsoi tohtori Lambertia ja sitten tutkajärjestelmää valvovaa agenttia. ”Robert sai auton siltä lennonjohtajalta. Hänen nimensä on Josh. Kuulimme keskustelun Robertin nappikuulokkeen kautta. Muistatteko? Josh sanoi hankkineensa auton, Jeep Grand Cherokeen, pari kuukautta sitten.”

"Ja monessa uudessa autossa", agentti sanoi tarttuen Kennedyn ajatukseen, "on vakiovarusteena varkaudenestojärjestelmä GPS-seurannalla. Sitä kannattaa ehdottomasti kokeilla."

Kennedy nyökkäsi. "Hankitaan Josh saman tien langan päähän."

Yhdeksänkymmentä

Hunter siirtyi lentokentältä East Side River Roadille.

"Käänny vasemmalle", Lucien sanoi, "sitten ensimmäisestä oikealle. Meidän täytyy ylittää pieni silta Milanin kaupunkiin. Se ei valitettavasti ole aivan Italian Milanon veroinen. Ei Duomon katedraalia nähtävänä. Itse asiassa siellä ei ole mitään nähtävää."

Hunter noudatti Lucienin ohjeita. He ajoivat sillan yli ja ohittivat peruskoulurakennuksen tien oikealla puolella, minkä jälkeen he saapuivat T-risteykseen.

"Oikealle ja suoraan eteenpäin", Lucien käski.

Hunter toimi ohjeen mukaisesti. Parinsadan metrin päässä hän ohitti talorykelmän: osa oli pieniä, osa hiukan isompia, mutta ei mitään ylenpalttista.

"Tervetuloa New Hampshiren Milaniin", Lucien sanoi ja nyökäytti kohti ikkunaa. "Täällä on pelkkiä punaniskoja, peltoja, yksinäisyyttä ja eristyksissä olevia kolkkia. Mahtava paikka paeta tutkan alle. Kukaan ei häiritse näillä nurkilla. Ketään ei kiinnosta. Ja sehän on Amerikan hienoimpia puolia – koko maa on täynnä samanlaisia kaupunkeja. Meni sitä mihin osavaltioon hyvänsä, kaikkialta löytyy kymmenittäin milaneja ja berlinejä ja murphyja ja kaiken maailman peräjunttiloita. Jumalan hylkäämiä paikkoja, missä useimmilla kaduilla ei ole edes nimiä eivätkä ihmiset kiinnitä toisiinsa minkäänlaista huomiota."

Taylor tunsi Lucienin avainnipun painon taskussaan ja mietti sen sisältämiä seitsemäätoista avainta. Kukin saattoi kuulua johonkin nimettömään taloon ympäri maata. Sellaiseen kuten Murphyntalo.

Lucien luki häntä kuin avointa kirjaa.

”Mietit, miten löydän nämä paikat, eikö vain, agentti Taylor?”

”En mieti”, Taylor vastasi vain väittääkseen vastaan. ”Ei voisi vähempää kiinnostaa.”

Hunter vilkaisi häntä peruutuspeilin kautta.

Taylorin vastaus ei hämännyt Lucienia.

”Niitä on itse asiassa helppo löytää”, hän selitti. ”Ja niitä saa vieläpä puoli-ilmaiseksi, koska ne ovat laiminlyötyjä, hylättyjä ja puoliksi tuhoutuneita, eikä kukaan halua niitä. Jos omistaja ylipäätään löytyy, hän yleensä haluaa taakastaan eroon ja hyväksyy surkeimmankin tarjouksen. Minulla ei myöskään ole tarvetta remontoida. Päinvastoin – mitä huonokuntoisempi, likaisempi, mädempi ja rappeutuneempi mörskä, sitä parempi. Ja sinä tiedät, miksi näin on, etkö vain, Robert?”

Hunter piti katseensa tiessä, mutta hän tiesi kyllä miksi: *pelkokerroin*. Kun siepatun uhrin työntää saastaiseen, löyhkäävään ja pimeään murjuun, joka kuhisee rottia tai torakoita, jo pelkkä ympäristö pelottaa hänet järjiltään.

Lucien ei tarvinnut vastausta. Hän tiesi Hunterin tietävän. Hän kallisteli päätään puolelta toiselle ja sitten eteen- ja taaksepäin yrittäen lievittää niskan jännitystä.

”Tämä nimenomainen talo”, hän jatkoi, ”oli puhdas onnenkantamoinen ja aivan mahtava löytö. Se kuului eräälle opiskelijalle, johon tutustuin Yalessa. Hänen isoisoisänsä oli rakentanut sen sata vuotta sitten. Talo siirtyi sukupolvelta toiselle, ja se oli remontoitu kahdesti ennen kuin päätyi lopulta ystäväni haltuun, mutta hän vihasi taloa kokonaisuudessaan – sen sijaintia, ulkomuotoa, pohjaa ja kuulemma myös sen langettamaa perintöä ja historiaa. Hänen mielessään talo oli kirottu, siinä oli huonoa karmaa. Hänen äitinsä oli kuollut onnettomuudessa sen takapihalla. Parin vuoden kuluttua hänen isänsä oli hirttäytynyt keittiöön. Myös hänen isoisänsä oli kuollut talossa. Hän sanoi, ettei halunnut enää ikinä nähdäkään sitä. Jos hän näkisi, hän polttaisi sen maan tasalle. Tarjouduin ostamaan sen häneltä, mutta hän ei ottanut moista kuuleviin korviinsa. Hän vain antoi minulle avaimet, allekirjoitti luovutuspaperit ja sanoi: 'Ota se. Se on sinun.'"

Kun he olivat ohittaneet talorykelmän, maisema alkoi muuttua. Oikealla puolella, joenvartta myötäillen, oli kauniita peltoja niin kauas kuin silmä kantoi. Vasemmalla puolella oli pelkkää tiheää metsää.

Reilun kolmen kilometrin kuluttua Hunter alkoi panna merkille, että vasemmalla puolella päätiestä versoi kapeita sorateitä, jotka johtivat syvemmälle metsään. Tieltä käsin ei nähnyt, miten syvälle tai minne ne johtivat.

Lucien tarkkaili Hunteria edelleen peruutuspeilin kautta.

"Mietit, mikä näistä hiekkateistä johdattaa sinut Madeleinen luo. Eikö vain, Robert?"

Hunter katsoi häntä ohikiitävän hetken ajan suoraan silmiin.

Lucien väläytti hänelle kireän hymyn. "No, olemme pian perillä. Ja sinun puolestasi toivon todella, että emme saavu liian myöhään."

Yhdeksänkymmentäyksi

Hän jatkaa ärsyttämistä.

Taylorin sormi puristui jälleen aseen liipaisimen ympärille vihan alkaessa kiehuttaa hänen vertaan.

Lucien pani sen merkille ja lepuutti päätään tyynesti ikkunaan. ”Olehan varovainen sen aseen kanssa, agentti Taylor. En usko, että voit tai haluat ampua minua aivan vielä.” Hän iski jälleen silmää Taylorille. ”Sitä paitsi se varmasti vituttaisi Robertia. Hän haluaa tehdä sen itse.”

Täysin varoittamatta Hunterin mieli pamautti hänen nähtäväkseen useita muistoja Jessicasta makaamassa verilammikossa olohuoneensa lattialla. Hän puristi rattia, kunnes molemmat nyrkit olivat muuttuneet valkoisiksi.

Tie kaartui aavistuksen vasemmalle, sitten oikealle, sitten jälleen vasemmalle. Ei risteyksiä tai tiukkoja mutkia, vain harvakseltaan päätieltä kohti tuntematonta haarautuvia hiekkateitä. Metsä tuntui muuttuvan sitä tiheämmäksi mitä kauemmas he ajoivat. Katuvaloja ei ollut, ja pimeys alkoi verhota heitä kuin huonosti istuva puku, tiukkana ja epämukavana. Hunter sytytti sisävalot. Hän ei missään nimessä aikonut antaa Lucienin kätkeä liikkeitään pimeydessä.

”Miten pitkälle vielä?” Taylor kysyi.

Lucien kääntyi ja katsoi omasta ikkunastaan. Sen jälkeen hänen katseensa harhaili Taylorin puoleiseen ikkunaan.

”Ei pitkälle.”

Tie kaartui uudestaan puolikuun muotoisesti myötäillen oikealla puolella kulkevaa jokea. Peltomaa oli kadonnut. Nyt tien kummallakin puolen kohosi sankka metsä.

”Pidä silmällä jyrkkää vasenta käännöstä, joka tulee pian, Robert”, Lucien sanoi.

Hunter hidasti ja ajoi vielä sataviisikymmentä metriä.

”Jep”, Lucien sanoi ja nyökkäsi. ”Se on tuossa. Suoraan edessä.”

Hunter käänsi vasemmalle.

Tie, jonka kummallakin puolen oli nyt entistä enemmän metsää, tuntui ulottuvan kaukaisuuksiin suodattamattomassa pimeydessä. Lentokentältä lähdön jälkeen he eivät olleet ohittaneet ainuttakaan ajoneuvoa. Taustapeilissäkään ei ollut näkynyt mitään. Mitä kauemmas he ajoivat, sitä enemmän tuntui kuin he olisivat ajaneet poispäin sivilisaatiosta kohti jonkinlaista hämärämaailmaa. Yksi asia oli varma: Lucien osasi valita syrjäisiä piilopaikkoja.

He ajoivat vielä puolisentoista kilometriä, kunnes tie muuttui töyssyiseksi hiekkatieksi. Hunter hidasti ja mietti, pitäisikö hänen varmuuden vuoksi kytkeä neliveto päälle.

”Meitä lykästi”, Lucien sanoi. ”Näyttää siltä, ettei viime aikoina ole satanut. Täkäläiset tiet muuttuvat sateella helposti vesilammikoiden ja syvän mudan täyttämiksi painajaisiksi.”

Hunter hidasti vielä lisää ja siirtyi tien toiselle puolelle, jotta auto ei pomppisi liikaa.

”Tie kääntyy kohta oikealle”, Lucien julisti ja kallisti päätään nähdäkseen tuulilasin paremmin. ”Me menemme siitä, Robert.”

”Tästäkö?” Hunter kysyi ja osoitti osapuilleen kahdenkymmenenviiden metrin päässä olevaa sivutietä.

”Juuri siitä.”

Hunter kääntyi.

He ajoivat nyt selvästikin jumalan selän takana. Viimeisin merkki ihmiselämästä oli ohitettu kilometrejä aiemmin. Jos pommi räjähtäisi tässä ja nyt, kukaan ei kuulisi. Kukaan ei välittäisi. Kukaan ei tulisi apuun.

Tie muuttui entistä kuoppaisemmaksi. Seuraavien puolentoista kilometrin taittaminen tuntui kestävän ikuisuuden.

”Vielä yksi käännös vasemmalle”, Lucien sanoi. ”Olemme melkein perillä, mutta pidä silmät auki, Robert, tie on hyvin kapea ja melko lailla piilossa."

Hunter näki tien viidenkymmenen metrin päässä, mutta oli vähällä ajaa ohi. Tie oli totisesti hyvin kapea. Elleivät he olisi erikseen etsineet sitä, kukaan heistä ei olisi huomannut sitä.

Hunter käänsi vasemmalle. Polku oli hädin tuskin riittävän leveä Jeepille. He kuulivat pensaiden ja oksien raapivan auton kylkiä.

"Uhhuh", Lucien kommentoi. "Lennonjohtaja tuskin ilahtuu. Toisaalta liittovaltio varmasti maksaa viulut, koska FBI otti auton haltuunsa."

Tällä kertaa Hunter ei pystynyt väistelemään isompia töyssyjä ja kuoppia. Onneksi auto oli upouusi ja sen jousitus vahva ja vakaa.

Heidän täytyi kärsiä tärinämobiilissa vielä vajaan kilometrin verran, kunnes tie päättyi äkkiarvaamatta. Hunter asetti vaihteen vapaalle ja katsoi ympärilleen. Taylor teki saman. Heidän ympärillään oli pelkkää metsää.

"Ajoimmeko jossain vikaan?" Taylor kysyi.

"Emme", Lucien vastasi. "Oikeassa paikassa ollaan."

Taylor katsoi jälleen ulos ikkunasta. Jeepin etuvalot valaisivat pensaita ja puita.

"Tämäkö se on? Missä?" hän kysyi.

Lucien nyökäytti päätään eteenpäin. "Meidän täytyy kävellä loppumatka. Perille ei pääse autolla."

Yhdeksänkymmentäkaksi

Hunter nousi Jeepistä ensimmäisenä. Ulos päästyään hän otti aseensa kotelosta ja avasi takaoven Lucienille. Taylor seurasi hetken perästä.

"Mitä nyt?" hän kysyi katsellen ympärilleen.

"Tätä tietä", Lucien sanoi ja osoitti paria oksankarahkaa, jotka oli kasattu päällekkäin aivan heidän eteensä Jeepistä katsoen oikealle.

"Menemmekö me metsään ilman valoja ja kenkiä?" Taylor kysyi Hunterilta ja katsoi heidän paljaita jalkojaan.

"Kengille ei mahda mitään", Hunter vastasi ja kurottui kaivelemaan auton hansikaslokeroa. Hän kaivoi esiin Maglite Pro Led 2:n. "Mutta valo meillä on."

"Kätevä", Taylor sanoi.

"Tiesin, että hämärä laskeutuu pian", Hunter sanoi. "En myöskään laskenut sen varaan, että Lucienin piilopaikalle pääsisi suoraa reittiä. Siksi pyysin lennonjohtajalta myös taskulampun."

"Robert Hunter", Lucien sanoi, nyökkäili ja suipisti huuliaan aivan kuin olisi aikeissa viheltää. "Aina askelen edellä. Harmi, ettet tullut ennakoineeksi kenkäongelmaa."

"Mennään", Hunter käski.

He asettuivat samaan muodostelmaan kuin lentokoneesta noustessaan. Hunter oli kärjessä, Lucien toisena. Taylor pysytteli neljän, viiden askelen päässä Lucienista, ase tähdättynä miehen selkään viitisen senttiä niskan alapuolelle.

Hunter raivasi tieltä Lucienin osoittamat karahkat, joiden takaa paljastui tiiviiksi tallattu eräpolku.

”Kuljemme polkua pitkin”, Lucien sanoi. ”Talo ei ole kaukana.”

Vaikka he jo pitivätkin kiirettä, Hunterin vaisto pakotti hänet kulkemaan entistä rivakammin. Hän ei osannut nimetä levottomuutensa lähdettä muttei halunnut jäädä pohtimaan sitä sen tarkemmin.

”Lähdetään liikkeelle”, hän sanoi.

Taskulampun ultrakirkas, leveä keila helpotti hiukan heidän etenemistään.

He lähtivät kulkemaan polkua, eikä Lucien yllättävää kyllä pyrkinyt hidastamaan matkaa vetoamalla kahlittuihin jalkoihinsa. Hänen ei tarvinnut. Pikkukivet ja terävät, kuivat tikut pakottivat Hunterin ja Taylorin kulkemaan paljon hitaammin kuin he olisivat halunneet.

He olivat edenneet vasta kolmisenkymmentä metriä, kun polku kääntyi reilusti oikealle, sitten vasemmalle, ja sen jälkeen tuntui kuin he olisivat astuneet jonkinlaisesta pimeyden portista. Pensaat, puut ja pöheikkö väistyivät ja antoivat tietä aukiolle keskellä ei-mitään.

”Perillä ollaan”, Lucien totesi ylpeä hymy huulillaan.

Hunter ja Taylor pysähtyivät ja katsoivat epäuskoisina ympärilleen.

”Mikä helvetin paikka tämä on?”

Yhdeksänkymmentäkolme

Hunter valaisi taskulampulla heidän edessään kohoavaa rakennusta.

Jäykän, neliskanttisen, villiviinin peittämän tiilitalon romaaniset valkoiset pylväät olivat varmasti aikoinaan näyttäneet vaikuttavilta ulko-oven edessä. Nyt neljästä vain kaksi oli yhä pystyssä, ja nekin olivat kauttaaltaan halkeamien peitossa.

Talo oli rakennettu sata vuotta sitten ja sitä oli uudistettu kahteen otteeseen, joten ensimmäisestä inkarnaatiosta, uljaasta rinnetalosta, oli jäljellä enää muistot. Kun siihen lisäsi luonnonvoimien aiheuttaman rapautumisen sekä täydellisen välinpitämättömyyden ja kunnostuksen puutteen, tuloksena oli rakennuksen raato – entisaikojen kodin murjottu kuori.

Kolme neljästä ulkoseinästä oli yhä pystyssä, mutta niissä kaikissa oli aukkoja ja suuria halkeamia, ikään kuin talo olisi seissyt sota-alueella jossakin päin Lähi-itää. Eteläseinä talon oikealla puolella oli luhistunut lähes kokonaan läjäksi kivimurskaa. Useimmat sisäseinät olivat romahtaneet nekin, joten huonejako oli kadonnut liki kokonaan ja sisätilat täyttyneet purkujätteen kaltaisella rojulla. Katto oli pettänyt liki kaikkialla, lukuun ottamatta vanhaa olohuonetta talon etuosassa, sen takaista käytävää ja vasemmalla puolella olevaa keittiötä, jonka yllä se oli osittain paikoillaan. Lattialankkujen ja rojun läpi oli kasvanut rikkaruohoja ja villiä kasvillisuutta. Kaikki ikkunat olivat rikki, ja osa karmeista oli repeytynyt seinistä kuin jonkin sisäisen räjähdyksen jäljiltä.

”Tervetuloa yhteen kaikkein mieluisimmista piilopaikoistani”, Lucien sanoi.

Taylor räpytteli hämmästyksen silmistään. ”Madeleine?” hän huusi ja astui askelen oikealle.

Ei vastausta.

”Madeleine?” Taylor huusi uudestaan, tällä kertaa lujemmin. ”Täällä on FBI. Kuuletko minua?”

Ei vastausta.

”Hän ei kuulisi sinua, vaikka olisikin yhä elossa”, Lucien sanoi.

Taylor katsoi häntä silmät raivosta leiskuen. ”Kusetat meitä. Täällä ei ole ketään.”

”Oletko aivan varma?” Lucien tivasi.

”Katso nyt tätä paskaläjää. Tämä ei ole piilopaikka. Miten ketään voi pitää piilossa ja lukkojen takana talossa, jossa ei ole seiniä tai ovia? Jonne kuka tahansa voi kävellä sisään tai kävellä ulos?”

”Koska kukaan ei tiedä, että tämä paikka on olemassa”, Hunter sanoi ja yritti analysoida taloa ympäröivää aluetta. ”Eikä kukaan tule koskaan etsimään täältä mitään.”

”Naulan kantaan”, Lucien sanoi ja katsoi Tayloria. ”Siksi termi *piilo*paikka.”

”Vittu mitä paskaa.” Taylor ei voinut kätkeä äänestään huokuvaa raivoa. ”Väität, että jätit Madeleinen jonnekin tämän talon kummituskuoriin. Täällä ei ole ikkunoita, ei ovia, ei seiniä, eikä hän muka kävellyt täältä omin jaloin ulos?”

Lucienin katse vaelsi Tayloriin, ja juuri silloin hänen silmänsä näyttivät myrkyllä täytetyiltä tummilta ampulleilta.

”En jättänyt häntä talon sisään, agentti Taylor.” Hän vaikeni ja kuljetti kieltä alahuulellaan kuin lisko. ”Hautasin hänet sen alle.”

Yhdeksänkymmentäneljä

Lucienin sanat saivat kauhun kiirimään Taylorin iholla. Hän käänsi hämmentyneen katseensa raunioituvaan taloon ja sitten sitä ympäröivään maahan.

"No, en varsinaisesti haudannut", Lucien selvensi. "Minäpä näytän teille." Hän kohotti kahlittuja käsiään ja osoitti rujon rakennuksen pohjoispuolta. "Tuota kautta."

Hunter lähti välittömästi johtamaan tietä taskulampun kanssa. Lucien ja Taylor seurasivat.

"Ystäväni isoisä", Lucien sanoi heidän lähdettyään liikkeelle, "ja ystävällä tarkoitan henkilöä, jolta sain tämän paikan, oli vannoutunut vanhan liiton patriootti. Hän kuulemma vietti parhaat vuotensa tässä talossa Yhdysvaltain ja Neuvostoliiton välisen vihanpidon aikoina. Tarkoitan näitä 'kuolema kaikille kommunisteille' -tyyppisiä juttuja. Ja hän todella kannatti sitä ideologiaa. Oli kuulemma paljon puhetta vääjäämättömästä atomisodasta."

Heti, kun he pääsivät talon sivulle, Hunter ja Taylor ymmärsivät, mistä Lucien puhui. Pohjoisseinän puoliväliin tultuaan he näkivät hyvin suuren, paksusta metallista valmistetun maakellariin johtavan kaksoisoven. Ovenpuolikkaat oli lukittu Sargent and Greenleafin armeijatasoisella riippulukolla, hyvinkin samankaltaisella kuin se, joka oli löytynyt Murphyn-talosta.

"Ystäväni vainoharhainen isoisä", Lucien jatkoi, "uskoi vakaasti ydinsodan syttymiseen. Siksi hän remontoi koko talon uuteen uskoon, laajensi sitä ja lisäsi alkuperäiseen kellariin suuren pommisuojan." Hän nyökäytti kohti riippulukolla suljettuja ovia. "Talo saattaa olla kuin maanjäristyksen jäljiltä, mutta pommisuoja on osoittautunut enemmän kuin odotusten arvoiseksi." Hän viittasi riippulukkoon. "Avain löytyy nipusta."

Taylor alkoi välittömästi kaivella taskuaan.

"Mikä näistä?" hän kysyi kiireesti kohottaen avainnippua.

Lucien nojautui eteenpäin ja tihrusti avaimia. "Kuudes vasemmalta sinusta katsottuna."

Taylor valikoi avaimen ja tarttui riippulukkoon.

Hunter ja Lucien odottivat, ja Hunter tunsi jälleen omituisen ennakkoaavistuksen. Hän silmäili ympärilleen.

"Mitä talon takana on?" hän kysyi.

Lucien tutkaili häntä hetken ja antoi sitten katseensa siirtyä kohti talon takaosaa.

"Hyvin kehnosti hoidettu takapiha", hän vastasi. "Siellä on myös suuri lampi, joka nykyisellään on enemmänkin syvä mutakuoppa. Haluaisitko, että esittelen paikkoja? Minulla on kaikki maailman aika käytössäni."

Klik. Riippulukko aukesi. Taylor irrotti sen ovesta ja viskasi syrjään. Sitten hän tarttui toiseen kahvaan ja veti sitä itseään kohti. Ovi hädin tuskin liikahti.

"Raskas, eikö vain?" Lucien kommentoi ivallisesti hymähtäen. "Kuten sanoin, tämä ei ole tavallinen kellari, agentti Taylor. Tämä on säteilysuoja."

"Minä avaan sen", Hunter sanoi.

Taylor astui taaksepäin. Hunter kiskoi oikeanpuoleisen oven auki, sitten vasemmanpuoleisen.

Heidän kasvoilleen löyhähti välittömästi lämmintä, tunkkaista ilmaa. Ovien takaa paljastui betoniportaikko, joka johti paljon syvemmälle kuin olisi voinut kuvitella. Askelmia oli arviolta kolmestakymmenestä neljäänkymmeneen.

"Syvä, eikö vain?" Lucien sanoi. "Se on hyvin rakennettu suoja."

Portaiden päässä oli uusi raskas metalliovi, jossa oli hyvin tukeva lukko.

"Seitsemäs avain", Lucien julisti. "Riippulukon oikealla puolella."

Taylor siirtyi eteenpäin ja avasi oven ennen kuin työnsi sen auki.

Tunkkainen, pimeä huone oli raskaana tomusta, mutta ilmassa leijui jotain muutakin. Jotakin, minkä sekä Hunter että Taylor tunnistivat, sillä he olivat olleet sen liepeillä liian monta kertaa.

Se oli kuoleman haju.

Yhdeksänkymmentäviisi

Joskus haju on hapan, joskus mädäntynyt, joskus sairaalloisen makea, joskus kitkerä, joskus kuvottava, useimmiten sekoitus kaikkea. Kukaan ei voi sanoa, miltä kuolema todella haisee. Useimmat toteaisivat, ettei sillä ole erityistä hajua, mutta jokainen, joka on haistanut sen niinkin moneen kertaan kuin Hunter ja Taylor, tunnistaa sen sadasosasekunnissa. Sillä heti kun sen haistaa, se kuristaa sydäntä ja saa sielun särkemään tavalla, johon mikään muu ei kykene.

Kun Hunter ja Taylor aistivat kuoleman, heidät täytti levoton kauhu, ja sama ajatus räjähti molempien päissä.

Olemme haaskanneet liikaa aikaa. Tulimme liian myöhään.

Hunter valaisi huonetta taskulampulla miltei vauhkona.

Huone oli tyhjä.

Siellä ei ollut ketään.

Lucien veti reippaasti ja innokkaasti henkeä, kuin nälkäinen mies, joka nuuhkii vasta paistetun ruoan tuoksua.

"Ah, olen kaivannut tätä hajua."

"Madeleine?" Taylor huhuili huoneeseen katse taskulampun keilaa jahdaten. "Madeleine?"

"Olisi ollut typerä veto lukita Madeleine heti ensimmäiseen säteilysuojan huoneeseen, eikö vain?" Kryptinen hymy karehti Lucienin huulilla.

"Missä hän on?" Taylor kysyi.

"Oven oikealla puolella on valokatkaisin", Lucien ilmoitti.

Hunter sytytti valot.

Heikko, kellertävä hehkulamppu värähteli katon keskellä kuin arpoen syttyisikö vai ei. Se syttyi lopulta inhottavasti siristen.

He seisoivat puolityhjässä, osapuilleen kymmenen neliömetrin kokoisessa huoneessa. Seinät olivat paksua, lujaa betonia. Kahdella sivustalla oli käsintehtyjä kirjahyllyjä täynnä reilun pölykerroksen kuorruttamia kirjoja. Heihin nähden vasemmanpuoleisen seinän keskellä oli teräsovi. Oven pinta näytti läikikkäältä punametallilta, ikään kuin sen tarkoitus olisi ollut kiinnittää katsojan huomio. Suoraan heidän edessään pöytää vasten oli vähintäänkin viiden–kuudenkymmenen vuoden ikäinen ohjauspöytä, jolta löytyi lukuisia nappuloita, kytkimiä, vipuja ja vanhanaikaisia mittakelloja. Sammutettu tietokonemonitori oli kiinnitetty seinään aivan konsolipöydän yläpuolelle. Tilan oli epäilemättä tarkoitus toimia säteilysuojan valvomona.

Lattia oli yksinkertaista kiillotettua betonia. Katossa risteili joka suuntaan ja seiniin kadoten lukuisia eripaksuisia metalli- ja PVC-putkia. Huoneen yhteen nurkkaan oli pinottu keskikokoisia pahvi- ja puulaatikoita. Ne näyttivät ruoka- ja tarvikevarastolta.

Hunter tutki huonetta katseellaan.

Kuinka monta uhria Lucien on kiduttanut ja tappanut tässä helvetinloukussa? hän mietti.

”Madeleine on tuon oven takana”, Lucien sanoi. ”Ehdottaisin, että pidätte kiirettä.”

”Mikä avain?” Taylor kysyi ja kohotti avainnippua jälleen kerran Lucienin nähtäväksi.

”Toiseksi viimeinen oikealla puolellasi.”

Taylor pani aseensa koteloon ja siirtyi määrätietoisesti kohti punametallista ovea. Lucien ja Hunter seurasivat, ja muodostelma muuttui: Hunter seisoi nyt kolme askelta Lucienin takana.

Taylor työnsi avaimen lukkoon ja käänsi vasemmalle. Kuului kaksi lujaa kilahdusta, kun lukkopesä kiertyi 360 astetta ensin yhden, sitten toisen kerran.

Taylorin sydän otti vauhtia rinnassa, kun hän käänsi kahvaa ja ryhtyi työntämään ovea auki.

Olipa kyse poliisinvaistoista, hypersensitiivisyydestä, koulutuksesta, kokemuksesta tai psyykkisistä kyvyistä, mitä ikinä kukin näissä tilanteissa käyttikin – Hunter ja Taylor vaistosivat sen yhtä kaikki samaan aikaan: uuden elämänliekin, uuden läsnäolon. Oli kuin oven avaaminen olisi käynnistänyt poliisin intuition.

Jälleen kerran kummankin mielessä muotoutui identtinen ajatus: *Ehkä me emme tulleetkaan liian myöhään. On yhä toivoa.*

Mutta toivo hiipui nopeasti, sillä tuo uusi elämä, tuo heidän aistimansa läsnäolo, ei ollut heidän edessään uudessa huoneessa. Se oli heidän takanaan.

Yhdeksänkymmentäkuusi

Klik.

Hunter ja Taylor aistivat uuden läsnäolon, mutta ennen kuin kumpikaan ehti kääntyä, he kuulivat äänen, joka kuuluu, kun patruuna ladataan ysimilliseen puoliautomaattiseen käsiaseeseen.

"Jos jompikumpi teistä paskiaisista liikahtaa, ammun vittu aivonne pellolle. Onko selvä?" Ääni, joka kuului huoneen vastakkaisesta päästä, oli terävä, määrätietoinen ja nuori. "Ja nyt saatana kädet pään päälle."

Hunter yritti kuulostella, missä päin puhuja tarkalleen ottaen seisoi. Hän oli varma, että aseen lataamisesta aiheutunut ääni, samoin kuin pari ensimmäistä sanaa, olivat tulleet pinottujen laatikoiden suunnasta – se oli todennäköisesti tekijän piilopaikka, vaikka laatikoiden takana olikin tilaa hädin tuskin kääpiölle. Miehen seuraava lause oli kuitenkin tullut kokonaan eri suunnasta, mikä tarkoitti, että hän oli liikkeessä. Huoneen kaikuisuus yhdistettynä hehkulampun jatkuvaan sirinään teki hyökkääjän tarkan sijainnin määrittelyn miltei mahdottomaksi.

Hunter oli melko varma, että pystyisi kiepahtamaan ympäri ja ampumaan ennen kuin tekijä tajuaisi, mitä tapahtui. Tämä onnistuisi kuitenkin vain, mikäli hän tietäisi tarkalleen, mihin tähdätä. Arvaileminen ei auttaisi – jos hän osuisi harhaan, hän olisi mennyttä. Hän päätti olla ottamatta riskiä.

"Kuulitteko vittu vai mikä mättää?" nuori ääni sanoi uudestaan, mutta tällä kertaa siinä oli huomattavasti häiriintyneempi säväys. "Kädet pään päälle."

Hunter ja Taylor kohottivat vihdoin kätensä.

Lucien kääntyi ja hymyili voitonriemuisesti Hunterille siirtyessään hänen ohitseen.

"Onnistuinko hyvin?" nuori ääni kysyi. "Noudatin ohjeita juuri niin kuin käskit."

"Onnistuit loistavasti." Hunter ja Taylor kuulivat Lucienin kehuvan henkilöä, joka oli huoneessa heidän kanssaan. "Okei", Lucien sanoi puhutellen nyt heitä. "Tässä kohdin minun on pyydettävä teitä laskemaan aseenne lattialle ja kääntymättä ympäri potkaisemaan ne kohti minua, yksi kerrallaan. Robert, sinä ensin. Oikein nätisti. Lisäisin vielä, että nuoren ystäväni liipaisinsormea syyhyttää kovasti. Eikä hän osu koskaan harhaan."

Pari haparoivaa sekuntia.

"Vittuako siinä odotat, iso äijä?" nuori ääni sanoi. "Vauhtia. Laske ase lattialle ja potkaise se taaksepäin, ennen kuin ammun aukon takaraivoosi."

Hunter kirosi itseään, koska pieni ääni hänen päässään oli jankuttanut hänelle autiotalolle saapumisesta lähtien, että jokin oli pielessä. Hänellä oli kuitenkin ollut niin kiire pelastaa Madeleine, että hän oli sivuuttanut vaistonsa ja siirtynyt säteilysuojaan tarkistamatta huolellisesti valvomoa.

"Tee se, Robert", Lucien sanoi. "Hän todella ampuu aivosi pitkin seiniä."

"Vitun varmasti. Luuletko tätä leikiksi, kääkkä?"

Ääni oli siirtynyt lähemmäs. Hunter oli melkein varma, että henkilö oli aivan hänen oikealla puolellaan. Hunter piteli kuitenkin asetta korkealla päänsä päällä, kun taas nuori henkilö hänen takanaan tähtäsi omallaan hänen kalloaan. Hunterilla ei ollut mahdollisuuksia.

"Okei", hän sanoi.

"Nätisti ja hitaasti", Lucien määräsi. "Kyykisty alas, aseta ase lattialle, nouse sitten takaisin pystyyn ja potkaise ase kohti minua."

Hunter teki mitä käskettiin.

"Sinun vuorosi, agentti Taylor", Lucien sanoi.

Taylor ei liikahtanut.

”Vitun ämmä, etkö kuullut mitä hän sanoi?” Nuoresta äänestä huokui musertavaa raivoa.

Lucien kohotti käsiään ja viittoi rikostoveriaan odottamaan.

”Tunnen hyvin FBI:n kenttätyön protokollan, agentti Taylor”, hän sanoi pitäen äänensä vakaana ja ystävällisenä. ”Tiedän siksi, ettei tietyistä säännöistä sovi poiketa missään tilanteessa. Tärkeimpien joukossa on sääntö, jonka mukaan FBI:n agentti ei saa panttivankitilanteessa koskaan luovuttaa asettaan epäillylle tai tekijälle.”

Taylor kiristeli turhautuneena hampaitaan.

”Voit olla varma, agentti Taylor, ettei tämä ole tyypillinen panttivankitilanne. Tässä on kyse elämästä ja kuolemasta... sinun ja Robertin kohdalla siis. Mikäli et liu'uta asettasi minulle, kuolet. Se ei ole uhkaus. Se on fakta. Sinun täytyy tehdä päätöksesi, ja sinun täytyy tehdä se nopeasti.”

”Vittuun selitykset, Lucien”, nuori ääni möläytti. ”Tapetaan vittupäät ja se on siinä.”

Uusi sävy nuoressa äänessä viestitti Hunterille, että puhuja oli vaarassa keikahtaa partaan yli; rajan ylittäminen oli hyvin pienestä kiinni.

”Tee päätöksesi, agentti Taylor”, Lucien sanoi. ”Sinulla on viisi sekuntia aikaa. Neljä...”

Hunter tuijotti Taylorin jännittynyttä ruumista. ”Älä ole idiootti, Courtney”, hän mutisi.

”Kolme, kaksi...”

Hunter valmistautui liikkumaan.

”Hyvä on”, Taylor sanoi.

Hunter henkäisi helpotuksesta.

Taylor laski aseensa hitaasti lattialle ja liu'utti sen jalallaan lattian poikki kohti Lucienia.

Hunter ja Taylor kuulivat, miten metalliketjut raapivat lattiaa.

Lucien oli poiminut Taylorin aseen maasta.

”Ehei”, nuori ääni sanoi, kun Taylor aikoi kääntyä. ”Kukaan ei käskenyt kääntymään, ämmä. Pidä vittu katse maassa, tai ammun pääsi hajalle.”

Taylor pysähtyi.

"Hän on tosissaan, agentti Taylor", Lucien sanoi. "Luuleeko ämmä, että pilailen?"

Hunter ja Taylor vaistosivat katsomattakin, että tulokas oli siirtynyt tähtäämään Taylorin päätä. Hän tarvitsi vain tekosyyn.

Taylor ei antanut sitä. Hän luovutti ja kohdisti katseensa jälleen oveen.

"Nyt minun on pyydettävä teitä kumpaakin polvistumaan ja panemaan kädet pään taakse", Lucien sanoi. Samaan aikaan hän viittoi rikostoverilleen Hunterin ja Taylorin näkemättä. "Tehkää se nyt."

Hunterilla ja Taylorilla ei taaskaan ollut muuta mahdollisuutta. Heidän oli pakko totella.

"Mitä nyt tapahtuu?" Taylor kysyi. "Aiotko ampua meitä selkään?"

"Ei minun tyyliäni, agentti Taylor", Lucien vastasi.

Klank.

He kuulivat terävän äänen, joka syntyy metallin leikatessa metallia. Parin sekunnin päästä he kuulivat sen jälleen, ja tällä kertaa sitä seurasi ääni, joka syntyy ketjun solahtaessa silmukan läpi ja pudotessa maahan.

"Olin vain varovainen sillä aikaa, kun hankkiuduin eroon näistä kahleista. No niin, nyt on paljon parempi."

Seuraavaksi Hunter ja Taylor kuulivat kovan tömähdyksen, kun raskas metalliesine heitettiin huoneen toiselle puolelle ja se osui seinään.

"No niin, nouskaahan seisomaan ja kääntykää", Lucien määräsi.

He nousivat.

Lucienin vieressä seisoi Heckler & Kochin USP9-puoliautomaattiasetta pitelevä jäntevä pieni mies, joka muistutti ruumiinrakenteeltaan hiukan ammattimaista kilparatsastajaa. Hän näytti olevan iältään kahdenkymmenenviiden kieppeillä. Miehen toispuoleinen hymy kiertyi samaan suuntaan kuin kyyryssä oleva hartia, mikä sai hänet näyttämään vinolta ja jokseenkin uhkaavalta. Hän oli ajellut päänsä kaljuksi, ja sinisissä silmissä hehkui levottomuutta herättävän kiivas palo. Suuri, huonosti parantunut arpi kulki leuan vasemmalta puolelta oikean korvan taakse posken poikki. Jopa niinkin kaukaa Hunter erotti, että haava oli tehty joko tylsällä veitsellä tai paksulla lasinpalalla. Hunter näki huoneen toisella puolella myös massiiviset 48 tuuman voimapihdit, joilla Lucien oli vapauttanut itsensä.

”Muistatteko kun kerroin, ettei minun olisi vaikea löytää oppipoikaa, jos sellaisen haluaisin?” Lucien sanoi ja hymyili vinosti. ”No, minähän halusin, ja aivan kuten sanoin, se ei ollut alkuunkaan hankalaa. Saanen esitellä teidät Ghostille.” Hän osoitti kaljuksi ajeltua miestä vierellään. ”Kutsun häntä Aaveeksi, koska hän liikkuu kuin aave, niin keveästi ja ääneti, ettei hänen tuloaan edes kuule. Ja kokonsa ja hätkähdyttävän joustavuutensa takia hän kykenee piileskelemään mitä ihmeellisimmissä paikoissa.” Lucien antoi katseensa langeta pahvilaatikoihin. ”Tiedän, että sitä on vaikea uskoa, mutta hän oli tuollaisen sisällä.”

Yksi Ghostin etuhampaista oli lohjennut. Aina parin sekunnin välein hän nuolaisi hermostuneesti sen rosoista reunaa. Se sai hänet näyttämään kireältä, ikään kuin hän olisi pian aikeissa menettää itsehillintänsä.

”Tykkään naisesta”, Ghost sanoi ja silmäili Tayloria kuin tämä olisi alasti. ”Ja hänellä on nätit varpaat. Tykkään siitä *tooodella* paljon. Tapetaan iso jätkä ja otetaan mimmi mukaan. Voidaan pitää sen kanssa hauskaa.”

Taylor ei rikkonut katsekontaktia Ghostin kanssa. Hänen silmistään leiskuva viha törmäsi Ghostin katseesta huokuvaan himoon.

”Järjestitkö kaiken suunnitelmien mukaisesti?”

Ghost nyökkäsi. Hänen huomionsa oli yhä kiinnittynyt Tayloriin.

”En halua teidän kuvittelevan, että olen valehdellut teille koko ajan”, Lucien sanoi. ”En nimittäin ole valehdellut. Mitä jos avaisit tuon oven, agentti Taylor?” Hän viittasi kohti punametallista ovea. ”Katso, mitä sen takaa löytyy.”

Taylor tuijotti Lucienia silmiin vielä hetken ennen kuin kääntyi ympäri ja työnsi oven auki. Sen takana oli käytävä, jonka katossa välähteli ja sirisi kaksi hyvin heikkoa loisteputkilamppua. Ne näyttivät olevan poksahtamaisillaan, ja niiden valo tuntui kulkevan käytävällä hidastetusti, ja kun se ehti käytävän päähän, Taylorin sydän miltei lakkasi lyömästä.

Yhdeksänkymmentäseitsemän

Myös Hunter oli kääntynyt katsomaan, mitä oven takana oli.

Käytävä oli pitkä ja kapea. Seinät olivat tukevaa betonia, aivan kuten säteilysuojan valvomossakin. Käytävän kummallakin puolen oli useita ovia, ja yksi aivan perällä. Kaikki samaa läikikästä punametallia kuin se, jonka Taylor oli juuri avannut. Kaikki ovet olivat kiinni lukuun ottamatta aivan käytävän perällä olevaa.

Loisteputkilampuista lankeava valo ei ollut riittävän kirkas yltääkseen kunnolla viimeiseen huoneeseen, joten he erottivat vain sumuisen siluetin. Siitä huolimatta Hunterilla ja Taylorilla ei ollut minkäänlaisia vaikeuksia tunnistaa hahmoa alastomaksi naiseksi. Hän istui tuolilla. Hänen päänsä oli retkahtanut kankeasti eteenpäin. Hänen kätensä oli ilmeisesti sidottu selän taakse eikä hän näyttänyt liikkuvan.

Taylor tunsi kuvottavan värähdyksen lähtevän liikkeelle vatsansa pohjukasta.

"Ghost", Lucien sanoi. "Valot." Hän nyökkäsi kohti konsolipöytää.

Ghost piti katseensa kiinnitettynä Hunteriin ja Tayloriin ja siirtyi pari askelta oikealle. Hän napsautti kytkintä vanhanaikaisessa ohjauspöydässä.

Käytävän perällä olevassa huoneessa uusi heikko hehkulamppu yritti syttyä parin sekunnin ajan, kunnes vihdoin onnistui. Se langetti huoneeseen kalvakkaa, kellertävää hehkua, ja juuri silloin jokainen lihas Hunterin kehossa kiristyi.

Madeleine Reed ei ollut kuollut. Päinvastoin, hän oli hyvinkin elossa, mutta verrattuna kuvaan, jonka he olivat hänestä nähneet johtaja Kennedyn huoneessa vain muutama tunti sitten, hän ei ollut edes varjo siitä naisesta, joka hän oli joskus ollut. Hänen painonsa oli pudonnut dramaattisesti. Sileä iho näytti ikääntyneen neljäkymmentä vuotta vain parin kuukauden aikana ja roikkui nyt luissa kuin terminaalivaiheen syöpäpotilaalla. Renkaat silmien alla olivat niin tummat, että ne näyttivät leikkauksen jälkeisiltä mustelmilta. Silmät itse näyttivät uponneen kalloon vain vähän, juuri sen verran, että saivat hänet muistuttamaan kalmoa. Huulet olivat kuivat ja halkeilleet, keho näytti heikolta ja äärimmäisen hauraalta.

Kun huoneen valo syttyi, Madeleine räpytteli epätoivoisesti silmiään useaan kertaan. Hänen surullisilla ja hämmentyneillä silmillään oli vaikeuksia totutella kirkkauteen ties kuinka monen tunnin pimeyden jälkeen. Kesti hetken aikaa, ennen kuin hän pystyi keskittämään katseensa, ja senkin jälkeen hänen nääntyneiden aivojensa oli kamppailtava, jotta ne ymmärtäisivät, mitä hänen edessään oli. Hän kohotti hitaasti päätään, ja ilme hänen kasvoillaan muuttui hämmentyneestä toiveikkaan ja anovan kautta epätoivoiseksi. Hänen huulensa liikkuivat, mutta mikäli niiltä tuli sanoja, hänen äänensä ei ollut niin vahva, että kukaan käytävän päässä olisi kuullut.

Nyt, kun huoneessa oli oma valonsa, Hunter ja Taylor näkivät vihdoin kaiken koko karmeudessaan.

Madeleine todella oli alasti, ja hänen kätensä oli sidottu yhteen tuolin selkänojan taakse. Jalat oli sidottu tuolinjalkoihin.

Kun Madeleinen silmät vihdoin rekisteröivät ihmisiä käytävän toisessa päässä, hän alkoi täristä. Hän haukkoi huohottaen henkeä, ikään kuin huoneessa ei olisi ollut riittävästi happea.

”Madeleine”, Hunter sanoi havaittuaan akuutin paniikin ensimmäiset merkit.

Hän tiesi, että Madeleine oli ehdollistunut. Häntä oli kidutettu ja peloteltu niin kauan aikaa, että kun tähän helvetinloukkoon laskeutui joku muu ihminen, hänen psykologinen ensireaktionsa oli täyttyä huumaavalla kauhulla. Juuri nyt kuka tahansa oli Madeleinen mielessä uhka, sillä jokainen, jonka hän täällä alhaalla oli kohdannut, oli kiduttanut häntä.

"Kuuntele minua, kultaseni." Hunter puhui niin tyynellä ja lämpimällä äänellä kuin suinkin kykeni. "Nimeni on Robert Hunter ja työskentelen FBI:ssä. Olemme tulleet auttamaan sinua. Pysyttele tyynenä, niin me järjestämme sinut ulos täältä, jooko?"

Sanojen lausuminen tuntui Hunterista turhauttavalta. Hän halusi mennä Madeleinen luo, vapauttaa hänen kätensä ja jalkansa, saattaa hänet ulos tästä säteilysuojasta ja vakuuttaa hänelle, että hän oli turvassa. Että painajainen oli ohi, ettei kukaan enää satuttaisi häntä. Hän ei kuitenkaan voinut tehdä mitään. Hän saattoi vain huudella tyhjiä sanoja käytävälle ja toivoa, että ne estäisivät Madeleinea menettämästä kontrolliaan.

Madeleinen huulet liikkuivat jälleen. Vieläkään hänen äänensä ei kantanut kenenkään korviin valvomoon. Mutta Hunterilla ei ollut vaikeuksia lukea hänen huuliaan.

"*Ole kiltti ja auta minua...*"

Hunter vilkaisi nopeasti Ghostia. Mies seisoi ohjauspöydän ääressä ase tiukasti kädessä. Hänen katseensa porasi reikää Taylorin takaraivoon. Lucien seisoi vasemmalla, askelen päässä Ghostista, mutta hänen huomionsa tuntui olevan samanaikaisesti kaikkialla – häneltä ei jäisi mitään huomaamatta. Jos Hunter yrittäisi jotain, hän olisi yhtä kuin vainaa.

Lucien nyökkäsi Ghostille, joka käänsi toista kytkintä ohjauspöydässä. Madeleinen huoneen ovi pamahti kiinni. Se epäilemättä täytti naisen kehon jokaisen molekyylin entistä suuremmalla kauhulla.

Taylor kääntyi vaistomaisesti kohti Lucienia ja Ghostia. "Ei. Olkaa kilttejä, ei."

Äkillinen liike yllätti Ghostin ja melkein sai hänet keikahtamaan reunan yli. Hänen käsivartensa jäykistyi entisestään ja sormi puristui puolittain aseen liipaisimelle.

"Pysy paikoillasi, ämmä."

"Ole kiltti", Taylor sanoi ja kohotti käsiään antautumisen merkiksi. "Oven sulkeminen vain pahentaa hänen paniikkiaan."

Lucien nyökkäsi huolettomasti. "Tiedän."

Viha säteili Taylorista. "Saatanan kusipää."

"Anna Madeleinen mennä, Lucien", Hunter sanoi. "Päästä hänet lähtemään. Et tarvitse häntä enää. Sinun ei tarvitse tappaa häntä. Hän ei merkitse sinulle mitään. Ota minut ja anna hänen mennä. Anna Courtneyn viedä Madeleine pois täältä, ja ota minut hänen sijastaan."

"Typerä vittupää", Ghost sanoi. Hän osoitti yhä aseellaan Tayloria. "Herätys, iso kaveri – meillä on jo sinut ja tuon huoneen huora ja nättivarpainen FBI:n ämmä tuossa." Hän lähetti Taylorille lentosuukon ja hieroi samalla haaraväliään. "Olet kohta kokonaan minun. Ja minä saan sinut kirkumaan. Voit laskea sen varaan."

Taylorin itsehillintä petti totaalisesti.

"Haista vittu, saatanan rupinen ruma nysämuna."

Ehkä se johtui Taylorin sanoista, tai ehkä Ghost oli muuten vain saanut tarpeekseen, mutta kytkin hänen päässään naksahti.

"Ei", hän sanoi niin täynnä raivoa, että se melkein valui kuolana hänen suustaan. "Haista sinä vittu, typerä huora." Hän painoi liipaisinta.

Yhdeksänkymmentäkahdeksan

FBI-akatemia – Quantico, Virginia.
Neljäkymmentäviisi minuuttia sitten.

FBI:llä ei kestänyt kauan saada yhteys Joshua Fosteriin, Berlinin kunnallisen lentokentän lennonjohtajaan. Puhelu välitettiin saman tien johtaja Kennedylle operaatiohuoneeseen.

"Herra Foster", Kennedy sanoi ja vaihtoi puhelun kaiuttimelle. "Nimeni on Adrian Kennedy. Olen FBI:n Kansallisen väkivaltarikosten analysointikeskuksen ja käyttäytymisanalyysiyksikön johtaja. Uskon, että olette ollut kontaktissa erään agenttimme kanssa. Hänen nimensä on Robert Hunter. Luovutitte hänelle Jeepinne avaimet."

"Mmh, pitää paikkansa." Joshua Fosterin äänessä oli ymmärrettävistä syistä hermostunut häivähdys.

"Okei, herra Foster. Kuunnelkaa tarkkaan", Kennedy sanoi. "Tämä on erittäin tärkeää. Mikäli oikein ymmärsin, autonne on upouusi."

"No jaa, ostin sen pari kuukautta sitten."

"Mahtavaa. Oliko auton varusteena GPS-paikannin varkauksien varalta?"

"Itse asiassa oli."

Kennedyn kasvot valaistuivat.

"Minulla ei kuitenkaan ole paikantimen seurantakoodia", Foster sanoi arvaten Kennedyn seuraavan kysymyksen. "Se on kotona."

”Emme tarvitse sitä.” Tutkajärjestelmää valvova agentti puuttui puheeseen. ”Tarvitsemme vain auton rekisterinumeron. Löydän koodin sen avulla.”

”Ai, okei.” Foster kertoi Jeepin rekisterinumeron.

”Kiitos kovasti, herra Foster”, Kennedy sanoi. ”Teistä oli suuri apu.”

”Saako kysyä...?” Foster yritti, mutta Kennedy oli jo katkaissut puhelun.

”Miten kauan tämän koodin etsimiseen menee?” hän kysyi.

”Ei kauan”, agentti vastasi ja näpytteli jo jotain tietokoneeseensa.

Kennedyn odottaessa matkapuhelin soi jälleen hänen taskussaan. Linjalla oli erikoisagentti Moyer, New Havenin Saltonstalljärvelle lähetetyn tiimin johtaja. He etsivät Karen Simpsonin ja neljän muun uhrin jäänteitä.

”Johtaja”, agentti sanoi. Hänen äänensä oli luja mutta samalla kunnioittavan hillitty. ”Sir, saamamme tieto on sataprosenttisen paikkansapitävää. Olemme tähän mennessä kaivaneet esiin täsmälleen viisi ruumista.” Seurasi kiusallinen tauko. ”Haluatteko, että jatkamme kaivamista? Alue on aika laaja, ja mikäli tämä on tekijän mieluisin hautauspaikka, ruumiita saattaa olla vaikka millä mitalla.”

”Ei, se ei ole tarpeen”, Kennedy vastasi. ”Ette löydä enempää ruumiita.” Hän oli varma siitä, että Lucien oli puhunut totta. ”Valmistelkaa vain löytämänne yksilöt kuljetuskuntoon. Niitä tarvitaan saman tien täällä Quanticossa.”

”Ymmärretty, sir.”

”Hieno työtä, agentti Moyer”, Kennedy sanoi ennen kuin lopetti puhelun.

”Sain lähettimen seurantakoodin”, tutkajärjestelmää valvova agentti ilmoitti näpytellen samalla muutaman muun käskyn tietokoneeseensa.

Kaikkien katse oli liimaantunut näytölle.

”Jäljittää parhaillaan.”

Sekunnit tuntuivat minuuteilta. Lopulta kartta agentin näytöllä vaihtui ja näytti kirkkaan, sykkivän pisteen.

”Saimme Jeepin sijainnin”, agentti sanoi innoissaan. Pieni tauko. ”Eikä se näytä liikkuvan enää.”

”Aivan, siltä näyttää”, Kennedy sanoi ja kurtisteli kulmiaan näytölle. ”Mutta missä he oikein ovat?”

”Keskellä absoluuttista ei-mitään, ymmärtääkseni”, tohtori Lambert huomautti.

Kartan perusteella Jeep oli pysäköity nimettömän hiekkatien päähän syvälle metsän keskelle usean kilometrin päähän Berlinin kunnallisesta lentokentästä.

”Tarvitsemme alueen satelliittikuvan”, Kennedy sanoi.

”Odottakaa hetki”, agentti vastasi ja ryhtyi välittömästi näpyttelemään.

Kahden sekunnin kuluttua näytölle ilmestyi alueen satelliittikuva.

Kaikki kurtistelivat kulmiaan näytölle.

”Mikä tämä on?” Kennedy kysyi ja osoitti rakennustyömaan kaltaista aluetta lähellä Jeepin pysäköintipaikkaa.

Agentti tarkensi kuvaa ja sääti resoluutiota. ”Näyttää hylätyltä vanhalta talolta”, hän sanoi. ”Tai ainakin sen jäänteiltä.”

”Se se on”, Kennedy sanoi. ”He ovat siellä. Lucien säilyttää siellä uhriaan.” Hän tarttui matkapuhelimeensa ja soitti Bird Twon agentti Brodylle. Heidän oli laskeuduttava ja ajettava talolle – NYT.

Yhdeksänkymmentäyhdeksän

Hunter näki sen ennen kuin se varsinaisesti tapahtui.

Hän näki jonkin räjähtävän Ghostin kylmissä silmissä, ikään kuin nuoreen mieheen olisi ruiskutettu yliannos puhdasta vihaa ja pahuutta. Juuri sillä hetkellä hän tiesi, että Ghost oli ylittänyt rajan, jonka jälkeen ei ole paluuta. Mutta vaikka hän näki sen, tällä kertaa hän ei pystynyt toimimaan riittävän nopeasti. Hän ei päässyt Taylorin ja Ghostin väliin. Ghostin liipaisimenpuristusreaktio kesti vain sadasosasekunnin.

Kun Ghostin aseen vasara osui iskupiikkiin, oli kuin Hunterissa olisi aktivoitunut tosielämän hidastusefekti. Hän käytännössä näki luodin poistuvan aseen piipusta, lentävän ilman halki ja suhahtavan aivan hänen oikean kasvonsyrjänsä vierestä ohittaen sen vain milleillä. Hän alkoi refleksinomaisesti kääntyä kohti Tayloria, mutta turhaan. Edes noviisi ei olisi ampunut siltä etäisyydeltä ohi, ja hän näki Ghostin katseesta, ettei nuorukainen ollut ensikertalainen. Millisekunti laukauksen jälkeen Hunter tunsi roiskuvan veren ja aivomassan osuvan niskaansa ja kasvojensa sivulle, kun Taylorin pää räjähti sirpaloituvan luodin voimasta.

Huoneeseen levisi välittömästi ruudin haju.

Hunter onnistui silti kääntymään niin nopeasti, että ehti nähdä Taylorin ruumiin, joka sinkosi taaksepäin ja jysähti vasten läikikästä punametalliovea ennen kuin putosi maahan. Seinä Taylorin takana värjäytyi välittömästi tulipunaiseksi. Veren seassa oli lihaa, harmaata aivomassaa ja vaaleita hiuksia. Luoti oli osunut melkein täydellisesti silmien väliin. Johtuen Ghostin lyhyydestä sekä hänen asennostaan Tayloriin nähden luoti oli matkannut aavistuksen nousevassa kulmassa vasemmalta oikealle. Vauriot olivat häkellyttävät. Suurin osa Taylorin päästä ja kallosta oli poissa, kiitos Civil Defense -luodin tuhovoiman. Kyseinen luotityyppi avautuu nopeasti ja sirpaloituu osumasta, mikä saa pikkuruisia palasia lentelemään joka suuntaan.

Taylorilla ei ollut minkäänlaisia mahdollisuuksia.

Hunter kääntyi nopeasti kohti Ghostia, joka osoitti nyt aseellaan hänen kasvojaan.

"Yksikin liikahdus, kovanaama, yksikin liikahdus, ja ammun aivosi ämmän mädäntyvän raadon päälle."

Hunter tunsi kehonsa jokaisen säikeen jännittyvän vihasta. Hänen oli käytettävä kaikki tahdonvoimansa, ettei hän olisi hyökännyt Ghostin päälle. Sen sijaan hän vain seisoi paikallaan, huohottaen ja kädet täristen – mutta ei pelosta.

"Jep, sitä ajattelinkin", Ghost sanoi. "Et sitten loppujen lopuksi olekaan niin kova, vai?"

"MITÄ VITTUA TUO OLI?" Lucien huusi. Hän näytti jopa yllättyneemmältä kuin Hunter. "Miksi vitussa sinä hänet ammuit, Ghost?"

Ghost piti aseensa tähdättynä Hunteriin. "Koska se saatanan ämmä kävi hermoilleni", hän tokaisi vakavalla mutta välinpitämättömällä äänellä. "Tiedät, että minua vituttaa, kun minusta puhutaan tuohon sävyyn."

Lucien astui taaksepäin ja siveli otsaansa.

"Pahasuinen ämmä sai mitä ansaitsi." Ghost kohautti harteitaan ikään kuin olisi vain heittänyt tikan tikkatauluun. "Mitä väliä sillä ylipäätään on? Hehän kuolevat molemmat. He ovat nähneet meidät, Lucien. Sinä ja minä tiedämme, etteivät he voi lähteä täältä elossa. Ja kaikki se paskalöpinä otti minua aivoon, joten hiukan vain joudutin asioita ämmän osalta." Hän nyökkäsi kohti Hunteria. "Ja arvaa mitä? Teen saman hänelle."

Ghostin kasvoilla leimusi sadistinen himo, ja Hunter näki päättäväisyyden tulvivan jälleen Ghostin silmiin.

Ei ollut aikaa reagoida.

Liipaisinta puristettiin uudestaan.

Ja aivan kuten aiemmin luoti löysi kohteensa häkellyttävän tarkasti.

Sata

Taivas Milanin kaupungin yllä New Hampshiren osavaltiossa. Neljäkymmentä minuuttia sitten.

Bird Twon sisällä agentti Brody ja hänen tiiminsä alkoivat menettää toivoaan.

Heidän lentokoneensa oli kierrellyt Berlinin kunnallisen lentokentän rajoja jo useamman minuutin. Pilotti oli äsken ilmoittanut tarvitsevansa pian uuden toimintasuunnitelman. Lentokoneella oli riittävästi polttoainetta kolmenkymmenen, kolmenkymmenenviiden minuutin lentämiseen, mutta mikäli he eivät laskeutuisi Berliniin, heidän pitäisi laskeutua jonnekin muualle ja tankata ennen paluuta Quanticoon. Se tarkoitti koneen kääntämistä ja toiselle lentokentälle laskeutumista.

Lähin lentokenttä oli Gorhamin kunnallinen lentokenttä etelän suuntaan – matkaa oli viidestä kymmeneen minuuttia tuulesta riippuen. Lentäjä laski aina varmuuden vuoksi ylimääräiset kymmenen minuuttia lentoaikaa siltä varalta, että kentällä oli ruuhkaa tai vastassa olisi jokin toinen odottamaton tilanne. Se tarkoitti, että heillä oli jäljellä korkeintaan kymmenen, ehkä viisitoista minuuttia kiertelyaikaa. Sen jälkeen lentäjä kääntäisi koneen ympäri ja suuntaisi kohti Gorhamia.

Brody oli asettanut matkapuhelimen eteensä pöydälle. Hän tuijotti sen pimeää näyttöä kuin hypnotisoituna. Kun hän vihdoin katsoi kelloa, oli kulunut seitsemän minuuttia. Vielä kolme minuuttia, ja operaatio olisi ohi. Hänen oli pakko soittaa Kennedylle.

Juuri kun hän tarttui puhelimeensa, se soi.

Satayksi

Tämä ei ollut ensimmäinen kerta, kun Hunter oli tuijottanut aseen piippuun. Tämä ei myöskään ollut ensimmäinen kerta, kun hän oli joutunut kohtaamaan kuoleman silmästä silmään. Ghost oli kuitenkin sen verran kaukana Hunterista, ettei hän ehtisi tämän luokse ajoissa, ja Ghost oli sen verran lähellä Hunteria, ettei hän pystyisi väistämään luotia.

Tällä kertaa ulospääsyä ei ollut.

Tuon sadasosasekunnin aikana, ennen kuin Ghost painoi liipaisinta, Hunter ennätti ajatella, miten pahoillaan hän oli, ettei ollut pystynyt suojelemaan Tayloria eikä pitämään lupaustaan, jonka hän oli vuosia sitten antanut Jessicalle pidellessään kihlattunsa silvottua ruumista sylissään.

Huolimatta siitä, mikä Hunteria odotti, hän ei sulkenut silmiään. Hän ei edes räpäyttänyt niitä. Hän ei antaisi Ghostille sitä tyydytystä. Hän tuijotti Ghostia suoraan silmiin. Ja sitten hän näki omin silmin, kun Ghostin pää räjähti.

Laukaus oli täydellinen. Onttokärkinen luoti osui Ghostia vasempaan ohimoon. Sen ontelo täyttyi välittömästi nesteistä ja kudoksesta, mikä sai sen laajenemaan sen kulkiessa läpi kallonseinämän ja Ghostin aivojen. Luoti repi mennessään raa'asti kaiken eteen tulevan.

Onttokärkisen luodin laajenemisefekti hidastaa huomattavasti luodin vauhtia, eikä ruumiissa useimmissa tapauksissa ole lainkaan ulostuloaukkoa. Luoti jumiutuu yleensä kohteen sisään. Mutta näin läheltä ammuttuna .45 kaliiperin ammuksen voima riitti enemmän kuin hyvin kuljettamaan luodin koko matkan Ghostin kaljuksi ajellun pään läpi.

Tällaisessa tapauksessa .45 kaliiperin laajenneen Civil Defense -luodin ulostulohaava on vaikuttava. Ghostin tapauksessa se oli greipin kokoinen. Puolet kasvojen oikeasta puolesta, korvasta päälakeen, räjähti kuin avaruusolento olisi kuoriutunut suuresta munasta. Luunkappaleita, verta, aivomassaa ja ihoa roiskui seinälle ja ohjauspöydälle hänen oikealla puolellaan peittäen kaiken tahmaiseen, sitkoisaan punaiseen sotkuun.

Kova pamaus sai Hunterin nytkähtämään, mutta hän piti siitä huolimatta silmänsä auki. Hän näki vihan, päättäväisyyden ja pahuuden hiipuvan Ghostin silmistä juuri ennen kuin laukauksen voima sai miehen ruumiin käytännössä kohoamaan maasta. Ruumis jymähti vasten ohjauspöytää ja lysähti maahan kuin tyhjä jauhosäkki. Pään ympärille alkoi nopeasti muodostua verilammikko. Ghostin ase osui ohjauspöytään, mutta liukui huoneen toiselle puolelle ja päätyi jonnekin pahvilaatikoiden taakse.

Hunterin sydän jyristi kuin auto kiihdytysajoissa. Kehon jokaiseen suoneen virrannut adrenaliini sai hänet tärisemään. Hän siirsi katseensa lopulta Lucieniin. Hän näki yhä ohuen savukiehkuran ilmassa Lucienin laukauksen jäljiltä, mutta jälleen kerran, ennen kuin Hunter ennätti reagoida, Lucien tähtäsi häntä jo Taylorin aseella.

"Pysy aloillasi, Robert. En todellakaan halua sitä, mutta tarpeen vaatiessa ammun sinua suoraan sydämeen. Tiedät, että olen tosissani."

Hunter tuijotti Lucienia kykenemättä peittämään hämmästystään siitä, mitä mies oli juuri tehnyt.

"En koskaan erityisemmin pitänyt hänestä", Lucien selitti tavanomaisen asialliseen tyyliinsä. "Hän oli typerä, sadistinen kakara vailla päämäärää. Hän traumatisoitui lapsena, ja sen takia hän kidutti ja tappoi ihmisiä ihan vain huvin vuoksi."

Hunterin mielestä moinen kommentti kuulosti jokseenkin paksulta Lucienin suusta.

"Ja hänen parasta ennen -päiväyksensä meni juuri", Lucien jatkoi, eikä hänen äänestään kuulunut katumuksen tai säälin ripaustakaan. "Aivan samoin kävi aikaisemmillekin. Niin käy kaikille ennen pitkää. Sen jälkeen etsin itselleni aina uuden pikku apurin."

Hunter oli keskittynyt Lucienin aseeseen.

"Usko tai älä, mutta minulla ei ollut aikomusta surmata agentti Tayloria kuin äärimmäisen pakon edessä. Ikävä kyllä hän osui Ghostia erittäin arkaan paikkaan. Pojalla kun oli varsinainen ongelmaperhe. Molemmat vanhemmat pahoinpitelivät häntä fyysisesti ja henkisesti tavoilla, joita jopa minun on vaikea ymmärtää. He pakottivat hänet olemaan kotona alasti ja pilkkasivat häntä jatkuvasti, erityisesti hänen miehuuttaan, ja käyttivät hänestä erilaisia halventavia nimityksiä. Haluaisitko veikata yhtä?"

Hunter hengitti sisäänpäin. "Nysämuna?"

Lucien nyökkäsi kerran. "Nappiin meni. Ikävä kyllä agentti Taylor solvasi häntä samalla nimellä."

Syvästi traumatisoituneelle ja häiriintyneelle henkilölle yksi ainoa sana, ääni, väri, kuva, haju... lukuisat yksinkertaiset asiat voivat helposti avata kammottavan tuskallisen haavan. Yleensä tällaisen henkilön reaktiota on erittäin vaikea ennustaa, mutta väkivaltaisen yksilön ollessa kyseessä väkivalta liittyy miltei aina kuvaan. Ghostin kaltaisen psykopaatin kohdalla väkivaltainen reaktio osoittautuu yleensä tappavaksi.

"Kun Ghost oli seitsemäntoista", Lucien lisäsi, "hän sai vihdoin tarpeekseen. Hän sitoi isänsä sänkyyn, kastroi tämän ja jätti vuotamaan kuiviin. Sen jälkeen hän hakkasi äitinsä pään tohjoksi pesäpallomailalla. Hän oli liian vaurioitunut. Olin jo päättänyt hankkiutua hänestä eroon."

Valvomon verisestä kaaoksesta huolimatta Hunter pakottautui ajattelemaan mahdollisimman selkeästi. Suurin huolenaihe palasi hänen mieleensä, ja hän kääntyi katsomaan taakseen käytävälle. Hän näki vilaukselta Taylorin lattialla makaavan ruumiin, ja hänen mielialansa laski entisestään. Hän katsoi jälleen Lucienia.

"Päästä Madeleine menemään, Lucien", hän sanoi vielä kerran. "Ole kiltti. Jos todella haluat uuden uhrin, ota minut hänen sijastaan. Hän ei merkitse sinulle mitään."

”Totta, ja juuri siksi minun pitäisikin tappaa hänet, Robert”, Lucien sanoi. ”Koska hän ei merkitse minulle mitään. Sinä taas olit paras ystäväni. Meillä on yhteistä historiaa. Miksi haluaisin tappaa sinut hänen sijastaan?”

”Koska veit jo puolet elämästäni, kun veit minulta Jessican”, Hunter vastasi. ”Ja minä tiedän, ettet mielelläsi jätä asioita puolitiehen.”

Niin paljon kuin Hunter sitä yrittikin peitellä, Lucien tunnisti aidon tunteen hänen äänessään.

”Tässä on siis tilaisuutesi, Lucien”, Hunter jatkoi. ”Päästä Madeleine ja vie minun kanssani loppuun se, mitä olet aloittanut. Jos et tee sitä, tapan sinut.”

Huolimatta sanojensa vakavuudesta Hunter puhui kuin olisi jutellut jonkun kanssa kirjastossa. Hänen äänensä oli hiljainen ja vakaa.

”Hyvä on”, Lucien sanoi ja astui askelen lähemmäs veren peittämää ohjauspöytää ase yhä kohdistettuna Hunterin sydämeen. ”Katsotaan, oletko sanojesi mittainen mies, Robert.” Hän käänsi kytkintä, ja ovi käytävän päässä naksahti jälleen auki.

Hunter kääntyi kohti käytävää.

Madeleine nosti välittömästi katseensa. Hän näytti jopa kauhistuneemmalta kuin aiemmin.

Hunter tiesi, että Madeleine oli kuullut molemmat laukaukset. Ne olivat epäilemättä saaneet hänet pelkäämään pahinta, ja vielä hirveämpää: ne olivat saaneet hänet miettimään, mitä hänelle itselleen tapahtuisi seuraavaksi.

Madeleine näytti melkein hyperventiloivan. Juuri sillä hetkellä mikään mahti maailmassa ei olisi saanut häntä lopettamaan tärinäänsä.

Lucien osoitti aseellaan käytävää. ”Liitymmekö hänen seuraansa? Minulla on sinulle vielä yksi yllätys jäljellä.”

Satakaksi

Hunterin oli astuttava Taylorin ruumiin yli päästäkseen käytävälle. Lucien seurasi turvallisen välimatkan päässä. Hunter ei mitenkään voisi hyökätä Lucienin kimppuun ilman, että Lucien ehtisi ampua vähintäänkin kaksi laukausta.

Kun Hunter lähti kävelemään käytävällä, Madeleine kohdisti häneen katseensa. Hunter näki hänen silmissään vain yhden asian – puhtaan kauhun.

"Ole kiltti ja auta."

Tällä kertaa Hunter vihdoin kuuli hänet. Naisen heikko ja väräjävä ääni tulvi pelkoa.

"Madeleine, yritä pysytellä tyynenä", Hunter sanoi kaikkein vakuuttavimmalla äänellään. "Kaikki päättyy hyvin."

Madeleinen katse kulki Hunterin ohi ja löysi Lucienin, ja oli kuin lapsuuden painajaisten hirviö olisi materialisoitunut hänen eteensä. Pelko kasvoi hänen sisällään kuin hurrikaani, ja hän alkoi kirkua ja nytkytellä haurasta, tuoliin sidottua kehoaan.

"Madeleine", Hunter sanoi jälleen. "Katso minua."

Madeleine ei katsonut.

"Katso minua, Madeleine", Hunter toisti, tällä kertaa ankarammin.

Naisen katse siirtyi häneen.

"Juuri noin. Hyvä tyttö. Pidä katseesi minussa ja yritä pysytellä rauhallisena. Minä järjestän sinut ulos täältä." Valehteleminen inhotti häntä, mutta tässä tilanteessa hän ei oikein voinut muutakaan.

Madeleine näytti edelleen järjettömän pelokkaalta, mutta jokin Hunterin äänensävyssä näytti toimivan. Nainen katsoi suoraan Hunteria ja lopetti huutamisen.

"Mene sisään, käänny vasemmalle, kävele viisi askelta ja polvistu, Robert", Lucien sanoi heidän päästyään ovelle.

Hunter totteli.

Huone oli täysin tyhjä lukuun ottamatta Madeleinen tuolia ja pientä kahdella laatikolla varustettua moduulipöytää vastapäätä kohtaa, johon Hunter oli polvistunut. Huoneessa leijui heikko virtsan ja oksennuksen löyhkä, joka sekoittui väkevämpään desinfiointiaineen hajuun aivan oven sisäpuolella. Oli kuin joku olisi voinut rajusti pahoin, ja siivoustyö oli hoidettu kehnosti.

Lucien astui huoneeseen Hunterin jälkeen, kääntyi oikealle ja lähestyi moduulia. Hän avasi ylemmän laatikon ja kaiveli jotain sen sisältä.

Madeleinen katse harhaili kohti Lucienia.

"Katso minua, Madeleine", Hunter huikkasi jälleen. "Älä välitä hänestä. Pidä silmäsi minussa. Hei, tähän suuntaan."

Madeleine katsoi jälleen Hunteria.

"Osaat todella käsitellä panttivankeja, Robert", Lucien tokaisi ja siirtyi Madeleinen tuolin vasemmalle puolelle.

Hunter näki vihdoin, mitä Lucien oli ottanut moduulipöydän laatikosta – ruostumattomasta teräksestä valmistetun, osapuilleen 13-senttisen veitsen.

"Tiesitkö", Lucien sanoi, "että minä todella vihaan aseita?" Hän vapautti nopealla kädenliikkeellä Taylorin .44 kaliiperin Springfield Professional -käsiaseen lippaan. Se putosi lattialle, ja hän potkaisi sen taakseen huoneen toiselle puolelle, poispäin Hunterista. Toisella hyvin nopealla kahden käden liikkeellä hän veti luistin taakse ja poisti luodin patruunapesästä.

Hunter piti huomionsa Lucienissa. Hän alkoi vihdoin ymmärtää, että saattaisi saada mahdollisuuden.

Tämän jälkeen Lucien painoi sormellaan rekyylijousen karaa. Hyvin lyhyessä ajassa hän oli purkanut aseen ja pudottanut osat lattialle.

Hunter henkäisi ulospäin. Hänen lihaksensa olivat jännittyneet valmiustilaan hänen pohtiessaan, ehtisikö hän riittävän nopeasti Lucienin kimppuun.

”Älä edes harkitse sitä, Robert”, Lucien sanoi, astui askelen eteenpäin ja asettui osittain Madeleinen tuolin taakse. Veitsi, joka oli nyt hänen vasemmassa kädessään, siirtyi Madeleinen kaulalle. Oikealla kädellään Lucien tarttui naisen hiuksiin ja kiskaisi tämän päätä taaksepäin. Hän näki, että Hunter halusi kuollakseen hyökätä hänen kimppuunsa. ”Jos liikautat lihastakaan, viillän hänen kurkkunsa auki.”

Madeleine tunsi kylmän terän uppoavan ihoonsa, ja hänen sydämensä melkein pysähtyi. Hän oli niin jäykkänä kauhusta, ettei pystynyt edes kirkumaan.

Hunter pysytteli tyynenä.

”Tiedän, että halveksit minua, ystäväni”, Lucien sanoi ja hymyili heikosti, milteipä anteeksipyytävästi. ”Enkä moiti sinua. Kuka tahansa halveksisi, ellei tietäisi todellista tarkoitusta tekojeni takana. Olen ihmisten silmissä vain sadistinen psykopaattitappaja, joka on kiduttanut ja tappanut ihmisiä kahdenkymmenenviiden vuoden ajan, eikö vain? Mutta sinulle minä olen paljon enemmän. Olen henkilö, jota olet jahdannut kaksikymmentä vuotta. Henkilö, joka silpoi raa'asti ainoan naisen, jota olet koskaan rakastanut. Naisen, jonka kanssa olit menossa naimisiin. Naisen, jonka oli määrä antaa sinulle perhe.”

Hunter tunsi, miten raivo ja viha alkoivat jälleen kerätä voimiaan hänen sisuksissaan.

”Olen silti sitäkin enemmän”, Lucien sanoi. ”Ajan myötä ymmärrät. Jätän sinulle ja FBI:lle lahjan.” Hän nytkäytti päätään käytävän suuntaan. ”Sinulla ei ole vaikeuksia löytää sitä. Mutta sen aika koittaa myöhemmin, koska juuri nyt minä annan sinulle tilaisuuden toteuttaa lupauksen, jonka annoit itsellesi ja Jessicalle vuosia sitten, Robert. Ja tämä tulee olemaan ainoa tilaisuus, jonka koskaan saat, koska jos et nyt tapa minua, et näe minua enää *koskaan*. Et tässä elämässä.”

Hunterin sydän vaihtoi vaihdetta rintakehässä.

"Ongelmana on", Lucien jatkoi, "se moraalinen dilemma, joka pian myrskyää päässäsi ja pakottaa omatuntosi kiduttavaan henkiseen taistoon, vanha kamu." Lucien vilkaisi Madeleinea ja käänsi sitten katseensa takaisin Hunteriin. "Salli minun selventää sanojani esittämällä sinulle yksi ainoa kysymys." Hän piti tauon, jonka aikana hänen katseensa melkein porasi reikiä Hunterin silmiin. "Ja kysymys kuuluu: jos hyökkäät kimppuuni nyt, miten tukahdutat hänen verenvuotonsa ja järjestät hänet sairaalaan, ennen kuin hän vuotaa kuiviin?"

Supernopealla liikkeellä Lucien siirsi veitsen alemmas Madeleinen kaulalta ja puukotti häntä vasemmalle vatsan yläosaan aivan kylkiluiden alle. Veitsi upposi sisään kahvaa myöten.

Hunterin silmät suurenivat järkytyksestä.

"Ei!" hän huusi ja loikkasi eteenpäin. Lucien oli kuitenkin valmistautunut, ja ennen kuin Hunter ehti päästä jaloilleen, Lucien potkaisi häntä kengänkannallaan suoraan rintaan. Voimakas isku pakotti ilman Hunterin keuhkoista ja sai hänet kompuroimaan taaksepäin. Lucien veti veitsen Madeleinen vatsasta. Liike sai haavan avautumaan ja vuotamaan runsaasti verta.

"Pidä lupauksesi Jessicalle tai pelasta Madeleine, Robert", Lucien sanoi ja siirtyi kohti ovea. "Molempiin et pysty. Tee valintasi, vanha kamu." Hän katosi käytävälle.

Satakolme

Hunterilla kesti pari sekuntia saada hengitys jälleen kulkemaan, ja senkin jälkeen keuhkoja ja rintaa poltteli kuin hän olisi imenyt sisuksiinsa tulikuumia hiiliä. Hän kohotti kätensä vaistomaisesti rinnalle ja suuntasi katseensa ovelle. Sukat lipsuivat lattialla hänen yrittäessään kompuroida pystyyn.

Kun hän vihdoin onnistui, alkukantainen vaisto otti vallan, ja hän ryntäsi kohti ovea. Hän ei missään tapauksessa päästäisi Lucienia karkuun. Hän tiesi, että Lucien oli tarkoittanut mitä sanoi – jos Hunter ei tappaisi häntä nyt, hän ei todennäköisesti saisi enää koskaan uutta tilaisuutta. Lucien oli varmasti suunnitellut pakonsa viimeistä yksityiskohtaa myöten. FBI:llä oli kestänyt kaksikymmentäviisi vuotta pidättää hänet ensimmäisen kerran – kuka tiesi, onnistuisiko se siinä enää toistamiseen?

Hunter oli astunut vain kolme askelta käytävän suuntaan, kun hän näki sivusilmällä Madeleinen. Veri pulppusi valtoimenaan avohaavasta. Pää oli nytkähtänyt jälleen eteenpäin. Silmät olivat puoliummessa. Elämä virtasi hänestä nopeasti.

Hunterilla oli melko hyvä käsitys anatomiasta. Haava oli Madeleinen vasemmalla puolella vatsan yläosassa aivan kylkiluiden alla. Lucienin käyttämän veitsen terä oli 13-senttinen, ja hän oli survaissut sen koko pituudeltaan Madeleinen lihaan. Menetetyn veren määrän perusteella Lucien oli puhkaissut verenkiertoelimen.

Vasen yläosa, Hunter mietti. *Veitsi on puhkaissut pernan.*

Hän oli myös pannut merkille, että Lucien oli vääntänyt veistä poistaessaan sen Madeleinen ruumiista. Tämä oli laajentanut pernaan tullutta repeämää ja koko haavakanavaa. Jos Hunter ei tyrehdyttäisi verenvuotoa nyt, Madeleinella kestäisi kolmesta viiteen minuuttia kuolla verenhukkaan. Mutta vaikka hän onnistuisikin tyrehdyttämään ulkoisen verenvuodon, sisäiselle hän ei mahtanut mitään. Hänen oli saatava nainen nopeasti sairaalaan ja leikkaussaliin.

Hunter räpytti silmiään. Hänen prioriteettinsa sortuivat aivan kuten Lucien oli ennustanut.

Lucien oli pääsemässä pakoon.

Et näe minua enää koskaan. Et tämän elämän aikana.

Hunter räpytti uudestaan silmiään. Lucienin mainitsema henkinen kamppailu oli nyt täydessä vauhdissa hänen päänsä sisällä.

Pidä lupauksesi Jessicalle tai pelasta Madeleine. Molempiin et pysty. Tee valintasi, vanha kamu.

Hunter räpytti silmiään vielä kerran ja ryntäsi sitten kohti Madeleinea.

Hän polvistui välittömästi naisen viereen ja repi paidan päältään. Hän rutisti sen palloksi ja asetti sen haavan päälle painaen vasemmalle kädellään juuri riittävästi. Paita muuttui välittömästi likomäräksi verestä.

”Katso minua, Madeleine”, hän sanoi ja kurotti oikealla kädellään veistä, jonka Lucien oli pudottanut maahan. ”Katso minua”, hän sanoi uudestaan.

Madeleine ei katsonut.

Hän venytti kättään. Sai kiinni veitsestä.

”Madeleine, katso minua.”

Madeleine yritti, mutta hänen silmäluomensa alkoivat räpsyä.

”Ei, ei, ei. Pysy kanssani, kulta. Älä sulje silmiäsi. Tiedän, että sinua väsyttää, mutta sinun pitää pysyä kanssani, onko selvä? Minä järjestän sinut pois täältä.”

Hunter vilkaisi tuolin taakse. Madeleinen kädet oli sidottu nippusiteellä, samoin kuin jalat tuolinjalkoihin. Hän painoi edelleen haavaa vasemmalla kädellään, kallisti kehoaan oikealle ja viilsi veitsellä nippusiteen poikki tuolin takana.

Madeleinen kädet retkahtivat sivuille kuin räsynukella.

Hunter katkaisi nopeasti molemmat jalkoja kahlitsevat nippusiteet.

"Madeleine..." Hän pudotti veitsen lattialle ja tarttui naisen kasvoihin. Hän kosketti Madeleinen leukaa ja ravisteli kevyesti naisen päätä sivulta toiselle. "Pysyttele kanssani, kulta. Pysyttele kanssani."

Madeleinen tokkurainen katse löysi hänen kasvonsa.

"Juuri noin. Katso minua." Hän tarttui Madeleinen vasempaan käteen ja painoi sen haavan päällä olevalle paidalle. "Sinun täytyy pitää tästä kiinni ja painaa sitä mahdollisimman lujaa vatsaasi vasten, ymmärrätkö, kultaseni?"

Hunter tarttui Madeleinen oikeaan käteen ja asetti sen vasemman päälle, niin että Madeleine painoi nyt paitaa haavaa vasten molemmin käsin.

Madeleine ei vastannut.

"Pidä siitä kiinni ja paina sitä itseäsi vasten niin lujaa kuin pystyt, jooko?"

Madeleine yritti, mutta hän oli aivan liian heikko pystyäkseen painamaan paitaa niin lujaa, että verenvuoto olisi pysynyt aisoissa. Hunterin täytyi tehdä se itse, mutta hänen täytyi myös kantaa Madeleine ulos säteilysuojasta ulkona odottavaan Jeeppiin, jonka avaimet hänellä yhä oli taskussaan. Sen jälkeen hänen täytyisi ajaa sairaalaan. Ellei hän seuraavan sekunnin kuluessa muuttuisi mustekalaksi, tempun suorittaminen osoittautuisi erittäin haastavaksi.

Hunter asetti vasemman kätensä Madeleinen käsien päälle ja auttoi häntä painamaan haavaa.

Mieti, Robert, mieti, hän sanoi itselleen ja vilkuili huonetta. Siellä ei ollut mitään hyödyllistä.

Hän harkitsi juoksevansa takaisin valvomoon ja etsivänsä sieltä jonkinlaista teippiä tai köyttä, jonka voisi kietoa Madeleinen ruumiin ympärille pitämään paitaa paikoillaan. Siihen menisi kuitenkin liikaa aikaa, ja nimenomaan aika oli hänellä kortilla.

Mieti, Robert, mieti. Hän katseli edelleen huonetta.

Juuri silloin hänen ajatuksensa kulkivat A:sta Z:aan sadasosasekunnissa – Ghost. Ghost oli pienikokoinen ja hyvin kapealanteinen, mutta Madeleine oli menettänyt niin paljon painoa, että Ghostin vyö sopisi varmasti hänen keskiruumiinsa ympärille.

"Maddy, pitele kiinni paidasta niin lujaa kuin pystyt. Tulen ihan heti takaisin."

Madeleine katsoi häntä tokkuraisin silmin.

"Pidä lujasti kiinni, kulta", Hunter toisti. "Palaan ihan heti."

Hunter päästi Madeleinen kädet irti. Haavasta tulvahti välittömästi lisää verta. Madeleinella ei yksinkertaisesti ollut riittävästi voimia painaa tarpeeksi lujaa. Hunterin oli toimittava nopeasti.

Hän nousi pystyyn ja ryntäsi käytävälle kuin olympiajuoksija. Hän pääsi valvomoon ja Ghostin ruumiin luo kolmessa sekunnissa.

Ghostilla oli halpa musta nahkavyö, jossa oli perinteinen neliskanttinen piikkisolki. Hunter avasi vyön ja veti sen Ghostin vyötäisiltä yhdellä vahvalla nykäisyllä. Hän palasi käytävälle alta aikayksikön. Kun hän pääsi takaisin Madeleinen luo, aikaa oli kulunut vain yhdeksän sekuntia.

Madeleine oli melkein irrottanut otteensa paidasta.

"Olen tässä, Maddy, olen tässä", hän sanoi, tarttui paitaan vasemmalla kädellä ja painoi sen verran, että verenvuoto pysyi osittain aisoissa.

Oikealla kädellään Hunter kohotti Madeleinen selkää tuolilta ja kietoi Ghostin vyön hänen keskiruumiinsa ja veren liottaman paidan ympärille.

"Kiristän tätä vähäsen, okei?" hän sanoi ja nykäisi vyötä lujaa.

Madeleine yskähti pari kertaa. Suussa ei ollut verta. Se oli hyvä merkki.

Täydellinen istuvuus. Piikki solahti ensimmäiseen vyönreikään.

"Okei, kultaseni, nostan sinut nyt ja sitten me häivymme täältä helvettiin, eikö vain? Vien sinut sairaalan. Pysy kanssani. Tiedän, että sinua väsyttää, mutta älä nukahda, okei? Pidä silmät auki. Valmiina? Nyt lähdettiin."

Hunter nosti Madeleinen tuolilta molemmin käsivarsin ja nousi seisomaan. Vyöstä taiteiltu kiristysside pysyi paikoillaan. Madeleine yskähti jälleen. Ei vieläkään verta.

Hunter ryntäsi huoneesta käytävälle niin nopeasti kuin pystyi.

Sataneljä

Ulkona pimeys oli miltei absoluuttinen, mutta kun oli juuri noussut paikasta, jota saattoi helpostikin nimittää itsensä Paholaisen kellariksi, raikas yöilma tuntui Jumalan kosketukselta.

"Madeleine, pysy kanssani. Älä sulje silmiäsi", Hunter sanoi pysähtyessään lähellä pitkien portaiden yläpäätä. Hän ei erottanut, olivatko Madeleinen silmät auki vai ei, mutta hän tiesi, että hänen oli pakko jatkaa puhumista. Hän ei voinut antaa naisen torkahtaa.

Hänellä oli yhä Maglite taskussaan, joten hän otti paremman asennon portailla – vasen jalka kaksi askelta korkeammalla kuin oikea – ja kurotti taskulamppua kömpelösti vasemmalla kädellään. Sai otteen. Sytytti.

Madeleine kamppaili pitääkseen silmänsä auki.

"Pärjäät hienosti, kulta. Pysythän hereillä?"

Hunterin suuntavaisto oli niin hyvä kuin niissä olosuhteissa suinkin saattoi. Hän muisti, että he olivat lähestyneet kellarin sisäänkäyntiä vasemmalta, joten hän kääntyi ja lähti nopeasti siihen suuntaan.

Romut, kivet ja tikut kaivautuivat hänen kantapäihinsä, mutta hän kiristeli hampaitaan ja blokkasi kivun parhaan kykynsä mukaan.

"Pärjäät upeasti, Madeleine. Pääsemme autoon ihan hetken päästä, okei?"

Madeleine ei vastannut. Hänen päänsä retkahti Hunterin olkapäälle.

"Ei, ei, ei... hei, nyt ei todellakaan saa torkahtaa. Kerro minulle nimesi, kulta. Mikä on koko nimesi?"

"Mmh."

”Koko nimesi. Kerro minulle koko nimesi, kulta.”

Hunter halusi myös testata naisen tietoisuuden tason.

”Maddy”, Madeleine vastasi.

Kuiskaus alkoi heikentyä. Kiristyssiteestä huolimatta veri peitti nyt Hunterin käsivarret ja vatsan ja alkoi jo liottaa housujen yläosaa. Juoksemisen takia verta oli roiskunut myös ylöspäin hänen rinnalleen ja kasvoilleen.

”Hienoa. Tosi hienoa. Onko Maddy lyhenne jostakin?”

”Mmh.”

”Maddy on lyhenne jostakin, eikö niin?”

”Madeleine.”

”Vau, onpa kaunis nimi. Mikä sinun sukunimesi on?”

Ei vastausta.

”Maddy, herätys, Pysy kanssani, kulta. Mikä on sukunimesi? Kerro minulle sukunimesi.”

Ei mitään. Hän menettäisi Madeleinen.

Hän siirsi katseensa maasta katsoakseen Maddyn kasvoja, ja juuri silloin jokin viilsi hänen vasenta kantapäätään. Kipu sinkosi pitkin säärtä kuin raketti ja sai hänet kompuroimaan kömpelösti, menettämään tasapainonsa ja melkein rojahtamaan maahan. Tärinä ja horjahdusliike nytkäyttivät Madeleinen hereille. Hänen silmänsä rävähtivät auki, ja hän katsoi Hunteria.

Kivusta huolimatta Hunter hymyili. ”Olemme melkein perillä. Pidä silmäsi auki, jooko?”

Hunterin juoksu oli muuttunut epätoivoiseksi nilkutukseksi. Vasen jalka kirkui kivusta aina maata koskettaessaan.

He pääsivät lopulta talon eteen.

”FBI! Seis siihen paikkaan tai ammumme!” Huuto tuli Hunterin vasemmalta puolelta. Hän käänsi päätään äänen suuntaan, mutta häntä valaistiin saman tien kasvoihin eikä hän pystynyt näkemään, kuka käskyn oli antanut.

Hunter pysähtyi äkisti.

Seuraavan sekunnin aikana pimeydestä ilmestyi neljä muuta valoa – vielä yksi Hunterin vasemmalla puolella, kaksi oikealla ja yksi suoraan häntä kohti. Valojen räikeässä loisteessa Hunter erotti vihdoin, mitä hänen edessään oli. Hän oli FBI-agenttien ympäröimä. Kaikki osoittivat häntä aseillaan. Kyseessä oli varmastikin Kennedyn järjestämä tukijoukko.

"Laske nainen maahan ja peräänny hitaasti kolme askelta", häntä hetki sitten käskyttänyt henkilö karjui.

"Minä *olen* FBI:ssä", Hunter huusi takaisin. Suuttumuksen häive varjosti hänen äänestään mahdollisesti kuultavaa huojennusta. "Nimeni on Robert Hunter. Minun täytyi luovuttaa virkamerkkini Berlinin kunnallisen lentokentän kiitoradalle. Voitte tarkistaa johtaja Adrian Kennedyltä, jos haluatte, mutta tehkää se joskus myöhemmin, koska tämän naisen on päästävä lääkäriin *nyt heti.*"

Agentti Brody, käskyt esittänyt mies, astui askelen lähemmäs ja tihrusti Hunteria. Kesti hetken, ennen kuin hän ymmärsi yhdistää Hunterin verenjuovittamat kasvot johtaja Kennedyn meilaamaan valokuvaan.

"Perääntykää. Hän on meikäläisiä", Brody ohjeisti tiimiään ja siirtyi nopeasti kohti Hunteria. "Teitä pitäisi olla kaksi", hän sanoi päästyään Hunterin luo. "Agentti Taylor?"

Hunter pudisti Brodylle vaivihkaa päätään. Ele riitti kertomaan kaiken, mitä Brodyn oli tarpeen tietää.

Kaksi agenttia liittyi heidän seuraansa. Kaksi muuta pysyttelivät etäämmällä tarkistaen taskulampuillaan ja aseillaan lähiympäristöä.

"Entä vanki?" Brody kysyi, kun he lähtivät kohti Jeeppiä.

"Karussa", Hunter vastasi. "Missä autonne on?"

"Sen Jeepin takana, jonka veit lennonjohtajalta."

"Milloin te tulitte tänne?" Hunter kysyi.

"Suunnilleen minuutti sitten. Olimme juuri siirtymässä kohti taloa, kun näimme sinun tulevan ulos."

"Ettekä törmänneet Lucieniin?"

He saapuivat autoille. Brodyn tiimillä oli GMC:n maasturi.

"Emme."

Yksi agenteista avasi takaoven. Toinen auttoi Hunteria asettamaan Madeleinen takapenkille. Hunter sipaisi hellästi hiukset naisen otsalta.

”Madeleine, pysy hereillä, jooko? Olemme melkein perillä.”

Madeleine räpytti väsyneenä silmäänsä.

Hunter katsoi agenttia, joka piteli autonavaimia.

”Teidän täytyy järjestää hänet sairaalaan saman tien.”

Agentti oli jo nousemassa kuskin paikalle.

”Minä vien hänet sinne.”

Hunter kääntyi toisen agentin puoleen. ”Mene takapenkille hänen kanssaan. *Älä* anna hänen nukahtaa. Kerro lääkintähenkilökunnalle, että häntä on puukotettu vatsan vasempaan yläkulmaan. Haava on osapuilleen 13 sentin syvyinen. Terä osui pernaan, ja sitä väännettiin vastapäivään ulos vedettäessä.”

Agentti nyökkäsi ja asettui autoon.

Madeleinen huulet liikkuivat.

”Mitä sanoit, kulta?” Hunter kysyi ja nojautui alemmas. Hänen oikea korvansa oli parin sentin päässä Madeleinen huulista.

”Älä jätä minua.” Madeleinen ääni oli nyt hädin tuskin kuuluva. Sokki alkoi palailla.

”En jätä. Lupaan sen. Nämä miehet vievät sinut nyt sairaalaan. Saat siellä hoitoa. Tulen heti heidän jälkeensä. En jätä sinua. Hoitelen vain ensin sen saastan, joka teki tämän sinulle.

Hunter sulki oven ja katsoi kuskia. ”Lähtekää. Nyt heti.”

Sataviisi

Auton lähdettyä Hunter kääntyi katsomaan agentti Brodya.

”Te siis tulitte tätä tietä ettekä törmänneet Lucieniin?” hän kysyi uudestaan.

”Emme”, Brody vahvisti.

Hunter kääntyi katsomaan heitä ympäröivää metsää.

”Talolle pääsee toistakin kautta”, Brody sanoi.

Hunter katsoi agenttia.

”Sen näkee satelliittikuvasta”, Brody selitti. ”Talon taakse johtaa kiertotie.”

Hunter oli heti Ghostin nähtyään olettanut, että talolle pääsi toistakin kautta, koska Ghostin oli täytynyt ajaa paikalle. Hän ei olisi missään tapauksessa voinut tulla jalan.

”Mennään”, Hunter sanoi.

He siirtyivät nopeasti takaisin talon suuntaan. Kaksi muuta agenttia näkivät heidät ja liittyivät välittömästi heidän seuraansa. He ohittivat portaat, jotka johtivat Paholaisen kellariin, ja jatkoivat rakennuksen taakse.

Talon takapiha oli yhtä rappeutunut kuin talo itse. Lucien oli puhunut totta. Pihalla oli pieni lampi, tai jokin, mikä oli ammoin ollut lampi. Nyt se oli vain inhottava mutalammikko. Oli myös leveä betoninen pihatie, joka oli suurimmalta osin halkeillut ja kuopilla. Talolta pois johtavan hiekkatien oikealle puolelle oli pysäköity kolhiintunut viisitoistavuotias Ford Bronco. Kaikki ottivat aseet esiin ja lähestyivät autoa hitaasti ja varovaisesti. Se oli tyhjillään. Kyse oli epäilyksettä Ghostin ajoneuvosta.

Tällä kertaa oli Brodyn vuoro tarkkailla taloa ympäröivää metsää.

"Luuletko, että hän kulkee jalan?" Brody kysyi. "Patikoi metsän halki?"

Hunter käveli hiekkatielle, polvistui ja tarkisti maan taskulampullaan.

"En", hän vastasi parin sekunnin kuluttua. "Hänellä on moottoripyörä." Hän osoitti löytämiään renkaanjälkiä.

"Millainen etumatka hänellä on?" Brody kysyi.

"Maksimissaan viidestä kuuteen minuuttia."

Brody kaivoi kännykkänsä esiin. "Hän ei siinä tapauksessa voi olla kaukana. Soitan johtaja Kennedylle. Hän järjestää lähistölle kattavat tiesulut."

Hunter sulki silmänsä ja kirosi itseään siitä hyvästä, ettei ollut osannut ennakoida tätä. Hän ei sanonut mitään agentti Brodylle, mutta hän tiesi, ettei tiesuluista olisi mitään apua. Ei tässä jumalanhylkäämässä paikassa eikä sen minimaalisen lyhyen ajan puitteissa, joka heillä oli käytössään.

Kattavat tiesulut vaativat miestyövoimaa sekä helvetisti ajoneuvoja. Hunter oli satavarma siitä, ettei Berlinin tai Milanin kaupungeilla ollut tarjota kumpaakaan. Olisi ihme, mikäli molemmista kaupungeista löytyisi yhteensä yli kahdeksaa miestä ja neljää autoa. Kennedyn olisi pakko pyytää lähikaupunkien poliisivoimien apua. Lähin FBI:n aluetoimisto oli kokonaisen osavaltion päässä. Siihen mennessä, kun Kennedy onnistuisi keräämään kasaan teiden ja pikkuteiden sulkemiseen tarvittavan miesvahvuuden, Lucien olisi takuuvarmasti jo ylittänyt osavaltion rajan.

Hunter tiesi, ettei mikään tästä ollut sattumaa. Kaikki oli suunniteltu viimeisen päälle. Lucien ei ollut jättänyt yhtään mitään sattuman varaan.

Satakuusi

Neljän tunnin kuluttua.

Säteilysuoja kuhisi FBI:n henkilökuntaa. Courtney Taylorin ja Ghostin ruumiit oli pantu ruumispusseihin ja viety lentokentälle, josta ne oli lennätetty Quanticon pääpatologille.

Brodyn tiimin agentit olivat kaahanneet Androscoggin Valleyn sairaalaan Berliniin ennätysajassa. Madeleine Reed oli yhä leikkaussalissa, mutta lääkärit olivat kertoneet kahdelle agentille, että ottaen huomioon hänen kehonsa epävakaan tilan – hän oli hyvin aliravittu ja osittain kuivunut – hänen selviytymismahdollisuutensa eivät olleet parhaasta päästä. Mutta niin kauan kuin oli pienikin mahdollisuus, oli myös toivoa.

Hunter ja johtaja Adrian Kennedy olivat säteilysuojan valvomossa. Hunter oli kertonut Kennedylle kaiken, mitä oli tapahtunut sen jälkeen, kun he olivat menettäneet satelliittiyhteyden lentokentällä.

Kennedy oli kuunnellut vakava ilme kasvoillaan ja keskeyttämättä. Kun Hunter kertoi agentti Taylorin lähietäisyydeltä suoritetusta teloituksesta ja siihen johtaneesta syystä, Kennedy puristi silmänsä kiinni ja antoi leukansa pudota rinnalle. Hunter näki, miten hän vapisi raivosta.

”Miten tässä kävi näin, Robert?” Kennedy kysyi lopulta, kun Hunter oli valmis. ”Miten tämä Ghost odotteli teitä täällä? Ei kai hän täällä koko aikaa ole ollut?”

”Todennäköisesti ei”, Hunter vastasi.

"Miten hän sitten odotti teitä täällä? Miten hän tiesi täsmälleen, koska te olitte tulossa?"

"Ei hän tiennytkään."

Kennedy näytti ärtyneeltä. "Mitä tarkoitat, Robert?"

Hunter oli miettinyt asiaa jo jonkin aikaa.

"FBI:llä on tiettyjä salaisia menettelytapoja, jotka pannaan täytäntöön vain, jos joku lausuu koodisanan tai näpyttelee koodinumeron tai jotain vastaavaa. Eikö niin?"

Kennedy nyökkäsi ja oli hetken hiljaa. "Tarkoitatko, että Lucienilla oli käytössään samanlainen menettelytapa? Ennalta suunniteltu strategia siltä varalta, että hän jäisi kiinni?"

Hunter nyökäytti päätään. "Olen siitä varma. Siihen on syynsä, miksi Lucien on onnistunut kiduttamaan ja tappamaan niin paljon ihmisiä niin monen vuoden ajan ilman, että kukaan on epäillyt yhtikäs mitään, Adrian, eivät edes häntä lähellä olevat ihmiset. Ja syy siihen on tämä: hän on liian hyvin valmistautunut. Hän on järjestelmällinen, pikkutarkka, kurinalainen ja erittäin järjestäytynyt. Tämän illan tapahtumat suunniteltiin jo kauan aikaa sitten."

Kennedy silmäili tilaa uudestaan pohtiessaan Hunterin sanoja. Hänen katseensa pysähtyi käytävälle johtavan oven suulle kasautuneeseen verilammikkoon – agentti Taylorin vereen. Suru ja raivo mittelivät hänen katseessaan.

"Lucien varmasti puhui totta sanoessaan, että oli jättänyt Madeleinelle ruokaa ja vettä vain muutaman päivän ajaksi", Hunter jatkoi. "Mutta simppeli koodisana tai signaali riitti käynnistämään tämän suunnitelman. Mikäli Ghost ei jo ollut täällä, hän tuli paikalle estääkseen Madeleinea kuolemasta. Hän selvästikin saapui riittävän ajoissa, sillä hän onnistui ruokkimaan ja nesteyttämään Madeleinea tarpeeksi. Hän tiesi, että muutaman päivän kuluttua merkin antamisesta Lucien onnistuisi manipuloimaan vangitsijansa tuomaan hänet tänne."

Kennedy pysytteli hiljaa aivojen työstäessä tietoa.

"Ghost ei ollut hänen ensimmäinen 'oppipoikansa'", Hunter lisäsi. "Lucien sanoi niin."

Kennedy katsoi Hunteria kiinnostuneena.

"Lucien sanoi, että Ghostin parasta ennen -päiväys oli mennyt, *kuten kaikkien aiempienkin*. Hän sanoi, että kaikki menettivät ennen pitkää hyödyllisyytensä, joten hän etsi itselleen aina uuden pikku apurin."

Mietteliään näköinen Kennedy pysytteli hiljaa.

"Uskon, että Lucien etsi itselleen oppipoikia vain siksi, että voisi tarpeen tullen käynnistää tällaisen suunnitelman. Hän todennäköisesti etsi apurin, opetti tämän tavoille, katseli tyyppiä nurkissaan jonkin aikaa, hankkiutui hänestä eroon ja etsi uuden, ja prosessi alkoi jälleen alusta."

"Pitkällä aikavälillä heistä tuli aina taakka", Kennedy sanoi. "Riski, jota hän ei kaivannut."

Hunter nyökkäsi.

Kennedy näytti edelleen epävarmalta. "Mutta jotta suunnitelma saatiin käytäntöön, Lucienin täytyi voida toimittaa koodisana tai signaali tälle Ghostille. Miten hän sen teki?"

"Puhelimitse?"

Kennedy pudisti päätään. "Lucienilla ei ollut pääsyä puhelimeen. Hänen ei sallittu soittaa tai vastaanottaa puheluita. Hän oli kaiken aikaa yhteyksien ulottumattomissa."

"Sen jälkeen, kun FBI otti hänet haltuunsa, tarkoitat", Hunter vastasi. "Mutta hänethän pidätettiin Wyomingin Wheatlandissa. Miten sikäläinen seriffinvirasto toimi?"

Tauko, ja sen jälkeen Kennedy sulki silmänsä sekunniksi kuin tuskissaan.

"Saatanan kusipää", hän kuiskasi. Hän muisti nyt lukeneensa pidätysraportista, että pidätetylle oli suotu yksi puhelu. Tuohon puheluun ei ollut vastattu. Koodipuhelinnumero – kuollut linja, jonka ei pitäisi koskaan soida, ellei... Juuri se oli koodimerkki.

"Miten tämä Ghost pääsi tänne?" Kennedy kysyi. "Sanoit, että tämän helvetinloukun ovi oli lukittu ulkoapäin munalukolla."

"Viimeinen huone oikealla käytävän varrella", Hunter vastasi. "Sitä kautta pääsee toiseen käytävään, josta puolestaan pääsee talon takaovelle. Ghost pääsi sisään sitä kautta. Ensimmäinen huone vasemmalla", Hunter sanoi ja osoitti käytävälle, "on valvomo, jossa on kaksi tietokonemonitoria. Lucien on asentanut ulos kahdeksan liiketunnistimella varustettua valvontakameraa. Heti, kun jokin liikahtaa kameroiden säteellä, punaiset hälytysvalot alkavat vilkkua säteilysuojassa." Hunter osoitti punaista hehkulamppua seinällä Kennedyn takana. "Yksi valvontakameroista on asennettu puuhun sen hiekkatien päähän, joka johtaa talon etupuolelle."

"Sinne, minne te pysäköitte Jeepin", Kennedy sanoi.

"Juuri niin. Se tarjosi Ghostille enemmän kuin riittävästi aikaa kiskoa Madeleine sellistään – viimeinen huone vasemmalla – sitoa hänet tuoliin ja piiloutua itse tuohon laatikkoon."

Kennedy kääntyi ja katsoi pahvilaatikkoja, jotka oli pinottu pimeään nurkkaan.

"Piileskelikö hän tuolla?"

Hunter nyökkäsi. "Hän oli pienikokoinen, ja Lucienin puheiden perusteella taipuisa kuin käärmeihminen." Kiusallinen tauko. "Tämä kaikki oli ennalta suunniteltua, Adrian. Me astuimme suoraan ansaan. Olen pahoillani, etten tajunnut sitä."

"Erittäin hyvin suunniteltu ansa olikin", Kennedy sanoi. "Lucien pani sinut ja agentti Taylorin uskomattoman aikapaineen alle panttivangin hengen pelastamiseksi. Hän pani sinut jopa pahemman henkisen paineen alle paljastaessaan kihlattusi murhan vain muutamaa minuuttia ennen kuin pakotti teidät tuomaan hänet tänne. Ovi oli suljettu ulkopäin riippulukolla, ja me kaikki uskoimme, että Lucien työskenteli aina yksin. Sinulla tai agentti Taylorilla ei ollut mitään syytä epäillä, että joku odottaisi teitä täällä."

"Minun olisi siitä huolimatta pitänyt tutkia huone kunnolla", Hunter sanoi. "Olen niin järjettömän pahoillani siitä, mitä Courtneylle tapahtui."

Kumpainenkaan ei sanonut mitään täyteen minuuttiin.

"Hän ei lopeta tappamista", Kennedy sanoi lopulta. "Me molemmat tiedämme sen. Ja kun hän tappaa uudestaan, me saamme vainun ja nappaamme hänet."

”Emme nappaa”, Hunter sanoi.

Kennedy mulkaisi häntä.

”Hän tappoi kahdenkymmenenviiden vuoden ajan ilman, että kukaan huomasi koskaan mitään, Adrian. Mikään Lucienin teoista ei ole yhteydessä mihinkään. Hän ei noudata kaavoja. Hän ei käytä samaa toimintatapaa. Hän kokeilee. Hän tappaa mielivaltaisesti – vanhoja, nuoria, miehiä, naisia, blondeja, brunetteja, amerikkalaisia, ulkomaalaisia. Millään muulla ei ole merkitystä kuin uusilla kokemuksilla. Hän saattaa tappaa uudestaan jo tänään, on vallan mainiosti ehtinytkin jo tappaa. Voimme löytää ruumiin ja tutkia rikospaikan emmekä silti pystyisi sanomaan minkäänlaisella varmuudella, oliko tappaja Lucien vai ei.”

”Sinä siis uskot, mitä hän sinulle sanoi?” Kennedy kysyi. ”Että emme enää koskaan näe häntä?”

Hunter nyökkäsi. ”Ellemme sitten ole häntä ovelampia.”

”Miten se muka onnistuisi?”

”Ehkä noista kirjoista löytyy jotain.”

Kennedyn katse siirtyi hyllyillä oleviin tomun peittämiin kirjoihin.

”Näitä muistikirjoja sinä etsit”, Hunter selitti. ”Lucien sanoi jättävänsä meille lahjan. No, se on tuossa. Kirjoja on yhteensä viisikymmentäkolme. Kaikki 250–300 sivun mittaisia.”

Kennedy lähestyi yhtä hyllyistä, poimi umpimähkään muistivihon ja napautti sen auki. Kaikki sivut oli kirjoitettu käsin. Niissä ei ollut päivämerkintöjä, ei ylipäätään minkäänlaista mainintaa ajasta. Useamman täyteen kirjoitetun sivun jälkeen oli tyhjä sivu, ikään kuin jakamassa kirjoituksia numeroimattomiksi ja nimettömiksi luvuiksi.

”En tiedä, mitä me niistä tarkalleen ottaen löydämme, ennen kuin olemme käyneet ne perusteellisesti läpi”, Hunter sanoi. ”Mutta sain kyllä ajatuksen.”

”Antaa tulla.”

”Selasin pari kirjaa läpi ennen tuloasi. Näkemäni perusteella sanoisin, etteivät nämä kirjat sisällä pelkästään Lucienin mielentiloja ja tuntemuksia ennen ja jälkeen murhan, hänen erilaisia toimintatapojaan ja niin edelleen, vaan niissä kuvataan myös kaikki hänen tekonsa, hänen kohtaamansa ihmiset ja *paikat, joissa hän on ollut* tämän murhanhimoisen tietokirjan aloittamisesta lähtien. Mukaan lukien tämänkaltaiset piilopaikat. Paikat, joista kukaan ei tiedä mitään."

Kennedy pääsi välittömästi jyvälle. "Ja juuri nyt Lucien tarvitsee paikan, minne mennä. Piilopaikan. Murphyn-talo ja tämä säteilysuoja tuskin ovat ainoat piilo- tai vangitsemis- tai kidutuspaikat, jotka hän on itselleen hankkinut."

"Naulan kantaan."

Kennedy mietti hetken. "Ongelma piilee siinä, että mikäli olet oikeassa, Lucien saattaa olla jo puolimatkassa, enkä usko, että hän piileksii samassa paikassa kovin kauan. Hän järjestäytyy nopeasti ja katoaa sen jälkeen todennäköisesti jäljettömiin."

Hunter ei sanonut mitään.

Kennedy katsoi jälleen hyllyjä. Viisikymmentäkolme kirjaa, kukin noin kolmensadan sivun mittainen. Hunter näki epäilyksen hänen katseessaan.

"Kuinka nopeasti pystyt kokoamaan tiimiin parhaista mahdollisista pikalukijoista, Adrian?" hän kysyi. "Ihmisistä, jotka pystyvät selaamaan sivuja nopeasti ja etsimään jotakin tiettyä asiaa. Tässä tapauksessa paikkaa."

Kennedy vilkaisi kelloaan. "Jos ryhdyn saman tien hommiin, tiimi odottaa minua siinä vaiheessa, kun saan nämä kirjat kuljetettua takaisin Quanticoon."

"Eli jos olemme riittävän nopeita, meillä on lista huomisaamuun mennessä", Hunter sanoi.

"Sen jälkeen iskemme jokaiseen listan paikkaan samaan aikaan", Kennedy säesti.

"Tiedän, että tämä on kaukaa haettua", Hunter sanoi, "mutta Lucienin tapauksessa meidän on kokeiltava sitä mitä voimme, koska muutakaan mahdollisuutta ei ole." Hän käveli kirjahyllyille ja keräsi umpimähkään kahdeksan kirjaa.

"Mitä sinä teet?" Kennedy kysyi.

"Olen nopein pikalukija, minkä voit ikinä löytää."

Kennedy tiesi sen olevan totta.

"Käyn läpi nämä, ja sinä panet väkesi lukemaan loput. Saat oman listani parin tunnin päästä." Hunter lähti kohti uloskäyntiä.

"Minne olet menossa?"

"Sairaalaan. Lupasin Madeleinelle, että tulisin sinne."

Kennedy tiesi, ettei Hunter halunnut käydä muistikirjoja läpi vain laatiakseen listaa paikoista. Jos hän olisi voinut, hän olisi ottanut ne kaikki mukaansa.

"Robert", Kennedy huikkasi.

Hunter seisahtui.

"Jessican kuoleman löytäminen noista kirjoista ei lievitä tuskaasi. Tiedät sen. Päinvastoin, se vain ruokkii raivoa ja surua."

Hunter silmäili Kennedyä. "Kuten sanoin, Adrian, saat listani parin tunnin sisällä." Sen jälkeen hän poistui Paholaisen kellarista.

Sataseitsemän

Lääkärit olivat juuri saaneet Madeleine Reedin leikattua, kun Hunter pääsi sairaalalle. Hän sai kuulla, että Madeleine oli menettänyt runsaasti verta. Jos hän olisi päätynyt leikkaussaliin vain muutamaa minuuttia myöhemmin, mitään ei olisi ollut tehtävissä. Se, joka oli hillinnyt ulkoista verenvuotoa kiristyssiteellä, oli kuitenkin tehnyt kohtuullisen hyvää työtä. Ilman sitä Madeleine olisi menehtynyt verenhukkaan viisi minuuttia ennen kuin agentit saivat tuotua hänet ensiapuun.

Lääkärit kertoivat Hunterille myös sen, että leikkaus oli sujunut odotusten mukaisesti. Sisäinen verenvuoto oli saatu hallintaan ja pernan haava ommeltua kiinni ennen kuin elin oli ehtinyt sulkeutua, mutta Madeleinen voimat olivat kuitenkin olleet minimissä jo ennen leikkausta. Nyt he saattoivat vain odottaa ja toivoa, että Madeleinen heikko ruumis löytäisi jollain ilveellä voimia herätä ja hengittää omin avuin. Seuraavat pari tuntia olisivat äärimmäisen kriittisiä. Juuri sillä hetkellä koneet pitivät Madeleinen hengissä.

Hunter istui nurkkaan työnnetyssä nojatuolissa vain parin askelen päässä Madeleinen sairaalasängystä. Nainen makasi hiljaa ja liikkumatta ohuen peiton alla. Hänen suustaan, nenästään ja käsivarsistaan työntyi erikokoisia letkuja, jotka oli yhdistetty vuoteen kummallakin puolen seisoviin koneisiin. Peitosta huolimatta Hunter näki, että Madeleinen vatsanseutu oli paksuissa siteissä. Sängyn oikealla puolella sydänmonitori piippaili tasaisesti; tummalle näytölle piirtyi hypnoottinen käyrä. Kun viiva kohoili, toivoa oli yhä.

Ennen istuutumistaan Hunter oli tuijottanut Madeleinen kasvoja kauan aikaa. Nainen näytti rauhalliselta, eikä hän ensimmäistä kertaa ties kuinka pitkään aikaan vaikuttanut pelokkaalta.

Hänen vanhemmilleen oli ilmoitettu puolisen tuntia sitten, ja he olivat matkalla sairaalaan Missourista.

"Tiedän, että olet tarpeeksi vahva, Maddy", Hunter oli kuiskannut hänelle. "Ja tiedän, että pystyt tähän. Tällä kertaa Lucien ei voita. Älä anna hänen voittaa. Tiedän, että kävelet tästä sairaalasta omin jaloin."

Hunter oli pikalukenut Lucienin muistikirjoja koko yön. Kello oli 04.18, ja hän oli jo selannut kuusi kahdeksasta mukaan tuomastaan vihkosta. Tähän mennessä hänen listalleen oli päätynyt kolme eri kohdetta, joita Lucien oli käyttänyt kidutuskammioina. Kukin eri osavaltiossa.

Hän ei ollut törmännyt yhteenkään mainintaan Jessicasta ja siitä, mitä tuona kohtalokkaana yönä Los Angelesissa kaksikymmentä vuotta sitten oli tapahtunut. Jos totta puhuttiin, hän ei oikein tiennyt, oliko huojentunut vai vihoissaan. Hän ei ollut varma, miltä hänestä tuntuisi, jos hän todella löytäisi sivut, joilla tuon yön tapahtumia kuvailtiin.

Hunter silmäili sivuja vielä parikymmentä minuuttia, kunnes jokin pakotti hänet lopettamaan. Se ei johtunut siitä, mitä sivulla oli, vaan jostakin, minkä hän oli nähnyt pari sivua aiemmin. Hänen uupuneilta aivoiltaan oli kuitenkin kestänyt pari ylimääräistä sekuntia käsitellä näkemäänsä. Hän selasi nopeasti takaisin sivulle ja luki katkelman uudestaan.

Missä hän oli aiemmin kuullut tuon?

Hunterin aivot raksuttivat kiivaasti parin minuutin ajan.

Ja sitten hän lopultakin tajusi.

Satakahdeksan

Hunter poistui nopeasti Madeleinen huoneesta ja löysi vessan pitkän, tyhjän käytävän varrelta. Sisään päästyään hän kaivoi matkapuhelimensa esiin ja valitsi Kennedyn numeron. Hän tiesi, että Kennedy olisi yhä hereillä.

Kennedy vastasi puheluun toisella pirauksella. ”Oletko jo pikalukenut kaikki kahdeksan muistikirjaa?”

”Melkein”, Hunter vastasi. ”Vielä yksi jäljellä. Miten tiimillä sujuu?”

”Kukin jäsen on käynyt läpi neljä muistikirjaa”, Kennedy selitti. ”Mutta lukijoita on yhdeksän ja kullakin on viisi muistikirjaa. Tätä vauhtia listan pitäisi olla valmiina aamunkoittoon mennessä.”

”Se olisi hienoa”, Hunter sanoi. ”Mutta sinun täytyy pyytää heitä aloittamaan alusta. Heidän täytyy etsiä muutakin kuin paikkoja. Heidän täytyy luoda uusi lista.”

Hunter käytännössä kuuli Kennedyn kulmainkurtistuksen.

”Mitä? Mitä tarkoitat, Robert? Mitä muuta? Mikä uusi lista?”

Hunter selitti nopeasti.

”Miksi?”

Hunter selitti syyn, ja nyt hän miltei kuuli Kennedyn miettivän.

Pitkä tauko.

”No johan on helvetti”, Kennedy henkäisi. ”Luuletko...?”

”Hakuammuntaahan sekin on”, Hunter vastasi. ”Mutta me sovimme, että kokeilemme kaikkea.”

”Ilman muuta.” Uusi mietteliäs tauko. ”Jos olet oikeassa, Robert, *saatamme* saada tuloksen. Ongelmana on vain se, että tuo tulos voi tulla huomenna, ensi viikolla, ensi kuussa tai koska vain seuraavien kahden- tai kolmenkymmenen vuoden aikana. Emme voi mitenkään tietää."

"Olen valmis odottamaan, kunhan vain pääsen käsiksi Lucieniin."

"Hyvä on", Kennedy myöntyi. "Mutta tiimi on juuri saamassa valmiiksi paikkalistan, ja tiedät ettemme voi haaskata aikaa sen suhteen. Tehdään ensin se lista. Käsken lukijoita aloittamaan alusta sen jälkeen."

"Sopii. Saat minun paikkalistani tunnin kuluessa." Hunter lopetti puhelun ja palasi Madeleinen huoneeseen.

Hän sai selattua viimeisen muistikirjan kolmessakymmenessäyhdeksässä minuutissa – ei uusia paikkoja. Hänen listallaan oli kolme paikkaa. Hän lähetti sen tekstiviestitse Kennedylle, palasi ensimmäisen muistikirjan pariin ja aloitti alusta.

Kun Kennedy soitti Hunterille kello 11.22, Hunterin silmät olivat väsymyksestä ja lukemisesta mansikanpunaiset.

"Ajattelin, että haluaisit tietää", Kennedy sanoi. "Meillä on yhteensä viisitoista paikkaa viidessätoista eri osavaltiossa. FBI:n joukot ja SWAT-tiimit valmistautuvat puhuessamme. Meidän pitäisi pystyä koordinoimaan joukkotehoisku tunnin, puolentoista tunnin sisällä."

"Kuulostaa hyvältä", Hunter sanoi.

"Miten sen toisen listan kanssa sujuu?"

"Melkein valmista. Anna minulle vielä puoli tuntia. Miten omalla tiimilläsi menee?"

"Näännyksissä mutta työn touhussa. Pysyvät tolpillaan mustan kahvin avulla. Heitä nimitellään täällä 'pinkkisilmäpoppooksi'."

"No jaa, tiedän tunteen."

"Heidänkin pitäisi olla valmiina puolen tunnin päästä. Miten Madeleine pärjää?"

"Ei ole vieläkään hereillä."

"Kurja kuulla."

"Kyllä hän siitä tokenee", Hunter sanoi. "Hän on vahva nainen."

Kennedy ei voinut kuin ihailla Hunterin äänestä huokuvaa luottamusta.

”Kun saat uuden listan, tiedät mitä tehdä, eikö vain, Adrian?”

”Kyllä, ilman muuta.”

He lopettivat puhelun.

Madeleinen huoneeseen päästyään Hunterilla meni kaksikymmentäneljä minuuttia saattaa uusi lista päätökseen. Tällä kertaa siinä oli neljä merkintää. Hän lähetti uuden listan tekstiviestinä Kennedylle ja sai vastauksen viidessä sekunnissa: *Käynnistän toimenpiteet heti, kun saan kaikki merkinnät. Tehoisku piilopaikkoihin alkaa 53 minuutin kuluttua. Pidän sinut kartalla.*

Satayhdeksän

Hunter sai seuraavan tekstiviestin Kennedyltä täsmälleen viidenkymmenenkolmen minuutin kuluttua.

Tehoisku piilopaikkoihin käynnissä. Pidän sinut ajan tasalla. Toinen lista nyt valmis – jokainen toimenpide käynnistetty.

Hunter ei voinut kuin istua ja odottaa. Hän hieroi hetken niskaansa. Nääntymys oli pikkuhiljaa hivuttautunut hänen aivoihinsa, niveliinsä ja lihaksiinsa. Aina, kun hän liikahti, hän tunsi jänteiden kiristyvän koko kehossa. Tuntui kuin jokin napsahtaisi pian poikki. Hän sulki silmänsä hetkeksi, ja seuraavaksi hän havaitsi kännykän värähtelevän povitaskussa.

Hunter oli torkahtanut kahdeksaksikymmeneksineljäksi minuutiksi. Aika oli tuntunut enemmänkin kahdelta sekunnilta. Hän poistui nopeasti huoneesta ja vastasi Kennedyn soittoon.

”Vesiperä, Robert”, Kennedy sanoi. ”Lucien ei ollut yhdessäkään kohteessa.” Kennedy kuulosti lannistuneelta. Oli kuin kaikki toivo olisi kadonnut miehen äänestä. ”Hän ei näytä olleen yhdessäkään viikkoihin. Tehoiskujoukoilta saamieni valokuvien perusteella osa paikoista on oikeita kiduttajan paratiiseja, varsinaisia teurastamoja. Et ikinä usko, millaisia kidutusvälineitä sieltä löytyi.”

Hunter oli varma, että pystyisi uskomaan.

”Rikosteknisiltä tiimeiltämme menee viikkoja, kenties kuukausia, käydä läpi kaikki mitä näistä viidestätoista kohteesta on löytynyt, emmekä siltikään välttämättä saa minkäänlaista vihjettä Lucienin olinpaikasta. Sanoisin, että muistikirjat ovat paras mahdollisuutemme löytää mitään... mikäli mitään edes on löydettävissä. Mutta ne täytyy lukea läpikotaisin ja tutkia pienintä yksityiskohtaa myöten, ja siihen menee kauan aikaa." Kennedy huokaisi huomaamattaan kuin lyöty mies. Hän uskoi vakaasti, että siinä vaiheessa, kun he saisivat analysoitua kaiken, minkä Lucien oli jättänyt taakseen, tappaja olisi aikapäiviä sitten kadonnut, hävinnyt iäksi. Kuten Lucien itse oli sanonut, he eivät enää koskaan näkisi häntä.

Satakymmenen

Hunter seisahtui niille sijoilleen palatessaan Madeleinen huoneeseen. Hänen niskakarvansa pörhistyivät. Madeleine makasi yhä liikkumatta selällään, mutta hänen silmänsä olivat auki, tai ainakin puolittain auki; silmäluomet kamppailivat oman painonsa kanssa.

Hunter ryntäsi vuoteen viereen.

”Madeleine?”

Nainen räpytteli tokkuraisena silmiään.

Hunter kosketti lempeästi hänen kättään. ”Madeleine, muistatko minut?”

Madeleine räpytti jälleen silmiään ja tarkensi vihdoin Hunterin kasvoihin. Hän ei sanonut mitään, mutta hänen huulensa venyivät ohueen ja hyvin vilpittömään hymyyn.

Hunter vastasi hymyyn. ”Tiesin, että selättäisit tämän”, hän kuiskasi. ”Käyn hakemassa lääkärin. Palaan aivan pian.”

Madeleine puristi hänen kättään hyvin heikosti.

Hunter ryntäsi huoneesta ja palasi alle minuutissa mukanaan lyhyt ja pyylevä lääkäri, joka käveli siihen malliin, että oman ruumiinpainon kannattelu oli hänelle jokapäiväinen rangaistus. Kun lääkäri lähestyi Madeleinen sänkyä, Hunter tunsi matkapuhelimen värinän povitaskussaan. Hän pahoitteli asiaa ja poistui pikaisesti huoneesta.

”Robert”, Kennedy sanoi, kun Hunter vastasi puhelimeen, ”se toinen lista, se sinun keksimäsi ajatus?”

”Mitä siitä?”

”Et kyllä ikinä usko tätä.”

Satayksitoista

Seitsemän tunnin kuluttua.
John F. Kennedyn kansainvälinen lentokenttä, New York.

”Maistuisiko teille jokin juoma sillä aikaa, kun odotamme muiden matkustajien nousua koneeseen, herra Tailor-Cotton?” nuori lentoemäntä kysyi ja väläytti pirteän hymyn. Hän oli kietonut vaaleat hiuksensa täydelliselle nutturalle, ja huolellisesti levitetty meikki korosti täydellisesti hänen kasvonpiirteitään. ”Kenties samppanjaa, vai ehkä cocktail?” lentoemo ehdotti.

Samppanja ja cocktailit olivat yksi ensimmäisen luokan monista eduista.

Matkustaja irrotti katseensa ikkunasta ja kääntyi katsomaan sievää lentoemäntää. Puseron nimikyltissä luki KATE. Hän vastasi lentoemännän hymyyn.

”Samppanja maistuisi oikein hyvin.” Hänen pehmeässä äänessään oli lievä kanadalainen korostus. Tummanvihreiden silmien katse oli kiihkeä mutta tietäväinen.

Hymy ei hiipunut lentoemännän huulilta. Herra Tailor-Cotton oli hänen mielestään salaperäisen charmikas, ja hän piti siitä.

”Erinomainen valinta”, hän vastasi. ”Tuon teille oikopäätä lasillisen.”

”Suo anteeksi, Kate”, mies huikkasi Katen käännyttyä. ”Miten kauan aikaa lähtöön on?”

”Meillä on tänään täysi lento”, Kate vastasi. ”Ja aloimme vasta ottaa muita matkustajia koneeseen. Ellei kukaan ole myöhässä, meidän pitäisi päästä rullaamaan kiitoradalle noin 20–30 minuutin kuluessa."

"Ah, loistavaa. Kiitoksia."

"Mutta jos voin jotenkin tehdä tästä lyhyestä odotusajasta teille miellyttävämmän, älkää epäröikö pyytää." Lentoemännän hymyssä oli flirttailevaa kipinää.

Herra Tailor-Cotton nyökkäsi ja väläytti hänkin flirttailevan hymyn. "Pidän sen mielessä."

Hän seurasi Katea katseellaan tämän lähtiessä kulkemaan käytävällä. Kun nainen katosi matkustamon osia erottavan verhon taakse, hänen huomionsa siirtyi takaisin ikkunaan. Hän ei ollut koskaan ennen käynyt Brasiliassa, mutta hän oli kuullut maasta paljon myönteistä ja todella odotti saavansa viettää siellä aikaa. Se olisi mukavaa vaihtelua.

"Olen kuullut, että Brasialian hiekkarannat ovat henkeäsalpaavan kauniita", aivan herra Tailor-Cottonin takana istuva matkustaja sanoi ja nojautui eteenpäin. "En ole koskaan ennen käynyt siellä, mutta olen kuullut, että ne ovat kuin paratiisi maan päällä."

Herra Tailor-Cottonin sydän miltei jähmettyi sadasosasekunniksi, ja sitten hän hymyili omalle kuvajaiselleen, joka tuijotti häntä lentokoneen ikkunasta. Hän olisi tunnistanut tuon äänen missä hyvänsä.

Takana istuva matkustaja nousi seisomaan, siirtyi herra Tailor-Cottonin kohdalle ja nojautui rennosti käytävän toisella puolella olevan istuimen käsinojaan.

"Hei, Robert", herra Tailor-Cotton sanoi ja kääntyi katsomaan Hunteria.

"Hei, Lucien", Hunter vastasi tyynesti.

"Näytät kaamealta", Lucien kommentoi.

"Tiedän", Hunter myönsi. "Sinä puolestasi olet tehnyt mainiota työtä ulkomuotosi suhteen. Eri hiustenväri, piilolinssit, parta on poissa, jopa arpi on kadonnut. Kaikki tämä vain muutaman tunnin sisällä."

Lucien näytti siltä kuin olisi vastaanottanut kehun.

”Meikillä ja pienellä proteesilla voi tehdä ihmeitä, jos osaa asiansa.”

”Ja kanadalainen korostuskin on täydellinen”, Hunter myönsi. ”Nova Scotia, vai mitä?”

Lucien hymyili. ”Sinulla on edelleen erinomaisen tarkka korva, Robert. Aivan oikein. Halifax. Olen aikojen saatossa kerännyt varsinaisen kokoelman korostuksia. Haluatko kuulla muutamia?”

Viimeinen lause tarjoiltiin täydellisellä Keskilännen korostuksella – Minnesotaa, jos tarkkoja oltiin.

”En juuri tällä hetkellä”, Hunter vastasi.

Lucien katsoi välinpitämättömänä kynsiään. ”Mitenkäs Madeleine?”

”Hän on hengissä. Hän toipuu täydellisesti.”

Lucien katsoi Hunteria. ”Tarkoittanet fyysistä puolta. Henkisesti hän on todennäköisesti romuna koko loppuikänsä.”

Hunter tuijotti Lucienia entistäkin ankarammin. Hän tiesi, että Lucien oli jälleen oikeassa. Trauma seuraisi Madeleinea hänen loppuelämänsä ajan. Sen todelliset seuraukset näkyisivät vasta monen vuoden päästä. Pitkäkestoisista psykologista vaikutuksistakaan ei ollut vielä tietoa.

Miesten välille lankesi pitkä, hiljainen tauko.

”Miten löysit minut?” Lucien kysyi lopulta.

”Muistikirjasi”, Hunter selitti. ”Elinikäinen projektisi. ’Lahjasi’ meille, kuten asian ilmaisit. Tai paremminkin tietokirjasi.”

Lucien katsoi Hunteria uteliaana.

”Kyllä”, Hunter sanoi. ”Muistan yhä sen päivän Stanfordissa, kun kerroit minulle ideastasi.”

Lucien hymyili. ”Se oli sinun mielestäsi sairas ajatus.”

Hunter nyökkäsi. ”Olen edelleen samaa mieltä.”

”No, siitä sairaasta ajatuksesta tuli todellisuutta, Robert. Ja noiden kirjojen sisältämä tieto muuttaa ikuisiksi ajoiksi tavan, jolla FBI, NCAVC, BAU sekä joka ikinen lainvalvontaviranomainen tässä maassa, kenties koko maailmassa, näkevät väkivaltaiset ja sadistiset rikoksenuusijat. Se saa teidät ymmärtämään asioita, joita kukaan ei tähän mennessä ole ymmärtänyt ja joista maailma muutoin ei saisi tietää mitään. Intiimejä asioita ja ajatuksia, joita ei ole koskaan ennen selitetty. Asioita, jotka eksponentiaalisesti parantavat mahdollisuuksianne napata nuo rikoksentekijät. Se on minun lahjani sinulle ja tälle sairaalle maailmalle. Työtäni ja näitä muistikirjoja tutkitaan ja niihin viitataan sukupolvien ajan." Hän kohautti harteitaan. "Eli mitä siitä, vaikka riistinkin muutaman hengen tutkimuksen nimessä? Tiedolla on hintansa, Robert. Jollakin tiedolla korkeampi kuin muilla."

Hunter nyökkäsi, ja hänen kulmakarvansa kohosivat kaariksi. "Sinulla on kaikki tuo tieto psykologiasta ja rikollisesta käyttäytymisestä, etkä siltikään onnistunut huomaamaan omaa psykoosiasi. Et sinä mikään tutkija ole, Lucien, vielä vähemmän tiedemies. Olet tuiki tavallinen, keskinkertainen tappaja, joka oikeuttaakseen tekonsa ja ruokkiakseen sisäistä sosiopaattiaan huijasi itsensä uskomaan, että teki kaiken jonkin jalon syyn vuoksi. Aika säälittävää oikeastaan, koska et edes ole erityisen omaperäinen. Sama on tehty niin moneen kertaan ennenkin."

"Mitään, mitä minä olen tehnyt, ei ole tehty aiemmin, Robert", Lucien sinkautti.

Hunter kohautti välinpitämättömästi harteitaan. "En ole terapeuttisi, Lucien. En tullut tänne auttamaan eikä tämä ole terapiaistunto, joten voit huijata itseäsi kaikessa rauhassa niin paljon kuin ikinä tahdot. Ketään ei kiinnosta, mutta hyvä homma on se, että kirjasit ystävällisesti vihkoihisi aivan kaiken kokeisiisi liittyen – paikat, käytetyt metodit, uhrien nimet ja paljon muuta. Lukaisin yön aikana muutamia."

"Onnistuitko lukemaan viisikymmentäkolme kirjaa yhdessä yössä?"

"En, mutta onnistuin selaamaan kahdeksan. Ja silloin minua onnisti mutta sinua ei."

Lucienin katseessa häivähti kiinnostus.

"Kun selailin yhtä muistikirjoistasi, törmäsin erään uhrisi nimeen, jonka tiesin kuulleeni joskus aiemmin – Liam Shaw."

Lucienin silmiin kohosi kylmä ilme.

"Kesti hetken muistaa, mistä oli kyse", Hunter sanoi, "mutta lopulta minä muistin. Sitähän nimeä sinä käytit, kun sinut pidätettiin Wyomingissa."

Lucien pysytteli hiljaa.

"Kuvailit myös uhrejasi hyvin perusteellisesti", Hunter jatkoi. "Ja silloin tajusin, että Liam Shaw muistutti sinua fyysisesti monessakin suhteessa – sama pituus, sama ruumiinrakenne, samankaltainen iho, sama kasvojen muoto, mukaan lukien silmien, nenän ja suun muoto. Olitte myös samanikäisiä."

Lucien oli edelleen hiljaa.

"Sitten muistin jotain, mitä olit myös sanonut kuulustelujemme aikana. Sanoit Courtneylle, että FBI ei voinut ottaa kunniaa pidättämisestäsi. He eivät tutkineet yhtäkään tekemääsi murhaa tai yhtäkään käyttämääsi *peitenimeä*."

Lucien liikahti istuimellaan.

"No, se sai minut miettimään, joten kävin läpi kaikki muut muistikirjoissa kuvailemasi *miesuhrit*. Heitä ei ollut kovinkaan monta, mutta he kaikki muistuttivat sinua ruumiillisesti."

Lucien raapi leukaansa.

Hunter työnsi kädet housuntaskuihinsa. "Ja siksi sinä valitsit heidät. Et siksi, että halusit heidät kidutusta ja kuolemaa käsittelevään tietokirjaasi, vaan koska keräsit identiteettejä, jotka voisit lyhyellä varoitusajalla ottaa käyttöösi."

Lucien kääntyi katsomaan ikkunaa ja sen ulkopuolista pimeyttä.

"Osa miesuhreistasi oli prostituoituja", Hunter jatkoi. "Toiset olivat kodittomia, mutta heillä kaikilla oli jotain yhteistä – he olivat syrjäytyneitä erakkoja. Väärinymmärrettyjä ihmisiä, jotka perhe ja ystävät olivat jättäneet selviytymään omin voimin. Ihmisiä, jotka olivat hylänneet entisen elämänsä aloittaakseen alusta uudessa kaupungissa. Ihmisiä, joilla ei ollut siteitä kehenkään. Heitä ei koskaan ilmoitettaisi kadonneiksi. He olivat unohdettuja. Kukaan ei koskaan kaipaisi heitä."

"Sellaiset ovatkin parhaita uhreja." Lucien kuulosti edelleen välinpitämättömältä.

"Koska he muistuttivat sinua ruumiillisesti, heidän paikkaansa ei ollut vaikea ottaa – vähän meikkiä, hiusväriä, ehkä piilolinssit, uusi korostus, ja: 'Hyvästi. Lucien Folter, tervehdys, uusi identiteetti.' Tässä tapauksessa Anthony Tailor-Cotton Kanadan Halifaxista."

Lucien äkkäsi vihdoin mistä oli kyse. "Sinä ja FBI siis vietitte yön selaillen kirjojani ja etsien mahdollisten miesuhrieni nimiä."

Hunter nyökkäsi. "Jokaisesta löytämästämme nimestä tehtiin kansallinen etsintäkuulutus. Pakko kuitenkin myöntää, että en laskenut paljonkaan sen varaan. Saatoimme vain toivoa, että jos meitä oikein kovasti lykästäisi, jokin nimistä putkahtaisi parin vuoden päästä esiin luottokorttitapahtumassa jossain päin maata. Saisimme pienen vinkin siitä, missä saattaisit olla. No, voit kuvitella yllätyksemme, kun saimmekin parin tunnin päästä tietää, että Anthony Tailor-Cotton, jolla oli Kanadan passi, aivan kuten eräällä kirjoissasi kuvailemalla uhrilla, oli ostanut lentolipun Brasiliaan täksi illaksi."

"Olisi pitänyt valita aiempi lento", Lucien huomautti.

Hunter huomasi oitis Lucienin logiikan. Hänellä oli ollut kaksi vaihtoehtoa. Toinen oli pysytellä Yhdysvalloissa ja pitää jonkin aikaa matalaa profiilia... pitkän aikaa, ja siinä tapauksessa hänen olisi todennäköisesti ollut pakko elää peite-elämää. Hänen nimensä olisi päätynyt FBI:n kymmenen etsityimmän joukkoon, ja hänen kuvansa olisi jaettu maan jokaiselle poliisilaitokselle ja seriffinvirastolle. Lucien Folter ei enää olisi ollut sama tuntematon aavetappaja kuin ennen.

Vaihtoehto kaksi oli kadota nopeasti, mieluiten jonnekin Yhdysvaltain ulkopuolelle. Hunter tiesi, ettei Lucien aliarvioinut FBI:tä. Lucien tiesi, että hänen tietokirjaansa syynättäisiin viimeistä yksityiskohtaa myöten, sillä juuri sitä hän halusi. Hän laski sen varaan, että FBI yhdistäisi erään hänen uhrinsa nimen siihen nimeen, jota hän oli käyttänyt pidätyshetkellään, ja että FBI sen jälkeen yhdistäisi kaikki miesuhrit Lucieniin. Mutta jos hän katoaisi nopeasti jonnekin Yhdysvaltain ulkopuolelle, kukaan ei pääsisi häneen enää käsiksi siinä vaiheessa, kun FBI huomaisi yhteyden. Hän ei ollut vain tullut ajatelleeksi, että FBI saisi yhdistettyä kaikki pisteet muutamassa tunnissa.

"Ehkä olisikin", Hunter sanoi. "Kuten sanoin, tällä kertaa tuuria oli minulla eikä sinulla, koska nimi 'Liam Shaw' sattui esiintymään yhdessä niistä kahdeksasta kirjasta, jotka minulla oli mukanani. Ellen olisi törmännyt nimeen, FBI:llä olisi kestänyt todennäköisesti parikin kuukautta yhdistää pisteet, ja siinä vaiheessa olisit jo ollut aikapäiviä muilla mailla."

Hunter irrotti vihdoin katseensa Lucienista ja siirsi sen edessä olevaan väliverhoon. Yhtäkkiä verho vedettiin sivuun, ja johtaja Adrian Kennedy lähti neljän FBI-agentin kanssa kävelemään kohti Hunteria. Käytävän toiseen päähän oli ilmestynyt neljä aseistettua New Yorkin poliisilaitoksen SWAT-ryhmän jäsentä, jotka myös olivat tulossa heitä kohti.

Ensimmäistä kertaa Lucien osoitti aitoa hämmästystä.

"Aiotko ojentaa minut FBI:lle?"

Hunter ei sanonut mitään.

"Tämä on suuri pettymys, Robert. Luulin, että olet sanojesi mittainen mies. Luulin, ettet ollut luvannut pelkästään itsellesi vaan myös *murhatun* morsiamesi muistolle, että etsisit käsiisi henkilön, joka oli riistänyt Jessican sinulta niin väkivaltaisesti, ja tappaisit hänet omakätisesti. Sitähän sinä olet kaksikymmentä vuotta hakenut, eikö vain? Sitä, että saisit kostaa Jessican kuoleman. No, tässä minä olen, ystävä hyvä. Riittää, kun ammut luodin päähäni. Kahdenkymmenen vuoden etsintäsi on ohi. Voit olla ylpeä itsestäsi." Lucien silmäili nopeasti lentokoneen käytäviä. "Ei kun menoksi. Tässä minä olen, helppo saalis. Lupaan, etten reagoi mitenkään. Lastenleikkiä."

Hunter vaihtoi painoa jalallaan.

Kennedy ja agentit lähestyivät.

"Luulin, että enemmän kuin mitään muuta, Jessica ansaitsi oikeutta. Väitätkö, että rikot tuon lupauksen, Robert? Aiotko pettää ainoan koskaan rakastamasi henkilön muiston? Naisen, jonka halusit vaimoksesi? Naisen, joka kantoi lastasi?"

Hunter jähmettyi.

Lucien näki tuskan Hunterin kasvoilla. Hän heitti vettä myllyyn. "Kyllä, tiesin hänen olevan raskaana. Hän kertoi sen anellessaan, etten tappaisi häntä, mutta tapoin siltikin. Entä tiesitkö, että sinun nimesi oli viimeinen sana, joka hänen huuliltaan kirposi, ennen kuin viilsin hänen kurkkunsa auki? Ennen kuin murhasin hänet ja sinun lapsesi?"

Hunterin veri kiehahti, ja hän näki punaista. Hänen ajatuksensa olivat tyystin sekaisin. Hänen tekojaan ei enää ohjannut järki ja logiikka, vaan puhdas raivo. Musertava viha sai hänen kätensä tärisemään, kun hän kurotti kohti asekoteloaan.

Kennedy näki ilmeen Hunterin silmissä, mutta hän oli yhä useamman askelen päässä.

"ROBERT, ÄLÄ TEE SITÄ!" hän huusi käytävältä.

Myöhäistä.

Satakaksitoista

Hunter oli toiminut niin nopeasti, että hänen kätensä oli sadasosasekunnin aikana siirtynyt asekotelolle ja sen jälkeen takaisin Lucienin suuntaan.

Lucien kavahti, ja Hunter näki hänen kehonsa jäykistyvän, mutta ei kauhusta – vaan odotuksesta – tyydytyksestä, siitä että hän oli saanut haluamansa. Tuo tyydytys oli ennenaikainen.

Hunter pudotti käsiraudat Lucienin syliin.

Lucien katsoi häntä hämmentyneenä. Hunterilla ei ollutkaan asetta.

”Olet oikeassa”, Hunter sanoi. ”Jessica ansaitsee oikeutta. Hänen vanhempansa ansaitsevat oikeutta. Syntymätön lapseni ansaitsee oikeutta. Ja minä ansaitsen oikeutta sen tähden, mitä sinä olet tehnyt. Mikään ei miellyttäisi minua niin paljon kuin se, että ampuisin sinua päähän tässä ja nyt. Me emme kuitenkaan ole ainoita, jotka ansaitsevat oikeutta tekojesi tähden, Lucien. Joka ainoan vuosien varrella kiduttamasi ja tappamasi uhrin vanhemmat, perheet ja ystävät ansaitsevat oikeutta. Heillä on oikeus saada tietää, mitä todella tapahtui niille ihmisille, joiden useimmat heistä yhä uskovat ja toivovat olevan vain kateissa. Heillä on oikeus saada tietää, missä heidän rakkaimpiensa jäänteet lepäävät. Heillä on oikeus haudata heidän ruumiinsa omien uskomustensa mukaisesti. Ja kaikkein eniten heillä on oikeus saada tietää, että hirviö, joka nuo rakkaimmat tappoi, ei enää koskaan tapa uudestaan.”

Hunter katsoi Kennedyä, joka oli nyt vain parin askelen päässä, ja sitten jälleen Lucienia.

"Joten siitä syystä minä petän lupauksen, jonka annoin itselleni ja Jessicalle. Ja tällä kertaa kuulusteluja ja juttuhetkiä ei enää tule. Sinulla ei enää ole neuvotteluvaltteja, sillä meillä on kirjasi, ja kaikki tarvitsemamme löytyy niiden sivuilta, mukaan lukien joka ainoan uhrisi jäänteiden sijainti. Tässä kohdin kaikki todella loppuu sinun osaltasi."

Hunter nyökkäsi SWAT-agenteille vasemmalla puolellaan. "Voitte viedä hänet nyt."

Satakolmetoista

Unettomuudesta ja mielessään kieppuvista ajatuksista huolimatta Hunter oli niin näännyksissä, että onnistui vihdoin nukkumaan keskeytyksettä kokonaiset neljä tuntia.

Hän oli Lucienin pidätyksen jälkeen lentänyt takaisin Quanticoon. Kuten Kennedy oli aiemmin asian ilmaissut, hän oli virallisesti "lainassa" FBI:lle, minkä vuoksi hänen oli täytettävä viimeinen raporttinsa. Sen hän oli tehnyt myöhään viime yönä.

Hunter oli herännyt ennen sarastusta. Kennedy oli järjestänyt FBI:n suihkukoneen kuljettamaan hänet takaisin Los Angelesiin varhain aamulla, eikä Hunter malttanut odottaa, että pääsisi pois Quanticosta. Kaikki tuntui edelleen surrealistiselta. Vain pari päivää sitten hänen oli ollut määrä nousta Havaijin-koneeseen – hän ei edes muistanut, koska oli viimeksi ollut lomalla. Sen sijaan hänet kiidätettiin Quanticoon FBI:n käyttäytymistieteelliseen yksikköön ja suorinta tietä keskelle tapahtumia, joita saattoi vain ja ainoastaan kuvailla helvetilliseksi painajaiseksi. Niin paljon oli paljastunut niin lyhyessä ajassa, että hänestä tuntui, ettei hänen päänsä lakkaisi koskaan kieppumasta.

Hunter oli valmiina lähtöön. Harvat tavarat oli jo pakattu reppuun, eikä hänellä ollut muuta tekemistä kuin odotella kuskia, joka tulisi pian noutamaan hänet. Hän käveli itäseinän ikkunalle ja asetti kahvikuppinsa ikkunalaudalle. Ulkona oli yhä pimeää, mutta useampi FBI:n alokas oli jo aloittanut armottoman treeni- ja juoksurutiininsa.

Hunter katseli tähtien täyttämää taivasta kaivaessaan esille lompakkonsa. Hän otti sieltä kaksikymmentä vuotta vanhan valokuvan. Värit olivat jo haalistuneet, mutta muutoin kuva oli yhä melko hyvässä kunnossa.

Hunter oli ottanut kuvan itse, seuraavana päivänä, kun hän ja Jessica olivat kihlautuneet. Jessica seisoi Santa Monican laiturilla ja hymyili kameraan. Hänen silmissään kimmelsi ylitsevuotava onni. Hunter tuijotti kuvaa, ja hänen sydämensä täyttyi vanhoista ja upouusista tunteista. Hänen kurkkuaan alkoi kuristaa, mutta sitten hän muisti sanat, jotka johtaja Kennedy oli hänelle aamun varhaisina tunteina lausunut.

"Ennen kuin lähdet, Robert, haluan varmistaa, että ymmärrät erään asian. En aio teeskennellä, että tietäisin, koska en voi edes kuvitella, mitä mielessäsi juuri nyt pyörii. Mutta tämän minä voin sinulle sanoa: sinun *täytyy* olla ylpeä itsestäsi, sillä sinun ansiostasi me voimme tarjota lopullisen mielenrauhan vähintäänkin kahdeksallekymmenelle perheelle ympäri Yhdysvaltoja. Lucienin kaksikymmentäviisi vuotta kestänyt murhaputki on vihdoin päättynyt. Sinä päätit sen. Älä ikinä unohda sitä."

Hunter tiesi, ettei unohtaisi.

Kiitokset

On tunnettu fakta, että kirjailijan ammattia pidetään hyvin yksinäisenä ammattina. Minulle on kuitenkin selvinnyt, että vaikka romaani onkin yhden yksittäisen ihmisen luomus, lopputulos ei ole koskaan yksinomaan hänen itsensä saavuttama.

Haluan esittää vilpittömät kiitokseni Simon & Schuster UK:n uskomattomalle porukalle sekä kustannustoimittajalleni Jo Dickinsonille, jonka erinomainen palaute ja arvokkaat ehdotukset herättivät tämän trillerin tarinan sekä henkilöhahmot henkiin. Samoin kiitokset editorilleni Ian Allenille upeasta työstä ja yksityiskohtien huomioimisesta läpi käsikirjoituksen.

Sanat eivät riitä kuvailemaan, miten kiitollinen olen kiihkeimmästä ja ainutlaatuisimmasta agentista, mitä yksikään kirjailija voisi koskaan toivoa – Darley Anderson.

Olen ikuisessa kiitollisuudenvelassa myös Darley Anderson Literary Agencyn fantastiselle ja äärimmäisen työteliäälle porukalle.

Kiitos myös kaikille lukijoille ja teille muille, jotka olette niin huikealla tavalla tukeneet minua ja romaanejani alusta lähtien. Ilman teidän tukeanne en olisi kirjailija.